Danielle Duchaine

L'ENTREPRISE STRATÉGIQUE :

PENSER LA STRATÉGIE

YVAN ALLAIRE
MIHAELA E. FIRSIROTU

L'ENTREPRISE STRATÉGIQUE :

PENSER LA STRATÉGIE

gaëtan morin
éditeur

Données de catalogage avant publication (Canada)

Allaire, Yvan

L'entreprise stratégique : Penser la stratégie

Comprend des réf. bibliogr. et deux index.

ISBN 2-89105-474-1

1. Planification stratégique. 2. Économie d'entreprise. 3. Gestion du risque. I. Firsirotu, Mihaela E., 1946- . II. Titre.

HD30.28.A44 1999   658.4'012   C93-096367-9

Tableau de la couverture : *Suite pour cordes*
         Œuvre de **Marcelle Dubé**

Marcelle Dubé parle ainsi de sa démarche :

«Tout ce qui touche l'être humain m'intéresse au plus haut point. Le sens tragique de sa destinée, son angoisse, transparaissent à travers les œuvres multiples inspirées de la mythologie et des grands poètes de la tragédie grecque.

«La musique, parmi les plus belles créations du génie humain, est aussi pour moi une passion et une source inépuisable d'inspiration. Et là encore, le geste, le rythme, la composition, les couleurs, les contrastes, le mouvement s'unissent pour traduire l'intensité dramatique, pour faire partager les sentiments et rendre les émotions que m'ont inspirés ces divers éléments.»

Les œuvres de Marcelle Dubé sont exposées chez Dimension Plus à Montréal.

Montréal, Gaëtan Morin Éditeur ltée
171, boul. de Mortagne, Boucherville (Québec), Canada   J4B 6G4. Tél. : (450) 449-2369
Paris, Gaëtan Morin Éditeur, Europe
105, rue Jules-Guesde, 92300 Levallois-Perret, France. Tél. : 01.41.40.49.20

Révision linguistique : Texpertise

Imprimé au Canada 3 4 5 6 7 8 9 0 1 2   08 07 06 05 04 03 02 01 00 99

Dépôt légal 4e trimestre 1993 – Bibliothèque nationale du Québec – Bibliothèque nationale du Canada

Avant-propos

Cet ouvrage s'adresse aux dirigeants d'entreprises et à ceux qui veulent le devenir. Aux dirigeants d'entreprises complexes, qu'elles soient grandes ou petites, ce volume, nous l'espérons, offrira matière à réflexion à propos de leurs problèmes et de leurs enjeux stratégiques. Aux dirigeants de petites entreprises en voie de devenir grandes, ce livre peut donner un aperçu des défis qui les attendent et offrir certaines prescriptions et suggestions pour relever avec succès ces défis incontournables.

L'ouvrage est animé d'une recherche constante d'**intégration** des connaissances utiles au stratège des années quatre-vingt-dix. Il vise ceux et celles qui sont prêts à investir une bonne somme d'énergie mentale pour s'approprier un modèle conceptuel éprouvé pour la réflexion et l'action stratégiques, ceux et celles qui sont insatisfaits[1] de ces ouvrages simplistes, unidimensionnels, vite périmés, qui foisonnent depuis quelques années dans le domaine de la gestion et de la stratégie d'entreprises.

Il est présumé dans cet ouvrage que la fonction de gestionnaire et de dirigeant est une activité professionnelle comportant de hautes exigences intellectuelles et nécessitant un esprit tourné vers l'action. Le dirigeant d'entreprise, dans notre conception de son rôle, pourrait prendre à son compte cette épigramme de Bergson : « Il faut penser en homme d'action et agir en homme de pensée » (l'usage du masculin est entièrement la responsabilité de l'auteur !).

Nous adressant au lecteur, nous sommes tentés de faire nôtre l'avertissement que Jean-Jacques Rousseau inscrit au préambule du *Contrat social* : « J'avertis le lecteur que ce chapitre doit être lu posément, et que je ne sais pas l'art d'être clair pour qui ne veut pas être attentif. » (Livre 3, chapitre 1)

---

1. Ou même insultés par le « pablum » conceptuel que l'on sert avec condescendance au public lecteur de livres en gestion. Peut-on songer à un livre intitulé *The one-minute manager* dans d'autres domaines professionnels *The one-minute surgeon* peut-être ou *The one-minute criminal lawyer*...

Cet ouvrage porte le sous-titre « Penser la stratégie ». L'accent particulier donné à ce volume est clair et sert des fins pratiques de présentation des concepts. Il ne faut pas y voir, de notre part, une distinction, une séparation conceptuelle ou opérationnelle, entre la pensée et l'action stratégiques ; car ces deux phénomènes sont dans la vie de l'entreprise, évidemment et pratiquement, indissociables.

Tout de même, le sous-titre « Penser la stratégie » indique notre intention de proposer dans ce volume des concepts et des outils pour stimuler et enrichir la pensée stratégique des dirigeants d'entreprises actuels ou futurs.

Caractère de la pensée stratégique

Bien que peu d'études vraiment utiles ne soient disponibles sur ce sujet, l'observation directe et attentive d'excellents dirigeants en action nous amène à conclure à une certaine forme de pensée, à une régularité et à une similitude dans leur démarche intellectuelle. Selon nos observations, la pensée stratégique serait :

- **innovatrice** : fondée sur l'analyse et l'expérience, la pensée stratégique n'est pas emprisonnée par celles-ci. Elle s'alimente à de multiples sources d'information et elle recherche les liens et les relations, inaperçus jusque-là, entre des idées disparates et des concepts étrangers (c'est là d'ailleurs la définition qu'Arthur Koestler donne de la créativité). Comme dans d'autres domaines de création, il est vrai que l'idée nouvelle, le concept innovateur parfois flotte dans l'air du temps, mais cela n'enlève pas le mérite à qui l'a flairé le premier. La pensée stratégique peut, elle veut même, être dérangeante par la volonté qui l'anime de ne pas accepter que ce qui fut sera, et que ce qui n'a pas été ne pourra être.

- **systémique** : la pensée stratégique s'attache aux relations fondamentales entre les phénomènes ; elle se méfie des explications unidimensionnelles et des schémas de causalité trop simples. Elle procède d'une compréhension « holistique » de l'entreprise et de l'organisation ; l'intensité de l'expérience et la passion pour son objet qui l'alimentent donnent à la pensée stratégique un caractère configural et elliptique qui prend souvent une allure de « flair » et d'« intuition ».

- **pratique** : la pensée stratégique n'est pas faite de sauts périlleux dans les conjectures ; ouverte et libre de préjugés et de conventions, elle se distingue de la futurologie échevelée par un ancrage dans le possible et par le dur « test de réalité » qu'elle s'impose. Elle sait reconnaître et tenir compte de l'héritage du passé et du rythme de changement propre aux institutions et aux individus. Le stratège ne doit rêver que d'un œil et s'assurer que ses plans, pour paraphraser un beau mot de Napoléon, soient faits des rêves du personnel qui devra les exécuter.

Cet ouvrage est le fruit de dix années de recherche, d'enseignement et de conseils stratégiques. Toutes ses parties ont été soumises au test impitoyable de nos étudiants de doctorat et du MBA ; mais, plus encore, le développement et la facture même de l'ouvrage furent profondément influencés par notre pratique stratégique auprès de dirigeants de grandes entreprises canadiennes.

Les concepts qui y sont développés sont le fruit d'une étude fouillée des multiples disciplines qui alimentent le domaine de la stratégie. Pour ne pas alourdir davantage la lecture de l'ouvrage, nous avons choisi d'être très économe sur les citations et les références bibliographiques. Le lecteur trouvera cependant à la fin de ce livre une longue bibliographie des ouvrages et des articles sur lesquels se fondent notre propos et les concepts proposés dans ce livre.

On a écrit (Laslett, 1988) que John Locke n'aurait jamais produit ses fameux traités sur le gouvernement s'il n'avait été le conseiller et le confident du comte de Shaftesbury, lord Chancelier d'Angleterre de 1672 à 1680 ; son propos tentait de répondre à des demandes précises du chancelier et il fut influencé par leurs longues discussions sur les formes de gouvernement qui conviennent à une société moderne. Il en va de même *a fortiori* pour les ouvrages en gestion et stratégie qui se veulent utiles aux praticiens et aux stratèges.

S'il est une personne qui fut pour nous l'aiguillon de nos travaux et de notre réflexion par ses questions difficiles et insistantes et par les problèmes stratégiques concrets mais de large portée qu'il nous soumit, ce fut sans aucun doute M. Laurent Beaudoin, chef de la direction de Bombardier inc. Au cours de la période allant de 1985 à 1992 alors qu'il mettait en place les stratégies, les systèmes et les structures pour faire de Bombardier une grande entreprise **diversifiée** et

multinationale, nous avons eu le privilège de discuter à chaud des enjeux que suscite la création d'une multinationale.

À tous, aux étudiants, aux chefs d'entreprises et cadres supérieurs nous formulons le vœu que cet ouvrage leur semble rendre justice à la qualité de nos échanges et de nos discussions sur les sujets qui sont traités ici.

Il nous faut également manifester notre vive appréciation à George Buzéa pour son précieux support logistique, à Dany Laflamme pour l'excellente qualité technique des figures qui sont contenues dans cet ouvrage, et à Mireille Cyr et son équipe pour un superbe travail de mise en forme de textes à peine déchiffrables.

Enfin, nous remercions l'équipe de Gaëtan Morin Éditeur, tout particulièrement Lucie Robidas, Céline Laprise et Diane Legros, qui nous a fourni un excellent support technique et fait preuve d'une bonne dose de tolérance pour nos exigences et nos délais.

Yvan Allaire et Mihaela E. Firsirotu
Juillet 1993, Stowe, Vermont

Table des matières

CHAPITRE 3
La dynamique des coûts : les impératifs économiques et technologiques de la firme 105

CHAPITRE 4
La dynamique des marchés et de la concurrence........................ 159

CHAPITRE 5
**La dynamique stratégique : le système stratégique et
les stratégies de marché** **249**

CHAPITRE 7
La gestion du risque et de l'incertitude :
les modes technocratique, politique et structurel 427

CONSIDÉRATIONS GÉNÉRALES SUR LA STRATÉGIE ET LA STRUCTURE D'ENSEMBLE DE L'OUVRAGE

PLAN DE CHAPITRE

1.1 INTRODUCTION

La stratégie hante les lieux où se prennent les décisions qui déterminent le cours des sociétés et des organisations. Elle est immanente à ces moments où l'Histoire vacille, se construit et se modifie. Par sa nature même, accidentelle, improvisée et ambiguë, la stratégie trouve la plupart du temps sa cohérence et sa raison d'être dans la mémoire défaillante des participants et dans les récits trop linéaires des chroniqueurs.

Amalgame d'intuition et de calcul, fruit du hasard et de la volonté, la stratégie se manifeste dans la prestation du jugement affiné par l'expérience. Elle traduit pour un fugace moment l'équilibre délicat entre les déterminismes qui pèsent sur l'action humaine et la marge de volontarisme que leurs ressources et leurs compétences confèrent aux individus et aux institutions. Ce caractère très particulier de la stratégie la rend résistante aux schémas simplistes, à sa transformation en une discipline dont on pourrait aisément tirer des enseignements normatifs et des règles générales.

Pourtant, à travers les âges, des auteurs audacieux et clairvoyants ont proposé des principes de stratégie politique et militaire dont l'influence fut considérable. Clausewitz, pressentant la formation d'États-nations et les problèmes stratégiques afférents, proposa une nouvelle conception de la stratégie militaire. En outre, dans le carrosse qui avait emporté Napoléon vers l'exil, ne prétend-on pas avoir trouvé, oublié là par l'empereur déchu, l'ouvrage le plus influent sur la stratégie politique, *Le Prince* de Machiavel...

L'étude de la stratégie d'entreprise, longtemps dissimulée sous les vocables de « Politique d'entreprise » ou de « Direction générale », prit d'abord l'allure de chroniques historiques d'entreprises et de biographies de dirigeants. Évitant toute inférence normative trop spécifique, ces « cas », relatant les expériences, réussites et échecs de multiples entreprises et dirigeants, devaient favoriser chez l'étudiant l'éclosion et le développement de cette faculté naturelle de créer et de gouverner des entreprises.

Puis, aux enseignements de l'expérience se sont ajoutés des éléments conceptuels éclectiques puisés dans les sciences économiques et politiques, dans la psychologie et la sociologie des organisations, dans la prospective technologique et socio-politique. Avec le temps se constitua un modeste corpus de règles empiriques éprouvées, de concepts pratiques et de tentatives de généralisations.

Cependant, depuis une dizaine d'années, l'étude de la stratégie s'est transformée sous l'effet de la croissance quasi exponentielle des ouvrages, études et monographies à saveur stratégique en provenance de toutes les disciplines du management ou de celles qui sous-tendent le management. La bibliographie en annexe offre un témoignage éloquent de cette profusion conceptuelle.

Notre propos dans ce chapitre d'introduction consistera à jeter les bases d'un cadre de réflexion qui rassemble les connaissances, réconcilie les divergences et transcende les fragmentations du savoir.

1.2   LA FINALITÉ ÉCONOMIQUE DE L'ENTREPRISE

Un pilier essentiel de notre cadre de réflexion stratégique, souvent étrangement absent des textes de stratégie, est constitué d'un modèle

Figure 1.1   Performance boursière du titre Bombardier (1987-1992)

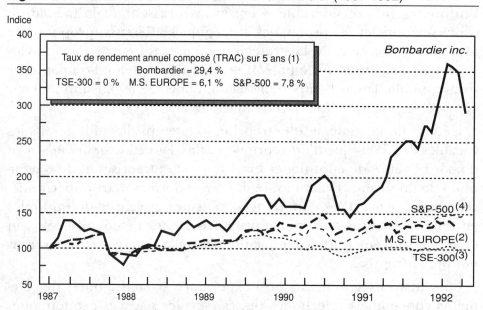

(1) Taux (sans dividendes) pour la période se terminant le 01/92.
(2) M.S. EUROPE : Morgan Stanley International Index (Europe).
(3) TSE-300 : Toronto Stock Exchange; indice boursier de 300 titres canadiens.
(4) S&P-500 : Standard & Poor's; indice boursier de 500 titres américains.

Figure 1.2   Performance boursière d'une sélection de titres européens en comparaison avec un indice boursier européen (1987-1992)

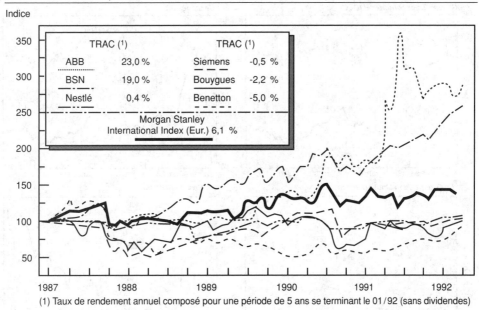

(1) Taux de rendement annuel composé pour une période de 5 ans se terminant le 01/92 (sans dividendes)

Figure 1.3a   Performance boursière de certaines compagnies canadiennes

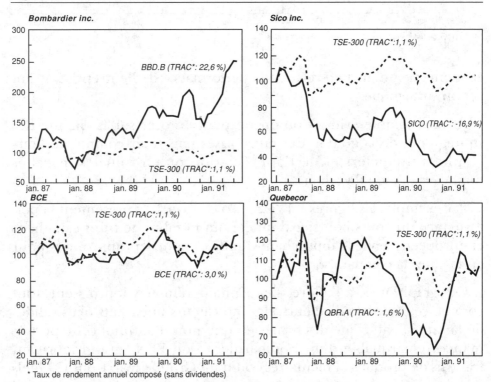

* Taux de rendement annuel composé (sans dividendes)

Figure 1.3b

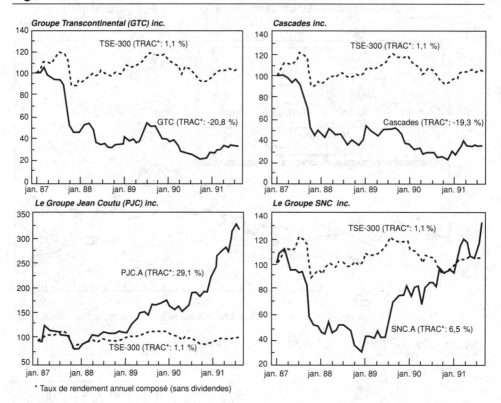

* Taux de rendement annuel composé (sans dividendes)

économique qui met en relation la performance de l'entreprise et son action stratégique.

Il nous semble évident qu'on ne peut ergoter sur la qualité des stratégies et de la gestion des entreprises sans tenir compte de leurs résultats financiers et de l'appréciation qu'en font les marchés financiers, lorsqu'il y a lieu.

Par exemple, les figures 1.1, 1.2, 1.3a, 1.3b et 1.3c présentent la performance du cours boursier d'un certain nombre de titres canadiens et européens, en les rapprochant d'indices boursiers appropriés pour en faciliter la comparaison.

Ces graphiques, à l'allure d'encéphalogrammes, fournissent, tout comme ces derniers d'ailleurs, des indicateurs imparfaits mais valides de la santé stratégique des firmes en question. Pourquoi cette performance remarquable d'un Bombardier, d'un BSN (grand fabricant français de produits alimentaires) ou d'un Groupe Jean Coutu? Quels

Figure 1.3c

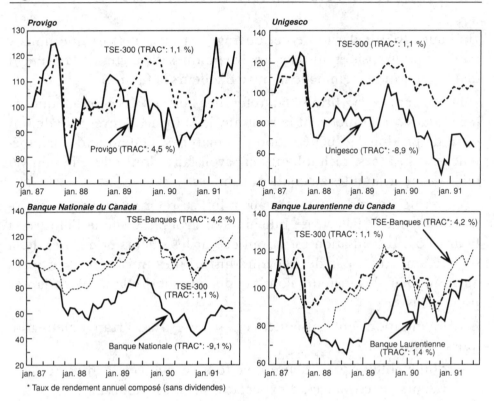

* Taux de rendement annuel composé (sans dividendes)

sont les moteurs stratégiques derrière ces résultats? Comment expliquer les difficultés d'un Benetton ou d'un Sico (grand fabricant de peinture)? Il serait téméraire pour l'entreprise d'ignorer les signaux donnés par les marchés financiers, de ne pas en comprendre la signification ou de prétendre que la firme est incomprise et négligée par des investisseurs myopes trop portés sur les résultats à court terme.

Le **chapitre 2** de cet ouvrage présente un modèle complet et explicite de la performance économique de l'entreprise, fait l'examen de quelques cas concrets pour montrer le fonctionnement de ce modèle et associe aux variables du modèle une panoplie de **moteurs de création de valeur économique**. Le **chapitre 2** établit aussi des liens directs entre les concepts stratégiques discutés aux chapitres suivants et la performance économique de l'entreprise.

1.3   LA FIRME ET L'ORGANISATION

Une autre particularité de cet ouvrage a trait à l'effort que nous y mettons pour saisir et intégrer les dynamiques distinctes de la firme et de l'organisation, comme le montre d'ailleurs la figure 1.4.

Le concept de la « firme » fait référence aux aspects économiques et techniques qui influencent le contour de la firme, l'envergure de son offre de produits, sa pénétration des marchés, l'étendue des compétences, ressources, technologies et savoir-faire dont elle a besoin ou qui s'y sont accumulés au cours des années.

Le terme « organisation », quant à lui, se réfère aux aspects socio-psychologiques de l'activité humaine en groupe. Comme l'illustre la figure 1.5, l'organisation est façonnée par les valeurs et normes de la société ambiante, par des facteurs historiques qui lui sont propres ainsi que par des facteurs contingents auxquels elle a dû s'adapter pour survivre.

L'organisation, en conséquence, est faite d'un arrangement toujours en mouvance :

- d'une **culture** particulière avec tout ce que cela comporte de valeurs, de croyances, d'expectatives et de symbolisme ;

Figure 1.4   Représentation de la firme et de l'organisation

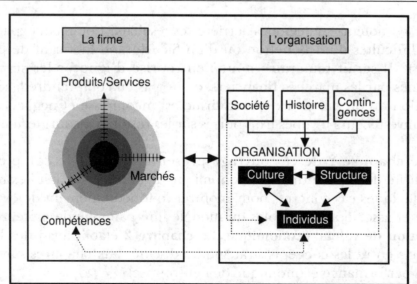

Figure 1.5 Un modèle de l'organisation

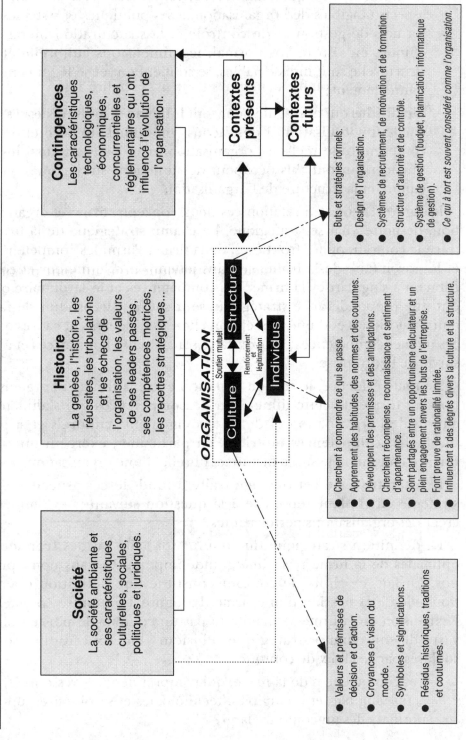
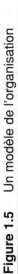

- d'une **structure** qui, dans ce contexte, fait référence aux aspects tangibles de l'organisation, à ses politiques et systèmes formels de gestion et de contrôle, à la structuration hiérarchique, etc. En temps normal, les dimensions culturelle et structurelle sont indissociables, se soutiennent et se légitiment mutuellement;

- d'**individus** qui non seulement sont influencés, à divers degrés, par leur socialisation à des façons communes de faire et de comprendre le réel de l'organisation, mais peuvent aussi influencer, surtout s'ils occupent des fonctions stratégiques, la culture et la structure de l'organisation.

La figure 1.4 met en relation ces deux concepts, firme et organisation, de notre analyse stratégique. Le **champ stratégique** de la firme trace le contour, ou les frontières, de la firme. Parmi les compétences et les savoir-faire de la firme, certains jouent un rôle moteur et contribuent à singulariser la firme. Les compétences et le savoir-faire qui ont une prépondérance stratégique sont souvent le produit de facteurs historiques et d'une perception chez les dirigeants et cadres que ces mêmes compétences et savoir-faire sont essentiels au succès et à la survie de l'entreprise.

De toute évidence, le cordon ombilical entre la firme et l'organisation est formé de cette dimension de **compétences** qui s'alimente auprès de l'organisation et de ses arrangements culturels et structurels. Les **compétences motrices**, en particulier, exercent une influence considérable sur la facture culturelle d'une organisation.

Le **chapitre 6** de cet ouvrage traite à fond de ces aspects de la stratégie en voulant répondre à la question suivante: «Comment créer des organisations performantes?»

La définition stratégique du contour souhaité ou des **frontières optimales de la firme** revêt une grande importance dans notre propos. En fait, ce choix de contour constitue une définition opérationnelle de la **mission** d'une firme. La figure 1.6 montre comment l'expansion de la firme se manifeste par un contour de plus en plus vaste de son champ stratégique. Plusieurs enjeux critiques sont soulevés par ce choix de contour.

- Les compétences de la firme, qui comprennent ses ressources, actifs tangibles et intangibles, technologies et savoir-faire, supportent-elles un contour élargi?

Figure 1.6   Les frontières de la firme et le contour de son champ stratégique

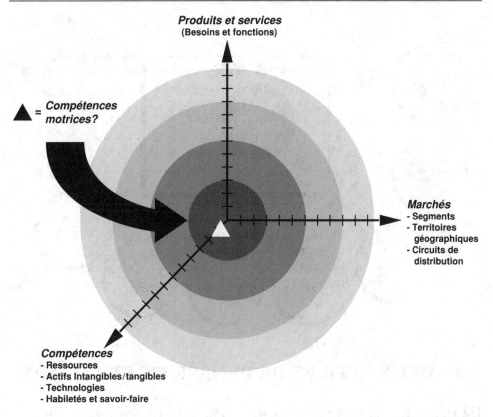

- Les compétences qui furent «motrices» jusqu'ici sont-elles encore appropriées pour la firme qui veut élargir son champ stratégique?

- Quels changements devraient être apportés aux présents arrangements culturels et structurels pour appuyer et rendre possible une plus grande envergure du champ stratégique?

- Comment les impératifs économiques influencent-ils l'envergure optimale du champ stratégique dans un secteur d'activité particulier?

La figure 1.7 présente un ensemble de concepts de coûts qui jouent un rôle déterminant dans le processus de définition du champ stratégique d'une firme. Le **chapitre 3** de cet ouvrage traite de tous les aspects économiques qui sous-tendent des choix stratégiques fondamentaux, y compris l'établissement des frontières optimales de la firme et de l'entreprise.

Figure 1.7 Les déterminants économiques du champ stratégique de la firme

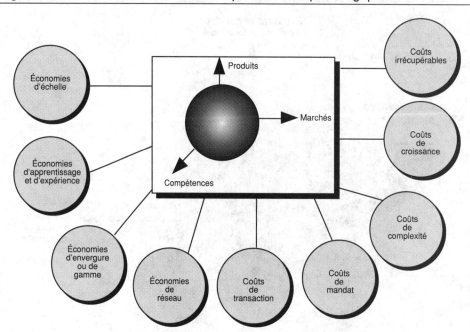

1.4 DEUX ÉCOLES DE PENSÉE EN STRATÉGIE

Dans un de ces mouvements de balancier si fréquents en management, le domaine de la stratégie, obsédé et obnubilé depuis 1980 par l'approche dite de l'**analyse stratégique de l'industrie et de la concurrence** qui fut popularisée par Michael Porter, est maintenant en 1993 sur la voie d'un engouement similaire pour l'approche dite des **ressources et compétences stratégiques** (voir Nelson et Winter, 1982; Wernerfelt, 1984; Dierickx et Cool, 1987, 1989; Prahalad et Hamel, 1990; Ghemawat, 1990; Ulrich et Lake, 1990; Rumelt, Schendel et Teece, 1991; Barney, 1991).

Les passions dans les milieux académiques étant souvent exclusives et jalouses, les clivages conceptuels, même lorsqu'ils sont artificiels, tendent à créer des camps idéologiques et des antagonismes féroces.

Or, comme nous le montrons à la figure 1.8, ces deux écoles de pensée ne font que mettre l'accent et la primauté sur des dimensions différentes du champ stratégique. L'école de l'analyse stratégique ou de « positionnement » propose un examen des facteurs stratégiques reliés aux produits, aux marchés et aux concurrents.

Figure 1.8 Réconciliation de deux écoles de pensée en stratégie

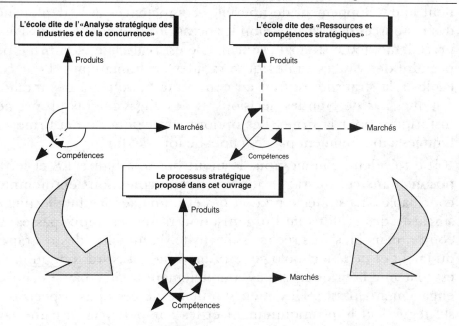

La démarche y est cérébrale et analytique; la stratégie ressemble alors à une partie d'échecs où les choix de position et de déplacement stratégiques résultent d'une démarche intellectuelle au plus haut niveau de la firme. L'organisation devra s'ajuster et rassembler ses ressources et compétences pour appuyer les choix stratégiques de la direction.

L'école des «ressources et compétences» conçoit la stratégie de la firme comme une conséquence des choix d'investissement et de développement de ressources qui ont été faits dans le passé par la firme et qui balisent sa marge de manœuvre stratégique. Toute firme est singulière et semblable à aucune autre; elle est la somme et le résidu de multiples choix, d'investissements passés et d'engagements irréversibles qui définissent **ce que la firme peut faire** et **ce qu'elle ne peut pas faire**.

Il convient donc, comme point d'ancrage à la stratégie, de dresser le bilan des ressources, technologies, actifs et compétences de la firme et de porter un jugement sur leur déploiement optimal. L'analyse de la concurrence n'est utile que pour reconnaître les secteurs où les compétences propres de la firme lui confèrent un avantage stratégique important sur les firmes concurrentes.

Dans cette conception de la stratégie, les choix critiques concernent le développement de nouvelles compétences et le déploiement des ressources de la firme selon les occasions de marché. Pour l'école précédente, toute stratégie **souhaitable** est **réalisable** et la firme peut prendre des virages stratégiques rapides et dramatiques. Pour cette école-ci, la stratégie est tout en continuité marquée à des moments critiques par de grandes décisions et des engagements proprement historiques pour la firme. Les options stratégiques de la firme sont limitées à tout moment par ses choix de longue durée.

Il est évident, comme nous le montrons à la figure 1.8 et le proposons dans cet ouvrage, que ces deux écoles sont éminemment conciliables. La stratégie ne doit pas être un exercice intellectuel désincarné des réalités de l'organisation et de ses choix passés. Par contre, dans plusieurs secteurs d'activité, la mobilité des ressources, du talent et de la technologie, en Amérique du Nord tout au moins, est telle que la firme n'est pas complètement limitée par ses choix et engagements passés. L'examen simultané de ces deux aspects de la stratégie, soit le positionnement et les compétences, est une composante essentielle du processus de réflexion stratégique que nous proposons dans cet ouvrage.

Figure 1.9   La grande entreprise constituée de firmes indépendantes ayant chacune son champ stratégique propre

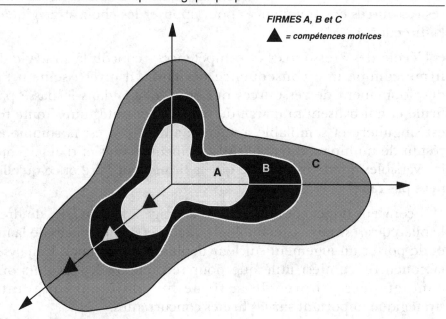

Figure 1.10 La grande entreprise constituée de « firmes »
et d'organisations autonomes

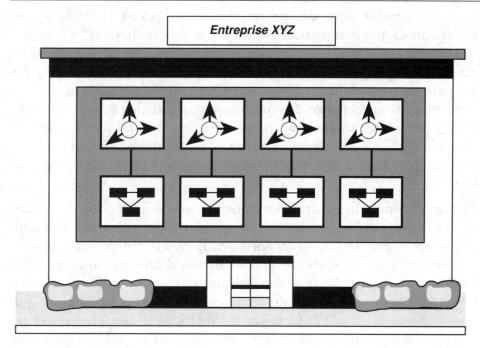

1.5 L'ENTREPRISE ET LA FIRME

Dans l'univers des petites entreprises, l'entreprise et la firme sont des concepts synonymes. Cependant, au fur et à mesure de sa croissance et selon ses choix stratégiques, l'entreprise en arrive à se constituer en plusieurs « firmes », c'est-à-dire que plusieurs entités, chacune ayant son champ stratégique propre, sont regroupées à l'intérieur des frontières juridiques d'une même **entreprise**, comme le montre la figure 1.9.

Aux fins de cette illustration, chaque « firme », ou unité stratégique, division ou filiale, est responsable d'une partie bien définie et clairement délimitée du champ stratégique global de l'entreprise.

L'entreprise, dans ces cas simples, peut être structurée selon notre illustration à la figure 1.10. À chaque firme sont alors associées des compétences motrices et une organisation propres; dans cette illustration, peu de liens ou connexions unissent les firmes et les organisations qui constituent l'**entreprise**.

Évidemment, cet exemple de structuration de l'entreprise n'est qu'un cas particulier parmi un éventail de possibilités. L'entreprise peut aussi choisir pour des raisons économiques et stratégiques de couvrir un vaste champ stratégique par le truchement de «firmes», ou unités, divisions ou filiales, interreliées dont les champs stratégiques se **chevauchent** et qui font appel à des ressources et à des compétences communes. Nous traiterons de la complexité de ces arrangements au **chapitre 5**, consacré aux stratégies et aux systèmes stratégiques, et au **chapitre 6,** qui porte sur la dynamique des organisations. Ce sujet est également au cœur du volume 2 de cet ouvrage où nous discuterons de formes d'organisation et de systèmes de gouverne.

La distinction entre **entreprise** et **firme** nous servira donc à aborder des questions fondamentales comme le découpage optimal des activités et des opérations de l'entreprise en **firmes** distinctes, la nature et l'étendue des liens à établir entre les firmes d'une même entreprise, la gestion et la planification stratégiques tant en ce qui concerne la **firme** que l'**entreprise**, les moteurs de création de valeur économique pour la **firme** et pour l'**entreprise**, les relations de supervision et de contrôle entre l'entreprise et les «firmes», ou unités, divisions ou filiales, qui la composent.

1.6   LE CONCEPT DE SYSTÈME STRATÉGIQUE

Tout au long de cet ouvrage, mais de façon plus directe au **chapitre 5**, nous faisons référence au concept de **système stratégique**. Évidemment, nous sommes en cela conséquents avec notre affirmation en avant-propos quant au caractère **systémique** de la pensée stratégique. Toute firme ou toute entreprise est un système stratégique plus ou moins performant selon les choix faits quant aux équilibres (*trade-offs*) entre les variables et les composantes du système.

Nous montrons au **chapitre 5** comment un tel choix à propos du champ stratégique d'un système définit sa configuration de coûts et son niveau de performance économique. La figure 1.11 décrit le schéma d'analyse qui nous servira à intégrer notre propos sur la création de valeur économique au **chapitre 2**, la dynamique de coûts au **chapitre 3**, la dynamique des marchés au **chapitre 4** et la dynamique stratégique au **chapitre 5** dans une conception systémique de la stratégie.

Figure 1.11 Cadre d'analyse stratégique et plan du volume

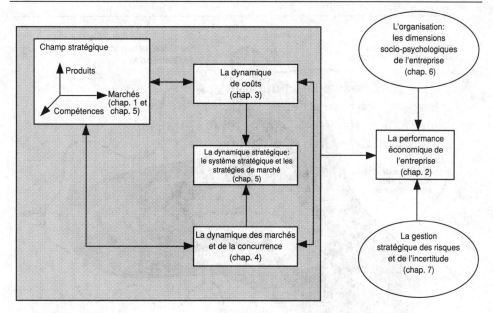

Cependant, le concept de système stratégique, tel que décrit au **chapitre 5**, nous sert également à saisir deux autres réalités de l'entreprise complexe.

D'abord il arrive souvent, comme nous l'avons déjà indiqué plus tôt, que l'entreprise choisisse d'établir entre ses «firmes», ou unités, divisions ou filiales, des liens et des connexions de toute nature dans sa quête d'une efficience économique optimale. Nous appellerons l'ensemble d'unités/divisions interreliées au sein de l'entreprise, un **système stratégique**. Ainsi, la très grande entreprise compte souvent un grand nombre de divisions et d'unités stratégiques qui sont cependant regroupées en un plus petit nombre de **systèmes stratégiques** au contour plus ou moins bien défini.

Puis, le concept de **système stratégique** servira à décrire ce phénomène, de plus en plus fréquent à notre époque, qui consiste pour l'entreprise à établir des relations stratégiques privilégiées, des alliances de tout genre avec des firmes juridiquement autonomes mais dont les activités économiques sont en fait fortement intégrées aux siennes.

Nous définirons comme un **système stratégique** l'ensemble des firmes, nominalement autonomes, qui coordonnent leurs activités et

Figure 1.12 Frontières d'un système stratégique, de l'entreprise
et de la firme

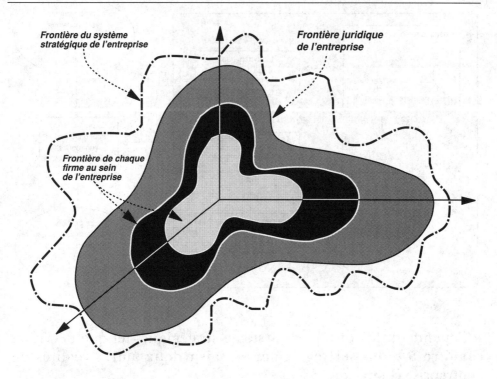

partagent des ressources et des coûts **par-delà les frontières juridiques
formelles de chaque entité**. On ne peut décrire la stratégie de Toyota,
par exemple, en se limitant à l'entreprise Toyota, puisque celle-ci
représente à peine plus du quart de la valeur des produits vendus par
l'entreprise. Il faut en fait comprendre que le **système Toyota** est
formé d'un vaste réseau de sous-traitants aux activités étroitement
coordonnées et contrôlées par Toyota ainsi que d'un grand réseau
comprenant des concessionnaires d'autos et de nombreux autres
intervenants.

Comme le montre la figure 1.12, le champ d'un **système
stratégique** peut être plus vaste que celui de l'entreprise puisqu'il
comprend les activités et les compétences de firmes reliées pour créer
un système hautement performant. Dans les situations comme celles
illustrées à la figure 1.12, l'analyse et la planification stratégiques
doivent tenir compte, au moment approprié, des frontières des
« firmes » au sein de l'entreprise, des frontières de l'entreprise ainsi
que des frontières du **système stratégique** mis en place.

1.7 LA STRATÉGIE FORMELLE ET LA STRATÉGIE ACTUALISÉE

Les quelques schémas décrits brièvement dans cette introduction sont expliqués en détail dans les chapitres qui suivent. Il devrait être évident à ce stade que, pour nous, la stratégie d'entreprise se fonde sur **ce qu'est** l'entreprise tout autant que sur ce que font ou pourraient faire les concurrents. Cette stratégie doit mener à des choix d'orientations **à la limite du réalisable**; elle doit définir des **engagements** durables et des **investissements stratégiques** de longue durée de façon à offrir des produits innovateurs et de haute qualité à des prix concurrentiels pour ainsi créer une forte **valeur économique** pour la société. Cet énoncé de la **stratégie formelle** souligne bien qu'il s'agit là d'une bonne intention, d'un vœu présumément raisonnable.

Le fonctionnement des entreprises est cependant soumis à de nombreuses incertitudes. Pour un ensemble de raisons allant d'événements imprévus à une connaissance déficiente de leurs réalités présentes, tant internes qu'externes, les entreprises éprouvent

Figure 1.13   La stratégie formelle et la stratégie actualisée

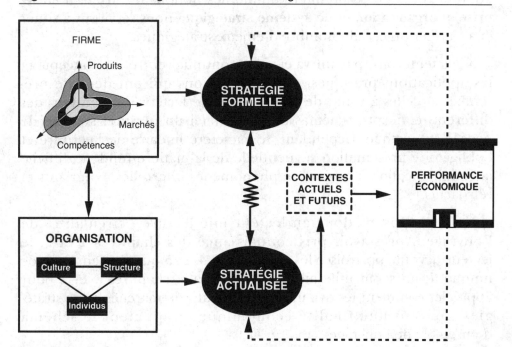

souvent de grandes difficultés à réaliser leurs bonnes intentions et à passer d'une **stratégie formelle** à une **stratégie actualisée** qui leur soit conforme.

Comme le montre la figure 1.13, la stratégie formelle est une vue de l'esprit. Ce sont toutefois les démarches concrètes prises dans et par l'organisation qui donnent à l'entreprise sa stratégie actualisée.

La stratégie formelle et sa version actualisée doivent donner à l'entreprise une mesure de contrôle sur son destin et réduire sa vulnérabilité aux événements incertains ou incontrôlables. C'est là l'essence même de la stratégie et pourtant le traitement de l'incertitude stratégique est en général assez pauvre dans les textes sur la stratégie et la planification stratégique.

Au **chapitre 7** de cet ouvrage, nous proposons et illustrons par de multiples exemples **trois modes** d'action qui, pris ensemble, offrent à l'entreprise stratégique les moyens de façonner sa destinée.

1.8   CONCLUSION

Tout au cours de ce premier volume, les notions de **firme**, d'**entreprise**, d'**organisation** et de **système stratégique** nous serviront à situer et à clarifier un certain nombre d'enjeux stratégiques.

Nous tenterons, par un va-et-vient continuel entre les concepts et les applications pratiques, entre les notions qui ont déjà été présentées et celles à venir, de faciliter chez le lecteur l'intégration des différents concepts, schémas et modèles en un puissant système de pensée stratégique. Cependant, le caractère linéaire de l'écriture et l'obligatoire présentation séquentielle de la matière rendent difficile la communication à propos de phénomènes interreliés, covariants et rétroactifs.

Nous proposons donc au lecteur une lecture « circulaire » de l'ouvrage. Après avoir pris connaissance des **chapitres 1** et **2**, le lecteur devrait apprivoiser les **chapitres 3**, **4**, et **5** qui forment un bloc unique. Il lui serait utile alors de revenir aux **chapitres 1** et **2** pour apprécier comment les dynamiques de coûts, de marchés et de stratégies trouvent une finalité économique et appuient le schéma d'ensemble de l'ouvrage.

Le **chapitre 6** offre un examen de considérations stratégiques essentielles quant à la nature et au fonctionnement des organisations. Le **chapitre 7** joue un rôle de synthèse puisqu'il reprend bon nombre des leviers stratégiques décrits précédemment en montrant comment ils peuvent soutenir l'entreprise dans sa quête de contrôle sur sa propre destinée.

Chapitre 2

L'ENTREPRISE ET LA CRÉATION DE VALEUR ÉCONOMIQUE*

PLAN DE CHAPITRE

* Plusieurs membres du personnel de Sécor – Stratégie ont contribué aux développements financiers dont fait état ce chapitre. Nous devons remercier entre autres Louis Parent et Claude Mongeau pour leur apport de grande qualité à nos travaux.

2.1 INTRODUCTION

Dans les systèmes économiques fondés sur des marchés efficaces où se vendent librement les biens et services offerts par l'entreprise privée, celle-ci devient un instrument de satisfaction des besoins et attentes des acheteurs. Cette mission de servir le consommateur peut s'expliquer par des motifs variés, mais il est rare que la recherche du profit n'en soit pas un des moteurs. Graduellement, au cours des ans, cette recherche du profit fut enchâssée dans un réseau de contraintes et d'obligations de nature politique, juridique et sociale, à tel point que l'entreprise d'une certaine taille, et tout particulièrement l'entreprise dont la propriété est détenue par le grand public et dont les titres sont négociés à la Bourse, est devenue dans l'esprit de certains un lieu d'arbitrage entre les intérêts de différents groupes (*stakeholders*) qui sont intéressés au destin de l'entreprise.

Ainsi, la direction de la grande entreprise publique devrait-elle établir un juste équilibre entre les attentes, les droits et les revendications des syndicats, du personnel, des gestionnaires, des actionnaires, des fournisseurs, des clients, de la société civile, des gouvernements et d'autres organismes.

Cette conception de l'entreprise nous semble erronée et mène tout droit à un cul-de-sac les gestionnaires qui voudraient s'en inspirer. En effet, cette conception multidimensionnelle, aussi séduisante qu'elle soit à première vue, prend racine, plus ou moins consciemment, dans une **surestimation** du pouvoir exercé par l'entreprise sur ses marchés ainsi que dans une **sous-estimation** du rôle du capital externe servant à financer le développement de la firme. Dans cette vision du monde économique, pertinente à certaines époques et pour certaines entreprises, quoique pour un temps limité, les clients de la firme sont à demi captifs et les actionnaires des acteurs anonymes et changeants d'une importance limitée pour une entreprise qui répond à ses besoins de capitaux par autofinancement.

Au-delà d'un dividende raisonnable et d'une modeste appréciation de la valeur du titre, résultats qui sont nécessaires pour satisfaire aux légitimes attentes des actionnaires, tout le surplus créé par l'activité économique de la firme devrait servir à rendre l'entreprise plus agréable et plus confortable pour tous les autres preneurs, y compris, en tout premier lieu, la haute direction de l'entreprise. Une telle conception de l'entreprise en fait, à toutes fins utiles, une quasi-société d'État. Les fonds nécessaires à son développement devraient lui provenir soit du réinvestissement de ses bénéfices, soit de sources elles-mêmes canalisées selon des critères autres que le rendement économique comparable au risque assumé.

Selon ce modèle, le succès des entreprises se mesure désormais par leur bilan social, par leur contribution à un ensemble d'objectifs tant sociaux qu'économiques et non plus seulement par leur productivité, leurs innovations et leur efficience économique.

Il est aisé de démontrer comment une telle conception de l'entreprise, si elle devait se généraliser, aurait tôt fait de produire une structure industrielle stagnante, habitée au mieux par des bureaucraties stériles et au pire par un vaste troupeau d'éléphants blancs nourris par l'État ou par ses émanations. À notre époque de marchés géographiques ouverts, de disparition des oligopoles et des monopoles réglementés, et de haute mobilité interfirmes du savoir-faire et de la technologie, il n'est plus possible de s'inspirer d'une vision aussi peu dynamique de l'entreprise.

Or, et c'est ce que veut démontrer ce chapitre, il ne s'agit pas de choisir entre cette conception bureaucratique de l'entreprise, d'une part, et, d'autre part, une idéologie de l'entreprise privée cherchant par tous les moyens licites à maximiser son profit à court terme. Nous proposons dans cet ouvrage que les dirigeants d'entreprises et leurs conseils d'administration cherchent à **maximiser la valeur économique de leur entreprise**.

Nous allons montrer dans ce chapitre comment cet objectif transcendant est nécessairement compatible avec une prise en considération des intérêts et attentes de multiples parties, et ce dans un cadre qui maintient la primauté du rôle économique de l'entreprise.

En effet, pour atteindre cet objectif de maximisation de la valeur économique de leur entreprise, les dirigeants doivent se préoccuper tout autant, sinon plus, des aspects intangibles du fonctionnement de leur entreprise, comme la valorisation et la protection du savoir-faire et des compétences de leur personnel, la réputation de l'entreprise en tant que producteur et employeur, la qualité de leurs produits, que des aspects tangibles et rigoureux comme la structure de capital de l'entreprise et l'efficience économique de ses opérations.

Le concept de «création de valeur économique» nous permettra de traiter brièvement au passage de cette notion largement mythique entretenue par trop de dirigeants d'entreprises selon laquelle les marchés financiers leur imposent comme priorité le rendement financier à court terme au détriment d'une vision à plus long terme du développement de leur entreprise.

2.2 UN MODÈLE ÉCONOMIQUE DE L'ENTREPRISE

L'entreprise, en son sens strictement économique, est un assemblage particulier de ressources, de technologies et de capitaux nécessaires à la production et à la mise en marché de produits ou services pour lesquels des acheteurs voudront payer un prix suffisant pour arriver à une juste rémunération des intrants de l'entreprise.

Puisqu'un entrepreneur, ou un groupe d'actionnaires privés ou publics, doit assumer les importants risques financiers non assurables associés au fonctionnement et au développement de l'entreprise, il a aussi droit aux profits résiduels après que tous les autres «fournisseurs» de service, y compris le fisc, ont été rémunérés à leur juste valeur marchande ou contractuelle.

Cette dernière phrase recèle tout un éventail de controverses et de débats. Il est suffisant pour notre propos d'établir soit que les intrants, c'est-à-dire les ressources humaines, techniques ou autres, nécessaires au fonctionnement de l'entreprise, sont soumis à leur marché propre qui en régit les prix selon l'offre et la demande, soit qu'ils sont rémunérés selon les modalités d'un contrat négocié entre l'entreprise et des représentants aptes à déterminer leur véritable pouvoir de marché sur l'entreprise, soit que ces ressources, ou une partie d'entre elles, participent au risque/rendement de l'entreprise en acceptant qu'une part de leur rémunération soit variable et associée à la performance économique de la firme.

Tous ces éléments définissent un premier paramètre de la performance économique de la firme, soit la marge économique sur les ventes ou sur le chiffre d'affaires ou sur les revenus bruts (ROS).

2.2.1 La marge économique sur les ventes (ROS)

Ce premier paramètre capte tout un réseau de forces et d'influences exercées sur la performance économique de la firme.

> **Définition:**
>
> Marge économique sur les ventes (ROS): Le bénéfice économique, soit le profit net de la firme sans tenir compte des frais de financement, c'est-à-dire comme si la firme n'était financée que par les fonds propres des actionnaires, et après déduction de l'impôt qui serait payé au taux statutaire sur ce profit net, ramené sur le chiffre d'affaires.

Dans son essence même, la stratégie de marché de l'entreprise cherche à optimiser ce paramètre de performance. En effet, les aspects critiques de la stratégie portant entre autres sur la détermination des prix, le pouvoir de marché de la firme, l'intensité de la rivalité et de la concurrence, le pouvoir relatif de ses fournisseurs de matériel, de composants ou de services, l'efficacité de son système de production et de distribution, sont sous-jacents à la réalisation d'une marge économique élevée ou faible.

Les **chapitres 3** et **4** de cet ouvrage traitent en détail de ces aspects de la stratégie.

2.2.2 La rotation des actifs (AT)

Ce deuxième paramètre joue un rôle critique mais parfois mal compris dans la création de richesse économique.

> **Définition:**
>
> Rotation des actifs (AT): Le rapport entre le chiffre d'affaires, ou revenus bruts, et les actifs économiques nécessaires pour réaliser ce chiffre d'affaires. Par actifs économiques, on entend généralement le fonds de roulement, plus les immobilisations nettes de leur amortissement comptable.

Toutes choses étant égales par ailleurs, l'entreprise qui peut réaliser un chiffre d'affaires donné avec moins d'actifs économiques améliore sa performance comptable et souvent, quoique pas toujours, sa performance économique.

En effet, les conventions comptables qui régissent la définition des actifs peuvent, d'un point de vue stratégique, donner lieu à d'importantes distorsions. Il faut comprendre que la firme est constituée d'**actifs tangibles** et d'**actifs intangibles**.

A) *Les actifs tangibles*

La valeur des actifs tangibles consignée aux états financiers est habituellement établie selon leurs coûts historiques moins les amortissements accumulés. Il y a eu au cours des ans plusieurs tentatives pour modifier cette pratique comptable ou en mitiger les effets pernicieux en utilisant, par exemple, les valeurs de remplacement ou en tentant de corriger les coûts historiques pour tenir compte de l'inflation. Cependant, ces « correctifs » produisant d'autres problèmes tout aussi sérieux, la règle des coûts historiques demeure presque universellement en vigueur.

Le niveau des actifs tangibles requis pour produire un chiffre d'affaires donné dans un secteur d'activité précis est une variable hautement sensible à l'influence du **temps stratégique**.

Il faut bien le rappeler, les actifs tangibles requis ne sont en quelque sorte qu'une concession au passage du temps nécessaire pour produire des biens et services. Ainsi, la première composante des actifs tangibles, le fonds de roulement, n'est nécessaire qu'à cause de l'asynchronie entre les entrées et les sorties de fonds. Plus cette asynchronie est forte, plus les besoins en fonds de roulement sont grands.

Évidemment, une question s'impose : « D'où vient cette asynchronie ? » « Et comment peut-on la comprimer ? » Elle provient d'abord du niveau des inventaires, soit les matières premières, les produits semi-finis et finis, etc., nécessaires à la bonne marche du système de production. Or, si les fournisseurs pouvaient l'approvisionner à bref délai directement sur la chaîne d'assemblage dans un système « juste à temps », et ce de façon fiable, l'entreprise réduirait considérablement le niveau des inventaires de pièces et de composants qu'elle doit entreposer.

Il faut donc faire l'examen de tous ces facteurs qui augmentent le niveau des inventaires et chercher à les éliminer dans la mesure du possible. Voilà une leçon utile que nous ont servie certaines firmes japonaises au cours des années soixante-dix et quatre-vingt alors que, poussées par l'exiguïté de leur pays et les coûts astronomiques de l'espace, elles n'eurent pas d'autre choix que de gérer certains actifs avec une parcimonie remarquable.

Un autre exemple de cette gestion plus efficiente des inventaires nous est donné par les systèmes d'échange électronique des données (EDI) par lesquels les firmes, au sein d'une filière industrielle, s'échangent en temps réel les informations sur leurs ventes et leur niveau d'inventaire, et peuvent ainsi en arriver à diminuer considérablement les délais d'approvisionnement et donc les niveaux d'inventaire pour tous les partenaires d'une même filière industrielle.

Enfin, l'insistance à réduire le temps nécessaire à la mise en marché d'un nouveau produit provient bien sûr du désir de répondre plus vite que la concurrence aux attentes des acheteurs. Mais cette détermination résulte aussi du fait qu'une diminution du temps écoulé entre la conception et la commercialisation d'un nouveau produit, comprime aussi de façon importante les coûts en actifs improductifs associés au développement d'un nouveau produit.

Le niveau du fonds de roulement dont l'entreprise a besoin est également influencé par la relation entre le temps qu'il faut pour obtenir les fonds des comptes-clients et les délais qui sont impartis à l'entreprise pour payer ses fournisseurs de matières, composants et services. Encore une fois, le gestionnaire stratégique voudra évaluer cette relation et les moyens à prendre pour la modifier de façon avantageuse pour son entreprise.

L'entreprise doit évidemment se doter d'immobilisations, soit d'équipements, de machinerie, de locaux et de meubles pour poursuivre ses opérations. Ces immobilisations représentent souvent un important investissement initial et continu qui doit être financé par l'entreprise. La croissance du chiffre d'affaires ou la poursuite de nouveaux projets appellent également de nouveaux investissements en immobilisations. Plus le niveau d'immobilisations requis pour effectuer un volume d'affaires donné est élevé, plus les frais fixes formeront une part importante des coûts totaux de la firme et réduiront sa flexibilité.

De plus, dans la mesure où ces actifs ont une utilisation spécifique et limitée aux fins de l'entreprise, ils n'auront qu'une faible valeur marchande pour tout autre usage. Alors l'entreprise doit assumer le risque de coûts irrécupérables (*sunk costs*) importants. Plus ces coûts irrécupérables sont lourds, plus les risques économiques de l'entreprise sont élevés, ce qui est aussi vrai pour tout nouvel entrant potentiel. Comme nous le verrons au **chapitre 3**, les coûts irrécupérables constituent donc souvent une formidable entrave à l'entrée de nouveaux concurrents dans un marché donné.

Le gestionnaire stratégique cherchera par quels moyens innovateurs il peut réduire le niveau des immobilisations à financer et, par conséquent, la vulnérabilité de son entreprise aux frais fixes.

Ne pourrait-on pas faire acheter des éléments d'actifs par une société financière, captive ou non, capable de les financer à des ratios d'endettement supérieurs à ce qui est possible pour une société industrielle, du moins en Amérique du Nord, et louer ces actifs selon les modalités d'un bail opérationnel? Ou encore mieux, ne pourrait-on pas transformer, par un mécanisme similaire, certains des frais fixes de l'entreprise en frais semi-variables? Par exemple, General Electric, grâce à un programme innovateur, permet aux sociétés de transport ferroviaire d'acheter non pas des locomotives GE, mais bien de l'«énergie ferroviaire GE» pour laquelle elles ne paient qu'en fonction de leur utilisation.

Le domaine de la gestion des actifs est en pleine effervescence et suscite de multiples innovations surtout depuis que les gestionnaires ont compris que la rentabilité de la firme provenait tout autant de la gestion des actifs que de la marge économique sur le chiffre d'affaires.

B) Les actifs intangibles

Une entreprise est aussi constituée d'**actifs intangibles**, c'est-à-dire de ces facteurs importants voire essentiels pour une haute performance économique et qui n'apparaissent pas ou rarement au bilan de l'entreprise, à savoir sa réputation, ses marques de commerce, ses savoir-faire, ses compétences et ses aptitudes accumulés dans l'organisation au cours des ans, les technologies qui sont sa propriété exclusive, etc.

Ces **actifs intangibles** résultent souvent d'investissements passés, par exemple, les investissements publicitaires ou la formation du personnel, qui, à cause des conventions comptables et des avantages fiscaux, ont été traités comme des dépenses. Or, ces actifs intangibles constituent presque toujours la source fondamentale d'une performance économique élevée et donnent à l'entreprise qui en est bien dotée une valeur économique de beaucoup supérieure à sa valeur comptable.

Ce concept d'**actifs intangibles**, ou «invisibles», est hautement stratégique à plus d'un titre. Il soulève la question épineuse du *niveau adéquat d'investissement en actifs intangibles*. Ces «investissements» étant traités comme des dépenses, ils réduisent la marge économique de l'entreprise dans l'immédiat. À l'inverse, il est possible d'augmenter à court terme le ROS de la firme en coupant tous les «investissements stratégiques» de cette nature. L'acheteur éventuel d'une entreprise ou les analystes financiers doivent toujours être vigilants pour bien évaluer si la performance économique «favorable» d'une entreprise n'est pas la résultante d'un niveau d'investissement insuffisant dans ses actifs intangibles. De même, les méthodes conventionnelles de budgétisation et les modes de rémunération des dirigeants d'unités ou de divisions peuvent mener à un niveau d'**investissement** en outils intangibles qui soit bien en deçà de ce qui serait souhaitable (voir Baldwin et Clark, 1992).

Le concept d'actifs intangibles soulève également un enjeu critique pour les entreprises: comment protéger, conserver et assurer les droits de propriété exclusive des actifs intangibles de la firme, et ce tout particulièrement lorsque ces actifs prennent la forme de techniques non brevetables, de savoir-faire et de connaissances encodés dans les cerveaux de son personnel.

L'univers contemporain des firmes nord-américaines et européennes étant caractérisé par une large circulation de l'information, une haute mobilité interfirmes du personnel technique et de gestion ainsi qu'un cycle de vie utile de brevets fort écourté, les dirigeants d'entreprises doivent trouver de nouveaux moyens pour protéger leurs investissements stratégiques, leurs compétences et leurs technologies.

À défaut d'établir des mécanismes de rétention adaptés au contexte actuel où la relation entre individus et entreprise n'a plus la pérennité d'antan, les entreprises en viennent à calibrer leurs investissements stratégiques de façon à n'engager des fonds que dans des projets dont elles pourront tirer un bénéfice assuré et rapide.

Ce phénomène est malheureusement fréquent et comporte des risques importants pour l'entreprise qui n'a pas su comment bâtir de façon durable et rentable des compétences et des savoir-faire distinctifs. Comme nous l'avons indiqué au **chapitre 1** et comme nous le démontrerons au **chapitre 5**, les stratégies souhaitables d'une entreprise devraient prendre source dans les compétences, les technologies et les ressources stratégiques qu'elle a développées au fil des ans, qu'elle possède en propre et qui la distinguent des autres entreprises, y compris ses proches concurrents. Or, une série de phénomènes récents pousse l'entreprise, tout particulièrement l'entreprise nord-américaine, contrairement à son homologue japonais qui jusqu'à maintenant, mais pour combien de temps encore, y a échappé, à adopter une attitude calculatrice à court terme face aux investissements dans des domaines pourtant stratégiques comme la formation, la recherche et le développement, et l'institutionnalisation des valeurs de gestion.

La solution à ce paradoxe émane d'un nouveau type de contrat économique et psychologique entre l'entreprise et son personnel stratégique, contrat qui assure une relation à long terme fondée sur des valeurs fondamentales et sur une participation graduée aux bénéfices économiques de la firme.

Les entreprises qui ne sauront pas trouver les formules appropriées à ces nouvelles circonstances, seront vidées de leur substance stratégique et verront leur valeur économique ramenée à la valeur marchande de leurs actifs tangibles. Ce sujet fondamental sera traité plus avant dans ce chapitre, à la section 2.4 intitulée « Les moteurs de création de valeur économique », ainsi qu'au chapitre 6.

Ce long exposé à propos du paramètre « rotation des actifs » (AT) souligne non seulement l'intérêt stratégique de diminuer les actifs tangibles nécessaires au chiffre d'affaires de l'entreprise, mais aussi le rôle important des actifs intangibles qui permettent de produire des revenus sans ajouter d'actifs économiques au bilan de l'entreprise. Le développement judicieux et la rétention de ces actifs intangibles, sources de revenus futurs, donnent à la firme une valeur économique supérieure à sa valeur comptable.

2.2.3 Le rendement sur les actifs économiques (ROA)

Les deux paramètres précédents se combinent pour définir le rendement sur les actifs économiques de l'entreprise (ROA).

> **Définition :**
>
> Rendement sur les actifs économiques (ROA) = ROS × AT : Le bénéfice économique sur les actifs économiques, paramètre qui, aux fins analytiques, se décompose en deux parties constituantes :
>
> $$\frac{\text{bénéfice économique}}{\text{chiffre d'affaires}} \times \frac{\text{chiffre d'affaires}}{\text{actifs économiques}}$$
> $$(\text{ROS}) \qquad\qquad (\text{AT})$$

Ce paramètre constitue un élément fondamental de la performance économique de la firme. Comme nous le verrons plus loin, la relation entre ce paramètre et le coût du capital de l'entreprise donne une bonne indication à long terme de sa capacité de créer une richesse économique. À court terme, un faible ROA peut être soit une indication d'une piètre performance économique, soit le résultat d'une phase d'investissements en actifs tangibles et intangibles prometteurs de rendements futurs attrayants. La distinction entre l'une et l'autre situation, facile à établir en pratique, mène à une évaluation fort différente de la valeur de l'entreprise, un sujet dont nous traitons à la section 2.3 de ce chapitre.

À ce stade-ci du développement de notre modèle économique de l'entreprise, le paramètre ROA sert à définir un certain nombre d'enjeux de performance.

A) *La combinaison stratégique ROS / AT*

Le choix d'une combinaison de ROS et de AT constitue souvent une des pierres angulaires d'un système stratégique performant. Comme l'illustre la figure 2.1 où l'on trouve des entreprises spécialisées en commerce de détail, différentes combinaisons de ROS et de AT peuvent produire des ROA similaires. Chaque gradient de la figure 2.1 représente toutes les combinaisons de ROS et de AT pour un ROA donné, allant de 4 % à 16 %.

On peut constater comment des concepts usés, comme J.C. Penney et Sears, se trouvent sur le gradient de ROA à 4 %, alors que les concepts les plus nouveaux se trouvent sur le gradient de ROA à 16 %.

De plus, sur ce gradient à 16 %, différents concepts connus aux États-Unis sous le vocable général de « Power Retailers » sont caractérisés par des combinaisons différentes de ROS et de AT : les magasins-entrepôts (Club Price, Costco), axés sur les bas prix, fonctionnent avec de très faibles marges économiques, mais avec une rotation d'actifs extrêmement rapide. Par comparaison, The Limited, Toys R Us et Home Depot obtiennent un ROA équivalent à celui du Club Price et de Costco par un positionnement de marché très différent.

Finalement, même parmi ces entreprises très performantes, Wal-Mart, The Gap et Groupe Jean Coutu (chaîne de pharmacies à escompte) se distinguent par leur capacité de réaliser à la fois des

Figure 2.1 Combinaison stratégique de ROS et de AT pour des entreprises de commerce de détail 1991

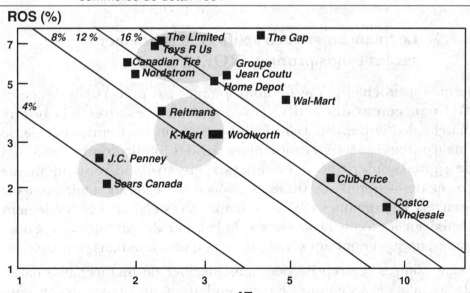

marges économiques relativement élevées et une forte rotation des actifs, résultat de la mise en place d'un système stratégique très efficient.

B) La contribution d'une gestion stratégique des actifs

Une gestion supérieure des actifs économiques peut contribuer à la rentabilité tout autant qu'une augmentation de la marge économique.

Il est facile d'illustrer ce phénomène. Comparons deux entreprises affichant toutes deux des ROA de 12 %; l'une, (A), obtient ce résultat par une marge économique de 6 % et une rotation des actifs économiques de deux fois; l'autre, (B), obtient son résultat par une marge de 4 % et une rotation de trois fois.

Si ces deux entreprises se trouvaient en concurrence directe, les prix de (A) seraient plus élevés que ceux de (B), ou encore (A) offrirait des services et une couverture de marché qui lui imposeraient un niveau d'actif supérieur mais lui permettraient d'obtenir des marges de profit supérieures, etc. Supposons, par ailleurs, que (A) puisse améliorer sa gestion des actifs et atteindre le même niveau que (B), tout en conservant sa marge économique. Son rendement économique (ROA) passerait alors à 18 %, augmentant de beaucoup la valeur économique de la firme.

2.2.4   Le financement des actifs et le rendement sur les fonds propres (ROE)

Jusqu'à maintenant, nous ne nous sommes pas préoccupés des coûts de financement des actifs économiques nécessaires à la bonne marche de l'entreprise. Dans la mesure où une entreprise décide de financer tous ses actifs économiques par des fonds propres constitués de capital souscrit et de bénéfices réinvestis, son rendement sur l'avoir des actionnaires (ROE) sera bien sûr égal au rendement sur les actifs économiques (ROA). Il faudra alors établir si le rendement réalisé sur les fonds propres est à la hauteur des attentes des actionnaires, un sujet dont nous traitons un peu plus loin dans ce texte.

Par contre, l'entreprise peut aussi décider de financer une partie de ses actifs économiques par un endettement à moyen ou à long terme. Tant que ce niveau d'endettement demeure en deçà de certaines normes et tant que les règles fiscales en vigueur permettront de considérer les frais d'intérêt comme des dépenses d'exploitation, une entreprise peut améliorer sensiblement son rendement sur les fonds propres en finançant une partie des actifs par le biais de la dette.

Définition :

Rendement sur les fonds propres (ROE) : Les bénéfices nets après les frais financiers et les impôts, rapportés aux fonds propres des actionnaires, soit le capital souscrit et payé plus les bénéfices réinvestis. La formule suivante établit les relations essentielles :

$$ROE = ROA + FLE$$

$$FLE = D/E\,[ROA - Kd\,(1 - t)]$$

D/E = ratio d'endettement
(Notez que $D + E$ = actifs économiques)

Kd = coût de la dette : frais financiers sur endettement à long terme

t = taux statutaire d'imposition auquel l'entreprise est soumise

---

Le levier financier (FLE) aura un effet positif sur le ROE tant que le ROA sera supérieur au coût de la dette après impôts. Il aura cependant un effet négatif sur le ROE si le ROA de la firme devait chuter en deçà du coût de la dette nette d'impôts. C'est pourquoi un ratio d'endettement élevé augmente la **volatilité** du rendement de la firme et donc le risque financier qu'elle fait assumer aux détenteurs de ses actions ordinaires.

La relation entre le ROE et le ROA met en évidence les facteurs à évaluer lorsque l'on cherche à établir le niveau d'endettement qui est approprié pour une entreprise spécifique :

1. Écart $[ROA - Kd]$

   Plus le ROA d'une entreprise est élevé et supérieur au coût de la dette **avant** impôts, plus son niveau d'endettement peut être élevé sans s'exposer à des primes de risque supplémentaires.

2. Stabilité du ROA

Plus le ROA de la firme est stable tout au cours du cycle économique, plus le ratio d'endettement peut être élevé. C'est pourquoi les entreprises de services publics dont le rendement sur le capital est déterminé et régi par des organismes publics peuvent financer à bon compte un niveau élevé d'endettement.

3. Coût marginal de la dette

Au fur et à mesure que le ratio d'endettement (D/E) augmente, le coût marginal de la dette tend à croître, de même que le risque associé à l'investissement dans les fonds propres de la firme. C'est pourquoi le ROE d'une firme ne peut être évalué qu'en regard des attentes de rendement des actionnaires et investisseurs, attentes qui, comme nous le verrons plus loin dans cette section, reflètent un ensemble de facteurs, dont le niveau de risque spécifique de l'entreprise.

L'effet combiné d'une augmentation du coût de la dette et du rendement nécessaire pour inciter les investisseurs à placer des fonds dans l'avoir propre de la firme fait que, dans le système financier nord-américain du moins, le ratio D/E atteint vite un seuil au-delà duquel l'effet de levier financier change d'un impact positif à un impact négatif sur l'ensemble de la performance économique de la firme. Où se situe ce seuil est une question empirique et théorique ardemment débattue dans les milieux financiers.

Il est toutefois évident que les considérations présentées précédemment (ROA vs Kd et stabilité du ROA) sont pertinentes à cette détermination. Les « fournisseurs » de financement par voie de dette portent d'ailleurs de tels jugements et peuvent refuser de financer une entreprise qu'ils jugent trop risquée. Cet effet de rationnement du capital d'endettement pousse l'entreprise soit à se financer par apport de fonds propres, et ce à un coût élevé et avec une dilution rapide de la propriété et du contrôle des actionnaires-fondateurs, soit à moduler son rythme de développement sur sa capacité d'auto-financement. Comme nous le verrons plus loin dans cette section du **chapitre 2**, c'est en partie pour modifier cette situation que les obligations hautement spéculatives (*junk bonds*) furent inventées, ou plus exactement ré-inventées.

A) *Les innovations de financement*

L'univers nord-américain et britannique de la finance est caractérisé par des innovations continuelles qui permettent de rendre les marchés financiers plus efficients et fournissent aux entreprises des instruments de financement plus performants. Nous ne pouvons rendre justice ici à tous les instruments financiers mis à la disposition des entreprises pour réduire leur coût en capital.

Par exemple, les phénomènes distincts des rachats d'entreprises financés par l'endettement (*Leveraged Buy-Out*) ou LBO, et des obligations hautement spéculatives (*junk bonds*) représentent des manifestations proprement historiques du dynamisme et de l'entrepreneurship financiers américains. Dans le premier cas, celui des LBO, il ne s'agissait ni plus ni moins que d'une tentative pour révolutionner les structures financières et les systèmes de gouverne des grandes entreprises. Se fondant sur les flux monétaires actuels et prévisibles, lesquels proviennent autant de la vente d'actifs que d'une croissance exceptionnelle de l'efficience, un groupe constitué de financiers et la plupart du temps de gestionnaires de l'entreprise, offrait de racheter toutes les actions de l'entreprise détenues par le public. Pour «privatiser» l'entreprise publique, le groupe proposait un montage financier fait de différents types de dettes, hiérarchisées quant au risque et donc quant à la prime de taux d'intérêt et aux autres types de rémunération, ainsi que d'une mise de fonds propres relativement modeste par les membres du groupe.

En conséquence d'une telle transaction, la structure de capital de l'entreprise n'avait plus de commune mesure avec la structure traditionnelle. En effet, les LBO se soldaient par des ratios d'endettement (D / E) pouvant varier de 10 à 20 et par des primes de risque sur la dette de 5 % à 10 %. La direction de l'entreprise, devant fonctionner en mode LBO, subissait la pression exercée par les obligations financières à remplir et se voyait mobilisée par le fait que son propre patrimoine était mis en jeu. Elle devait donc chercher par tous les moyens à augmenter les flux monétaires afin de réduire le niveau d'endettement.

Les LBO, selon les observateurs favorables au phénomène, mèneraient à une efficacité de gestion et à une parcimonie de fonctionnement exemplaires, ainsi qu'à un sain alignement entre les intérêts des dirigeants de l'entreprise et ceux des actionnaires puisque, pour une bonne part, ces deux groupes se fondent en un seul.

Évidemment, le phénomène a produit des succès remarquables, mais aussi des échecs retentissants. Une fièvre de la transaction à tout prix, propagée par les honoraires mirobolants associés à ces opérations, a en effet donné lieu à des montages financiers de plus en plus exotiques dans le but de rendre réalisables des transactions mort-nées.

Cela est malheureux, car dans des circonstances précises et réalistes, le phénomène de rachat d'entreprise financé par l'endettement peut s'avérer un moyen innovateur de stimuler l'efficience économique de la firme, à telle enseigne que plusieurs grandes entreprises diversifiées tentent de reproduire au niveau de leurs divisions ou filiales les aspects positifs du LBO, soit une gestion hautement motivée par des engagements financiers appelant au dépassement et par l'instauration chez les gestionnaires d'une préoccupation d'actionnaire beaucoup plus intense et tangible que celle incitée par les formules conventionnelles de rémunération variable.

B) Les obligations hautement spéculatives (junk bonds)

Il en va de même pour les obligations hautement spéculatives (*junk bonds*). Avant les abus et les transactions douteuses, il y a eu l'innovation, déclenchée par une observation toute simple. Un investisseur détenant un portefeuille diversifié de ces obligations hautement spéculatives, c'est-à-dire non cotées par les agences de crédit telles que Moody's, Standard & Poor's, etc., aurait réalisé un rendement, net du risque assumé, supérieur à celui d'un portefeuille d'obligations de premier rang.

Pour donner une substance concrète à cette constatation, il fallait bâtir à la fois l'offre de ces obligations, de façon à ce qu'un investisseur puisse diversifier largement son portefeuille, et la demande, de façon à garantir un bon niveau de liquidité au marché secondaire pour ces mêmes obligations. Ce fut l'œuvre magistrale de Michael Milken de réussir à construire ce marché de toutes pièces et à en faire un instrument de financement pour les entreprises américaines de taille moyenne affichant une forte croissance.

Il faut comprendre qu'avant le développement d'un tel instrument, la jeune entreprise devant faire appel à des capitaux extérieurs pour poursuivre son développement n'avait à sa disposition que peu de choix. Elle n'avait ni la qualité, ni la stabilité, ni la taille pour émettre des obligations de premier rang. Les banques américaines, contrairement aux banques japonaises ou allemandes, ne sont autorisées et habilitées à offrir qu'un financement à court terme ou relié à des éléments d'actifs précis. La jeune entreprise devait donc se tourner vers les deux sources traditionnelles, soit les fonds de capital de risque et de développement ou l'émission publique d'actions ordinaires, lesquelles jouent un rôle important même si leur coût, qui se mesure en attentes de rendement, peut être élevé et que, surtout, elles ont comme conséquence une dilution rapide de la propriété et du contrôle de l'actionnaire fondateur.

Le système mis en place par Milken offrait une autre source de capital. En émettant des obligations, ces entreprises devraient payer une prime de risque à l'investisseur, mais le coût net après impôts de cette dette était inférieur au coût de financement par fonds propres et ne comportait pas d'effet de dilution pour l'entrepreneur fondateur, sauf évidemment si les choses tournaient mal.

Des entreprises devenues importantes et célèbres comme Turner Broadcasting Corporation, propriétaire de la fameuse chaîne CNN, et MCI, le sérieux concurrent d'AT&T dans le marché des services téléphoniques interurbains, sont d'éloquents produits de ce système innovateur de financement.

Ici, encore une fois, l'appât du gain et l'attrait du pouvoir ont mené à une déviation du rôle original que devaient jouer les obligations hautement spéculatives, à une utilisation du concept dans des situations hasardeuses ainsi qu'à des manipulations illicites. Quoique regrettables, ces excès n'affectent pas l'utilité première du concept et sa contribution au financement de l'entreprise dynamique. D'ailleurs, cette difficulté de financer la croissance de l'entreprise selon des modalités qui satisfassent à la fois les investisseurs et les entrepreneurs, demeure un des principaux enjeux pour notre système financier. D'importants instruments de financement ont été innovés au cours des dernières années aux États-Unis pour répondre adéquatement, et ce autrement que par des obligations hautement spéculatives, à ce besoin si critique pour notre développement économique.

2.2.5 Le coût de financement par fonds propres (Ke) ou les attentes de rendement des investisseurs (E(ROE))

Ces deux notions font référence au même concept, qu'il soit le point de vue de l'entreprise (coût de financement par fonds propres, Ke) ou celui d'un investisseur (attentes de rendement, E(ROE)). L'investisseur peut être l'entrepreneur-propriétaire dans son rôle de pourvoyeur de fonds propres, ou encore des individus ou institutions qui évaluent la pertinence d'acheter des actions ordinaires de la firme sur le marché primaire par le biais d'une nouvelle émission ou sur le marché secondaire par le truchement d'une Bourse ou d'une autre institution.

Un certain nombre de principes sous-tendent cette évaluation du rendement nécessaire pour inciter un investisseur à participer au capital-actions d'une entreprise.

- **Le niveau de rendement sur des placements sans risque (Rf)**, notamment les obligations émises par l'État : ce taux de rendement constitue en quelque sorte un minimum pour tous les autres types de placements. En effet, un investisseur rationnel n'acceptera pas d'assumer quelque risque que ce soit sans un engagement ou un espoir de rendement qui s'avère supérieur au taux de rendement réalisable sans aucun risque, sauf peut-être celui de l'inflation, bien que ce taux « sans risque » soit influencé par les perspectives d'inflation et tende généralement à couvrir adéquatement ce risque.

- **La prime de risque pour investir dans un portefeuille diversifié d'actions ordinaires liquides (Rm − Rf)** : puisqu'il s'agit d'établir les attentes de rendement pour un investissement dans des actions ordinaires forcément plus risquées, peut-être devrait-on établir comme base de comparaison la prime de rendement obtenue pour un investissement, et ce proportionnellement à leur valeur, dans toutes les actions ordinaires négociées sur une place boursière active. En d'autres termes, quel a été le rendement moyen passé des actions en Bourse (Rm) comparativement au rendement sur les titres de l'État avec une échéance de 5 ou 10 ans (Rf)? Les séries chronologiques américaines et canadiennes, selon les périodes à l'étude, situent cette prime (Rm − Rf) dans un intervalle de 4 % à 6,5 %. C'est dire qu'un investisseur détenant un portefeuille d'actions largement diversifié aurait pu réaliser un rendement de 4 % à 6,5 % supérieur à celui des titres des gouvernements américain ou canadien.

- **La mesure du risque associé à l'investissement dans les fonds propres d'une entreprise donnée** : jusqu'ici la mesure du rendement attendu s'était toujours fondée sur des facteurs d'une pertinence générale pour tout genre d'investissement. En ce qui concerne ce troisième facteur, il nous faut cependant faire la distinction entre plusieurs situations pour en établir le niveau approprié.

  — **L'investissement d'un entrepreneur dans sa propre entreprise** : ce type d'investissement, typique dans nos systèmes économiques, est régi par des considérations tout autant psychologiques qu'économiques. Bien que l'entrepreneur, *ex ante*, doive pouvoir espérer des rendements comparables aux risques qu'il doit assumer, cet espoir de gains et cette appréciation du risque sont la résultante de l'évaluation personnelle et subjective que l'entrepreneur en fait. Dans un contexte réel, l'entrepreneur continuera souvent à investir ses fonds et à exploiter son entreprise même si les rendements présents et logiquement prévisibles ne sont pas compensatoires des risques assumés. Les bénéfices intangibles associés au fait de pouvoir exploiter sa propre entreprise, l'absence d'autres choix de carrière, la spécificité des actifs et des savoir-faire de l'entreprise, c'est-à-dire leur non-transférabilité à d'autres secteurs d'activité, font que l'entrepreneur pourra se satisfaire d'un «rendement de subsistance», lequel n'a aucune commune mesure avec le niveau de risque inhérent à l'activité de son entreprise.

  En tout état de cause, l'entrepreneur voudra habituellement évaluer tout projet d'investissement selon des facteurs économiques, même si la quantification de ces facteurs pourra s'avérer hautement subjective. Ainsi, il ne saura demeurer insensible aux rendements qu'il pourrait obtenir d'autres placements moins risqués et plus liquides que les fonds propres de son entreprise. De plus, il aura tendance à se montrer réticent à assumer des risques reliés à des

projets d'investissement qui, s'ils devaient échouer, pourraient provoquer la déconfiture de l'entreprise.

Donc, même si l'entrepreneur en fait rarement une évaluation explicite, il demeure que son attitude face aux rendements qu'il espère obtenir en compensation des risques à
assumer est conforme à la relation classique rendement /
risque (voir figure 2.2).

La figure 2.2 illustre ces relations, intuitives chez la plupart
des entrepreneurs, qui déterminent les comportements
économiques. La courbe rendement / risque montre le
niveau de « récompense » espéré pour les risques à assumer.
Cette prime prend comme point de départ Rf, c'est-à-dire
le rendement possible sans assumer de risque. À l'autre
extrême, selon la taille du patrimoine dont dispose
l'entrepreneur, des investissements qui pourraient le ruiner
s'ils tournaient mal seront tout simplement rejetés, **quel
qu'en soit le niveau de rendement anticipé**. Il s'agit là d'un
niveau de risque psychologiquement intolérable pour
l'entrepreneur.

Figure 2.2   Relation rendement / risque

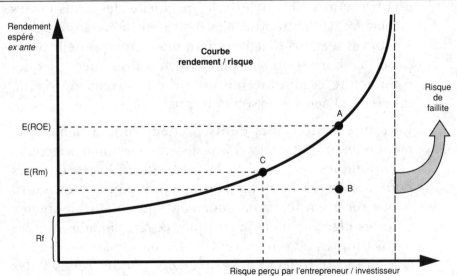

Enfin, l'entrepreneur pourra estimer qu'un rendement *ex ante* acceptable selon son niveau de risque (E(ROE)) se situe au point «A» sur la courbe. Par contre, si en réalité un rendement de niveau «B» est effectivement réalisé, rarement l'entrepreneur retirera-t-il ses investissements de l'entreprise, et ce pour les raisons déjà évoquées plus haut.

En cela, l'entrepreneur est différent des autres types d'investisseurs pour qui la liquidité et la possibilité de **se départir d'un investissement** sont des facteurs importants de sorte qu'un résultat de niveau «B» les poussera à déplacer rapidement leurs capitaux vers d'autres types d'investissement plus susceptibles de satisfaire à leurs attentes de rendement / risque. Le point «C» indique le rendement attendu d'un placement diversifié dans des actions cotées en Bourse.

— **Le rendement attendu sur les fonds propres d'une entreprise cotée en Bourse** : dans ce cas-ci, toute une modélisation financière a été mise au point pour établir le rendement que des investisseurs au patrimoine diversifié s'attendent à obtenir sur les fonds propres d'une entreprise spécifique. Le plus connu de ces modèles est sans doute le *Capital Asset Pricing Model* (CAPM), quoique sa popularité soit contestée et que sa primauté soit mise au défi par l'*Arbitrage Pricing Theory* (APT), qui marque déjà des points importants.

Le CAPM

En tout état de cause, le CAPM se fonde sur une logique simple d'une valeur certaine même si les hypothèses empiriques et les calculs précis du CAPM peuvent être discutables. Le modèle CAPM ne cherche qu'à proposer une façon globale et systématique d'établir le niveau de risque **non diversifiable** qu'assume un investisseur en achetant les actions ordinaires d'une entreprise cotée en Bourse.

La formule générale du CAPM pour établir le rendement attendu (E(ROE) ou Ke) en fonction du risque et des autres paramètres cités plus haut, se lit comme suit :

$$E(ROE_i) = Ke_i = Rf + \beta_i(Rm - Rf)$$

Le coefficient bêta (β_i) de l'entreprise i représente une mesure du risque inhérent à un investissement en fonds propres de cette entreprise, en comparaison d'un portefeuille largement diversifié de titres d'entreprises.

D'une certaine façon, ce coefficient pourrait être établi subjectivement par l'investisseur. Par exemple, pour investir dans les fonds propres de l'entreprise i, ce dernier serait prêt à payer un prix tel qu'il pourrait raisonnablement en attendre un rendement de 20 %, et cela dans un contexte de placement où le rendement sans risque (Rf) est de 10 % et la prime de rendement attendue pour l'ensemble des titres en Bourse est de 5 %. Ainsi, si l'on quantifie l'équation ci-dessus, un investisseur au portefeuille diversifié s'attendant à un rendement de 20 % aurait implicitement établi le bêta de la firme i à 2,0 :

$$20\% = 10\% + 2{,}0\,(15\% - 10\%)$$

Un bêta inférieur à 1,0 signifie que l'entreprise présente moins de volatilité qu'un portefeuille diversifié composé de tous les titres cotés en Bourse, alors que la situation inverse prévaut pour un bêta supérieur à 1,0.

Il serait évidemment malaisé d'obtenir des estimations individuelles des attentes des investisseurs à tout moment et pour tous les titres négociés en Bourse. Le CAPM propose une méthode systématique et statistique pour estimer le bêta de chaque firme. Ce modèle se fonde en effet sur le rendement mensuel obtenu au cours des 5 dernières années par les actions ordinaires de l'entreprise donnée, soit le gain du cours plus les dividendes, ainsi que sur ce même rendement pour l'ensemble des titres, soit toutes les actions cotées en Bourse.

La figure 2.3 montre trois types de relations statistiques hypothétiques entre le rendement du marché (Rm) et le rendement de l'entreprise i (Ri) au cours des 60 derniers mois.

Une relation semblable à la courbe $\beta > 1{,}0$ indique une **volatilité** du rendement supérieure à celle du marché. Lorsque les conditions économiques générales sont favorables, une firme avec un tel bêta affiche de meilleurs résultats que ceux du marché, mais se mesure moins bien à ce dernier lorsque les conditions générales sont mauvaises. Au contraire, une entreprise au bêta inférieur à 1,0 donnera des rendements plus stables et moins volatils, et ce durant toutes les périodes économiques, bonnes ou mauvaises.

Figure 2.3   Illustration de la relation sous-jacente au calcul du bêta d'une firme

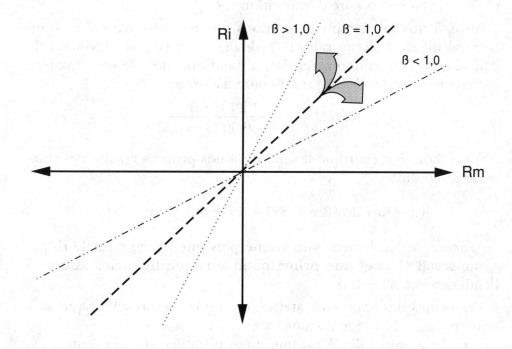

Les grandes agences de données financières (Value Line, Reuters, Sharp) fournissent le calcul des bêta des entreprises cotées à l'une ou l'autre des Bourses américaines ou canadiennes. Notons également à la figure 2.3 que les courbes passent toutes par l'origine (alpha = 0,0), ce qui n'est pas le cas dans toutes les situations empiriques.

Enfin, il est parfois utile d'établir l'impact du niveau d'endettement de l'entreprise sur son bêta. Par une manipulation arithmétique simple, on peut obtenir un bêta exempt des effets du levier financier. Ce bêta, parfois appelé bêta des actifs, constitue une mesure du **risque commercial** de l'entreprise et se calcule comme suit :

$$ ßu \ = \ \frac{Bl \times E}{E + D\,(1 - t)} $$

ßu = le bêta pour l'entreprise sans endettement

ßl = le bêta calculé pour l'entreprise à son niveau réel d'endettement

E = les fonds propres

D   =   l'endettement à long terme

t   =   le taux statutaire d'imposition

Ainsi, à titre d'exemple, supposons qu'une entreprise affiche un bêta calculé de 1,20, un ratio D/E de 0,5 et un taux d'imposition de 0,30. Le bêta de cette entreprise, à condition qu'elle soit financée entièrement par fonds propres, s'établira alors à :

$$0,89 = \frac{1,20 \times 1,0}{1,0 + 0,50\,(1 - 0,3)}$$

Alors il devient clair que le coût de fonds propres résulte des composantes suivantes :

$$Ke = Rf + ßu\,[Rm - Rf] + (ßl - ßu)\,[Rm - Rf],$$

ou encore, le rendement sans risque plus une prime pour le risque commercial (ßu) et une prime pour le risque financier associé à l'endettement (ßl − ßu).

Les limites des approches statistiques de la mesure du risque sont nombreuses et fort bien documentées.

- Le bêta ainsi calculé est une mesure fondée sur des données statistiques et donc tournée vers le passé, alors que les attentes des investisseurs sont tournées vers l'avenir.

- La mesure statistique du bêta est insensible aux événements récents – par exemple, une augmentation récente mais importante du ratio d'endettement – qui ont pu affecter sensiblement le niveau de risque de la firme.

- Le CAPM propose une mesure unidimensionnelle du risque alors que de multiples facteurs peuvent influencer le niveau de risque inhérent aux titres d'une entreprise donnée. À cet effet, le modèle de l'APT présente une méthode multifactorielle qui tient compte de la sensibilité de la performance de l'entreprise aux fluctuations inattendues des taux d'intérêt, de l'inflation, de l'ensemble de l'économie, etc.

- Lorsqu'un titre n'est pas très actif, l'estimation statistique du bêta peut se trouver faussée, c'est-à-dire montrer un bêta anormalement faible.

- Enfin, récemment, un des théoriciens les plus étroitement associés au modèle CAPM, le professeur Fama de l'Université de Chicago, en arrivait à la conclusion, fondée sur de nouvelles études statistiques, que le rendement passé des titres américains n'était pas relié à leur bêta, ou mesure de risque (voir Fama et French, 1992). Cette constatation, si elle résiste à l'examen des spécialistes, forcerait une mise en veilleuse du modèle CAPM puisque l'un de ses fondements essentiels viendrait de s'écrouler. En effet, comment prétendre que le CAPM, en utilisant la mesure du bêta, puisse évaluer le risque associé à un titre et donc le rendement anticipé par l'investisseur, si l'on ne peut établir de relation entre cette mesure de risque et les rendements passés des titres ?

Plusieurs façons, autres que le CAPM, ont été proposées pour établir le rendement nécessaire pour susciter l'investissement dans les fonds propres d'une entreprise. Par exemple, le modèle proposé par le professeur Myron Gordon a connu et connaît encore une certaine popularité à cause de sa simplicité apparente. Le prix d'un titre selon Gordon reflète la relation suivante :

$$Pt = \frac{Dt}{Ke - g}$$

Pt = le prix au marché d'une action ordinaire

Dt = le dividende par action versé par l'entreprise à la période t

Ke = le coût des fonds propres, ou les attentes de rendement, des investisseurs

g = la croissance annuelle du dividende anticipée au cours des années à venir

Évidemment, selon la formule de Gordon, le coût des fonds propres devient :

$$Ke = \frac{Dt}{Pt} + g$$

La variable critique dans ce cas devient «g», soit le taux de croissance des profits et du dividende.

Le modèle de Gordon illustre avec clarté ce que le financement par une émission de nouvelles actions ordinaires coûte à la firme et à ses actionnaires actuels, soit un dividende immédiat à payer sur chaque nouvelle action ordinaire émise auquel s'ajoute une participation aux **bénéfices futurs** de l'entreprise. Plus l'entreprise anticipe un fort taux de croissance de ses bénéfices futurs, plus élevé est le coût de financement par une nouvelle émission d'actions.

La combinaison du CAPM et du modèle de Gordon pour estimer le coût des fonds propres mène souvent à une meilleure compréhension de la problématique financière de l'entreprise.

Quoi qu'il en soit, et c'est là l'essentiel, il faut établir dans chaque cas spécifique une mesure du risque inhérent à une entreprise. Les calculs du Ke selon le CAPM ou selon d'autres méthodes (APT, Gordon, etc.) peuvent servir de base à cette évaluation, mais ils doivent être utilisés avec mesure et prudence aux fins d'analyse stratégique. Dans la suite de cet ouvrage, nous utiliserons le CAPM pour estimer le coût des fonds propres, et ce uniquement à des fins d'illustration et non parce qu'il s'agit de la mesure définitive du Ke d'une entreprise.

2.2.6 Les indices de création de valeur économique (VCI et M / B)

L'entreprise ne crée une valeur économique que si elle atteint éventuellement une situation où son rendement sur les fonds propres est égal ou supérieur aux attentes de rendement. L'indice VCI (*Value Creation Index*) illustre bien cette relation :

$$VCI = \frac{ROE}{E(ROE)} \quad ou \quad \frac{ROE}{Ke}$$

Si cette affirmation est vraie en général, elle doit être modulée pour tenir compte des phases d'investissement de l'entreprise. En effet, une entreprise peut afficher un VCI inférieur à 1,0 parce qu'elle investit des sommes importantes dans des projets laissant présager de bons rendements futurs. Si les marchés financiers sont de cet avis, l'entreprise verra son cours s'établir à un niveau tenant compte de ces rendements futurs. C'est pourquoi le coefficient valeur du cours boursier sur la valeur comptable des fonds propres (M / B) donne une indication continue de l'évaluation que les investisseurs font de l'entreprise, de ses dirigeants et de ses choix et perspectives stratégiques. Ce ratio M / B est fortement relié au VCI des firmes, comme nous le montrerons plus loin, mais il est également influencé par les caractéristiques des secteurs industriels. Enfin, si ce ratio M / B est facile à établir pour les entreprises cotées en Bourse, il est plus difficile à estimer pour les entreprises privées, même si la relation conceptuelle entre le M / B et le VCI demeure valable, en l'absence de sociétés cotées en Bourse similaires pouvant servir d'étalon.

2.2.7 Le modèle général

Tous les paramètres décrits précédemment peuvent maintenant être assemblés en un modèle général pour l'entreprise cotée en Bourse, comme le démontre la figure 2.4.

Le tableau 2.1 ci-après illustre les relations établies à la figure 2.4 pour un échantillon de grandes entreprises diversifiées. Ces informations pourraient donner lieu à tout un programme d'analyses stratégiques conçu pour établir les raisons et les facteurs déterminants des différentes performances économiques de ces entreprises. En particulier, il faut noter la relation forte quoique imparfaite entre le M / B de ces firmes et leur VCI. Nous examinerons à la section 2.3 la relation entre le VCI et le M / B des entreprises cotées en Bourse.

2.3 LA CRÉATION DE VALEUR ÉCONOMIQUE DANS L'ENTREPRISE PUBLIQUE

Dans cette section, nous développerons, selon les paramètres décrits à la section 2.2, un modèle de création de valeur économique pour l'entreprise dont les titres sont cotés en Bourse. Très spécifiquement, nous voulons établir la relation théorique et empirique entre le M / B et le VCI. La figure 2.5 montre quels sont les fondements conceptuels de cette relation. En fait, le modèle proposé attribue à trois paramètres, soit alpha, pente et delta, le rôle de capter tout ce que les marchés financiers connaissent et anticipent relativement à la croissance future des bénéfices des firmes dans une industrie donnée, au taux de leur réinvestissement, au cycle temporel pertinent, au potentiel de rentabilité des actifs intangibles de l'entreprise, etc.

Toute cette complexité conceptuelle peut être saisie par un modèle linéaire simple qui se compose des relations empiriques suivantes estimées pour des entreprises appartenant sensiblement au même secteur industriel :

$$[\; M / B_i = alpha_j + pente_j \times VCI_i + delta_i \;]$$

Figure 2.4 Décomposition du VCI

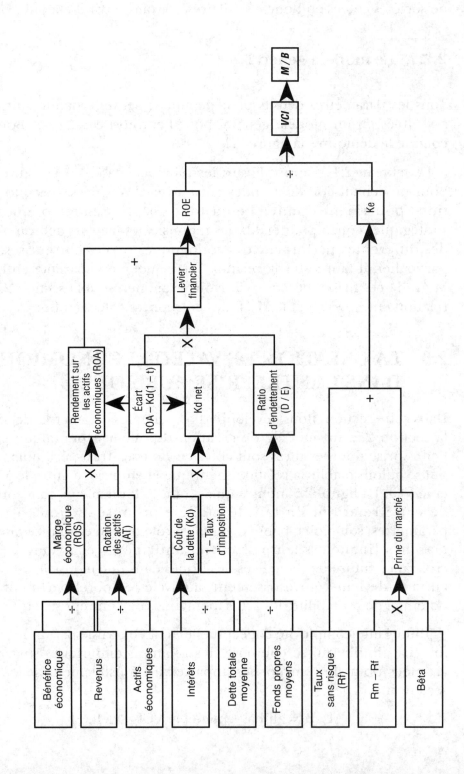

Tableau 2.1 Sommaire de la performance économique en 1990 pour un échantillon de grandes entreprises diversifiées

(Classées selon le ratio valeur du cours boursier sur la valeur comptable des fonds propres (M / B))

Sociétés	Indicateurs internes					Indicateurs de marché			
	ROS	AT	ROA	FLE	ROE	BÊTA	Ke (1)	VCI	M / B
Emerson Electric Co.	9,1 %	1,65	14,9 %	5,3 %	20,2 %	1,15	14,8 %	1,37	2,82
General Electric Co. (2)	16,8 %	0,46	7,8 %	11,8 %	19,6 %	1,14	13,6 %	1,44	2,31
Corning Inc.	11,6 %	1,04	12,0 %	3,8 %	15,9 %	1,10	13,4 %	1,19	2,23
Westinghouse Elec. Corp. (2)	13,6 %	0,73	9,9 %	13,7 %	23,6 %	1,22	14,0 %	1,68	2,12
National Services Ind. Inc.	6,2 %	2,09	13,0 %	2,5 %	15,5 %	1,02	12,9 %	1,20	1,84
Alco Standard Corp.	2,7 %	3,89	10,3 %	3,7 %	14,0 %	1,18	13,8 %	1,02	1,80
Bombardier inc.	4,0 %	2,86	11,5 %	5,2 %	16,7 %	1,18	17,2 % (3)	0,97	1,63
Varity Corp.	7,4 %	1,56	11,6 %	3,5 %	15,1 %	0,95	12,5 %	1,21	1,60
Teledyne Inc.	3,4 %	3,04	10,4 %	2,8 %	13,2 %	0,94	12,4 %	1,06	1,56
United Technologies Corp.	5,0 %	2,11	10,5 %	4,5 %	15,1 %	1,37	14,8 %	1,02	1,27
Litton Industries Corp.	5,9 %	1,41	8,4 %	4,5 %	12,9 %	0,95	12,6 %	1,02	1,25
Allied Signal Inc.	5,6 %	1,63	9,2 %	4,4 %	13,6 %	0,92	12,4 %	1,10	1,08
Mark IV Industries Inc.	7,9 %	1,02	8,0 %	11,3 %	19,4 %	1,50	15,6 %	1,25	1,01
Figgie International	4,9 %	1,58	7,8 %	4,1 %	11,9 %	1,04	13,0 %	0,91	0,93
Textron Inc.	9,6 %	0,65	6,2 %	4,7 %	10,9 %	1,09	13,3 %	0,82	0,88
Sequa Corp.	3,8 %	1,10	4,2 %	0,7 %	4,8 %	1,17	13,7 %	0,35	0,76
ITT Corp. (2)	9,6 %	0,47	4,5 %	8,9 %	13,5 %	1,03	13,0 %	1,04	0,72
Premark International Inc.	2,9 %	2,03	5,8 %	0,8 %	6,7 %	1,18	13,8 %	0,48	0,70
Fuqua Industries Inc.	1,8 %	1,10	2,0 %	−0,5 %	1,5 %	1,27	14,3 %	0,11	0,62

(1) Selon un Rf de 7,35 % et une prime de risque (Rm − Rf) de 5,5 %.
(2) Les résultats de ces entreprises reflètent le fait qu'elles consolident les bilans et résultats de leur filiale financière avec ceux de leurs opérations industrielles.
(3) Le taux sans risque canadien (Rf) qui est utilisé pour Bombardier est de 10,7 %.

Figure 2.5   Dérivation théorique et empirique de la relation M / B – VCI

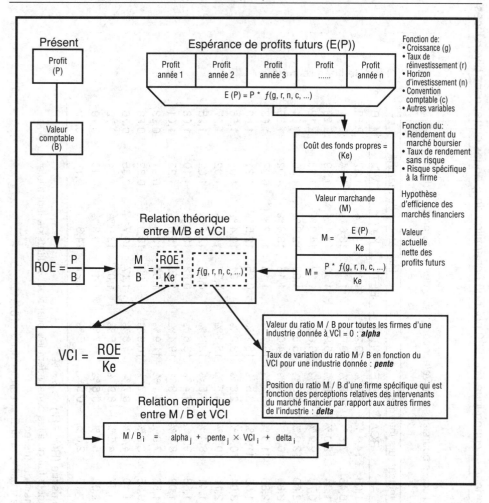

La figure 2.6 montre le type de modélisation proposé pour la relation empirique entre le M / B et le VCI. Il est évidemment possible, et nous l'avons d'ailleurs souvent fait, d'avoir recours à des modélisations non linéaires. En général cependant, ces modèles plus compliqués ajoutent peu à notre compréhension des phénomènes en jeu.

Les figures 2.7a à 2.7f établissent les relations statistiques de notre modèle pour six cas concrets: l'industrie des fiducies canadiennes, l'industrie des boissons, l'échantillon des grandes entreprises diversifiées présentées au tableau 2.1, les firmes de l'industrie nord-américaine de l'impression et de l'édition, l'industrie de la distribution des

Figure 2.6   Relation empirique entre M/B et VCI

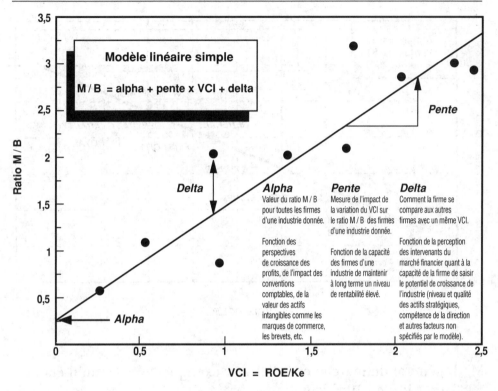

VCI = ROE/Ke

produits alimentaires et, finalement, l'industrie du commerce de détail spécialisé pour laquelle une fonction non linéaire est utilisée.

Dans tous ces exemples, la relation entre les ratios M/B et VCI est forte. Le R carré est une mesure des variations totales d'une variable dépendante, soit le M/B, qui sont reliées aux variations de la variable indépendante, soit le VCI. Une relation parfaite entre deux variables se traduirait par un R carré de 100 % alors que pour deux variables totalement indépendantes, le R carré serait de 0 %.

L'utilité de cette façon d'étudier la performance économique d'entreprises cotées en Bourse peut être illustrée par la firme ABC de l'industrie de l'impression et de l'édition (voir figure 2.7d). La performance de cette firme désignée sous le pseudonyme ABC est tracée pour les années 1985 à 1989. Pour effectuer une telle comparaison entre différentes périodes, il nous faut normaliser le ratio M/B pour éliminer l'effet des fluctuations générales du marché boursier. Nous y arrivons en corrigeant le M/B par un indice qui met en relation le

Figure 2.7a   Relation entre les ratios VCI et M/B
Industrie des fiducies canadiennes, 1988

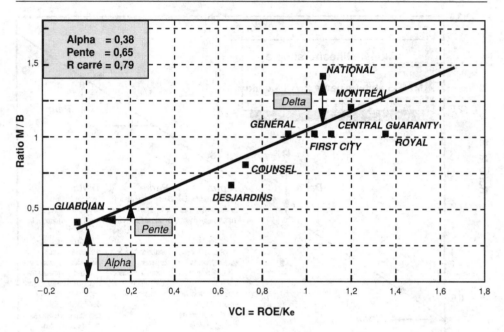

M/B général du marché en 1989, par exemple, avec ce qu'il était en 1988, en 1987, en 1986, etc.

Ainsi indexé, le ratio M/B de la firme ABC devient comparable d'une période à l'autre.

Il est intéressant de noter qu'entre 1985 et 1989, cette entreprise ABC tripla ses ventes, doubla son bénéfice avant intérêts et impôts et maintint son bénéfice par action. Pourtant, son titre chuta de façon importante durant la même période. Les dirigeants de l'entreprise ne pouvaient comprendre cette baisse subie par la valeur au marché du titre malgré l'apparence d'une bonne performance selon les critères usuels. S'agissait-il là d'un autre cas de mauvaise évaluation par le marché boursier? Il n'en était rien lorsqu'on analyse la situation à l'aide de notre modèle. En effet, l'évolution du M/B indexé de la firme ABC durant les cinq années à l'étude a suivi de façon remarquable sa véritable performance économique telle que mesurée par son VCI.

Figure 2.7b   Relation entre les ratios VCI et M / B
Industrie des boissons, 1990

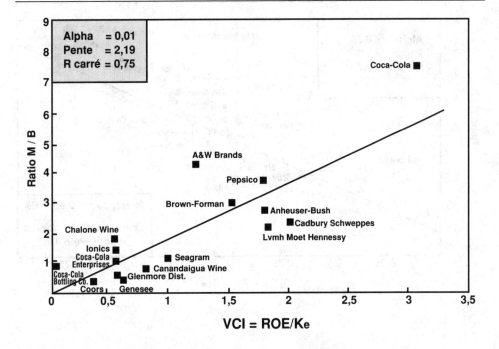

Figure 2.7c   Relation entre les ratios VCI et M / B
Performance financière de grandes entreprises diversifiées, 1990

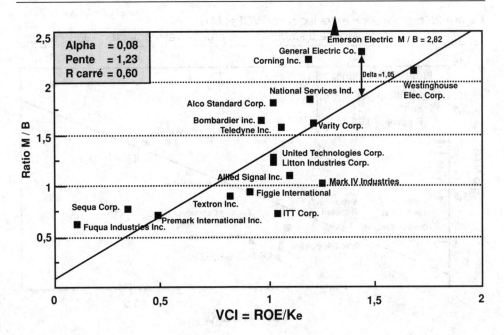

Figure 2.7d Relation entre les ratios VCI et M/B
Industrie de l'impression et de l'édition, 1989

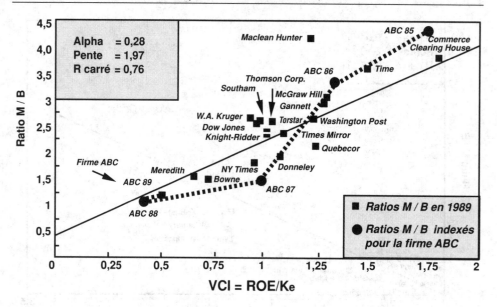

Figure 2.7e Relation entre les ratios VCI et M/B
Industrie de la distribution des produits alimentaires, 1988

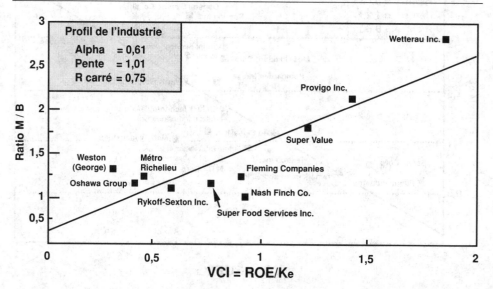

Figure 2.7f Relation entre les ratios VCI et M/B
Industrie du commerce de détail spécialisé

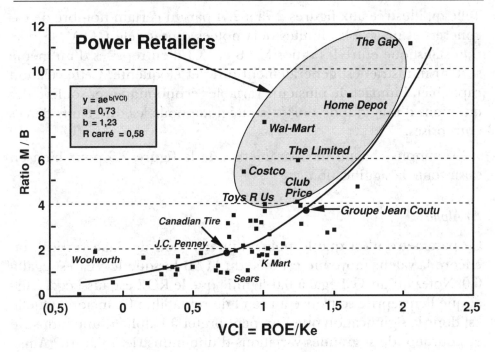

Afin d'accroître son chiffre d'affaires de façon aussi rapide, l'entreprise ABC dut faire des investissements d'une rentabilité immédiate très faible et n'offrant pas, selon les marchés financiers, des perspectives de forte rentabilité à plus long terme. En fait, la croissance du chiffre d'affaires de l'entreprise fut destructrice de valeur économique pour les actionnaires, faisant passer le ROS de la firme de 6,4 % en 1985 à 4,1 % en 1989 et la rotation des actifs (AT) de 2,5 % à 1,68 %. La croissance de l'entreprise ABC s'est donc traduite par une chute de son rendement économique (ROA) de 16 % à 6,9 %.

Nous traiterons plus loin dans ce chapitre des fondements de la haute valeur économique d'Emerson Electric Co. et de Bombardier inc. (voir figure 2.7c). Enfin, le cas fort intéressant des *«Power Retailers»* (voir figure 2.7f) fera l'objet d'un examen approfondi au **chapitre 5**.

2.3.1 Les paramètres du modèle de création de valeur

Telle qu'illustrée aux figures 2.7a à 2.7f par un certain nombre de cas concrets et malgré les limites déjà notées du modèle CAPM, la relation statistique entre les ratios M / B et VCI d'entreprises d'un même secteur industriel est généralement forte et éloquente. Cette relation capte bien l'impact de plusieurs variables économiques et soulève des questions d'une grande portée stratégique pour les dirigeants de ces entreprises.

Examinons chacun des paramètres de la figure 2.6 pour bien en saisir toute la signification.

A) Alpha

Ce paramètre n'est que le point d'intersection de l'axe vertical, ou encore la valeur moyenne estimée du M / B lorsque le VCI est égal à 0,0. Notez qu'un VCI égal à 0,0 signifie que le ROE est aussi égal à 0,0 et que l'entreprise se trouve au seuil de rentabilité financière. Quelle est donc la signification que l'on peut prêter à l'alpha d'une industrie et pourquoi de si grandes variations d'une industrie à l'autre? Ainsi, en 1990, l'industrie des téléphones cellulaires affichait un alpha de 4,0, l'industrie de la gestion des déchets industriels en 1989, un alpha de 1,5 alors que les banques à charte canadiennes présentaient un alpha de 0,09 et l'industrie nord-américaine des boissons, un alpha de 0,01.

Le premier phénomène que capte l'alpha porte sur le potentiel de croissance de profits de l'industrie au même sens que le «g» pour une entreprise dans le modèle de Gordon. En effet, lorsque le marché financier anticipe une croissance forte et une haute rentabilité pour une industrie donnée, il attribue une valeur marchande aux entreprises de ce secteur qui reflète ces attentes. La valeur marchande des fonds propres de ces entreprises pourra alors être de beaucoup supérieure à leur valeur comptable, et cela malgré une performance économique (VCI) encore très modeste.

En certaines occasions, l'alpha est également sensible à la valeur relative, nette de l'endettement, des actifs **tangibles** ou **intangibles** des firmes d'une industrie donnée en situation de liquidation. Plus spécifiquement, l'alpha peut capter l'impact des règles comptables en vigueur sur la juste appréciation des actifs des firmes dans un secteur industriel particulier.

B) Pente

Ce paramètre mesure la relation entre la performance économique (VCI) des firmes et leur évaluation par les marchés financiers (M/B) pour une industrie donnée. La pente d'une industrie indique la « récompense » relative que le marché accorde aux firmes qui font preuve d'une bonne performance économique, et vice versa. Les variations de pente entre industries sont reliées, d'une part, à l'effet de l'alpha, comme nous le verrons ci-après, et, d'autre part, à la durabilité d'une haute performance économique, une fois acquise, dans une industrie donnée.

Ainsi au tableau 2.2, qui présente les paramètres alpha et pente pour un échantillon d'industries, on peut constater que les secteurs industriels pour lesquels la performance économique est associée à une forte notoriété et à une image positive des marques de la firme, soit transformation alimentaire, édition, vente au détail spécialisée,

Tableau 2.2 Paramètres de création de valeur pour un échantillon d'industries

Industries	Alpha	Pente	M/B estimé lorsque VCI = 1,0
Transformation de produits alimentaires	0,46	1,89	2,35
Gestion des déchets industriels	1,50	0,81	2,31
Imprimerie et édition	0,28	1,97	2,25
Vente au détail spécialisée	0,51	1,71	2,22
Boissons	0,01	2,19	2,20
Fabrication de machinerie	0,95	0,77	1,72
Pâtes et papiers	0,50	1,17	1,67
Distribution de produits alimentaires	0,61	1,01	1,62
Fabrication automobile	0,75	0,73	1,48
Ameublement de bureau	0,27	1,15	1,42
Entreprises diversifiées	0,08	1,23	1,31
Transport aérien	0,56	0,66	1,22
Fiducies canadiennes	0,38	0,65	1,03
Banques à charte canadiennes (1989)	0,09	0,70	0,79

boissons, sont caractérisés par une forte **pente**; donc des ratios M / B élevés sont associés à une bonne performance économique mesurée par le VCI.

À l'inverse, les entreprises de ces secteurs qui affichent une piètre performance économique sont fortement pénalisées quant à leur valeur économique parce que le marché financier estime qu'un revirement de leur situation sera difficile, voire improbable, étant donné les avantages stratégiques incontournables que détiennent les concurrents plus performants œuvrant dans ces mêmes secteurs.

Notons, en passant, qu'une amélioration de performance dans ces secteurs se traduit par des gains plus importants pour les actionnaires (ratios M / B) que dans d'autres secteurs industriels, un facteur dont on devrait tenir compte dans l'établissement de la rémunération variable des dirigeants d'entreprises.

C) Alpha et pente

La combinaison des paramètres alpha et pente donne, pour chaque industrie, une estimation statistique de la relation entre le ratio M / B et la performance économique actuelle des firmes ainsi que les attentes de croissance rentable.

À la dernière colonne du tableau 2.2, on établit pour un échantillon d'industries le ratio M / B anticipé statistiquement en fonction d'un seuil de création de valeur économique (VCI) de 1,0 c'est-à-dire, lorsque ROE = Ke.

Encore une fois, les industries dont les firmes peuvent acquérir des avantages concurrentiels durables et un certain pouvoir de marché viennent en tête de liste quant aux ratios M / B associés à leur performance. Mais on trouve également parmi ce groupe les industries à fort potentiel de croissance (alpha élevé) comme l'industrie de la gestion des déchets industriels.

De plus, les variations entre industries quant au M / B estimé pour un VCI de 1,0 peuvent résulter des différences de risque systématiques entre industries. Ainsi, notre approche par industrie, bien qu'elle soit fondée en partie sur le CAPM, permettrait de capter l'effet des autres facteurs de risque qui sous-tendent l'approche dite *Arbitrage Pricing Theory* (APT). Ces facteurs de risque, comme des changements imprévus survenus dans la structure des taux d'intérêt, dans les taux d'inflation, dans les attentes de profits des entreprises, etc., tendent à influencer de façon différenciée et systématique le niveau de risque inhérent aux actions ordinaires de diverses industries comme l'ont d'ailleurs démontré plusieurs études empiriques (voir Berry, Burmeister et McElroy, 1988).

D) Delta

Le facteur delta est en fait le résidu statistique ou la différence entre le M / B estimé pour une firme selon sa performance économique (VCI) et le M / B réel de cette même firme. D'un point de vue strictement statistique, le delta est une mesure des variations du M / B non expliquées par le VCI de la firme. Ce delta peut être positif ou négatif, important ou insignifiant. Évidemment, un delta très élevé pour une firme peut être une indication que celle-ci a été classifiée dans la mauvaise industrie. Il faut bien sûr s'assurer que de tels phénomènes ne compromettent pas la qualité des données statistiques utilisées pour ces estimations.

Ainsi, un delta extrêmement négatif pourra indiquer que :

– la performance comptable de la firme n'est pas une bonne mesure de sa véritable performance économique. Par exemple, son ROE peut être le produit de choix comptables douteux, peut résulter de coupures dans les dépenses stratégiques risquant ainsi de miner la rentabilité future de la firme, ou encore peut refléter des phénomènes transitoires tels qu'un taux de taxation anormalement bas ;

– le Ke résultant d'un bêta estimé en fonction de données passées ne fournit pas une bonne estimation du véritable risque perçu et du rendement attendu par les investisseurs. Cette éventualité découle souvent de changements récents dans la situation de la firme, soit dans son niveau d'endettement, dans son personnel de direction, etc., qui ne sont pas reflétés dans l'estimation statistique du bêta fondée sur les données des cinq dernières années ;

– les marchés financiers estiment qu'à cause de ses choix stratégiques douteux dans le passé, la firme se trouve dans une position vulnérable face à des concurrents ayant fait des choix plus judicieux et que cette vulnérabilité ne s'est pas encore manifestée dans la performance de l'entreprise.

Évidemment, un delta positif indique une évaluation favorable des choix stratégiques et des perspectives d'avenir de la firme comparativement à la moyenne de son industrie.

Ainsi, des entreprises comme Emerson Electric, Corning, Bombardier (voir figure 2.7c), Coca-Cola (voir figure 2.7b), Maclean Hunter (voir figure 2.7d), Wal-Mart, Home Depot et The Gap (voir figure 2.7f) affichent un delta fortement positif indiquant que les marchés financiers leur attribuent un potentiel de rendement futur supérieur aux autres entreprises de leur industrie, et ce **quel que soit leur niveau actuel de performance économique**.

Les marchés financiers estiment que, si on les compare à la moyenne de leurs industries respectives, ces entreprises ont un fort potentiel de croissance ou une position de marché imprenable. Leurs investissements stratégiques offrent des perspectives de haut rendement et leur direction est en mesure de tirer pleinement avantage du potentiel de croissance et de rendement de leur industrie, et ce tout en fournissant à l'investisseur l'assurance d'une gestion énergique des risques de contre-performance durant les périodes creuses du cycle économique.

Examinons un peu plus en détail les cas des entreprises Emerson Electric et Bombardier afin de démontrer pourquoi les marchés financiers semblent si entichés de ces entreprises.

2.3.2 La création de valeur économique chez Emerson Electric Co.

Cette section dissèque la performance économique de l'entreprise Emerson Electric Co., une entreprise américaine diversifiée avec plus de 40 divisions dans le domaine de la fabrication de matériel, d'équipement et de moteurs électriques. Emerson vient en tête de liste quant au ratio M / B pour les firmes diversifiées présentées au tableau 2.1 et affiche un delta très positif (1,05) à la figure 2.7c. L'examen des données financières d'Emerson permet d'apporter des éclaircissements intéressants sur les leviers et la dynamique de création de valeur économique.

La figure 2.8 montre la performance d'Emerson Electric Co. pour la période 1982-1991. Au cours de cette période, qui correspond de fait à un cycle économique complet, cette grande entreprise manufacturière américaine a su maintenir son rendement sur l'avoir des actionnaires à un niveau confortablement au-dessus du coût de fonds propres (Ke) estimé pour chacune des dix années.

Une telle régularité et stabilité dans l'atteinte d'un VCI supérieur à 1,0 constitue une performance économique exceptionnelle qui est reconnue comme telle par les marchés financiers. La figure 2.8 montre justement que le titre de l'entreprise a été négocié à une valeur marchande nettement supérieure à sa valeur comptable pendant toute la période considérée. Avec une valeur minimale de 2,3 en 1984, une valeur de 2,82 en 1990 et un sommet de 3,8 en 1991, l'évolution du ratio valeur du cours boursier sur valeur comptable (ratio M / B) résume mieux que toute autre statistique la création de valeur économique par cette entreprise.

La création de valeur économique réalisée par Emerson Electric Co. provient de trois principaux éléments, soit une croissance soutenue des profits, la régularité et la faible volatilité du rendement

Figure 2.8 Relation entre les ratios VCI et M / B pour Emerson Electric Co. (1982-1991)

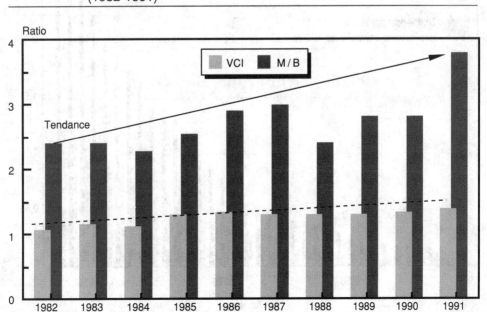

et, finalement, une gestion financière serrée et une rentabilité supérieure au coût du capital pour l'ensemble des opérations.

La figure 2.9 démontre bien l'importance du premier élément, croissance soutenue des profits, comme levier de création de valeur économique. Depuis 1956, le bénéfice par action de l'entreprise a maintenu un rythme de croissance de près de 12 % par année. Cette croissance résulte non seulement d'un programme dynamique de fusions et d'acquisitions piloté par le siège social de l'entreprise, mais aussi d'une stratégie délibérée de croissance interne mise en œuvre par le biais du renouvellement et de l'élargissement des gammes de produits ainsi que de l'expansion des marchés géographiques desservis par les filiales et divisions opérationnelles. Par exemple, des objectifs spécifiques de croissance rentable sont fixés chaque année pour chacune des divisions et les initiatives stratégiques visant à

Figure 2.9   Emerson : plus de 30 ans de croissance soutenue des profits

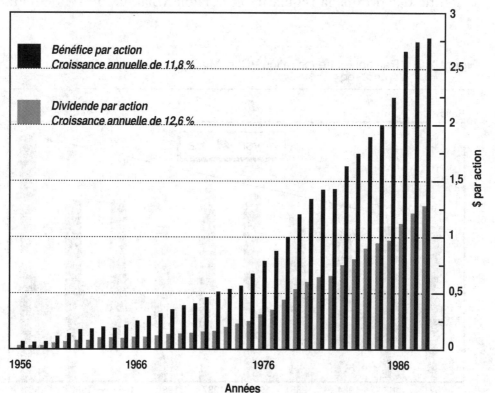

appuyer cette croissance sont placées au cœur de l'agenda des gestionnaires du siège social et des divisions.

Parallèlement à ses objectifs de croissance, Emerson Electric Co. vise à assurer une très faible volatilité de sa rentabilité tout au cours des cycles économiques. Cette régularité de performance se fonde sur des objectifs exigeants d'amélioration constante de la productivité de même que sur une structure de coût concurrentielle et suffisamment **flexible** pour maintenir la rentabilité même dans des conditions de marché difficiles.

La figure 2.10 illustre cette volonté de l'entreprise en établissant une comparaison entre la performance financière d'Emerson et celle de l'ensemble du secteur manufacturier américain pour sept périodes difficiles pour cette industrie au cours des 20 dernières années. Ces données sont éloquentes puisqu'elles révèlent une volatilité des profits nettement plus faible pour Emerson que pour l'ensemble des entreprises manufacturières.

Par exemple, pendant la récession du début des années quatre-vingt, une baisse des ventes d'environ **4 %** s'est traduite par une chute de plus de **20 %** des profits pour l'ensemble du secteur manufacturier alors qu'avec une baisse équivalente des ventes, les profits d'Emerson ont connu, pour leur part, une croissance respectable de plus de **5 %**.

Cette capacité d'imperméabiliser la rentabilité de l'entreprise contre la volatilité inhérente aux cycles économiques, et ce dans un secteur industriel particulièrement sensible à ces phénomènes, confère à Emerson une grande valeur économique. En effet, un tel accomplissement augmente les profits cumulatifs de l'entreprise sur l'ensemble du cycle, diminue le risque inhérent à l'entreprise et, par conséquent, les attentes de juste rendement des investisseurs.

Enfin, la haute performance d'Emerson est le fruit d'un suivi stratégique de chacun des principaux leviers de rentabilité décrits dans cette section et dans la section 2.4 de ce chapitre. Les politiques et pratiques du siège social sont telles que chaque division doit non seulement gérer ses activités de façon à obtenir un rendement supérieur à son coût moyen du capital, mais aussi suivre l'évolution de chacun des leviers ayant un impact sur la rentabilité de ses opérations.

À titre indicatif, la figure 2.11 illustre comment l'entreprise a su compenser la baisse du taux de rotation de ses actifs, reflétant une

Figure 2.10   Performance financière d'Emerson Electric Co.

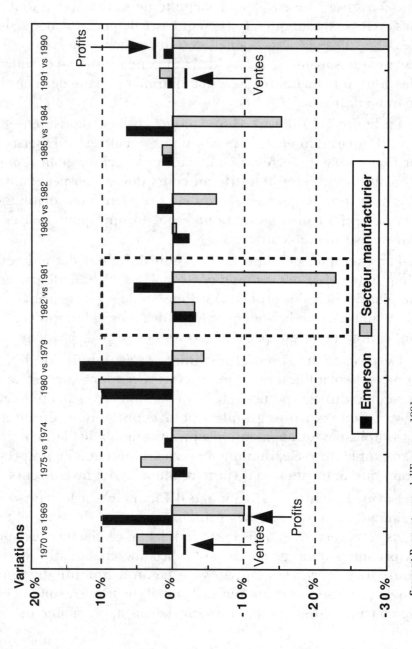

Source : Rapport annuel d'Emerson, 1991.

Figure 2.11   Performance financière d'Emerson Electric Co. (1982-1991)

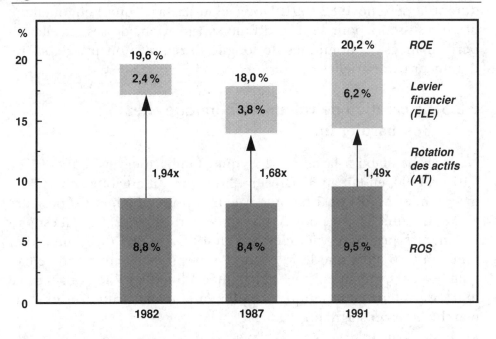

plus forte utilisation de capitaux par les filiales acquises pendant cette période, par une gestion serrée de sa marge économique (ROS) et un recours accru à l'effet de levier résultant d'un financement plus important par la dette. Or, cet accroissement du financement par endettement n'augmente pas le risque inhérent à l'entreprise justement parce qu'elle a su maintenir un ROS stable et un ROA très supérieur au coût de la dette, et ce tant dans les bonnes que dans les mauvaises périodes du cycle économique. Par une gestion sage et sagace de ces deux leviers, la direction de l'entreprise a pu maintenir le rendement sur l'avoir des actionnaires (ROE) à un niveau constant et élevé, soit autour de 20 %, et ainsi garder son VCI toujours supérieur à 1,0.

Ainsi, sur le plan de la création de valeur économique, l'entreprise Emerson a livré une performance remarquable sur une longue période. De fait, un investisseur qui aurait acheté des actions d'Emerson en 1982 et les aurait conservées jusqu'en 1991, aurait réalisé un rendement composé (appréciation plus dividendes) de 17,7 % annuellement avec une très faible variance de ce rendement moyen. En termes absolus, ce rendement annuel correspond à 8,8 milliards de dollars de valeur économique créée par l'entreprise Emerson durant la période 1982-1991. Notons, au passage, que l'engouement des investisseurs pour le titre d'Emerson provient de ses excellentes performances économiques **de longue durée**, et non pas de sautes d'humeur trimestrielles.

2.3.3 La création de valeur économique chez Bombardier inc.

Nous avons établi à la figure 2.7c que Bombardier, avec un VCI de 0,97 en 1990, en fait au 31 janvier 1991, se voyait attribuer une valeur marchande (M / B) de 1,63, une valeur considérablement supérieure au M / B estimé (1,30) pour ce niveau de performance. Ce qui est plus étonnant à première vue, c'est qu'en 1991, le VCI de Bombardier tombe à 0,86 alors que le M / B de l'entreprise fait un bond remarquable à 2,90, créant en une seule année 1,3 milliard de dollars canadiens de valeur économique supplémentaire dans un contexte de marché boursier stagnant.

La figure 2.12 et les tableaux 2.3a et 2.3b présentent les informations permettant d'évaluer cette performance. La société Bombardier qui, de 1985 à 1992, a multiplié par 6 son chiffre d'affaires, compte maintenant plus de 30 000 employés et quelque 30 divisions regroupées en six secteurs d'activité, soit aéronautique (Europe), aéronautique (Amérique du Nord), matériel de transport (Amérique du Nord), matériel de transport (Europe), produits de consommation motorisés et services financiers.

Cette croissance fulgurante du chiffre d'affaires est le résultat d'acquisitions stratégiques négociées de façon à minimiser les risques pour Bombardier. La firme a pu ainsi redresser les opérations chancelantes qu'elle avait achetées et maintenir une marge économique (ROS) au-dessus de 4 % durant toute la période (voir ligne 6, tableau 2.3a).

Ce résultat n'explique pas pourquoi le marché accorde une telle valeur à l'entreprise, malgré un ROA et un ROE qui ont chuté au cours des deux dernières années (voir lignes 8 et 13, tableau 2.3a).

La réponse se trouve dans le fait que cette baisse du ROA et du ROE provient d'une augmentation massive des actifs économiques (voir ligne 2), soit plus de 750 millions de dollars en deux ans, nécessaires au

Figure 2.12 Croissance de Bombardier inc. (f1985-f1992)

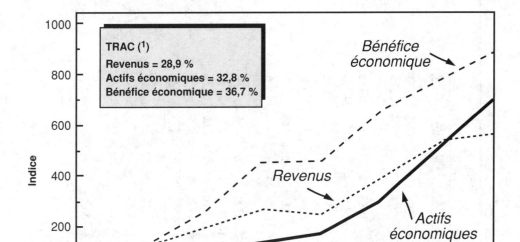

(¹) Taux de rendement annuel composé

développement de nouveaux produits, en particulier l'avion commercial régional RJ. Le marché estime donc que ces projets sont porteurs de promesses de rentabilité future, bien que leur contribution aux revenus n'aura un impact important qu'après 1993.

Les marchés financiers ont bon espoir que les investissements stratégiques engagés par la direction de Bombardier fourniront des rendements supérieurs au coût pondéré moyen du capital, ou WACC (voir ligne 26, tableau 2.3b).

La performance du titre de Bombardier montre derechef que les marchés financiers sont très sensibles aux investissements stratégiques **à long terme**, lesquels leur semblent sensés et sont pilotés par des gestionnaires auxquels les investisseurs font confiance.

Tableau 2.3a   Analyse des leviers de rentabilité – Bombardier inc. (f1985-f1992)

Leviers de rentabilité	f1985	f1986	f1987	f1988	f1989	f1990	f1991	f1992
#1 Revenus (millions)	516 $	657 $	1 104 $	1 456 $	1 396 $	2 094 $	2 836 $	3 059 $
#2 Actifs économiques moyens (millions)	186 $	197 $	230 $	298 $	366 $	600 $	993 $	1 352 $
#3 Bénéfice avant intérêts et impôts (millions)	24 $	31 $	58 $	100 $	101 $	119 $	138 $	145 $
#4 Taux effectif d'impôt	39,9 %	38,8 %	34,5 %	33,4 %	32,3 %	20,0 %	16,9 %	11,3 %
#5 Bénéfice économique (#3 × (1 − #4)) (millions)	14 $	19 $	38 $	67 $	68 $	95 $	115 $	129 $
#6 Marge économique sur ventes (ROS: #5 / #1)	2,8 %	2,9 %	3,4 %	4,6 %	4,9 %	4,5 %	4,0 %	4,2 %
#7 Rotation des actifs (AT: #1 / #2)	2,77	3,34	4,80	4,89	3,81	3,49	2,86	2,26
#8 Rendements sur actifs économiques (ROA: #6 × #7)	7,8 %	9,6 %	16,5 %	22,3 %	18,7 %	15,9 %	11,5 %	9,5 %
#9 Frais d'intérêt (millions)[1]	7 $	4 $	(2 $)	(6 $)	(7 $)	7 $	17 $	29 $
#10 Coût de la dette après impôts (#9 / dette[3]) × (1 − #4)	7,0 %	5,9 %	(8,9 %)	(8,2 %)	(20,2 %)	1,1 %	3,7 %	3,8 %
#11 Ratio dette / fonds propres[2]	0,45	0,31	−0,07	−0,15	−0,06	0,32	0,66	0,70
#12 Levier financier (FLE: #11 × (#8 − #10))	0,3 %	1,2 %	−0,5 %	−2,1 %	0,1 %	4,7 %	5,2 %	4,0 %
#13 Rendement sur fonds propres (ROE: #8 + #12)	8,1 %	10,8 %	16,0 %	20,2 %	18,6 %	20,6 %	16,7 %	13,5 %

Tableau 2.3b Analyse des créations de valeur économique – Bombardier inc. (f1985-f1992)

Calculs du VCI et du ratio M / B	f1985	f1986	f1987	f1988	f1989	f1990	f1991	f1992
#14 Taux sans risque[3]	12,4 %	10,8 %	9,4%	9,6 %	9,8 %	9,8 %	10,7 %	9,1 %
#15 Bêta	1,00	0,96	0,81	1,04	1,03	1,13	1,18	1,21
#16 Prime du marché	5,5 %	5,5 %	5,5 %	5,5 %	5,5 %	5,5 %	5,5 %	5,5 %
#17 Coût des fonds propres [#14 + (#15 × #16)]	17,9 %	16,1 %	13,9 %	15,3 %	15,5 %	16,0 %	17,2 %	15,8 %
#18 Coût marginal de la dette (taux préférentiel)	12,1 %	10,6 %	10,5 %	9,5 %	10,8 %	10,9 %	11,0 %	9,6 %
#19 Coût de la dette après impôts (#18 × (1 − #4))	7,3 %	6,5 %	6,9 %	6,3 %	7,3 %	8,7 %	9,1 %	8,5 %
#20 Nombre d'actions de classe «A» émises (millions)	30,5	27,7	26,9	26,6	26,8	25,5	22,6	22,6
#21 Prix de l'action à la fin de la période	2,34 $	4,00 $	9,68 $	8,25 $	13,00 $	15,63 $	16,75 $	34,25 $
#20 Nombre d'actions de classe «B» émises (millions)	14,1	23,8	35,7	36,4	37,2	37,5	48,0	53,5
#21 Prix de l'action à la fin de la période[4]	2,31 $	4,00 $	9,44 $	8,25 $	13,00 $	15,25 $	15,65 $	34,25 $
#22 Valeur marchande des fonds propres (millions)	104 $	206 $	597 $	520 $	832 $	970 $	1 130 $	2 606 $
#23 Dette totale à la fin de la période (millions)[1]	52 $	41 $	(73 $)	(30 $)	(20 $)	308 $	479 $	695 $
#24 Ratio des fonds propres [#22 / (#22 + #23)]	67 %	83 %	114 %	106 %	102 %	76 %	70 %	79 %
#25 Ratio de la dette [#23 / (#22 + #23)]	33 %	17 %	−14 %	−6 %	−2 %	24 %	30 %	21 %
#26 WACC [(#17 × #24) + (#19 × #25)]	14,3 %	14,5 %	14,8 %	15,9 %	15,7 %	14,3 %	14,8 %	14,2 %
#27 Valeur comptable des fonds propres des actionnaires (millions)	134 $	167 $	325 $	375 $	407 $	504 $	694 $	900 $
#28 Ratio M/B (#22 #27)	0,78	1,23	1,84	1,39	2,04	1,93	1,63	2,90
#29 Indice VCI (ROA: #8 / #26)	0,54	0,66	1,11	1,41	1,19	1,11	0,78	0,67
#30 Indice VCI (ROE: #13 / #17)	0,45	0,67	1,15	1,32	1,20	1,29	0,97	0,86

(1) La dette négative provient des avances reçues sur les contrats de matériel de transport.

(2) Il s'agit de la dette moyenne et des fonds propres moyens obtenus en utilisant les données des lignes #23 et #27 ; par exemple, pour f1992, la dette moyenne devient (695 $ + 479 $) ÷ 2 et les fonds propres moyens (900 $ + 694 $) ÷ 2.

(3) Obligations du gouvernement canadien; échéance 5 ans.

(4) Une division pour deux des titres en 1992 a eu pour effet de multiplier le nombre d'actions «A» et «B» par deux et d'en diminuer le prix de moitié.

2.3.4 L'évaluation de la performance économique des firmes dans différents systèmes économiques

L'évaluation de la performance économique et sociale de toute firme dépend du système économique et socio-politique dans lequel elle mène ses opérations.

Ainsi, la notion de « coûts des ressources utilisées » prend une signification toute différente selon que l'entreprise doit prendre en charge, partiellement ou totalement, les effets de débordement (*externalities, spill-over costs*) ainsi que les frais reliés à leur élimination. La rentabilité économique **privée** ne constitue une mesure parfaite de la rentabilité économique **globale** que lorsque les entreprises incluent dans leurs calculs de rentabilité **interne** tous les coûts et bénéfices reliés aux effets de débordement, négatifs ou positifs, provenant de leurs opérations.

Dans quelle mesure et à quel degré les coûts inhérents à la pollution de toute nature, à la santé des travailleurs, à la salubrité des milieux de travail, à la recherche et au développement, à la formation de personnel, et ainsi de suite, sont-ils ou devraient-ils être pris en charge par les entreprises ? Cela demeure une vaste question à laquelle les États et sociétés apportent des réponses très différentes.

Aussi, la rentabilité d'une entreprise est en bonne partie le résultat de choix qu'a faits la société au sein de laquelle elle œuvre. Ces choix quant aux charges sociales, aux réglementations et aux obligations de toute nature que l'on fait assumer à l'entreprise, sont le produit des valeurs sociales, des idéologies politiques et des contraintes imposées par les conditions plus favorables souvent accordées aux entreprises concurrentes situées dans d'autres États. Il est évidemment plausible, voire fréquent, qu'une entreprise rentable dans un milieu social donné ne soit pas économiquement viable dans le cadre juridique d'un autre État.

De plus, la sévérité et la célérité avec lesquelles seront jugés les mauvais choix stratégiques et l'ineptie administrative des entreprises sont très variables selon que celles-ci sont soumises ou non à l'**efficience** relative de trois marchés distincts :

- Le marché pour les produits ou services qu'offre l'entreprise.
- Le marché des capitaux auquel l'entreprise a dû ou doit recourir pour financer sa croissance.

- Le marché des fournisseurs de biens, services et technologies ainsi que celui des ressources humaines auquel doit s'adresser l'entreprise pour obtenir le personnel qualifié et spécialisé dont elle a besoin.

Or, il n'est pas acquis que ces trois marchés soient toujours efficients et entièrement déterminés par le libre jeu de la concurrence, de l'offre et de la demande.

Dans le modèle libéral d'économie de marché, tel que pratiqué dans sa forme la plus complète bien qu'imparfaite aux États-Unis et au Canada, il incombe aux gouvernements de tout mettre en œuvre pour maintenir et améliorer l'efficacité de ces trois marchés.

Par leurs instruments de surveillance de la libre concurrence, par leurs règles de divulgation de l'information financière, par un cadre juridique défavorable à toute disposition entravant le libre mouvement des personnes, des biens et des capitaux, les sociétés libérales tentent de promouvoir l'efficience des marchés pour le mieux-être des consommateurs et ainsi de stimuler l'innovation entrepreneuriale et de susciter une affectation optimale des ressources économiques.

Dans la mesure où une société libérale ne réussit pas à éliminer les inefficacités qui nuisent au fonctionnement de ces marchés ou que des firmes réussissent par différents moyens à se soustraire à leur discipline, on constate que la performance économique de l'entreprise reflète ces imperfections des marchés tout autant que sa véritable contribution économique. De plus, l'incurie de fonctionnement et l'incompétence de gestion peuvent alors perdurer sans que l'entreprise subisse les sanctions des marchés.

A fortiori, les secteurs qui ne sont pas soumis à la discipline totale des marchés, soit les secteurs public et parapublic, les sociétés d'État, les sociétés sans but lucratif et les coopératives, doivent trouver d'autres mesures de rendement qui les incitent tout de même à rechercher l'efficience.

Par ailleurs, force est de constater que des modèles de gestion économique autres que le modèle libéral ont engendré, pendant un temps du moins, des résultats spectaculaires.

Le modèle néo-mercantiliste pratiqué jusqu'à récemment au Japon et encore aujourd'hui en Corée du Sud, à Taïwan et à Singapour, ou encore le modèle de capitalisme social-démocrate pratiqué en France et en Allemagne ainsi que sa variante «corporatiste démocratique» appliquée en Suède, au Danemark, aux Pays-Bas, etc., proposent des conceptions très différentes de la gestion économique et, par voie de conséquence, de l'évaluation de la performance économique des firmes.

Selon ces modèles, les marchés des produits et services de consommation sont habituellement soumis à une concurrence importante, parfois féroce, alors que les marchés des biens d'équipement et d'infrastructure des États sont souvent « cartellisés ». De plus, les marchés de capitaux y sont habituellement gérés soit par des organismes d'État, soit par de grandes banques d'affaires privées. Quant aux ressources humaines, la situation varie beaucoup d'un État à l'autre, mais, pour un ensemble de raisons économiques, sociales et culturelles, la mobilité interfirmes du personnel est beaucoup plus faible dans ces pays qu'en Amérique du Nord.

De façon variable et plus ou moins explicite selon les modèles de gestion économique, l'État tend à jouer un rôle plus directif, et à appuyer et récompenser les entreprises qui orientent leurs actions dans le sens de ses objectifs. Il est bien évident que la mesure de la performance économique de la firme prend une tout autre signification dans ces circonstances.

Même si nous ne ferons que très occasionnellement référence à ces différents modèles de gestion économique dans la suite de cet ouvrage, nous voulions souligner dans ce chapitre que, d'une part, la stratégie d'entreprise prend une signification et un contenu particuliers selon le cadre socio-politique, juridique et économique au sein duquel l'entreprise doit fonctionner et que, d'autre part, la concurrence internationale se jouant bien souvent entre entreprises issues de systèmes économiques aux logiques et impératifs très différents, il est essentiel de comprendre comment ces règles de fonctionnement favorisent l'un ou l'autre intervenant dans le jeu de la compétition internationale.

Le cas du Japon (1955-1985)

Le modèle de création de valeur économique que nous avons esquissé dans ce chapitre se fonde sur la prémisse d'une économie de type libéral où existent une forte concurrence et une haute mobilité des capitaux, des techniques et des ressources humaines.

Pour un système financier concurrentiel caractérisé par une grande mobilité tant nationale qu'internationale des capitaux, les pressions décrites dans ce chapitre sont inhérentes à son fonctionnement. Ainsi, une augmentation de l'endettement d'une firme mènera assez rapidement à une réévaluation de son risque, et donc à une augmentation du coût marginal des nouvelles dettes et à des attentes de rendement plus élevées sur les fonds propres (Ke) de l'entreprise.

De même, la forte mobilité interfirmes des personnes et du savoir technique qui caractérise maintenant les économies libérales entrave la capacité des firmes de s'approprier tous les bénéfices du savoir-faire et des développements technologiques engendrés par leurs investissements. Leur calcul économique, par exemple en matière de formation de personnel ou de recherche et développement, est forcément influencé par ces phénomènes qui, **plus que tous autres**, tendent à limiter l'entreprise à un horizon à court terme.

Concevons maintenant un système social, économique et financier aux paramètres très différents. La grande entreprise y est source de prestige et de sécurité sociale. La relation des employés avec leur firme s'étend sur leur vie active entière et se termine avec une retraite à un âge relativement jeune sans indemnités de retraite, si ce n'est un an de salaire à la sortie. Pour que les individus se préparent adéquatement à leur retraite, de généreux incitatifs fiscaux de même que la pratique d'un boni annuel équivalent à un mois de salaire favorisent l'épargne individuelle.

Cette abondance d'épargne accompagnée d'un contrôle des mouvements de capitaux hors du pays, donne lieu à de faibles coûts du capital, mais augmente ainsi la taille du patrimoine nécessaire à une retraite confortable, comme le montre la figure 2.13. Les grandes banques qui disposent de ces capitaux sont associées à des groupes industriels (*kereitsu*) auprès desquels elles jouent le rôle de banque d'affaires. Ces groupes industriels sont bien structurés et comprennent un vaste et stable réseau d'entreprises qui agissent comme fournisseurs et sous-traitants auprès des grands manufacturiers du groupe. Cette stabilité et cette exclusivité du réseau facilitent et stimulent les échanges de savoir-faire, les développements conjoints de produits et la gestion en «juste à temps» (JAT).

Enfin, tant au niveau national qu'au niveau de l'entreprise, on entretient un sentiment aigu de vulnérabilité et de précarité. Pour

Figure 2.13 Coût réel du capital pour certains pays industrialisés

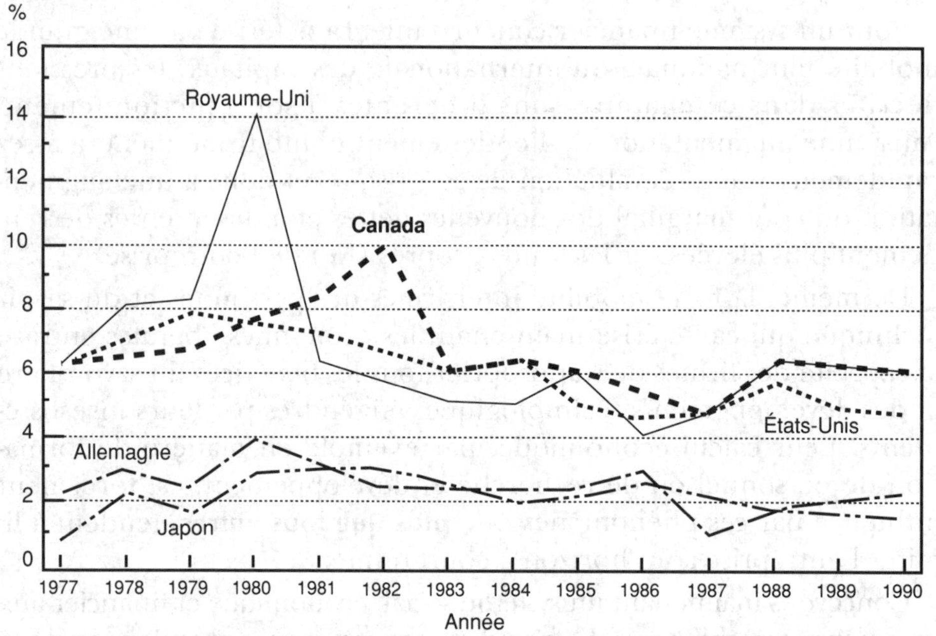

%

Royaume-Uni

Canada

Allemagne

Japon

États-Unis

1977 1978 1979 1980 1981 1982 1983 1984 1985 1986 1987 1988 1989 1990

Année

Source: *Quarterly Economic Review,* mars 1991.

l'employé d'une grande entreprise, celle-ci est la source unique de sa sécurité et de son bien-être. Seules la croissance et la pérennité de son entreprise lui offrent des possibilités de promotion et de croissance personnelle. La déconfiture ou la stagnation de son entreprise, phénomènes toujours possibles, du moins dans sa perception des choses, auraient des conséquences personnelles catastrophiques.

Voilà, tracées à grands traits, certaines caractéristiques du système japonais au cours de la période 1955-1985 que nous tentons de schématiser à la figure 2.14. Comparativement au modèle financier de l'entreprise décrit dans ce chapitre, le système japonais d'alors permettait aux entreprises japonaises de se développer et d'offrir une concurrence sur les marchés internationaux selon une logique économique tout à fait différente.

Les abondants capitaux captifs étaient gérés par de grandes banques qui avaient pour mission de favoriser le développement des entreprises et étaient engagées directement dans leur gouverne par le truchement des conseils d'administration. Par conséquent, les entreprises japonaises pouvaient croître selon une structure de capital

Figure 2.14   Le système japonais (1955-1985)

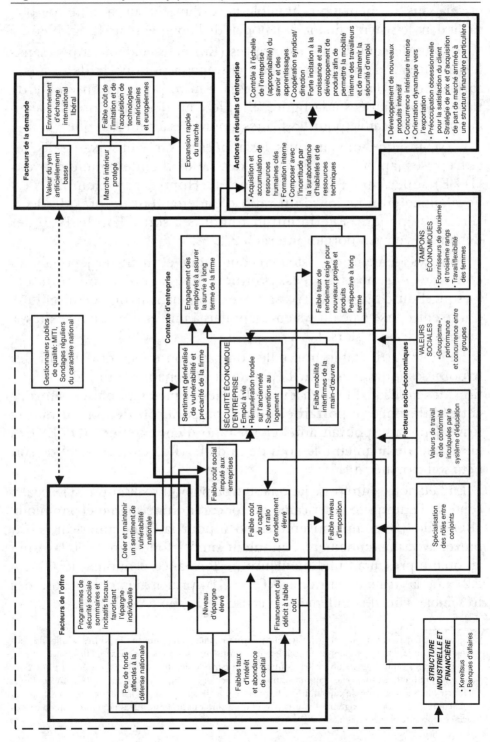

où le ratio d'endettement (D / E) atteignait des niveaux de sept ou huit, et cela sans augmentation du faible taux d'intérêt sur la dette qui prévalait dans le système financier japonais de l'époque (voir Tung, 1986).

De plus, le coût des fonds propres (Ke) était également peu sensible au niveau d'endettement de l'entreprise puisque la dette mène rarement à la faillite des entreprises. Enfin, pour un ensemble de raisons schématisées à la figure 2.15, le coût des fonds propres était généralement faible pour les firmes japonaises à cette époque.

C'est ainsi que tout au cours des années soixante et soixante-dix, les entreprises japonaises affichaient des ratios d'endettement moyens (D / E) supérieurs à **quatre**. La société Honda, par exemple, s'est développée en fonction d'un ratio d'endettement de près de dix à certaines époques. Elle montrait toujours à son bilan de 1989 des débentures en yen portant intérêt à 2,45 %.

Tous ces éléments du système économique et financier japonais, au cours des dernières années, prennent une signification concrète lorsque l'on compare les paramètres de performance économique d'une entreprise type du système japonais à une entreprise type du système américain d'alors.

La figure 2.16 établit une telle comparaison en se fondant sur des hypothèses moyennes pour l'époque et en tenant compte d'une gestion des actifs (AT) supérieure chez les firmes japonaises. Hormis cette différence importante, notre comparaison démontre que la firme japonaise pouvait afficher un ratio d'endettement (D / E) très élevé sans qu'augmente le coût de sa dette (Kd) et que l'effet de son bêta soit trop négatif.

En fait, notre entreprise japonaise type pouvait réaliser un ROE égal à celui de l'entreprise américaine en fonction d'une marge économique (ROS) de 2 % comparativement à 8 % pour la firme américaine. En outre, avec un rendement équivalent sur les fonds propres, la firme japonaise présentait une meilleure performance économique (VCI = 2,2) que la firme américaine (VCI = 1,4), principalement à cause des très faibles taux de rendement sans risque (Rf) au Japon[1].

---

1. Récemment, certains auteurs (voir Kester et Luehrman, 1992) ont contesté l'hypothèse du faible coût du capital au Japon. Cependant leurs conclusions se fondent souvent sur le coût réel des fonds, et non sur le coût du capital, ainsi que sur les données de la période depuis 1985. Or, il est évident que l'ouverture graduelle des marchés japonais ainsi que l'accumulation extraordinaire de bénéfices non répartis dans la structure de capital des entreprises japonaises tendent à normaliser leur coût du capital. Toutefois, cela ne change pas l'avantage réel dont ont joui les entreprises japonaises au cours des années soixante et soixante-dix.

Figure 2.15 Facteurs responsables du faible coût du capital au Japon (1955-1985)

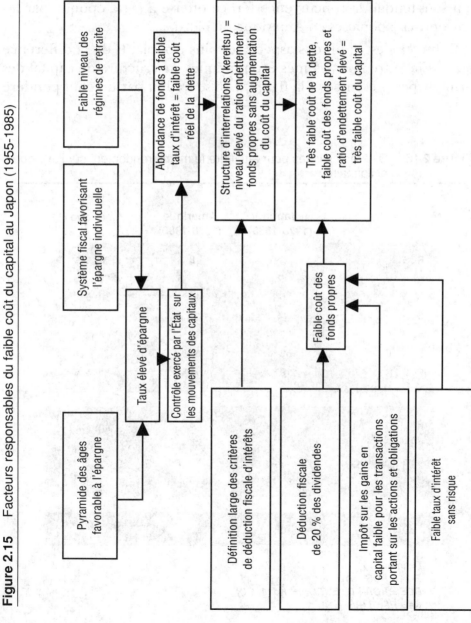

De plus, si notre firme américaine type avait réussi à améliorer sa gestion des actifs (AT) jusqu'à parité avec celle de l'entreprise japonaise et avait établi ses prix, et donc sa marge économique (ROS), de façon à faire une concurrence réelle à la firme japonaise, elle aurait vu, dans le contexte de notre système financier, son ROE chuter à 5 % et sa performance économique (VCI = 0,38) se détériorer de façon dramatique. Voilà la dynamique financière, en général mal comprise, qui sous-tendait la concurrence féroce offerte à cette époque par les entreprises japonaises en Amérique du Nord.

Enfin, et c'est là un des aspects les plus troublants de la différence qui existe entre nos systèmes économiques, la structure de capital des firmes types présentées à la figure 2.16 se traduit par un coût pondéré

Figure 2.16   Différentes voies pour atteindre le même rendement sur l'avoir des actionnaires

	Japon (1970-1980)	Amérique (1970-1980)	Amérique?
ROS	2 %	8 % ⟶	2 %
AT	2,5	1,5 ⟶	2,5
ROA	5 %	12 % ⟶	5 %
D / E	4,0	1,0	
Kd	3 %	10 %	
t	50 %	50 %	
ROE	19 %	19 % ⟶	5 %
Rf	2 %	8 %	
(Rm − Rf)	5,5 %	5,5 %	
Bêta (supposé)	1,2	1,0	
Ke	8,6 %	13,5 %	
VCI	2,2	1,4 ⟶	0,38

Définition :
$ROA = ROS \times AT$
$ROE = ROA + D / E \ [ROA - Kd \ (1 - t)]$
$Ke = Rf + \beta \ (Rm - Rf)$

moyen du capital (WACC) d'environ **3 %** pour la firme japonaise et de près de **10 %** pour la firme américaine.

Une telle différence dans le **coût de leur capital respectif** définit à toutes fins utiles des **horizons temporels** différents pour les investissements de ces firmes, puisque le coût du capital est en fait le rendement minimal anticipé sur les investissements de l'entreprise.

Comme le montre la figure 2.17, à un coût du capital, ou taux d'escompte, de 3 %, un investissement de 1 $ aujourd'hui ne doit rapporter que **1,35 $** dans **10 ans** (1/0,74) pour constituer un rendement acceptable. Or, avec un coût du capital de **10 %**, le même 1 $ investi maintenant doit valoir **2,56 $** (1/0,39) dans **10 ans** pour qu'il soit justifié d'entreprendre un tel investissement.

En fait, la figure 2.17 montre bien que, pour ce qui est de la valeur présente des flux financiers futurs, un coût du capital de **3 %** et un horizon de **10 ans équivalent** à un coût du capital de **10 %** et à un horizon de **3 ans**. Les différences entre les horizons d'investissement

Figure 2.17   Valeur présente de 1 $ selon le taux d'escompte et l'horizon temporel

Coût pondéré moyen du capital (taux d'escompte)	Horizon temporel					
	1 an	3 ans	5 ans	10 ans	15 ans	20 ans
3 %	0,97	0,92	0,86	0,74	0,64	0,55
5 %	0,95	0,86	0,78	0,61	0,48	0,38
10 %	0,90	0,75	0,62	0,39	0,24	0,15
15 %	0,87	0,66	0,50	0,25	0,12	0,06
20 %	0,83	0,58	0,40	0,16	0,06	0,03

ne sont souvent que le côté pile d'une pièce de monnaie dont le côté face est le coût moyen du capital de l'entreprise.

Pour donner une signification plus concrète aux différences de coût du capital, nous présentons à la figure 2.18 une analyse financière afférente à l'appareil L-1011 Tri-Star de la société Lockheed (Reinhardt, 1973). On y voit clairement comment le nombre d'appareils à vendre pour atteindre le seuil de la rentabilité varie grandement en fonction du coût du capital. Si le capital lui était fourni gratuitement (WACC = 0 %), Lockheed n'aurait qu'à vendre **287** appareils pour que le projet devienne rentable. Avec un coût du capital (WACC) de 5 %, il lui faut vendre **360** appareils alors qu'à 10 % le seuil de rentabilité se situe à **510** appareils et, à 15 %, à plus de **1 000** appareils. Ainsi, un tel projet, qui est réaliste et réalisable à un

Figure 2.18   Évaluation d'un projet selon différents coûts du capital
L'exemple du programme Tri-Star

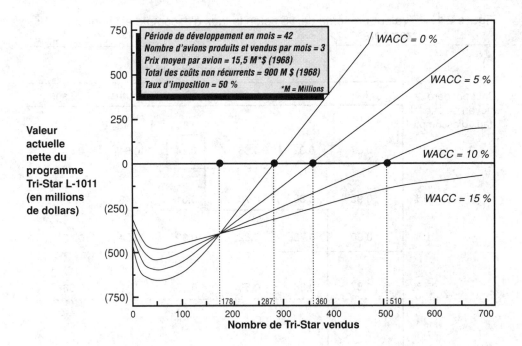

Source : Reinhardt, U.E. , « Break-even analysis for Lockheed's Tri-Star : An application of financial theory », *Journal of Finance*, vol. 28, n° 4, septembre 1973, p. 821-838.

coût du capital de 5 %, devient hautement risqué à un coût du capital de 10 % et tout simplement utopique à un coût du capital de 15 %.

Si l'on ajoute à ces différences du coût du capital à cette époque le fait qu'au Japon l'absence virtuelle de mobilité interfirmes du personnel technique, scientifique et de direction a pour résultat que les retombées des investissements et des dépenses stratégiques sont entièrement **appropriées** par l'entreprise, nous avons alors défini une puissante mixture économique menant à des investissements massifs à long terme, au développement interne des connaissances, des technologies et des savoir-faire ainsi qu'à une féroce concurrence sur les prix axée sur l'accroissement du volume et des parts de marché, selon une logique financière tout à fait différente de celle qui caractérise le système américain.

Au cours des dernières années, cependant, le Japon, subissant d'énormes pressions tant externes qu'internes, a entrepris une démarche de normalisation, que certains qualifieraient plutôt d'«américanisation», de son système économique et financier. Ainsi, le simple phénomène des énormes bénéfices réinvestis par les firmes japonaises a fait diminuer leur ratio d'endettement à un point tel qu'il est maintenant équivalent à celui des entreprises américaines.

Plusieurs autres avantages soulignés plus haut s'effritent rapidement. Cependant, durant le temps qu'ont été maintenus ces avantages, le Japon est devenu, et restera encore longtemps, une des grandes puissances économiques mondiales.

2.4   LES MOTEURS DE CRÉATION DE VALEUR ÉCONOMIQUE

Dans cette section, nous traiterons des « moteurs » ou leviers de création de valeur économique dont disposent les gestionnaires stratégiques de l'entreprise.

Nous établirons une distinction entre trois types de « moteurs », soit les moteurs **stratégiques**, les moteurs **financiers** et les moteurs «**corporatifs**». Par l'anglicisme «corporatif», nous entendons les moteurs inhérents à la haute direction et aux cadres du siège social qui ont une responsabilité stratégique d'ensemble ainsi qu'une responsabilité de contrôle et de suivi des opérations de l'entreprise.

Chaque type de moteur se ventile en un grand nombre d'actions stratégiques susceptibles d'influencer favorablement l'un ou l'autre des paramètres de la performance économique de l'entreprise.

La figure 2.19 rend compte de toutes les relations du modèle décrit dans les sections précédentes de ce chapitre et montre comment les différents types de moteurs sont reliés à des paramètres précis de la performance économique de la firme.

Pour l'entreprise simple et de petite dimension, ces trois types de moteurs se fondent en une seule préoccupation dominante pour l'entrepreneur-dirigeant: comment assurer la survie et la croissance rentable de sa firme. L'entreprise qui a atteint une taille et un niveau de complexité plus importants doit souvent se constituer en plusieurs divisions, unités d'affaires ou filiales, chacune ayant un mandat de marché spécifique et une responsabilité de rentabilité économique.

Dans un tel cadre, où évoluent la plupart des entreprises qui ont franchi l'étape du démarrage, la distinction entre moteurs stratégiques, financiers et corporatifs revêt une grande importance. En effet, les unités d'affaires (*strategic business units*), divisions ou filiales doivent, par l'utilisation efficace de tous les moteurs stratégiques décrits dans ce chapitre, créer une plus-value économique mesurée selon le rendement sur leurs actifs économiques (ROA).

À cette création de valeur économique par les unités opérationnelles, s'ajoute la création de valeur associée au financement de l'entreprise ainsi qu'au rôle de gouverne du siège social. Ce rôle comprend, entre autres, la mise en place de systèmes de planification, de contrôle et de rémunération qui encadrent les unités opérationnelles et les incitent à une haute performance économique.

2.4.1 Les moteurs stratégiques

La suite de cet ouvrage porte essentiellement sur les moteurs stratégiques de la firme.

Nous présentons ci-après une brève description de chacun de ces moteurs stratégiques de création de valeur en indiquant où, dans les chapitres suivants de cet ouvrage, certains aspects seront traités plus à fond.

Figure 2.19 Gestion stratégique et création de valeur économique : un modèle intégré

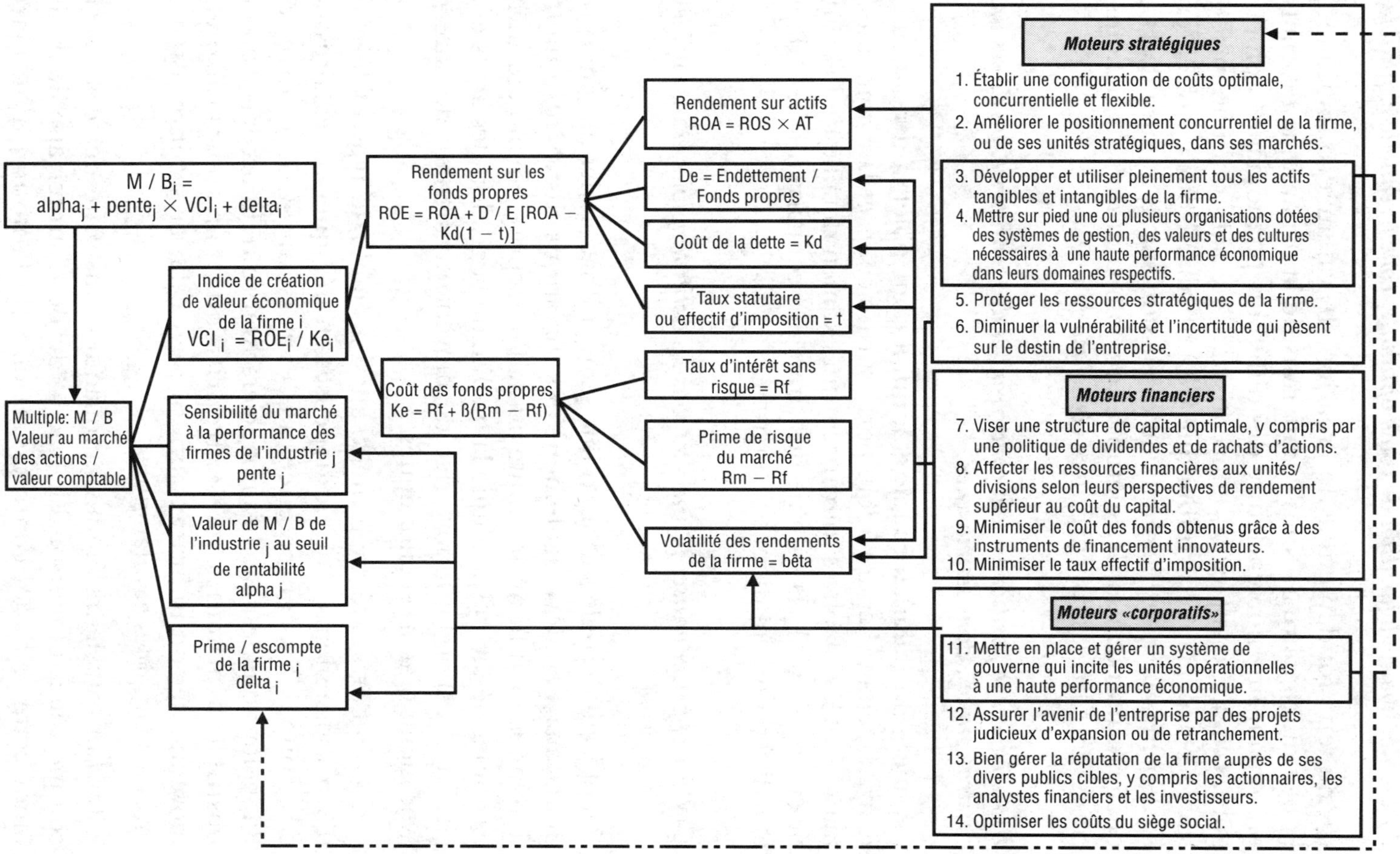

Moteurs stratégiques

1. Établir une configuration de coûts optimale, concurrentielle et flexible.
2. Améliorer le positionnement concurrentiel de la firme, ou de ses unités stratégiques, dans ses marchés.
3. Développer et utiliser pleinement tous les actifs tangibles et intangibles de la firme.
4. Mettre sur pied une ou plusieurs organisations dotées des systèmes de gestion, des valeurs et des cultures nécessaires à une haute performance économique dans leurs domaines respectifs.
5. Protéger les ressources stratégiques de la firme.
6. Diminuer la vulnérabilité et l'incertitude qui pèsent sur le destin de l'entreprise.

Moteurs financiers

7. Viser une structure de capital optimale, y compris par une politique de dividendes et de rachats d'actions.
8. Affecter les ressources financières aux unités/divisions selon leurs perspectives de rendement supérieur au coût du capital.
9. Minimiser le coût des fonds obtenus grâce à des instruments de financement innovateurs.
10. Minimiser le taux effectif d'imposition.

Moteurs «corporatifs»

11. Mettre en place et gérer un système de gouverne qui incite les unités opérationnelles à une haute performance économique.
12. Assurer l'avenir de l'entreprise par des projets judicieux d'expansion ou de retranchement.
13. Bien gérer la réputation de la firme auprès de ses divers publics cibles, y compris les actionnaires, les analystes financiers et les investisseurs.
14. Optimiser les coûts du siège social.

Rendement sur actifs
ROA = ROS × AT

De = Endettement / Fonds propres

Coût de la dette = Kd

Taux statutaire ou effectif d'imposition = t

Taux d'intérêt sans risque = Rf

Prime de risque du marché Rm – Rf

Volatilité des rendements de la firme = bêta

Rendement sur les fonds propres
ROE = ROA + D / E [ROA – Kd(1 – t)]

Coût des fonds propres
Ke = Rf + ß(Rm – Rf)

Indice de création de valeur économique de la firme i
$VCI_i = ROE_i / Ke_i$

Sensibilité du marché à la performance des firmes de l'industrie j pente j

Valeur de M / B de l'industrie j au seuil de rentabilité alpha j

Prime / escompte de la firme i delta i

M / B
$alpha_j + pente_j × VCI_i + delta_i$

Multiple: M / B
Valeur au marché des actions / valeur comptable

A) *Établir une configuration de coûts optimale, concurrentielle et flexible*

Ce moteur fondamental de création de valeur économique fera l'objet du **chapitre 3**. Nous y traiterons de la dynamique de coûts en présentant une nomenclature des différents phénomènes, soit envergure, échelle, complexité, apprentissage, etc., qui ont une incidence sur la performance économique de la firme. Nous y présenterons également quelques éléments de discussion sur la mesure de la productivité ainsi que sur les méthodes de comparaison systématique des coûts entre firmes concurrentes (*benchmarking*).

B) *Améliorer le positionnement concurrentiel de l'entreprise, ou de ses unités stratégiques, dans ses marchés*

Ce sujet sera traité au **chapitre 4**, qui a pour objet la dynamique des marchés, et au **chapitre 5**, qui porte sur les coûts et la dynamique des marchés. Ces chapitres fournissent un examen détaillé de l'évolution des marchés et de la gamme des stratégies concurrentielles adaptées aux différentes conditions de marché.

C) *Développer et utiliser pleinement tous les actifs tangibles et intangibles de la firme*

Cet objectif découle surtout d'une saine utilisation des moteurs précédents, mais soulève également des questions distinctes quant au développement futur de l'unité ou de l'entreprise. Ce moteur invite à examiner de façon spécifique la qualité de la gestion des actifs et suscite une recherche innovatrice de moyens permettant de faire plus avec moins d'actifs économiques.

Ce moteur stratégique incite aussi à établir le type et le niveau d'«investissements», ou de dépenses stratégiques nécessaires pour développer les compétences et les ressources de l'entreprise. Rappelons que les marchés financiers vont souvent accorder un delta positif (ou prime) à une entreprise qui, par comparaison à la moyenne de son industrie, aura su bien calibrer ses investissements en actifs tangibles et intangibles.

En fait, plusieurs études empiriques ainsi que des cas concrets comme ceux d'Emerson Electric et de Bombardier appuient nettement cette relation, contredisant en cela la notion d'un marché financier à court terme et hypersensible aux résultats trimestriels des entreprises. En effet, des recherches sérieuses ont établi que la valeur marchande de la firme était favorablement influencée par des investissements en immobilisations (voir McConnell et Muscarella, 1985), par des dépenses en recherche et développement (voir Copeland, Koller et Murrin, 1990 ; Chan, Kensinger et Martin, 1992) et, de façon générale, par des investissements de nature stratégique ayant une portée à plus long terme (voir Woolridge, 1988).

Cependant, parce qu'il est souvent difficile pour les marchés financiers d'évaluer à leur juste valeur les investissements entrepris pour développer les compétences et les capacités intangibles de l'entreprise ou surtout parce que de tels investissements sont en fait traités comme des dépenses et donc diminuent la rentabilité de l'entreprise dans l'immédiat, et peuvent ainsi diminuer les récompenses monétaires des dirigeants, sous forme de bonis, par exemple, les entreprises risquent de ne pas investir suffisamment dans le développement de leurs compétences et de leurs capacités organisationnelles.

Aussi incombe-t-il à la haute direction de mettre en place les politiques et les systèmes de gestion qui assurent un développement optimal des compétences et des capacités de l'entreprise. La haute direction doit également communiquer aux analystes financiers la nature et la valeur de ces dépenses stratégiques porteuses de rentabilité future.

Toutefois, un message clair ressort de toutes les études empiriques sur la relation entre valeur économique et investissements. Même si les investissements stratégiques diminuent le niveau de performance économique de la firme à court terme, ils seront bien reçus par les marchés financiers qui maintiendront ou même augmenteront la valeur marchande de la firme, **pourvu que** la direction de l'entreprise ait fait la démonstration de sa capacité de bien **calibrer** et de **gérer** efficacement ces mêmes investissements stratégiques. Notre propos du **chapitre 5** sur les stratégies et les systèmes stratégiques sera utile pour stimuler la réflexion sur cet aspect de la création de valeur économique, et ce de deux façons distinctes.

1. D'abord, le concept de système stratégique exige de déterminer quelles sont les frontières optimales d'un tel système pour

ce qui est de l'envergure des produits et services, de la couverture géographique ainsi que des ressources, technologies et compétences nécessaires. Dans la grande entreprise, cette détermination signifie en fait un choix de structuration, une décision quant à la façon de grouper les opérations et activités de la firme en unités de taille et de complexité optimales d'un point de vue tant économique que stratégique. Il s'agit là d'une des décisions les plus importantes et les plus dynamiques pour les grandes et moyennes entreprises puisqu'elle doit être réévaluée au fur et à mesure de l'évolution de la firme, de ses marchés et de ses concurrents. Cette décision aura un impact crucial sur le niveau des actifs **économiques** et **intangibles** nécessaires aux opérations de l'entreprise ainsi que sur sa performance quant aux coûts et à sa rentabilité.

2. L'illustration du concept de système stratégique par des cas concrets, au **chapitre 5**, mettra en relief la dimension des compétences, des savoir-faire et des technologies du fonctionnement des entreprises. En cela, le **chapitre 5** traitera de l'enjeu de l'utilisation optimale des compétences et des ressources de la firme. A-t-on développé dans les unités opérationnelles des ressources, des technologies ou des compétences qui pourraient servir à l'essor de l'entreprise au sein de nouveaux marchés géographiques ou dans des secteurs-produits connexes?

Le tableau 2.4 résume les considérations stratégiques pertinentes à la gestion des actifs de l'entreprise.

D) Mettre sur pied une ou plusieurs organisations dotées des systèmes de gestion, des valeurs et des cultures nécessaires à une haute performance économique dans leurs domaines respectifs

Offrir des produits et services de haute qualité à des prix concurrentiels, tout en réalisant un fort taux de croissance et de rentabilité, constitue tout un programme qui ne peut s'accomplir que par le façonnement d'un milieu social, d'une **organisation** peuplée d'individus partageant certaines valeurs, motivés et mobilisés en vue d'atteindre des objectifs qui relient leurs intérêts propres aux fins de l'entreprise.

Tableau 2.4 Types d'actifs et quelques considérations afférentes

Optimiser la gestion stratégique de l'ensemble des actifs de l'entreprise

ACTIFS TANGIBLES (Biens immobiliers, actifs opérationnels, etc.)

- Maximiser l'utilisation de l'ensemble des actifs tangibles nécessaires afin d'assurer l'efficacité et l'efficience des systèmes opérationnels.
- Reconnaître les partenaires potentiels en amont ou en aval de la chaîne de valeur afin de créer des marchés pour les actifs sous-utilisés.
- Réduire la base d'actifs par le biais de pratiques d'affaires innovatrices.
- Définir les frontières de l'entreprise de façon à concentrer les ressources et les actifs dans les secteurs où elle détient un avantage concurrentiel (expertise, savoir-faire, etc.).
- Optimiser le coût du capital après impôts.

ACTIFS INTANGIBLES (Systèmes, ressources humaines, savoir-faire, etc.)

- Investir dans les actifs et expertises (techniques / connaissances) à haut rendement afin d'assurer la croissance et d'appuyer l'innovation.
- Maîtriser un noyau d'habiletés stratégiques et de technologies génériques tournées vers le futur.
- Accumuler les habiletés stratégiques qui assurent le développement de produits et de marchés.
- Développer un bassin de gestionnaires compétents qui maîtrisent les habiletés propres au secteur et à l'entreprise.
- Améliorer la position stratégique de l'entreprise dans les réseaux de distribution et sa connaissance des besoins spécifiques des segments de clients servis.
- Protéger la propriété exclusive des actifs stratégiques.

LE TEMPS: UN ACTIF STRATÉGIQUE (Fonds de roulement, cycle de développement / production, etc.)

- Réduire le temps nécessaire aux fonctions clés dans le système de création de valeur de l'entreprise.
- Innover afin de mettre sur pied un système stratégique plus flexible et plus rapide que celui des concurrents.
- Acquérir une compréhension stratégique de l'importance accordée par les clients à la dimension «temps de réaction» de l'entreprise.
- Accélérer de façon importante le cycle de production et de mise en marché des produits; comprimer les cycles de développement et d'innovation pour de nouveaux produits.
- Implanter l'approche JIT dans l'ensemble de l'entreprise et minimiser les besoins en fonds de roulement.
- Investir dans les technologies d'information (échange électronique de données, etc.).

Tout le **chapitre 6** est consacré à la mise sur pied d'organisations performantes comme facteur essentiel à la création de valeur économique durable.

E) Protéger les ressources stratégiques de la firme

Les firmes mettent au point et nourrissent, par leur expérience et par leurs investissements, un précieux savoir-faire, des compétences distinctives et des technologies propres. Nous avons déjà fait référence à ce phénomène hautement stratégique à plusieurs reprises dans ce chapitre ainsi que dans le premier chapitre.

Un univers de marché où la mobilité est grande et où les individus sont invités à se déplacer d'une firme à l'autre pour améliorer leurs conditions économiques ou, mieux encore, sont incités à lancer leur propre firme pour s'approprier les bénéfices découlant des connaissances et de l'expérience acquises dans l'entreprise, définit un enjeu stratégique d'une importance critique pour la haute direction. Comment l'entreprise peut-elle retenir à des conditions raisonnables son personnel stratégique et ainsi bénéficier pleinement des retombées positives de ses investissements en formation du personnel et en développement de technologies?

Bien sûr, la réponse à cette question se trouve en partie dans le fait de doter l'organisation de valeurs engageantes, d'un climat de travail stimulant et d'incitatifs pécuniaires et symboliques appropriés, ce dont nous traiterons au **chapitre 6**. Cependant, pour beaucoup d'entreprises œuvrant dans des secteurs d'activité précis en Amérique du Nord et à un moindre degré en Europe occidentale, il n'existe pas de réponse facile à ce profond dilemme. Certaines mesures prises par les entreprises pour conserver leur personnel ont des relents totalitaires qui cadrent mal dans notre système de libertés individuelles et sont souvent déclarées nulles et non avenues lorsque soumises à l'épreuve des tribunaux.

Nous avons à l'esprit l'exemple de l'entreprise Electronic Data Systems (EDS), fondée par le célèbre Ross Perot. Ayant copieusement puisé dans les ressources techniques et humaines de l'entreprise IBM pour mettre sur pied sa société, celui-ci voulut prévenir qu'on lui fasse le même coup. Il s'évertua, avec grand succès d'ailleurs, à façonner l'organisation d'EDS sur des principes de fonctionnement alliant l'émotion et le symbolisme à un dur pragmatisme et à des entraves économiques et juridiques imposées aux employés voulant quitter l'entreprise.

Une combinaison de **menottes dorées**, comme des options d'achat différées sur les titres de l'entreprise, des bonis cumulatifs, etc., de dispositions juridiques faisant obstacle au départ de l'employé telles qu'un engagement contractuel de non-concurrence, l'obligation de rembourser les frais de formation si l'employé quitte durant les trois premières années, et de **forte socialisation** à des valeurs de dépassement et d'héroïsme au service de l'entreprise (mise en évidence par les « aigles » et « commandos » d'EDS), constitue une recette éprouvée quoique indigeste pour nombre d'observateurs.

Les entreprises comme EDS qui ressemblent à des sectes religieuses ou à des commandos militaires par leur discipline de fonctionnement et leur volonté de conquête, se fondent habituellement sur des symboles et des valeurs créés par un leader charismatique et autour de lui. Leur survie est souvent mise en péril par la disparition du leader ou encore par le succès et la croissance de l'entreprise, qui atteint rapidement les limites de ce mode de fonctionnement.

Quelles sont les options, autres que cette combinaison de moyens, dont dispose une entreprise pour établir une relation à long terme avec son personnel stratégique et ainsi éviter de dissiper, par la perte d'employés, le savoir-faire et l'information stratégique qu'elle possède ?

Nous croyons qu'un examen pratique et réaliste de cette question fait apparaître qu'à des degrés divers, l'entreprise doit recourir à un ensemble bien dosé de politiques et de mesures concrètes :

- Elle peut créer non seulement un milieu de travail attrayant qui suscite et appuie l'émergence de valeurs de loyauté, de solidarité, mais aussi un engagement mutuel durable entre l'entreprise et son personnel.
- Elle peut définir clairement le **personnel qui est vraiment stratégique** pour ses opérations, soit parce qu'il est difficile à former et à remplacer sur le marché du travail, soit parce qu'il maîtrise des connaissances pratiques et techniques d'une grande valeur stratégique, et établir avec ce personnel **seulement** un contrat psychologique et économique de longue durée par le biais de la création d'un engagement et d'une loyauté réciproques, d'une participation directe à la rentabilité de l'entreprise, etc.

- Elle peut s'efforcer de localiser physiquement son personnel stratégique de façon à ce qu'il soit moins visible ou accessible aux concurrents.

- Elle doit limiter l'accès à l'information stratégique et technologique à ceux qui en ont un réel besoin.

- Elle doit s'assurer que l'apprentissage soit «organisationnel» et non strictement individuel, c'est-à-dire faire en sorte que le développement des compétences et du savoir-faire soit consigné, systématisé et inscrit dans des systèmes, méthodes et pratiques formels de l'entreprise.

- Elle peut susciter le développement interne ou externe des habiletés et du savoir-faire qui sont critiques pour le bon fonctionnement de l'entreprise de façon à diminuer la vulnérabilité de la firme aux attentes et aux humeurs de ses ressources stratégiques, rendant celles-ci moins stratégiques en conséquence de leur abondance.

- Elle peut chercher à occuper une position dominante dans un marché, un segment de marché ou une aire géographique donnée de façon à diminuer la rivalité pour ses ressources stratégiques. Elle peut également faire preuve d'une discrétion encourageant la réciprocité dans le recrutement de cadres et de personnel technique chez les concurrents.

Si la mise en place de ces mécanismes émotifs et tangibles pour limiter la mobilité interfirmes des ressources stratégiques peut sembler un âpre calcul, la faute n'en est pas à l'entreprise individuelle qui doit s'ajuster sans fausse sentimentalité au contexte dans lequel elle fonctionne, contexte qu'elle n'a ni créé ni souhaité la plupart du temps. L'entreprise qui ne trouve pas de solution appropriée à ce dilemme sera prise au dépourvu lorsque sa générosité et sa confiance dans la réciprocité se heurteront aux comportements d'individus opportunistes et calculateurs, peu nombreux au total mais impossibles à détecter à l'embauchage, et qui feront se dissiper vers des concurrents, ou eux-mêmes après être devenus des concurrents, l'essentiel d'un savoir-faire et d'une technologie chèrement payés.

F) Diminuer la vulnérabilité et l'incertitude qui pèsent sur le destin de l'entreprise

Toute action susceptible de réduire la vulnérabilité de l'entreprise aux incertitudes provenant des aléas des marchés, des comportements des concurrents ou des changements au contexte socio-politique, est génératrice de valeur économique en ce qu'elle diminue le risque de performance et donc les attentes de rendement toujours comparables au risque assumé. Le **chapitre 7** de cet ouvrage traitera de trois mécanismes, soit technocratique, politique et structurel, qui sont à la disposition de l'entreprise pour réduire, tant que faire se peut, sa vulnérabilité à un futur incertain.

Ces mécanismes couvrent une vaste gamme de moyens allant de la signalisation pour inciter les rivaux à des comportements plus conformes aux intérêts de tous à la recherche de nouvelles formes d'organisations pour augmenter la flexibilité et la plasticité de l'entreprise, en passant par les moyens conventionnels tels qu'une bonne planification contingente selon des scénarios stratégiques plausibles.

2.4.2 Les moteurs financiers

Comme le montre la figure 2.19, les moteurs financiers peuvent avoir une influence positive sur un certain nombre de paramètres économiques et ainsi contribuer de façon importante à créer de la richesse économique[2]. Nous n'allons pas nous étendre longuement sur ces aspects du fonctionnement stratégique de l'entreprise. Dans leurs aspects généraux, ces moteurs financiers ont fait l'objet de longues discussions dans le cours de notre élaboration du modèle financier à la section 2.2. Dans leurs aspects spécifiques et techniques, ces moteurs sont du ressort très spécialisé de la finance et de la fiscalité des entreprises, particulièrement en ce qui a trait aux nouveaux instruments financiers conçus pour réduire le coût des fonds des entreprises.

---

2. On pourrait argumenter que, dans plusieurs cas, les moteurs financiers servent à transférer de la richesse économique plutôt qu'à en créer. Ainsi en serait-il, par exemple, des efforts pour diminuer le taux effectif d'imposition ou encore des incitations fiscales au financement par endettement. Pour que cette argumentation soit valide, il faut que les marchés politiques soient singulièrement inefficients et poussent les législateurs à instituer des régimes fiscaux qui ne soient pas dans l'intérêt général de leurs commettants.

Investissements stratégiques

Peut-être est-il utile de rappeler ici la règle cardinale, selon la théorie financière moderne, pour que tout projet d'investissement soit créateur de valeur économique.

- Lorsqu'ils sont ramenés à leur valeur présente par un taux d'escompte adéquat, les flux financiers découlant d'un tel investissement doivent être supérieurs au coût de l'investissement.

- Le taux d'escompte approprié est relié directement au coût pondéré moyen du capital (WACC) de la firme. Le coût du capital comme taux d'escompte est une mesure adéquate du risque pour tout projet qui fait partie du cours normal des affaires de la firme et qui ne fait donc pas augmenter le risque total de l'entreprise. Si, au contraire, un projet se démarque des projets habituels, soit par son ampleur, soit par son caractère inusité pour l'entreprise, une « prime de risque » évaluée de façon subjective doit être ajoutée au coût du capital pour établir le taux d'escompte adéquat.

- Le coût pondéré moyen du capital (WACC) se calcule selon la structure de capital actuelle ou celle visée si le financement de nouveaux projets risque de changer cette structure. Les pondérations des sources de financement, que ce soit par de la dette ou des fonds propres, sont établies en fonction de la valeur **marchande** et non pas de la valeur **comptable** de ces deux formes de financement. Par « coût de la dette », on entend le coût marginal pour l'entreprise, c'est-à-dire combien il lui en coûterait pour ajouter de la dette à celle qu'elle assume déjà. Le coût des fonds propres (Ke) est normalement établi par le CAPM avec toutes les réserves déjà citées ou selon la méthode de Gordon, mais il faut tenir compte de l'impact d'une structure d'endettement qui serait différente de celle qui a prévalu au cours des cinq dernières années. Un exemple concret du calcul du WACC est donné dans le cas de Bombardier, au tableau 2.3b, ligne # 26 :

$$\text{WACC} = \frac{E}{E + D} \; Ke + \frac{D}{E + D} \; Kd \, (1-t)$$

Enfin, dans l'entreprise constituée de multiples unités, divisions ou filiales, l'allocation des ressources financières de façon à optimiser la performance de toute l'entreprise constitue une opération hautement critique pour la création de valeur économique.

Cette allocation doit tenir compte non seulement des projets présentés, de leur rentabilité probable et de leurs risques, mais également des différences de coût du capital entre les unités, divisions et filiales lorsque celles-ci sont soumises à des niveaux différents de risque commercial. Les entreprises aux activités diversifiées commettent souvent l'erreur d'utiliser un même coût du capital pour évaluer les projets provenant d'unités, de divisions ou de filiales aux risques très différents.

L'entreprise qui se veut créatrice de valeur économique doit évaluer avec rigueur sa capacité d'investir tous les flux financiers excédentaires produits par ses activités dans des projets susceptibles de procurer un rendement supérieur à son coût du capital. Si elle juge qu'elle n'en a pas la possibilité, l'entreprise devrait revoir à la hausse sa politique de dividendes ou procéder au rachat de ses propres actions, de façon à mettre ces sommes excédentaires dans les mains des actionnaires qui sauront les canaliser vers des secteurs à la croissance prometteuse.

La direction de l'entreprise doit également s'assurer que le niveau des investissements à caractère stratégique est suffisant et que ceux-ci sont évalués selon des critères adéquats. Deux phénomènes distincts doivent être pris en considération à cet égard. D'abord, comme nous l'avons déjà noté plus haut, certaines formes de rémunération ou certains procédés budgétaires peuvent mener à un sous-investissement dans le développement des capacités et des compétences organisationnelles, parce que ce type d'investissement est défini d'un point de vue comptable comme une dépense et est donc soumis à des compressions faciles. Puis en certaines circonstances, l'application stricte de critères financiers comme la valeur présente des flux financiers, peut mener au rejet de projets d'une grande valeur stratégique (voir Hayes et Wheelwright, 1984).

Ainsi, des projets qui ont comme objet soit de protéger une position dominante au sein du marché et d'entraver la venue de nouveaux concurrents, soit de doter l'entreprise d'une meilleure position de marché grâce à de nouveaux produits, doivent être évalués non seulement selon leur taux de rendement en regard du coût du capital, mais aussi selon **les coûts et les risques stratégiques auxquels s'expose l'entreprise si elle n'effectue pas de tels investissements** (voir Baldwin, 1988, et Baldwin et Clark, 1992).

Il est donc important que la haute direction établisse les politiques, les systèmes et les procédés qui assurent à l'entreprise, et ce dans toutes ses divisions ou unités stratégiques, un développement énergique des compétences et des capacités critiques pour son avenir.

2.4.3 Les moteurs « corporatifs »

L'entreprise complexe constituée de plusieurs unités, divisions ou filiales est habituellement dirigée par un siège social, où sont prises les décisions d'orientation stratégique et où s'effectuent le suivi et le contrôle des opérations. En soi, la définition du rôle du siège social soulève un certain nombre de questions concrètes et souvent mal réglées en pratique.

Ainsi, les dirigeants doivent bien distinguer entre les **fonctions stratégiques** et les **fonctions de services,** qui, pour des raisons d'économie et d'efficience, sont parfois regroupées et dispensées aux unités et divisions à partir du siège social. La confusion entre ces deux rôles crée de grandes frustrations pour les cadres opérationnels lorsque les unités qui, selon eux, devraient être à leur service assument un rôle de contrôle et de direction.

En plus des moteurs financiers traités précédemment dont la gestion est aussi centralisée, le siège social peut créer de la valeur économique au-delà de celle engendrée par les unités opérationnelles, et ce par le biais de quatre mécanismes.

A)   *Mettre en place et gérer un système de gouverne qui incite les unités opérationnelles à une haute performance économique*

Le siège social assume une lourde responsabilité à cet égard en ce qu'il doit s'avérer supérieur à un conseil d'administration conventionnel quant à la capacité de guider et de stimuler le développement des unités opérationnelles et d'en suivre et contrôler la performance.

Tableau 2.5 Défis de gouverne pour toute institution ou entreprise complexe

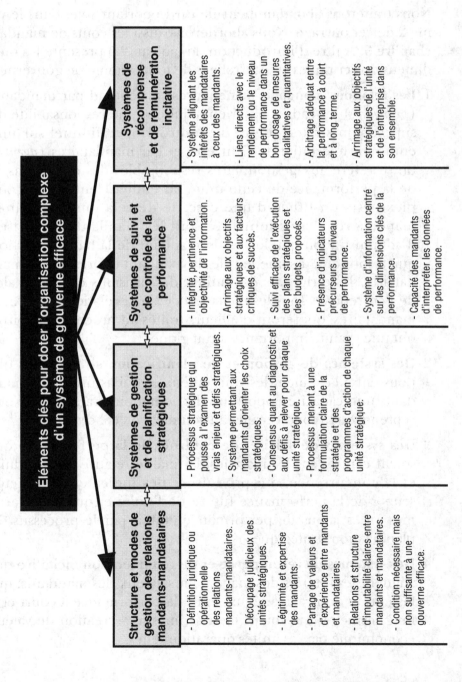

Éléments clés pour doter l'organisation complexe d'un système de gouverne efficace

Structure et modes de gestion des relations mandants-mandataires

- Définition juridique ou opérationnelle des relations mandants-mandataires.
- Découpage judicieux des unités stratégiques.
- Légitimité et expertise des mandants.
- Partage de valeurs et d'expérience entre mandants et mandataires.
- Relations et structure d'imputabilité claires entre mandants et mandataires.
- Condition nécessaire mais non suffisante à une gouverne efficace.

Systèmes de gestion et de planification stratégiques

- Processus stratégique qui pousse à l'examen des vrais enjeux et défis stratégiques.
- Système permettant aux mandants d'orienter les choix stratégiques.
- Consensus quant au diagnostic et aux défis à relever pour chaque unité stratégique.
- Processus menant à une formulation claire de la stratégie et des programmes d'action de chaque unité stratégique.

Systèmes de suivi et de contrôle de la performance

- Intégrité, pertinence et objectivité de l'information.
- Arrimage aux objectifs stratégiques et aux facteurs critiques de succès.
- Suivi efficace de l'exécution des plans stratégiques et des budgets proposés.
- Présence d'indicateurs précurseurs du niveau de performance.
- Système d'information centré sur les dimensions clés de la performance.
- Capacité des mandants d'interpréter les données de performance.

Systèmes de récompense et de rémunération incitative

- Système alignant les intérêts des mandataires à ceux des mandants.
- Liens directs avec le rendement ou le niveau de performance dans un bon dosage de mesures qualitatives et quantitatives.
- Arbitrage adéquat entre la performance à court et à long terme.
- Arrimage aux objectifs stratégiques de l'unité et de l'entreprise dans son ensemble.

Cet aspect de la gestion stratégique joue un rôle de plus en plus critique dans l'entreprise complexe, car il touche non seulement à la relation entre le siège social et les unités opérationnelles, mais également aux relations entre la haute direction, le conseil d'administration et les actionnaires de l'entreprise.

Nous traiterons abondamment de cet important sujet dans le volume 2 de cet ouvrage. Nous aborderons aussi les coûts de mandat au **chapitre 3**. À titre d'introduction, le tableau 2.5 présente les quatre dimensions critiques et interreliées de tout système de gouverne.

1. **Les relations mandants-mandataires**: on entend par mandants (*principals*) les cadres supérieurs qui ont une responsabilité de supervision stratégique et de contrôle opérationnel sur une entité ou une unité de l'entreprise. Par mandataires (*agents*), on se réfère aux gestionnaires responsables des opérations et de la performance de cette unité ou entité. L'entreprise complexe est constituée d'une cascade de relations mandants-mandataires: les actionnaires sont les mandants du conseil d'administration qui, lui, est le mandant de la haute direction qui, à son tour, assume le rôle de mandant auprès de ses mandataires, les dirigeants des unités, des divisions ou des filiales de l'entreprise. Tous les coûts associés à la relation mandants-mandataires, qui seront d'ailleurs traités au prochain chapitre, ont une grande importance stratégique.

2. **Des systèmes de gestion et de planification stratégiques** qui poussent à l'examen des vrais enjeux et qui assurent aux mandants une capacité opportune d'orientation stratégique. Nous reprendrons à fond ce sujet au volume 2 de cet ouvrage.

3. **Des systèmes de suivi et de contrôle de la performance** qui soient centrés sur les marchés, la qualité relative des produits et la concurrence, qui produisent des indicateurs «précurseurs» de la performance future de l'unité et qui soient arrimés à des **jalons** de performance établis par le processus de planification stratégique.

4. **Des systèmes de récompense et de rémunération incitative** qui alignent les intérêts des mandataires à ceux des mandants, qui fassent un arbitrage adéquat entre la performance à court et à long terme, et qui soient bien arrimés à la création de valeur économique par les unités opérationnelles.

La mise en place d'un système de gouverne efficace, faut-il le souligner, est tout aussi importante en ce qui touche à la relation entre la direction et le conseil d'administration de la firme. La performance des conseils d'administration dans les entreprises à l'actionnariat diffus, qui, dans le passé, s'est avérée médiocre, a suscité aux États-Unis une critique sévère des modes de sélection et de fonctionnement des conseils d'administration ainsi que des propositions de réforme radicale. Cédant à la pression des investisseurs institutionnels comme les principales caisses de retraite, les sociétés d'assurances, etc., plusieurs grandes entreprises ont procédé à l'examen de leur conseil d'administration de façon à en relever la capacité et la motivation de jouer pleinement leur rôle de mandant auprès de la haute direction de l'entreprise.

Ce premier moteur « corporatif » revêt une grande importance puisqu'il touche à la structuration globale de l'entreprise, aux relations entre les dirigeants de celle-ci et aux systèmes de gestion mis en place pour assurer une haute performance économique.

B)   *Assurer l'avenir de l'entreprise par des projets judicieux d'expansion ou de retranchement*

La haute direction peut et doit créer une plus-value économique pour l'entreprise par un programme stratégique et bien calibré de développements internes, d'alliances ou d'acquisitions ainsi que par le redressement énergique ou l'élimination des opérations qui sont destructrices de valeur économique.

Ces acquisitions, alliances ou développements internes peuvent venir appuyer des opérations existantes ou encore donner à l'entreprise de nouvelles bases d'expansion et fournir une diversification de ses activités qui pourrait augmenter la stabilité de sa rentabilité. Dans ce dernier cas, toujours hasardeux, l'entreprise doit être sûre qu'elle a mis en place les systèmes de gouverne appropriés pour gérer sa complexité accrue.

C)   *Bien gérer la réputation de la firme auprès de ses divers publics cibles*

La réputation de l'entreprise comme employeur et citoyen « corporatif » représente un précieux actif qui doit être maintenu et développé par un ensemble de politiques et de programmes d'action concrets à grande échelle.

Cet aspect du rôle du siège social comprend également l'aspect très important de la gestion des relations de l'entreprise avec les actionnaires, les analystes financiers et la communauté des investisseurs individuels ou institutionnels. L'entreprise qui sait fournir aux marchés financiers des explications claires, fiables et persuasives sur ses orientations et développements stratégiques, et dont les dirigeants jouissent auprès des investisseurs d'une solide réputation de stratèges habiles et de gestionnaires sagaces, pratiques et exigeants, sera récompensée par une forte valeur marchande pour ses titres.

Rappelons que cette confiance qu'inspire le personnel de direction aux marchés financiers est un élément important lors de l'évaluation des perspectives de rentabilité associées aux nouveaux projets et investissements stratégiques de la firme.

Nous avons vu plus tôt dans la brève description de la création de valeur économique chez Bombardier inc. (section 2.3.2) comment la confiance dans les choix d'investissement de cette société a contribué à la forte valeur économique attribuée à l'entreprise. Tant que cette confiance se maintiendra et ne sera pas ébranlée par les résultats financiers, l'entreprise continuera de jouir d'une évaluation très positive.

D)   *Optimiser les coûts du siège social*

Pour bon nombre de grandes entreprises, les coûts directement attribuables aux opérations du siège social, qui ne représentent d'ailleurs qu'une faible proportion de l'ensemble des frais d'exploitation, disparaissent souvent par un habile processus de répartition de ces coûts aux budgets respectifs des unités, des divisions ou des filiales, et représentent alors un genre d'impôt ou de taxe d'entreprise pour ces derniers.

Cette pratique est souvent justifiée par un souci de simplicité des procédés comptables. Cependant, à moins que la haute direction et le conseil d'administration n'exercent une surveillance vigilante et n'acceptent de remettre en question ces coûts, l'enveloppe budgétaire du siège social risque de grimper de façon graduelle et subreptice, et d'exercer ainsi une influence négative sur la valeur économique de l'entreprise.

C'est pourquoi il est utile, particulièrement pour le conseil d'administration, de maintenir un poste comptable distinct afin d'isoler les dépenses du siège social. Ce poste doit comprendre tous les coûts engendrés directement par le fait que les unités d'affaires sont réunies sous la gouverne d'une entité centrale plutôt que gérées de façon distincte en tant qu'entreprises indépendantes.

La haute direction de l'entreprise a le devoir de donner l'exemple d'une gestion parcimonieuse mue par l'impératif de maximiser la valeur économique de l'entreprise. Tout le personnel prendra acte des signaux donnés et calquera ses comportements sur ceux de la haute direction.

Tout ajout de personnel ou de ressource au siège social doit être soumis au dur test de la valeur ajoutée. Comment cet ajout de ressources renforce-t-il l'un ou l'autre des moteurs « corporatifs » décrits plus haut et contribue-t-il ainsi à créer davantage de valeur économique ?

Il n'est pas certain, cependant, qu'il soit toujours optimal de diminuer les ressources du siège social. Le rendement sur ces nouvelles ressources peut s'avérer très élevé si, par exemple, l'entreprise affichait une lacune dans l'une ou l'autre des quatre dimensions d'un bon système de gouverne, tel que décrit au tableau 2.5.

2.5 CONCLUSION

Notre objectif dans ce long chapitre a été de fournir un encadrement économique pour la gestion stratégique de l'entreprise, encadrement qui sert de toile de fond pour la suite de l'ouvrage. Nous avons démontré et illustré d'un certain nombre d'exemples pratiques comment les stratégies d'entreprise donnent lieu à la création de plus ou moins de valeur économique.

Nous avons également insisté sur le fait que l'objectif de création de valeur économique donne une justification économique aux multiples démarches de l'entreprise pour établir des relations harmonieuses et durables avec tous les publics et groupes critiques pour son succès, soit les clients, les employés, les actionnaires, les gouvernements, etc.

Enfin, nous avons aligné toute une gamme de « moteurs » de création de valeur économique qui soulignent avec force le rôle stratégique des aspects moins tangibles, plus immatériels de la vie des entreprises, tout autant que les aspects concrets et tangibles. Dans notre vision de l'entreprise performante, la finance et la psychologie des organisations font bon ménage, et le marketing et la culture de l'organisation sont des partenaires essentiels à un produit de qualité. Nous abhorrons toutes les fausses dichotomies, les clivages artificiels, les antagonismes forcés, la fragmentation par spécialisation qui foisonnent tant dans l'étude théorique du management que dans les pratiques de gestion de trop d'entreprises.

L'entreprise est non seulement un concept holistique, un système conçu pour créer de la richesse économique, mais aussi une invention précieuse qui reçoit sa légitimité et sa caution des acheteurs de ses produits ou services, des fournisseurs de capitaux, de l'engagement et du consentement de son personnel et enfin de son observance rigoureuse des obligations qui lui sont imparties par l'encadrement juridique, social et politique de la société au sein de laquelle elle exerce ses activités.

Notre modèle de création de valeur économique propose un instrument analytique pour un examen intégré de toutes ces facettes de la gestion stratégique d'une entreprise.

Chapitre 3

LA DYNAMIQUE DE COÛTS : LES IMPÉRATIFS ÉCONOMIQUES ET TECHNOLOGIQUES DE LA FIRME

PLAN DE CHAPITRE

3.1 INTRODUCTION

Notre propos, aux **chapitres 1** et **2**, fournit un cadre général de considérations stratégiques et économiques pour l'entreprise qui se veut concurrentielle et performante. Dans ce chapitre, nous proposons un examen plus serré, une analyse plus fine de plusieurs types de coûts qui sous-tendent la dynamique économique de la firme.

Il va de soi, et nous l'illustrons de multiples façons au **chapitre 5**, que la conception et la mise en place d'un ou de plusieurs systèmes stratégiques dans l'entreprise sont fortement influencées par les phénomènes dynamiques dont nous traitons dans ce chapitre.

Le tableau 3.1 présente de façon succincte les différentes considérations de coûts autour desquelles ce chapitre est structuré.

3.2 LES ÉCONOMIES D'ÉCHELLE ET LE TAUX D'UTILISATION

Le phénomène des économies d'échelle, cette diminution exemplaire des coûts unitaires en fonction du volume, est bien connu. Cette familiarité est parfois trompeuse cependant, car il faut faire la distinction entre le phénomène d'économies d'échelle et le simple effet sur les coûts d'une augmentation du taux d'utilisation d'un

Tableau 3.1 Types de coûts comportant un intérêt stratégique particulier

3.2	Économies d'échelle et taux d'utilisation	3.8	Coûts de complexité
3.3	Effets d'apprentissage	3.9	Coûts irrécupérables (*sunk costs*)
3.4	Économies d'envergure ou de gamme (*scope economies*)	3.10	Coûts de substitution (*switching costs*)
3.5	Économies de réseau (*network economies and externalities*)	3.11	Coûts de croissance
		3.12	Productivité, compétitivité et repérage stratégique (*benchmarking*)
3.6	Coûts de transaction		
3.7	Coûts de mandat	3.13	Coûts ajustés pour les différences internationales de productivité

système donné. Le discours en gestion confond souvent les deux. Toute diminution des coûts totaux unitaires imputables à une augmentation de volume est automatiquement attribuée à des économies d'échelle. Or, cette notion d'économies d'échelle devrait être utilisée pour comparer les coûts unitaires de systèmes de capacités différentes fonctionnant à un niveau optimal.

La figure 3.1 illustre cette définition et cette distinction.

La différence des coûts unitaires (C1 − C2) entre les systèmes «A» et «B» fonctionnant aux niveaux «X» et «Y», soit leur taille minimale efficace (TME), constitue une mesure d'économies d'échelle. La différence de coûts (C3 − C2) pour le système «B» mesure l'effet du niveau d'utilisation sur les coûts d'un système.

La figure 3.2 sert à démontrer comment deux systèmes caractérisés par une TME équivalente peuvent donner lieu à des situations fort différentes en ce qui a trait à la compétitivité, aux entraves à l'entrée et à la concentration industrielle. En effet, la relation [(C2 − C1)/C1] fournit une bonne indication de la pente qu'affiche la fonction de coûts du système et, donc, du désavantage relatif de ne pas atteindre un volume TME. Plus cette relation est forte et la pente accentuée, moins il est possible à un concurrent de survivre avec un volume bien en deçà de la TME.

Figure 3.1 Économies d'échelle et choix de systèmes stratégiques

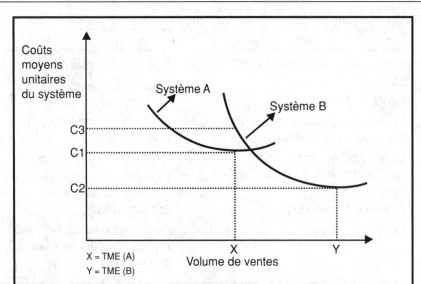

Figure 3.2   Courbes de coûts moyens à long terme

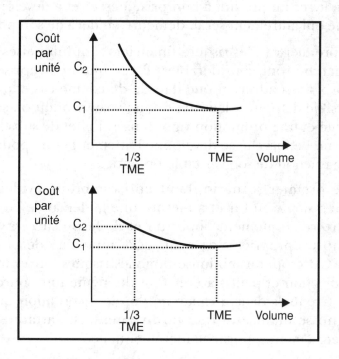

Le phénomène d'économies d'échelle, familier au point d'être devenu banal, sous-tend pourtant des choix stratégiques fondamentaux.

En effet, la firme, dès sa création ou à des moments critiques ultérieurs, fera souvent face à l'alternative suivante:

- Devrait-elle opter pour la prudence et l'incrémentalisme en minimisant les risques et les coûts irrécupérables par la mise sur pied d'un système de petite taille qui atteint un coût optimal de fonctionnement à un faible niveau de ventes et de part de marché?

OU

- Devrait-elle bâtir un système plus puissant qui engendre de plus faibles coûts lorsqu'il fonctionne à un niveau optimal? Un tel système, parce qu'il exige un grand volume pour atteindre ce niveau optimal de coûts, est défavorisé à un moindre niveau de ventes, lequel devient optimal pour un système plus modeste, comme le niveau de ventes «X» dans la figure 3.1.

Cependant, ce même système pourrait contribuer, par sa capacité de livrer un produit à bon prix, à créer et à développer un marché qui autrement serait demeuré en deçà de son potentiel.

Dans le premier cas, les risques financiers sont minimisés alors que ceux de marché sont considérables. Parce que l'entreprise ne peut offrir un prix aussi attrayant que dans le deuxième cas et qu'il ne lui est pas possible d'appuyer la vente du nouveau produit ou service par une publicité et une promotion vigoureuses, l'effet de substitution est plus modeste. Le marché se développe lentement et ne pourra atteindre qu'une fraction de son véritable potentiel.

Selon ce premier scénario, l'entreprise modifie évidemment la capacité du système au fur et à mesure que la demande augmente et peut construire au moment opportun et de façon successive des systèmes ayant des propriétés de coûts et d'optimalité de plus en plus favorables. Cette option minimise donc les risques, offre une grande flexibilité d'action et peut s'avérer tout de même une source d'avantages concurrentiels dans un marché donné à condition que la concurrence ne se manifeste que tardivement et s'attaque alors au marché avec la même approche incrémentielle.

Dans le deuxième scénario, la firme décide de risquer les investissements préalables (*up-front investments*) tant en équipement de production qu'en recherche et développement, publicité et promotion afin de mettre en place un système qui soit créateur de demande. La stratégie de prix et l'effort de promotion sont alors conçus pour produire rapidement le niveau de ventes auquel le système devient efficient et rentable.

Ayant conçu et implanté un tel système, la firme peut en arriver à dominer son marché et à en écarter les concurrents aux comportements timides et aux démarches incrémentielles.

Évidemment, ce deuxième scénario suppose un haut degré de confiance non seulement dans l'**existence** d'un vaste marché potentiel latent mais aussi dans la **pérennité** de ce marché. En effet, les investissements requis pour ce type de stratégie sont souvent importants et les actifs en grande partie spécifiques et non transférables à d'autres activités. Il faut donc une bonne dose d'assurance *ex ante* qu'aucun produit substitut et qu'aucun changement d'humeur et de mode ne sont susceptibles d'éliminer ou de diminuer la demande pour les produits du système, et ce pour plusieurs années à venir.

Plusieurs entreprises doivent leur succès à des dirigeants qui ont fait le choix courageux, parfois téméraire, de consacrer des ressources importantes afin de développer et de dominer un marché par l'implantation d'un nouveau et puissant système de production et de distribution.

Ainsi, IBM ne serait pas la firme multinationale que l'on connaît si sa direction n'avait pas fait l'énorme pari d'engager entre 1961 et 1965 quelque six milliards de dollars américains, soit 40 % des revenus **bruts** de IBM durant cette période, pour le développement et la fabrication du système 360. De façon similaire, Boeing doit sa situation d'avionneur dominant en grande partie au choix difficile et périlleux que fit l'entreprise de s'engager la première dans la fabrication de réacteurs pour le marché aérien commercial et, plus récemment, de jouer la survie de l'entreprise sur le développement du Boeing 747.

L'histoire économique contient de nombreux exemples de ce type de stratégies, parfois appelées *strategic leaps*, dont nous traiterons plus à fond au **chapitre 5** sous la rubrique «Stratégie de création et de domination de marché».

Le choix entre une approche incrémentielle et une stratégie de domination de marché tend à se faire d'abord selon les capacités financières de la firme, puis selon ses recettes, valeurs et façons de faire, ensuite selon son évaluation des avantages de coûts pouvant provenir d'économies d'échelle ou d'autres effets de volume, et enfin selon son estimation du vrai marché potentiel pour le nouveau produit ou service.

Des écarts dans l'évaluation des facteurs de coûts et de marché peuvent conduire des firmes concurrentes à des choix stratégiques différents et souvent déterminants pour elles.

Le cas de Procter & Gamble et de Johnson & Johnson dans le marché des « couches jetables »

Ainsi, pour le produit relativement nouveau qu'étaient les couches jetables au début des années soixante, deux firmes américaines, fort compétentes par ailleurs, firent des paris différents. Johnson & Johnson (J&J), en accord avec sa tradition et son credo d'entreprise, démontra son intérêt envers ce marché en mettant sur pied une petite entité autonome et flexible dont J&J

pouvait se départir facilement si le marché ne s'avérait ni intéressant ni rentable.

Procter & Gamble (P&G) choisit une option très différente. La compagnie décida de bâtir un système intégré capable de produire et de distribuer ce produit en grandes quantités. À plein volume, le système P&G atteignait un niveau de coûts qui lui permettait d'importants efforts de promotion et de distribution tout en conservant un prix de vente avantageux comparativement aux produits ou services substituts, tout particulièrement les services de lessive spécialisés. Ces facteurs, soit un prix de vente incitant à la substitution, une promotion intensive et un très grand réseau de distribution, ont mené à la création d'un vaste marché de ce qui était et aurait pu demeurer un marché au potentiel incertain et mal défini.

Johnson & Johnson, qu'une approche flexible et incrémentielle a bien servie dans d'autres marchés plus incertains et aléatoires, dut se retirer du marché des couches jetables face à son incapacité d'offrir une concurrence efficace au système instauré par Procter & Gamble dans ce secteur.

Donc, le concept d'économies d'échelle, en apparence simple et banal, sous-tend et définit en pratique des choix et des enjeux stratégiques fondamentaux.

3.3   LES EFFETS D'APPRENTISSAGE

Au cours des années soixante-dix, le Boston Consulting Group (BCG) fit une retentissante percée dans le domaine de la stratégie d'entreprise avec le concept de « courbe d'expérience ». En effet, en se fondant sur quelques considérations théoriques et exemples empiriques choisis, le BCG affirma que les coûts moyens de fabrication d'un nouveau produit diminuaient selon la relation suivante :

$$C_n = C_1 \, n^{-b}$$

où

C_n =   coût moyen de la n^e unité fabriquée

n =   quantité totale fabriquée depuis le début des opérations

C_1 =   coût de la première unité fabriquée

b =   coefficient à estimer

Cette relation signifiait bien sûr que tout doublement des productions cumulatives aboutirait à une réduction du coût moyen équivalant à $2[\,1 - 2^{-b}]$.

Sur cette simple observation, le BCG formula des prescriptions stratégiques précises. De toute évidence, le phénomène des courbes d'expérience qui, selon le BCG est presque universel, donnait un avantage de coûts au producteur qui atteignait le premier un grand volume de ventes. De plus, cette chute parfois dramatique des coûts moyens en fonction des volumes cumulatifs devait mener à une politique de prix fondée sur les coûts à venir et non sur les coûts passés. En fait, le BCG suggérait que durant la phase d'introduction et de développement de marché, la firme devait établir ses prix à un niveau inférieur aux coûts actuels. Avec une telle stratégie, son volume de production augmenterait de façon accélérée et ses coûts diminueraient plus rapidement que les prix, lui permettant ainsi d'atteindre une position de marché dominante et une rentabilité élevée à moyen terme.

Le BCG proposait également de considérer la firme comme étant constituée d'un portefeuille de produits à équilibrer quant à leur potentiel de croissance, à leurs gains possibles de part de marché ou aux retraits stratégiques qui seraient profitables pour la firme.

Les options stratégiques d'une entreprise dans l'univers BCG étaient définies essentiellement par le taux de croissance du marché ou d'un segment de marché, et par la part de marché détenue par l'un ou l'autre de ses produits. Ces deux dimensions, qui sont d'ailleurs sous-jacentes à la courbe d'expérience, constituaient les deux axes d'une matrice marchés/produits servant à classer tous les produits de la firme.

Le paysage de la stratégie d'entreprise fut pendant un temps rempli jusqu'à l'horizon de ces matrices du BCG avec leurs vaches à traire, leurs chiens à liquider, leurs étoiles à adorer et leurs points d'interrogation à pourfendre.

Cette approche monofactorielle de la stratégie eut un grand succès, lequel, en rétrospective, s'explique difficilement si ce n'est par l'indigence théorique et conceptuelle du domaine de la stratégie à l'époque.

Après quelque temps, une critique abondante et dévastatrice[1] ainsi que certains échecs retentissants ont contribué à donner au concept de courbe d'expérience un rôle stratégique plus modeste.

Il est en effet de plus en plus clair qu'on ne lui accorde une valeur stratégique que dans les cas suivants :

- En phase de lancement d'un nouveau produit ou concept lorsque celui-ci fait appel à des procédés de fabrication, de distribution ou de mise en marché qui sont **complexes** et relativement **nouveaux**.

- Si l'expertise peut être développée au sein de l'entreprise et **devenir sa propriété exclusive** (*proprietary knowledge*), augmentant ainsi son niveau de compétences et de savoir-faire ayant une valeur concurrentielle. Cependant, l'utilisation de firmes de conseillers ou de fournisseurs pour de tels développements fait en sorte qu'en l'absence de liens contractuels exclusifs, ces connaissances deviennent facilement et rapidement disponibles à d'éventuels concurrents. De même, la forte mobilité interfirmes du personnel peut limiter la capacité de la firme de s'approprier les avantages concurrentiels qu'elle devrait normalement retirer de l'apprentissage fait par son personnel.

- Si l'**expertise** est **systémique**, c'est-à-dire qu'elle est intégrée au fonctionnement de l'entreprise par un processus d'apprentissage organisationnel plutôt qu'individuel, selon lequel le savoir-faire et l'expérience sont inscrits dans les systèmes et méthodes de travail, et sont fragmentés en plusieurs lieux et fonctions de l'entreprise de sorte que peu d'individus possèdent une maîtrise complète des technologies et du savoir-faire stratégiques de la firme. Les employés ayant des connaissances et des expertises partielles et diffuses, il est alors difficile pour un concurrent éventuel d'acquérir cette expertise par l'embauchage de personnel provenant de la firme innovatrice.

Les conditions citées précédemment définissent un rôle stratégique réel pour les effets d'apprentissage et d'expérience. En général, le phénomène de courbe d'apprentissage, lorsqu'il est bien exploité, peut mener à une réduction **accélérée** des coûts moyens ainsi qu'à un

---

1. Pour un échantillon restreint des critiques du concept de la courbe d'expérience, voir Day et Montgomery, 1983 ; Hall et Howell, 1985 ; Amit, 1986.

niveau de coûts plus faible que celui de la concurrence, pourvu que la firme puisse empêcher la diffusion de son savoir-faire chez les concurrents.

Une firme innovatrice pourra parfois compter sur les courbes d'expérience pour se tailler une place importante dans un nouveau marché. Cette position et les avantages concurrentiels qui en découlent pourront exercer une influence notable et durable sur la structure émergente du nouveau marché.

Les phénomènes d'apprentissage sont également au cœur des enjeux de développement de compétences, d'actifs intangibles et de technologies dans l'entreprise. Le rôle stratégique du phénomène d'apprentissage va donc au-delà de sa définition étroite, reflet du fait que le concept provient du secteur de l'ingénierie de production.

Pour le spécialiste du marketing, par exemple, le phénomène d'apprentissage peut s'avérer pertinent à l'évaluation des processus de choix des **acheteurs**. Dans plusieurs secteurs d'activité, le choix d'un fournisseur comporte des risques et des coûts qui diminuent au rythme du nombre de transactions effectuées de façon satisfaisante. Dans la mesure où une courbe d'expérience prononcée caractérise le comportement de l'acheteur, le phénomène peut être une entrave efficace à l'entrée de la concurrence et créer un obstacle redoutable au transfert d'allégeance à un autre fournisseur. Il s'agit là d'une des manifestations des coûts de substitution (*switching costs*) dont nous traitons plus loin dans ce chapitre.

Ainsi la société IBM s'évertua-t-elle au cours des années soixante et soixante-dix à fournir à des prix fort généreux des équipements informatiques à toutes les universités nord-américaines. Toute une génération d'ingénieurs, d'informaticiens, de programmeurs et de cadres apprirent leurs notions d'informatique sur des systèmes IBM. En conséquence, l'acheteur d'équipements IBM était assuré de trouver facilement du personnel compétent pour travailler sur ses équipements. Les coûts d'apprentissage pris en charge par l'acheteur étaient presque nuls pour les produits IBM mais considérables pour les produits des autres manufacturiers.

Par ailleurs, le concept de diminution des coûts en fonction des phénomènes d'expérience et d'apprentissage garde tout son sens premier dans le secteur de l'aéronautique. Dans ce secteur, l'économique des prix et des coûts associés à un nouveau programme ou à un nouveau type d'appareil est influencée, voire imprégnée, par le concept de courbe d'expérience.

Le lancement d'un nouveau modèle d'avion exige d'énormes investissements (*non-recurring costs*). L'entreprise doit donc formuler des hypothèses, lesquelles sont fondées sur son expérience historique et sur son appréciation de la complexité et de la nouveauté relatives du nouvel appareil quant au rythme de diminution des coûts de main-d'œuvre pour sa fabrication et son assemblage. Différentes hypothèses de courbes d'expérience auront comme conséquence immédiate de faire varier le prix de vente et le nombre d'unités vendues qui seront nécessaires pour atteindre le seuil de rentabilité.

Comme le montre la figure 3.3, la différence entre une **bonne** performance et une performance **médiocre** en ce qui a trait à la courbe d'expérience peut se traduire par un écart de **200 %** pour les coûts de main-d'œuvre et changer complètement les perspectives de rentabilité du projet. Par exemple, dans la deuxième partie de la figure 3.3, la courbe des frais de démarrage (*non-recurring costs*) se fonde sur une courbe d'expérience de 80 %. Si une courbe de 90 % était en fait réalisée, le projet n'atteindrait jamais le seuil de rentabilité. Étant donné l'importance des sommes en jeu, la survie de l'entreprise pourrait même être mise en péril.

3.4   LES ÉCONOMIES D'ENVERGURE

Ce concept de coûts, connu en anglais sous le terme *economies of scope*, est parfois traduit en français par économies de champ[2] ou par économies de gamme. Nous préférons l'expression **économies d'envergure** parce qu'elle rend mieux la signification du concept.

Dans sa version originale, la notion d'économies d'envergure servit à démontrer que de telles économies constituaient une condition **nécessaire et suffisante** au développement de la firme à multiples produits (voir Panzar et Willig, 1981).

En effet, une firme offrant plusieurs produits détenait un net avantage lorsque entrait en jeu la relation $C(y1, y2) < C(y1, 0) + C(0, y2)$, où $C(y1, y2)$ = les coûts inhérents à la production, à la distribution et à la mise en marché par la même firme des produits y1 et y2, et

---

2. Voir Joffre et Koening, 1985.

Figure 3.3   Courbe d'expérience et dynamique de coûts: le cas des avions commerciaux

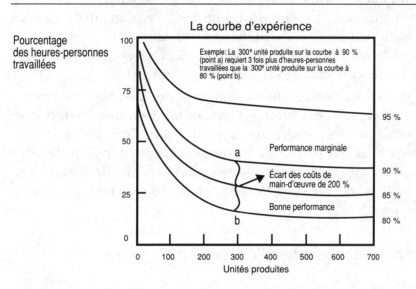

La courbe d'expérience

Pourcentage des heures-personnes travaillées

Exemple: La 300ᵉ unité produite sur la courbe à 90 % (point a) requiert 3 fois plus d'heures-personnes travaillées que la 300ᵉ unité produite sur la courbe à 80 % (point b).

Performance marginale

Écart des coûts de main-d'œuvre de 200 %

Bonne performance

Unités produites

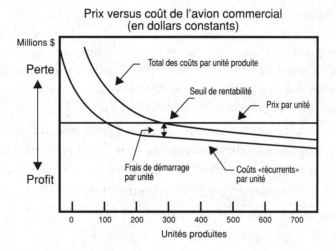

Prix versus coût de l'avion commercial (en dollars constants)

Millions $

Perte

Profit

Total des coûts par unité produite

Seuil de rentabilité

Prix par unité

Frais de démarrage par unité

Coûts «récurrents» par unité

Unités produites

$C(y1, 0)$ et $C(0, y2)$ = les coûts engagés par des firmes différentes, chacune étant spécialisée dans la production et la vente de l'un ou l'autre des mêmes produits. Évidemment, la relation se généralisait à « n » produits.

Le concept d'économies d'envergure donna un fondement économique rigoureux au comportement de nombreuses entreprises qui, par tâtonnements et expérimentations, avaient constaté depuis longtemps qu'elles pouvaient augmenter leur efficience et leur compétitivité en combinant un certain nombre de produits différents au sein de la même entreprise. Ainsi, la diversification dans des activités **reliées** pouvait contribuer à bâtir une entreprise économiquement supérieure à celle concentrée sur un seul produit.

Équipés d'un vocabulaire encore imprécis, les vocables « interconnexions », « synergies » et « liens » étant encore employés de façon interchangeable, et d'un cadre conceptuel plutôt flou, les dirigeants d'entreprises cherchent depuis plusieurs années à combiner des opérations, des activités, des produits et des services de façon optimale, c'est-à-dire de façon à bénéficier de toutes les économies d'envergure possibles.

3.4.1 Sources d'économies d'envergure

Les économies d'envergure, dans leur définition purement économique, proviennent principalement du caractère indivisible de certains actifs et de la sous-utilisation qui en résulte. Dans le cadre d'une analyse stratégique, le concept prend une dimension plus large, un sens plus précis, une portée plus pratique. Le défi pour les dirigeants d'entreprises consiste à donner à leur système une envergure d'activités, d'opérations, de produits et de marchés afin de :

1. Faire une utilisation maximale de toutes les ressources, de tous les actifs **tangibles** et **intangibles** qui sont la propriété exclusive (*proprietary resources*) de l'entreprise tels que :
   - brevets et ressources en développement de produits ;
   - réputation et image de marque de la firme ;
   - systèmes d'information conçus à l'interne ;
   - connaissances, habiletés et expériences des membres du personnel ;
   - pouvoir et influence dans des circuits de distribution ;
   - technologies « génériques » développées par l'entreprise et ayant des applications dans d'autres secteurs d'activité.

   Le concept élargi d'économies d'envergure permet de mieux comprendre certaines décisions d'acquisition, d'alliance ou de fusion. Il peut également s'avérer un puissant stimulant de créativité et d'innovation en matière de stratégies d'entreprises. Enfin, ce concept sous-tend la préoccupation pour le développement maximal des ressources stratégiques et des compétences de l'entreprise.

2. Pouvoir équiper l'entreprise des moyens et outils qui lui permettront d'améliorer sa performance tout en assurant une pleine utilisation des actifs indivisibles associés à ces moyens et outils.

Le problème est simple à comprendre. Les différentes composantes d'un système sont caractérisées par des tailles minimales d'efficacité (TME) très différentes[3]. Par exemple, pour une firme qui produit et distribue un seul produit, chaque activité importante est soumise à sa propre dynamique de coûts avec une TME spécifique, comme l'illustre la figure 3.4. Supposons, aux fins de cet exemple, que la firme en question estime qu'elle ne peut espérer vendre un volume supérieur à deux cent mille (200 M) unités. Quelles répercussions ce volume limité aurait-il sur ses coûts ? Quelles sont ses options stratégiques ?

Figure 3.4   Illustration de la dynamique de coûts par activité

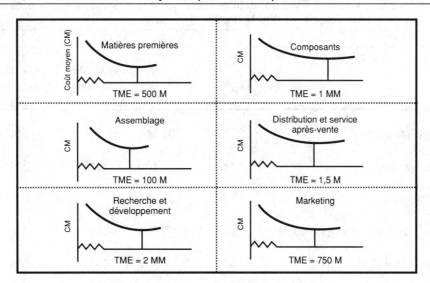

---

3. Cette argumentation démontre que, bien qu'on en fasse rarement mention, les courbes utilisées pour représenter les économies d'échelle s'appliquent soit à une seule composante de coûts, soit à une moyenne pondérée des coûts des diverses composantes pour différents niveaux de production, de distribution et de vente.

Pour cet exemple hypothétique, le tableau 3.2 établit qu'un volume limité à 200 M unités dans un système doté des meilleurs moyens, outils et équipements, se traduirait par des coûts de **17 %** supérieurs aux coûts d'une entreprise qui aurait un volume d'affaires suffisant (2 MM d'unités dans notre exemple) pour utiliser à leur TME ces ressources et actifs.

Évidemment, dans une telle circonstance, l'entreprise à petit volume tentera plutôt d'utiliser des approches moins coûteuses à un volume de 200 M unités, mais ces méthodes seront souvent moins bien reçues par les clients. Ainsi, au lieu d'assumer sa propre distribution et d'offrir son propre service après-vente, ce qui, dans notre exemple, requiert un volume de 1,5 million d'unités pour être efficace, l'entreprise pourra procéder par l'entremise d'agents et de sous-traitants à moindre coût mais non sans une perte d'efficacité de distribution et de service. Si tel est le cas, elle vient de concéder un avantage stratégique décisif à un concurrent qui aura su atteindre un volume d'affaires suffisant pour mettre en place son propre système de distribution et de service après-vente.

Tableau 3.2   Coûts et TME par activité d'un système et variations de coûts à un volume de 200 M unités

Activités	I	II Part des coûts totaux	III TME	IV Augmentation de coûts à 200 M unités	V Impact sur coûts totaux (2 × 4)
Matières premières		20 %	500 M	5 %	1 %
Composants		10 %	1 MM	20 %	2 %
Assemblage		15 %	100 M	–	–
Distribution/service après-vente		20 %	1,5 MM	30 %	6 %
Recherche et développement		15 %	2 MM	40 %	6 %
Marketing		20 %	750 M	10 %	2 %
		100 %			17 %

Dans plusieurs secteurs d'activité et dans de grands marchés géographiques, l'entreprise peut atteindre avec un seul produit le volume d'affaires nécessaire pour utiliser pleinement les ressources et les actifs d'un système performant. Dans d'autres secteurs ou dans de plus petits marchés géographiques, cela ne serait possible que si l'entreprise s'appropriait une très forte part du marché, une hypothèse souvent improbable. Parfois, même si elle jouissait d'un monopole virtuel, l'entreprise ne pourrait faire une pleine utilisation des actifs indivisibles et des ressources assemblés dans son système.

Dans tous ces cas, l'entreprise voudra étendre son envergure pour englober de **nouveaux marchés géographiques** pouvant être desservis par son système ainsi que de **nouveaux produits ou services** qui font appel à certaines de ses ressources ou utilisent certains de ses actifs. L'entreprise pourra chercher à contourner ce problème d'envergure limitée et de sous-utilisation d'actifs indivisibles en ayant recours à des **alliances** de toute nature pour partager l'utilisation de ces actifs ainsi que certains coûts tels que la recherche et le développement, et la distribution physique.

Donc, le concept d'économies d'envergure invite les dirigeants d'entreprises à examiner tous les actifs tangibles et intangibles de la firme afin d'évaluer leur taux d'utilisation ainsi que leurs possibilités.

Cet examen comporte donc un aspect de coûts et de recherche d'optimalisation, mais il comprend également une recherche d'activités nouvelles où les ressources et les actifs de la firme pourraient être utilement employés. En étendant son envergure, soit directement, soit par le truchement d'alliances, à de nouveaux secteurs pour faire meilleur usage de ses actifs et de ses ressources, l'entreprise peut améliorer son rythme de développement et sa rentabilité totale.

Le **chapitre 5** décrit de nombreux cas où les économies d'envergure jouent un rôle stratégique fondamental.

Cependant, cette extension des activités de l'entreprise n'est pas sans amener une complexité accrue et un besoin d'apprentissage pour les dirigeants de l'entreprise, exigences qui peuvent rendre largement illusoires les bénéfices d'une envergure élargie, comme nous le verrons plus loin dans ce chapitre.

3.5   LES ÉCONOMIES DE RÉSEAU

Connu en anglais sous les termes *network economies, network externalities* ou *economies of density*[4], ce concept fait référence aux situations où la performance économique d'une entreprise donnée dépend de phénomènes interreliés de **localisation** ou de **développement** de la demande au sein d'un réseau ainsi que du **développement du réseau** lui-même. Les circonstances suivantes sont caractéristiques des économies de réseau:

- Le transport aérien de passagers, le transport de petits colis ou le fret par camions ou par trains selon un système de «plaque tournante» (*hub and spokes*) qui rassemble le volume de plusieurs sites en un endroit central, ce qui permet d'y utiliser des équipements dont la performance est optimale à grand volume. L'analyse économique de tels systèmes doit porter sur l'ensemble du **réseau**, y compris le potentiel de «charges de retour» (*back-haul*), et doit également faire la distinction entre les économies d'échelle provenant de l'extension du réseau et les «économies de densité» provenant d'un volume accru dans un réseau donné.

- Les situations où la valeur et le coût d'un produit ou service pour un acheteur dépendent du nombre d'utilisateurs du produit. Le service téléphonique, le service de câble pour la réception de signaux de télévision et les systèmes de vidéoconférence sont autant d'exemples classiques de cette situation. Cela est aussi vrai pour toutes les normes techniques (VHS vs Betamax, par exemple, pour les magnétoscopes) où leur valeur dépend directement de l'universalité de leur acceptation. Bien que l'assurance-vie et l'assurance-automobile constituent des cas un peu différents, l'effet de réseau s'applique dans la mesure où le risque actuariel diminue avec une couverture plus large.

Les économies de réseau, là où elles sont pertinentes, jouent un rôle déterminant dans l'établissement de l'entreprise. Ainsi, il est impossible de comprendre la stratégie des grands transporteurs aériens américains ou celle de Federal Express sans faire appel aux économies de réseau.

---

4. Voir Caves, Christensen et Thretheway, 1984, pour une application aux transports aériens.

3.6   LES COÛTS DE TRANSACTION

Toute une école de pensée en théorie économique[5] tourne autour de ce concept pivot qui se veut déterminant des frontières optimales d'une firme. Selon ce concept, la firme devrait conserver à l'interne toutes les activités pour lesquelles les coûts de transaction engendrés par leur achat chez des fournisseurs externes sont supérieurs au coût de développement de ces produits ou services à l'intérieur de l'entreprise.

Ces choix entre le **marché** et l'**intégration administrative** (*market vs hierarchy*) fondés sur les avantages de cette dernière lorsqu'il y a carence du marché (*market failure*), sous-tendent, selon les tenants de cette théorie, la dimension, le succès et la pérennité des grandes entreprises.

Le phénomène des coûts de transaction expliquerait pourquoi, dans le cas de certaines filières industrielles, des entreprises assument à l'interne plusieurs mais rarement toutes les fonctions décrites à la figure 3.5, alors que pour d'autres filières, chaque fonction ou presque est assumée par une firme différente sans lien de propriété l'une avec l'autre.

Les coûts de transaction pris en charge par une firme lorsqu'elle fait appel au **marché** externe comprennent évidemment le prix demandé par le fournisseur pour ses produits ou services mais également les points suivants :

- Les coûts pour trouver et évaluer les fournisseurs qualifiés, et négocier les modalités de leur offre, y compris, s'il y a lieu, les coûts d'adjudication reliés aux appels d'offres publics.
- Les coûts de rédaction de contrats valides contenant toutes les stipulations nécessaires quant à la qualité, aux délais de livraison, à la confidentialité, aux garanties de performance, aux pénalités pour contre-performance, etc.
- Les coûts de litige pour régler les différends et les conflits.
- Des coûts moins tangibles mais stratégiquement importants, comme la vulnérabilité de la firme aux comportements du fournisseur quant à la qualité de son produit et quant au pouvoir de marché que ce dernier peut exercer sur l'entreprise ou la capacité de la concurrence d'avoir accès au savoir-faire et à la technologie développés chez le fournisseur.

---

5. Voir Coase, 1937, et Williamson *et al.*, 1975.

Figure 3.5   Coûts de transaction et frontière de la firme

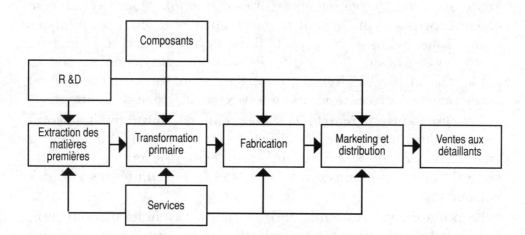

Ces considérations définissent les circonstances qui poussent l'entreprise à opter pour une solution d'intégration administrative plutôt que pour une solution de marché.

- Le produit ou le service est-il tangible, de production répétitive et facile à définir quant à la performance et à la qualité escomptées ?

- Le produit ou le service est-il offert par plusieurs fournisseurs se livrant une forte concurrence quant aux prix et à la qualité du produit ou y a-t-il imperfection de marché (*market failure*) ?

- Le produit ou le service est-il fondamental pour la bonne performance de l'entreprise et fait-il appel à des technologies et à des compétences qui distinguent l'entreprise de ses concurrents ?

Selon les réponses à ces questions, l'entreprise en vient à faire des choix d'intégration ou de « désintégration » qui définissent son périmètre ou ses frontières. Évidemment, le choix de l'option d'intégration administrative comporte aussi son contingent de coûts. En plus de coûts évidents directement associés à la production interne du bien ou du service, l'entreprise doit évaluer les **coûts de complexité**, dont nous traitons plus loin, afférents à cette décision :

- L'intégration administrative d'opérations et d'activités périphériques à celles de l'entreprise engendre des coûts de supervision et de contrôle dans une structure qui ne comporte habituellement pas de mandants suffisamment compétents pour superviser ces activités. Lorsqu'il y a lieu, elle suscite également d'âpres confrontations autour des **prix de transfert** entre unités d'une même entreprise.

- L'absence de concentration exclusive sur ces activités ainsi qu'une structure de coûts propre à la grande entreprise, et donc plus élaborée que celle des petites firmes spécialisées, donnent lieu à des coûts de production beaucoup plus élevés.

En définitive, les coûts de transaction et les coûts de complexité exercent une tension dynamique diamétralement opposée sur les choix de la frontière optimale de la firme. Selon l'efficience des marchés, le contexte dans lequel œuvre la firme, les époques et les tendances de la mode, l'entreprise doit trouver un juste équilibre entre les activités qu'elle assume à l'interne et les produits et services qu'elle achète sur les marchés externes.

Le concept de coûts de transaction au sens large du terme permet de bien comprendre les multiples relations économiques entre intervenants indépendants ou semi-dépendants. Ainsi, l'un des facteurs importants qui favorisent l'efficacité des banques d'affaires du type germanique ou japonais, a trait aux coûts de transaction. En effet, la relation continue et l'intégration administrative entre la banque d'affaires et ses entreprises associées, diminuent grandement les coûts de transaction qui doivent être engagés pour le financement de projets de développement et d'expansion. Dans notre système de **marché**, l'entreprise qui veut obtenir des fonds sur les marchés financiers pour un projet d'expansion doit entreprendre de nombreuses démarches, dont convaincre les intermédiaires financiers, établir sa crédibilité et sa fiabilité, procéder à la préparation de nombreux documents juridiques tels que prospectus et autres, négocier de multiples clauses de crédit, payer les commissions et redevances aux institutions qui se chargent de vendre les titres de l'entreprise, rendre publiques, et donc accessibles à ses concurrents, beaucoup d'informations sur ses plans et projets.

La banque d'affaires, en maintenant une relation suivie avec la direction des entreprises et en s'informant à l'avance de ses projets et de sa stratégie, peut évaluer à moindre coût l'à-propos d'un nouveau projet et fournir un financement qui minimise les coûts de transaction énumérés plus haut.

La notion de coûts de transaction est porteuse de trois messages d'une grande importance stratégique :

1. L'entreprise **innovatrice** ne se laisse pas **enfermer** dans la dichotomie marché-intégration mais tente plutôt de trouver des façons inédites de **combiner les avantages d'une certaine intégration administrative aux bénéfices indiscutables du marché**.

   Par exemple, tous les systèmes de franchisage performants sont un alliage de marché et d'intégration administrative. Les franchisés ou concessionnaires apportent leurs capitaux et leur zest entrepreneuriel, caractéristiques de l'option de marché, alors que les franchiseurs fournissent un produit et des procédés uniformes, une bannière commune, et une publicité et une promotion coordonnées.

   Les grands fabricants japonais doivent une grande partie de leur succès dans certains secteurs, notamment celui de l'automobile, à des formules inédites, du moins à l'époque de leur mise en place, de coopération, de coordination et de contrôle entre le fabricant et un grand nombre de fournisseurs. Jadis, les fabricants américains utilisaient brutalement l'un ou l'autre volet de ce choix présumé dichotomique entre une intégration verticale très poussée ou des rondes annuelles de féroce négociation avec les fournisseurs visant à en extraire les meilleures conditions. Au contraire, les fabricants japonais établirent un réseau de liens durables, voire indéfectibles, entre eux et des fournisseurs nominalement **indépendants** mais en fait fortement intégrés pour **certaines** fonctions critiques pour le fabricant telles que le développement de nouveaux produits, le contrôle de la qualité, la gestion des stocks, etc. En fait, le grand fabricant japonais, par exemple Toyota, agit à titre de « franchiseur » auprès de sous-traitants qui ont un statut de « franchisés ». Ce système permet à l'entreprise qui ne fabrique dans ses propres établissements qu'une faible partie du produit final (26 % pour Toyota vs plus de 75 % chez GM) de garantir aisément la pérennité d'emploi à son personnel.

Depuis quelque temps, et ce surtout à cause des développements technologiques et de la chute des prix dans le secteur de la télématique, on observe l'apparition de nombreuses initiatives et innovations entreprises dans le but d'intégrer toute l'information nécessaire à la gestion des stocks et à la production pour le compte de firmes indépendantes mais faisant toutes partie d'une même filière industrielle. Ce phénomène, particulièrement notable dans les secteurs de l'alimentation, des produits pharmaceutiques, du textile et du vêtement, a déjà donné lieu à des gains d'efficacité appréciables par suite de réductions des niveaux de stocks requis et des délais d'approvisionnement. Nous présenterons quelques exemples de ces phénomènes au **chapitre 7**.

Il peut être utile cependant d'examiner brièvement comment cette dynamique des coûts de transaction, influencée par les développements dans les domaines de l'informatique et de la télématique, peut façonner les stratégies d'entreprise.

Le cas de The Limited

L'entreprise The Limited, comme nous l'avons vu au **chapitre 2** (figures 2.1 et 2.7f), fait partie de ce groupe de détaillants que l'on affuble de l'étiquette de *power retailers* parce qu'ils ont mis en place dans leur secteur, les vêtements pour femmes dans ce cas-ci, de puissants systèmes conçus pour écraser les concurrents traditionnels et produire d'excellentes performances économiques. Cette entreprise illustre bien comment un système innovateur peut bouleverser les données conventionnelles de la stratégie dans un secteur économique.

La figure 3.6 présente le cycle traditionnel d'approvisionnement dans le secteur du vêtement. Plusieurs intervenants de marché tentent de coordonner leurs opérations mais produisent, à cause des délais d'information et d'exploitation, un cycle d'approvisionnement complet de **66** semaines.

Dans ce schéma traditionnel, les commerçants, plusieurs mois avant le début de chaque période de vente, doivent choisir des modèles parmi ceux offerts par les fabricants. Évidemment, il est alors difficile de prévoir quels modèles seront les plus populaires, ce qui, pour le commerçant, signifie qu'il deviendra rapidement à court de stock pour les modèles dont il a mal jugé la popularité et aura un surplus de stock pour d'autres modèles, surplus qu'il devra vendre en solde et à fort rabais.

Pour modifier cette dynamique de fonctionnement qui constitue une source pernicieuse de risques et de lourdes exigences en stocks pour toute la filière industrielle, il fallait concevoir un nouveau système dont le moteur serait l'entreprise The Limited. La figure 3.7 rend compte schématiquement du système mis en place, qui donne à la firme l'allure d'un **assemblage de flux stratégique aux frontières variables**. Un tel système comprend une certaine intégration administrative mais surtout l'intégration et la coordination des flux stratégiques, en particulier le flux d'information, par-delà les frontières juridiques de l'entreprise The Limited. Grâce à ce système, cette société a été capable de réduire à **60 jours** le cycle de réapprovisionnement de ses magasins, cycle qu'elle cherche maintenant à réduire à **30 jours**.

Avec un tel temps de réaction, The Limited pourra ajuster le stock aux préférences exprimées par les consommateurs, comprimer les ventes perdues à cause des ruptures de stock, réduire le niveau des stocks ainsi que l'ampleur des ventes en solde et hors saison. Tous ces phénomènes contribuent à améliorer le rythme de rotation des actifs (AT), favorisant ainsi la compétitivité et la rentabilité de l'entreprise.

Figure 3.6   Cycle traditionnel d'approvisionnement dans le secteur du vêtement

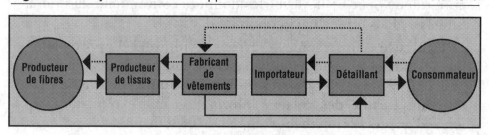

Figure 3.7   La firme en tant qu'assemblage de flux stratégique aux frontières variables – The Limited

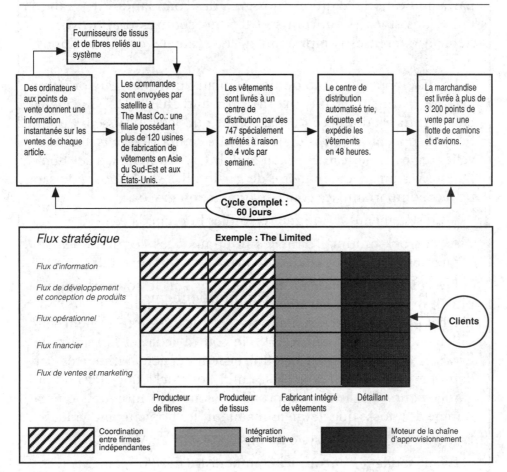

2. La dynamique et la problématique des coûts de transaction peuvent devenir des **sources d'innovation stratégique**. En fait, le concept invite à une réflexion sur les **imperfections de marché** et sur les possibilités créées par ces phénomènes.

Le cas de l'American Hospital Supply

Par exemple, l'entreprise American Hospital Supply Co. (AHS) a été essentiellement la résultante d'observations judicieuses reliées au phénomène des coûts de transaction. Autrefois, les hôpitaux américains étaient en majorité des institutions publiques. Les achats de fournitures avaient tendance à se faire par adjudication, ce qui aboutissait à des commandes de grande taille, des stocks importants et des procédures d'approvisionnement onéreuses comprenant devis, examens des soumissions, etc.

Le développement rapide des hôpitaux privés et leur prise en charge d'une part importante du marché (plus de 50 %) changèrent les données du jeu. Avant que les fournisseurs traditionnels n'aient le temps d'ajuster leurs comportements aux nouvelles règles, American Hospital Supply Co. offrait déjà à ces hôpitaux privés un système intégré de gestion des stocks qui réduisait de façon importante les coûts de transaction grâce à :

- un système informatique reliant les hôpitaux à AHS ;

- un stock minimal dans les hôpitaux, des commandes fréquentes à AHS et des délais de livraison courts et garantis.

Les coûts totaux pour un hôpital privé, soit le coût du produit plus les coûts administratifs d'approvisionnement plus le coût d'achat plus le coût en capital pour les stocks, s'en trouvaient sensiblement réduits. Quant à AHS, le coût d'achat et le service de livraison qu'elle obtenait des fournisseurs étaient influencés par l'énorme volume de ses achats. Enfin, les stocks que AHS devait garder pour offrir le service promis étaient bien moindres que la somme des stocks que devaient maintenir les hôpitaux individuels.

La figure 3.8 illustre le système mis en place par AHS.

Il faut souligner encore ici comment les développements technologiques et la chute des coûts de l'informatique et des communications téléphoniques ont changé l'équilibre entre les coûts de transaction et les coûts de complexité en faveur d'une option de marché. C'est ainsi qu'AHS, reliée directement et en temps réel par ordinateurs aux hôpitaux clients, a pu assumer, comme **fournisseur externe**, la fonction de gestion des stocks jusqu'alors solidement intégrée au fonctionnement interne de l'hôpital.

3. Les **imperfections de marché** qui militent en faveur de l'option d'intégration administrative ne sont pas toujours **incontournables**. En fait, elles résultent parfois de l'absence d'une demande structurée et suffisante pour causer l'émergence de firmes efficaces et concurrentielles. La volonté coordonnée

Figure 3.8 Le système stratégique d'American Hospital Supply (AHS)

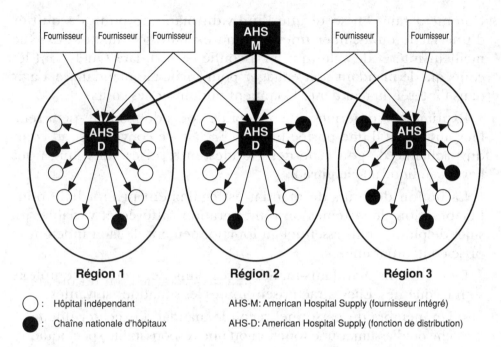

Région 1   **Région 2**   **Région 3**

○ : Hôpital indépendant   AHS-M: American Hospital Supply (fournisseur intégré)

● : Chaîne nationale d'hôpitaux   AHS-D: American Hospital Supply (fonction de distribution)

d'utiliser des services externes peut engendrer le développement de marchés efficients là où il n'y avait auparavant
qu'imperfection de marché.

Par exemple, la firme Pitney Bowes a persuadé IBM – ou était-ce
l'inverse ? – de lui confier la gestion de toutes ses opérations de courrier. Parce que Pitney Bowes considère ce service comme une unité
stratégique pour l'entreprise, elle s'efforcera de trouver les technologies et les modes opératoires les plus performants pour gérer ce type
de mandat, mettra à la tête de ce projet un personnel qualifié et
motivé par la performance économique et le développement de
l'unité, etc. Alors que chez IBM ce service de courrier est une fonction nécessaire mais très périphérique au noyau stratégique de
l'entreprise et placée sous la direction d'un personnel de bureau sans
grand avenir au sein de l'entreprise, cette même fonction devient
chez Pitney Bowes une entreprise de plein titre avec tout ce que cela
suppose de gestion entrepreneuriele et stratégique.

3.7   LES COÛTS DE MANDAT

Comment faire en sorte que l'individu mandaté pour s'acquitter d'une tâche ou assumer une fonction exécute son mandat dans le meilleur intérêt de celui qui lui a confié ce mandat? Quels sont les coûts que le mandant doit engager pour inciter le mandataire à agir dans l'intérêt du mandant? Comment minimiser ces coûts?

Exprimé en ces termes, le concept de coûts de mandat[6] peut sembler abstrait et d'une portée limitée. En fait, ce concept est au cœur du problème de gouverne des grandes entreprises, ainsi que nous l'avons indiqué au **chapitre 2**.

La notion de coûts de mandat est également primordiale pour l'élaboration de systèmes de rémunération différée et variable, un sujet de plus en plus essentiel au fonctionnement de la grande entreprise contemporaine.

Les relations mandants-mandataires dans l'entreprise complexe sont fréquentes. Elles caractérisent toutes les situations suivantes:

- Un membre du personnel reçoit le mandat d'exécuter une tâche ou d'assumer une fonction ou une responsabilité spécifique.

- Les résultats de son travail sont difficiles à apprécier; plusieurs facteurs autres que la diligence ou le manque de dévouement à la tâche du mandataire peuvent exercer une influence sur les résultats.

- Le **processus** d'exécution de la tâche ou de la fonction ne se prête pas à une observation directe par le mandant; celui-ci doit juger, selon les extrants ou les résultats, si le mandataire a bien ou mal effectué son travail.

- Enfin, dans l'exécution de ses fonctions, ou en conséquence des connaissances spécialisées nécessaires pour s'acquitter de sa tâche, le mandataire possède ou acquiert plus d'informations et de compétences que le mandant (asymétrie d'information) quant aux conditions de réalisation de la tâche, aux perspectives futures de performance ou de contre-performance, ainsi qu'à la véritable contribution du mandataire aux résultats

---

6. Le concept de coûts de mandat fut proposé par Jensen et Meckling, 1976, pour l'examen des relations entre les actionnaires, les conseils d'administration et la haute direction des entreprises cotées en Bourse. Voir aussi Pratt et Zeckhauser, 1985; Allaire et Firsirotu, 1990.

obtenus. Dans les cas extrêmes d'asymétrie d'information, le mandataire pourra chercher à se servir de son avantage de compétence et d'information pour en fait contrôler le mandant dont le rôle est pourtant de contrôler et de superviser la performance du mandataire.

Dans la petite entreprise, les coûts de mandat sont souvent minimes. L'entrepreneur-fondateur-dirigeant connaît bien toutes les facettes de l'entreprise, participe activement à toutes les opérations, exerce un contrôle direct sur toutes les activités importantes et, parfois, motive son personnel par sa présence stimulante et un engagement envers leur bien-être qui suscite leur loyauté et leur attachement. En fait, dans la petite entreprise, il y a habituellement peu ou pas de mandataires mais plutôt des exécutants des volontés du dirigeant. Ce vide relatif, ce vortex entrepreneurial, crée de sérieux problèmes lorsque l'entreprise atteint une taille et une complexité ne permettant plus ce style de gestion ou lorsque l'entrepreneur-fondateur doit céder sa place à un successeur.

L'entreprise d'envergure, tissée de relations mandants-mandataires, fonctionne donc selon des «contrats», implicites ou explicites, psychologiques ou économiques, lesquels définissent les modalités et les coûts pour les parties au contrat.

La gestion des relations mandants-mandataires se prête à plusieurs approches différentes, chacune comportant cependant des coûts de mandat. Le choix de l'approche la plus adéquate et efficace dépend non seulement du contexte particulier de l'entreprise, de la diversité de ses opérations, de ses politiques présentes et passées, mais aussi du contexte socio-politique dans lequel elle évolue.

Ce vaste sujet sera traité à fond dans le volume 2 de cet ouvrage. Cependant, nous pouvons donner quelques indications sur les coûts de mandat inhérents à deux approches différentes, choisies pour illustrer les deux points extrêmes d'un continuum de possibilités.

A) Contrôle par des valeurs partagées et des objectifs communs

Il fut un temps où ce mode de contrôle positif exercé sur les prémisses mêmes du comportement des individus était chose courante dans les grandes entreprises; ce mode de contrôle persiste dans quelques secteurs d'activité en Amérique du Nord et constitue encore la norme dans les grandes entreprises japonaises. Ce mode de gestion comporte les exigences suivantes :

- Un recrutement du personnel à la sortie de l'école ou de l'université.

- Des politiques de formation interne intensive, y compris la socialisation à des valeurs communes, et de promotion interne exclusive.

- Un engagement de la part de l'entreprise à ne pas mettre à pied ou congédier le personnel sauf dans des cas de force majeure.

- Une hiérarchie de postes et une structure de rémunération qui incitent le personnel à atteindre des fonctions supérieures, ainsi qu'un système de promotion conçu de façon équitable pour tous et qui, dans l'ensemble, satisfait aux exigences d'un fonctionnement « méritocratique ».

Un tel mode de gestion s'est avéré très efficace en ce qu'il minimise les coûts de mandat associés aux comportements opportunistes de certains membres du personnel, à la poursuite d'objectifs personnels contraires aux intérêts de l'entreprise, à des demandes salariales selon la pleine valeur au marché, cette dernière étant difficile à établir dans ces entreprises et le « marché » n'offrant jamais une sécurité d'emploi équivalente.

Le personnel de direction, étant issu d'échelons inférieurs et partageant donc une bonne base d'expérience avec les mandataires, n'est pas très exposé aux problèmes d'asymétrie d'information et de compétence. En outre, le fait que le destin des ressources humaines soit intimement relié au destin de l'entreprise tend à orienter leur comportement dans la bonne direction.

D'ailleurs, si la « socialisation » à des valeurs communes, l'expérience des dirigeants dont le mandataire relève, le lien direct qui unit son bien-être à celui de l'entreprise, si tout cela ne suffisait pas à empêcher des comportements de tire-au-flanc ou d'opportunisme nocif pour l'entreprise, ce sont les pairs qui, étant les mieux informés dans un tel système, verraient à faire regagner les rangs à un membre qui mettrait en péril la performance du groupe ou à le faire expulser.

Ce mode de gestion, quoi qu'on puisse en penser par ailleurs, suscite de subtils coûts de mandat :

- Les coûts de formation et de socialisation aux valeurs et aux normes de l'entreprise.

- Les coûts engagés pour concevoir et maintenir les politiques d'emploi permanent et de promotion interne exclusive.

- Les coûts associés au développement interne d'expertise et de savoir-faire, y compris les coûts d'une certaine inflexibilité des ressources ainsi que ceux reliés aux délais et aux risques additionnels encourus pour amener l'entreprise dans des secteurs d'activité différents de sa vocation traditionnelle.

Pour que ce mode de gestion puisse être maintenu, il faut que le personnel stratégique de l'entreprise lui soit fidèle de façon durable et que le contexte général dans lequel œuvre l'entreprise ne favorise pas la mobilité interfirmes du personnel à la recherche de meilleures conditions financières. Il faut également que le contexte général permette à l'employeur de prendre en charge les coûts d'une politique d'emploi permanent ou de promotion interne exclusive, faute de quoi tout l'édifice s'écroule et l'on doit faire appel à d'autres modes de gestion mieux adaptés à ces circonstances différentes.

B) *Contrôle par des indicateurs financiers et par un système de rémunération arrimé à ces indicateurs*

À l'autre extrême du continuum, nous pouvons imaginer, et différentes entreprises à certaines époques furent de véritables prototypes de ce modèle, un mode de gestion où la direction générale, le mandant, confie à des cadres opérationnels, les mandataires, la responsabilité de gérer des unités, des divisions ou des filiales.

La direction générale connaît généralement assez mal les exigences et les dynamiques de fonctionnement de tous ses secteurs d'activité. Cependant, elle s'estime capable de recruter des cadres opérationnels compétents dans leurs secteurs respectifs et de structurer leur rémunération de façon à ce qu'une grande partie en soit variable et reliée directement à des indicateurs quantitatifs faciles à évaluer, soit, par exemple, le rendement sur actifs utilisés (ROA), le rendement sur fonds propres (ROE), la croissance du chiffre d'affaires et de la part de marché, etc.

Ainsi, la direction générale de l'entreprise incite à une haute performance dans chacun de ses secteurs d'opération puisque les cadres opérationnels qu'elle a recrutés pour leur compétence éprouvée ne peuvent assurer leur bien-être économique qu'en optimisant les indicateurs de performance qui confèrent une grande valeur économique à l'entreprise.

Les risques, traquenards et coûts de mandat associés à un tel mode de gestion sont maintenant bien connus, ayant été la cause de douloureuses expériences :

- les coûts et incertitudes reliés au recrutement de cadres supérieurs ;

- le coût de rédaction de dispositions contractuelles claires et valides pour la rémunération variable de cadres opérationnels ;

- le coût de cette rémunération variable, y compris la possibilité de payer des sommes importantes pour des résultats aléatoires non reliés à la performance du personnel ;

- le coût associé à l'intérêt porté par les cadres opérationnels à leurs bénéfices personnels vs les objectifs de l'entreprise à plus long terme, ainsi qu'à leur plan de carrière, y compris le choix du moment le plus opportun pour eux de changer d'employeur ;

- le coût d'asymétrie d'information qui permet aux cadres opérationnels de camoufler pendant un temps les mauvais résultats. Lorsque la contre-performance est évidente, soit les cadres opérationnels responsables ont déjà quitté l'entreprise ou soit cette prise de conscience tardive des problèmes survient alors que l'unité a atteint un état proche de la déconfiture et que les coûts nécessaires pour redresser la situation seront très élevés.

Bien sûr, la grande entreprise complexe a dû et doit trouver des modes de gestion pour les relations mandants-mandataires qui soient efficaces et performants. Comme nous l'avons déjà expliqué au **chapitre 2** et au tableau 2.5, la combinaison d'un mandant crédible et expérimenté quant aux activités du mandataire, de systèmes de planification et d'information bien adaptés et d'une bonne structure de rémunération fournit l'encadrement nécessaire pour assurer de saines relations de gouverne dans la grande entreprise.

Dans le cadre de ce chapitre, la notion de coûts de mandat sert à souligner un aspect, souvent mal compris en pratique, du développement de l'entreprise. La complexité et la diversité de l'entreprise croissent de façon plus ou moins rapide au fur et à mesure de son développement, de l'expansion de ses activités à de nouveaux marchés géographiques, de l'ajout de nouveaux produits ou de nouvelles entités, de décisions d'intégration verticale ou horizontale, de la mise en place d'alliances de tous genres.

Cette augmentation graduelle de la complexité de l'entreprise lui fait franchir sans qu'elle s'en rende bien compte des **paliers de complexité** qui en changent la nature et qui exigent des modes de gestion très différents d'un palier à l'autre.

Les dirigeants d'entreprises qui n'ont pas été suffisamment sensibles à ces phénomènes de coûts de mandat et aux risques qu'ils comportent en ont payé chèrement les conséquences.

3.8 LES COÛTS DE COMPLEXITÉ

Plusieurs des phénomènes de coûts traités jusqu'ici semblent conférer des avantages importants à la grande firme. Il semble que chaque fois que deux entreprises rivalisent sur un même marché, la plus grande l'emporte facilement, ou, à tout le moins, affiche des résultats financiers supérieurs à ceux du concurrent de plus petite taille.

Or, si cette constatation s'avère juste dans de nombreux cas, elle est loin d'être universelle. Dans plusieurs secteurs, des entreprises plus petites ou de petites unités pleinement autonomes réussissent à tenir tête à des entreprises plus grandes et fortement intégrées ou même à les surclasser.

La raison de ces revirements de situation tient en grande partie au phénomène des **coûts de complexité**[7]. L'entreprise qui s'intègre verticalement, qui augmente la diversité de ses produits et sa dispersion géographique – et qui est donc structurée en unités, en divisions ou en filiales – et, enfin, qui cherche à établir des liens et des interconnexions entre les unités opérationnelles pour en retirer tous les bénéfices économiques, doit alors mettre en place des systèmes de gestion, de contrôle et de coordination de plus en plus complexes et coûteux.

L'entreprise doit alors coordonner et contrôler de multiples activités, se protéger contre les comportements opportunistes de son personnel, susciter un niveau élevé d'engagement et de productivité de

---

7. Les économistes préfèrent parler de déséconomies d'échelle et d'envergure, mais cette expression barbare ne rend que partiellement justice au concept dont il est question ici.

la part de nombreux employés qui ont souvent des motivations diverses et un attachement limité à cette grande entreprise.

Les concepts d'économie sur la foi desquels la direction a mis en place un système complexe s'avèrent souvent illusoires dans la réalité concrète de l'entreprise. Au-delà d'un certain seuil difficile à définir et souvent dépassé en pratique, la taille et l'envergure de l'entreprise peuvent provoquer une baisse importante de performance et d'efficience économiques.

Les coûts de complexité comprennent, notamment:

– les coûts de mandat dont nous avons traité précédemment: lorsque l'entreprise franchit différents «paliers de complexité», elle doit mettre en place, parfois à la grande surprise de la direction qui avait sous-estimé ce phénomène, des systèmes de gouverne adéquats qui ajoutent inévitablement des coûts mais qui, lorsqu'ils sont bien adaptés, fournissent à l'entreprise les mécanismes nécessaires, soit motivation, supervision et coordination, pour gérer une complexité accrue. Au pire, cependant, lorsque ces relations mandants-mandataires sont mal structurées, soit parce que le mandant est incompétent, que l'asymétrie d'information est incontournable, ou pour toute autre raison, elles conduisent inévitablement à des problèmes importants et encore plus coûteux pour l'entreprise;

– les coûts afférents aux disputes et aux conflits suscités par l'établissement de prix de transfert entre les unités intégrées verticalement (voir Eccles, 1985);

– les coûts associés aux contraintes internes et aux politiques de fonctionnement de la grande entreprise, soit ses conventions collectives, sa structure salariale, ses avantages sociaux, etc.: ces coûts s'appliquent à toutes ses opérations, même à celles qui étaient, avant leur intégration, gérées plus simplement et à moindres frais. Il s'agit là d'une réalité souvent mal comprise et sous-estimée au moment de procéder à l'intégration d'opérations jusque-là autonomes;

– les coûts associés à la négligence relative dont souffrent les opérations périphériques de la part de la direction générale de la grande entreprise, souvent préoccupée par des entités plus stratégiques. Le peu de temps investi dans ces opérations par la direction fait qu'elles sont souvent sous-développées et mal gérées, et ne réussissent à attirer l'attention de la direction que tardivement lorsqu'elles produisent des déficits financiers importants;

– les coûts de complexité associés à la grande diversité des produits fabriqués dans un même établissement ou distribués par les mêmes réseaux;

– les coûts associés aux conflits de culture, de valeur et de style de gestion entre la direction de l'entreprise et des secteurs au développement plus récent ou résultant d'acquisitions d'entreprises jusque-là autonomes. Les coûts et risques de contre-performance dans ces circonstances, fréquentes en pratique, sont considérables. Les gestionnaires ont en effet souvent tendance à minimiser cet aspect fondamental avant de procéder à une acquisition, pour réaliser ensuite que ce problème complexe suscite des coûts qui oblitèrent tous les avantages stratégiques éventuels d'une telle acquisition. Encore une fois, l'entreprise peut ainsi augmenter sa taille et son envergure mais au détriment de son efficience et de sa performance économiques.

Le tableau 3.3 résume notre propos sur les coûts de complexité et les coûts de transaction en montrant les différentes sources de problèmes et de coûts associés aux options de marché et d'intégration administrative.

Taille optimale d'un système stratégique

Il est facile de montrer conceptuellement, comme le font les figures 3.9 et 3.10, qu'une entreprise est soumise à des phénomènes définissant un niveau optimal d'envergure et de complexité au-delà duquel elle risque de subir une détérioration de sa performance.

Ainsi, comme le montre la figure 3.9:

1. Le niveau optimal de complexité (taille et envergure) est situé au point «**D**»; tout déplacement vers le point «**E**» diminue rapidement son efficacité globale; au point «**E**», cette très grande entreprise peut être mise en difficulté par une entreprise dont la taille ne serait que du niveau «**B**».

2. Le niveau de concentration, soit le nombre potentiel de firmes rivales, pour chaque marché desservi par le système décrit à la figure 3.9, sera influencé par le niveau des coûts atteint au

Tableau 3.3   Source de coûts : les options de marché et d'intégration administrative

Sources de coûts de transaction

- Produit / service: intangible, fait sur mesure, non répétitif.
- Difficulté à définir et à faire respecter les obligations contractuelles des fournisseurs.
- Position dominante des fournisseurs.
- Exigences de contrôle de la qualité.
- Exigences de confidentialité.
- Coûts de recherche de fournisseurs, de négociation de contrats et de contrôle des fournisseurs.
- Coûts de litige.

Poussent vers l'option d'intégration administrative

Sources de coûts de complexité

- Relations mandants-mandataires suscitant des coûts de mandat (mandant incompétent, asymétrie d'information, etc.).
- Contraintes internes à un fonctionnement entrepreneurial; coûts et mode de gestion de la grande entreprise.
- Conflits autour des prix de transfert entre unités de la même entreprise.
- Caractère périphérique de certaines opérations intégrées menant à une certaine négligence administrative de la part de la direction de l'entreprise.
- Diversité de produits au sein d'un même établissement et étalement géographique des opérations.
- Conflit de culture et de valeurs entre l'entreprise centrale et certaines opérations acquises pour des raisons stratégiques.

Poussent vers l'option de marché

Recherche de solutions intermédiaires et innovatrices combinant certains avantages de chaque option

Figure 3.9 Dynamique de coûts et taille optimale pour les systèmes stratégiques complexes

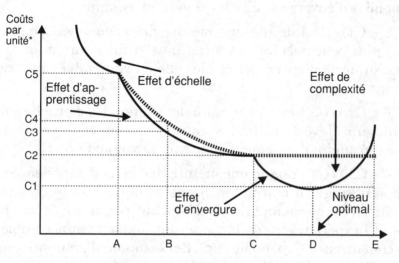

Âge, taille et envergure du système*

* Avec le phénomène d'économies d'envergure, la notion de coût moyen par produit devient inapplicable. La relation décrite ci-dessus veut surtout illustrer une réalité stratégique importante. Cependant, si l'axe horizontal est défini par le volume total d'unités, gardant constante la proportion des différents produits dans la somme, alors l'axe vertical peut être défini comme une forme particulière de coûts moyens (*ray average costs*).

Figure 3.10 Taille économique optimale, envergure de la firme et coûts de complexité

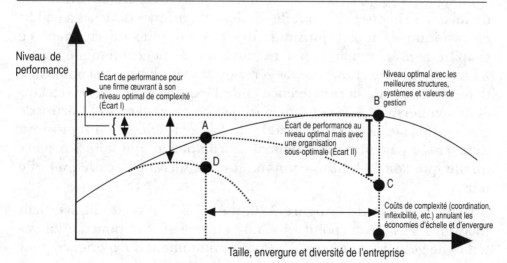

Taille, envergure et diversité de l'entreprise

point «**D**». La situation de la firme dans chacun des marchés qu'elle dessert sera grandement améliorée par le jeu des **économies d'envergure** si celles-ci sont importantes.

3. [(C2 – C1)/C2] donne une mesure des **économies d'envergure** : plus cette relation est forte, plus la firme tire avantage d'une stratégie d'envergure et plus elle est vulnérable sans une telle stratégie.

4. [(C5 – C2)/C5] est une mesure des **économies d'échelle** : un coefficient élevé signifie des avantages importants pour la firme qui atteint rapidement le niveau d'exploitation «**C**».

5. [(C4 – C3)/C4] donne une mesure de l'**effet d'expérience** et **d'apprentissage** : il faut noter que dans notre représentation, cet effet n'est que temporaire, présumant par là que le savoir-faire et l'expérience de la firme seront ultimement accessibles aux concurrents. Cependant, un effet combiné d'apprentissage et d'économies d'échelle, lorsqu'il est marqué, favorise la firme qui exécute rapidement et vigoureusement une stratégie de développement et de domination de marché, stratégie qui sera expliquée plus en détail au **chapitre 5** de ce volume.

6. Si les effets décrits aux paragraphes 3, 4, et 5 plus haut ne sont pas ou sont peu présents dans un marché, des entreprises de petite taille pourront aisément faire concurrence à des firmes plus grandes ou, comme c'est souvent le cas, ce marché ne sera desservi que par de petites entreprises.

La figure 3.10, par contre, démontre que l'envergure et la diversité optimales de l'entreprise sont des notions théoriques difficiles à établir en pratique. D'abord, plusieurs des phénomènes décrits dans ce chapitre se prêtent mal ou pas du tout à un calcul économique précis. La capacité d'une entreprise de gérer un niveau donné de complexité dépend surtout de la **compétence** et de l'**expérience** de ses dirigeants et de son personnel de gestion, ainsi que de ses **systèmes et valeurs de gestion**. En fait, à chaque période de son existence, l'entreprise est caractérisée par un **niveau optimal de complexité qui lui est propre**, quelle que soit la réalité économique du secteur dans lequel elle œuvre.

Comme le montre la figure 3.10, même si le niveau optimal mais théorique se situe au point «B», une entreprise mal pourvue en systèmes de gestion et ne possédant pas suffisamment d'expérience pour gérer un tel niveau de complexité serait bien mal avisée de tenter d'atteindre ce niveau. Elle pourrait aboutir au point «C», ce qui la rendrait vulnérable et moins performante que des concurrents de beaucoup plus petite taille. Cette entreprise ferait mieux de demeurer à un niveau de complexité associé au point «A», même si elle risque ainsi de subir un désavantage possible (Écart I) comparativement à un concurrent qui aurait réussi à atteindre le point «B». Cependant cet écart de performance est beaucoup moindre que celui (Écart II) qu'elle subirait si elle tentait de se rendre au point «B» sans avoir l'expérience et les systèmes nécessaires pour gérer une telle complexité.

Enfin, la figure 3.10 illustre un phénomène hélas trop fréquent en pratique et selon lequel l'entreprise est amenée par sa croissance naturelle ou par des démarches d'expansion à un stade de plus grande complexité. Malheureusement, il arrive souvent dans ce cas que sa direction manque d'expérience et d'expertise de gestion, et que ses systèmes de gestion soient insuffisants. L'entreprise est alors forcée de se déplacer vers le point «D». En fait, avec un outil de gestion aussi peu performant, son niveau optimal de complexité est très modeste. Si les facteurs économiques dans son secteur favorisent les firmes de plus grande envergure, l'entreprise devra rapidement développer sa capacité de gérer avec compétence une plus grande complexité, sous peine de déconfiture inévitable.

3.9 LES COÛTS IRRÉCUPÉRABLES

Les coûts irrécupérables (*sunk costs*) sont définis comme la somme des coûts et des investissements auxquels doit s'engager un nouvel intervenant dans un marché et qui **ne pourraient être recouvrés** si celui-ci devait abandonner la partie[8].

Selon Baumol *et al.* (1982), ce ne sont pas les investissements requis pour attaquer un marché, ni la forte différenciation des produits offerts par les firmes déjà en place, ni les économies d'échelle, ni les autres supposées barrières à l'entrée qui protègent un marché ou une industrie contre les nouveaux venus, mais bien le niveau des coûts irrécupérables auxquels devra s'engager tout nouvel entrant dans un

---

8. Voir Baumol *et al.*, 1982 ; Ware, 1984.

marché. En fait, tout marché est sujet à une concurrence potentielle (*contestable market*) si le niveau de coûts irrécupérables est relativement faible.

L'examen rationnel des risques et perspectives d'entrée dans un nouveau secteur d'activité aboutira éventuellement à la question fondamentale des sommes à mettre en jeu et en péril. Plus il est possible de diminuer ces sommes et ces risques, phénomène que les praticiens appellent *downside risks*, par des démarches incrémentielles et réversibles comme la location plutôt que par l'achat d'actifs et de ressources, plus l'entrée est facile et assurée. Donc, un marché donné, fût-il desservi par un monopole, est potentiellement concurrentiel (*contestable*) si les coûts irrécupérables d'**entrée** et de **sortie** sont faibles et si des entrants potentiels sont continuellement à l'affût d'occasions de profit dans ce marché.

Dans le cadre de politiques publiques visant à maintenir un haut niveau de concurrence au sein des marchés, on cherchera les moyens de **diminuer** les coûts irrécupérables d'entrée et de sortie. C'est en effet sur ce concept que s'est fondé tout le mouvement de déréglementation de plusieurs secteurs industriels aux États-Unis.

Le problème est inverse en ce qui concerne la rivalité entre firmes. Dans la mesure où une firme souhaite empêcher l'entrée de concurrents sur un marché qu'elle a développé et où elle occupe une position dominante et rentable, la question pertinente devient : « Comment faire pour augmenter les coûts irrécupérables auxquels devrait s'exposer une firme concurrente qui serait tentée de pénétrer ce marché ? »

Il est bien évident que la spécificité des actifs, c'est-à-dire le fait qu'ils ne peuvent pas servir à d'autres usages, ainsi que leur faible valeur résiduelle donnent un caractère irrécupérable aux coûts afférents.

En outre, l'engagement décisif et irréversible d'une firme à investir des fonds importants pour mettre sur pied un système de production capable de desservir une forte proportion d'un marché donné, pourra éliminer une bonne part de la concurrence virtuelle au sein dudit marché (voir Dixit, 1980).

Nous retrouvons ici les notions d'investissements préalables (*up-front investments*) dont nous avons décrit plus tôt dans ce chapitre les effets stratégiques et la contribution à la création et à la domination d'un marché. Le caractère **irrécupérable** de ces investissements leur ajoute une dimension stratégique importante.

Enfin, ce concept de coûts incite à l'examen des développements technologiques qui peuvent modifier le niveau des coûts irrécupérables, transformer un marché de monopole naturel en un marché concurrentiel, par exemple les télécommunications, ou encore, permettre à un nouvel entrant d'utiliser une technologie de pointe plus performante (*technological leap-frogging*), laissant les firmes en place aux prises avec d'importantes immobilisations non amorties.

La publicité comme coût irrécupérable

Les spécialistes du marketing auront tôt fait de signaler que les investissements en publicité et en promotion sont sans doute les coûts les plus irrécupérables. Les dépenses de publicité et de promotion nécessaires pour lancer et appuyer un nouveau produit ont en effet une valeur résiduelle nulle en cas d'échec. On comprend dès lors que les investissements publicitaires massifs et accélérés, en plus de faire bénéficier le premier entrant des effets d'apprentissage et d'échelle, servent souvent à ériger une des barrières les plus efficaces à l'entrée de concurrents potentiels.

Certains autres phénomènes, que la firme contrôle plus ou moins, peuvent contribuer à relever le niveau des coûts irrécupérables. Il en est ainsi des réglementations en matière de pollution et de salubrité des milieux de travail. Plus d'une firme a tenté de sauvegarder son marché en incitant les organismes de protection à rendre plus sévères les normes minimales à respecter dans ces domaines. Pour les firmes en place, les investissements à faire sont amortis sur un volume d'affaires déjà réalisé. Pour un nouvel entrant, les investissements requis et les risques se trouvent augmentés d'autant.

En tout état de cause, le phénomène des coûts irrécupérables donne au stratège matière à réflexion tant sur les opérations et les marchés actuels de la firme que sur de nouveaux marchés potentiels.

3.10 LES COÛTS DE SUBSTITUTION

Ce type de coûts provient du fait que dans certaines circonstances, l'engagement d'un acheteur envers un fournisseur ou une marque de produits se répercute en coûts spécifiques pour changer de fournisseur (voir Porter, 1980). Le phénomène de courbe d'apprentissage déjà traité dans ce chapitre est souvent un des facteurs sous-jacents aux coûts de substitution (*switching costs*). Par exemple, lorsque les caractéristiques techniques du produit sont telles que l'apprentissage de son fonctionnement est relativement long et difficile, l'utilisateur résistera au changement de produit s'il lui faut apprendre un nouveau mode d'emploi. Les coûts de substitution proviennent également de l'installation d'équipements spécifiques, parfois fournis à bon compte sinon gratuitement par le vendeur, qui lient l'acheteur à un seul type de produits.

Dans l'assemblage de produits complexes, le choix de composants spécifiques se traduit par la suite en coûts de substitution élevés lorsqu'il s'agit, par exemple, de choisir un type de moteurs pour propulser un modèle d'avion. Les grands avionneurs en sont arrivés cependant à pouvoir offrir plusieurs options de moteurs pour un même appareil, diminuant ainsi leur vulnérabilité et le pouvoir de marché des fabricants de moteurs.

Enfin, les coûts de substitution peuvent être intangibles ou « affectifs ». Le sentiment de sécurité et de confort que procurent les marques que l'on utilise habituellement, les relations suivies et amicales avec un fournisseur ou ses représentants, ou même une politique ou une pratique d'« achat chez nous » peuvent empêcher le déplacement des achats vers des marques concurrentes même si, d'un point de vue strictement économique, le prix en semble plus favorable.

3.11 LES COÛTS DE CROISSANCE

Ce concept de coût[9] sert à expliquer un paradoxe qui se manifeste parfois dans la concurrence entre entreprises, soit l'émergence et la stabilité d'une structure de marché constituée d'une firme dominante et très profitable, et de firmes rivales de plus petite taille convaincues qu'il est rationnel et optimal pour elles d'accepter cette situation et d'en tirer le meilleur parti plutôt que d'assumer les risques associés à des tentatives de changement.

---

9. L'économiste réputée Edith Penrose, 1959, fut la première à reconnaître ce phénomène.

Bien qu'il soit de toute évidence plus rentable et plus efficient pour ces firmes d'afficher un plus haut volume et de jouir d'une plus forte part d'un **marché en maturité**, les coûts et investissements nécessaires pour augmenter leur chiffre d'affaires aux dépens du leader n'offrent pas de perspectives de rendement proportionnelles aux risques inhérents.

La raison fondamentale qui explique ce phénomène tient au fait que le niveau optimal de certains investissements stratégiques pour une firme qui entend desservir un marché d'acheteurs donné n'est pas fonction du chiffre d'affaires de l'entreprise, mais bien de la dynamique économique propre à chaque type d'investissements. Par exemple, le niveau optimal d'investissements en publicité et en promotion pour une entreprise américaine qui veut se donner une couverture nationale dépendra du type de produit, de la fréquence d'achat et de l'économique de la publicité en Amérique. Le budget optimal pour un marché donné sera donc le résultat de facteurs qui touchent toutes les firmes œuvrant à l'échelle nationale, quels que soient leurs chiffres d'affaires.

Cette logique de la « petite taille » explique en partie pourquoi l'on observe dans de nombreux marchés une structure de parts de marché qui est stable malgré des écarts considérables entre les parts détenues par les différents concurrents[10]. La figure 3.11 et le tableau 3.4 illustrent ce phénomène au sein du marché de la restauration rapide ou *fast-food*.

McDonald's, la première entreprise qui s'attaqua efficacement au marché du *fast-food* et qui en fait créa et développa ce nouveau marché, s'y est taillé une place dominante et virtuellement imprenable. Nous décrivons ce phénomène en détail au **chapitre 5**.

Pour illustrer le concept des coûts de croissance, examinons les budgets de publicité des firmes de ce secteur en 1987. Bien que McDonald's dépensât alors quelque 400 millions de dollars (US) en publicité aux États-Unis, cet énorme budget ne représentait que 2,8 % de ses ventes et environ 32 000 $ par établissement. En supposant que cette société, avec son expérience éprouvée en marketing, cherche et

---

10. Voir Buzzel, 1981.

Figure 3.11   Budget de publicité pour des entreprises concurrentes œuvrant à l'échelle nationale (US) (industrie du *fast-food*, circa 1987)

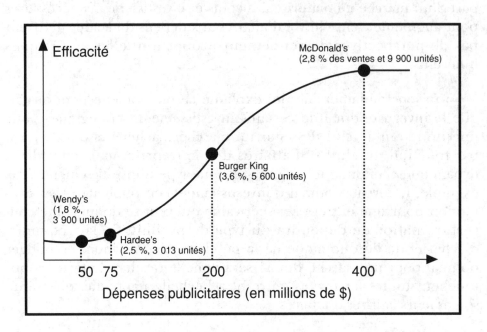

Tableau 3.4   Relation entre ventes et budget de publicité
Le marché du *fast food* – 1981 vs 1987

	Ventes totales (en milliards de $)		Budget de publicité (en millions de $)		En % des ventes		Nombre d'unités		Ventes / restaurant (en millions de $)	
	1981	*1987*	*1981*	*1987*	*1981*	*1987*	*1981*	*1987*	*1981*	*1987*
McDonald's	6,3	14,1	200	400	3,2 %	2,8 %	6 263	9 900	1 006	1 451
Burger King	1,8	5,6	75	200	4,2 %	3,6 %	2 766	5 600	0 651	1 000
Wendy's	1,2	2,8	45	50	3,7 %	1,8 %	2 043	3 900	0 590	0 740
Hardee's*	–	3,0	–	75	–	2,5 %	–	3 013	–	1 000

* Hardee's était une entreprise régionale en 1981.

réussisse à établir un seuil optimal de dépenses publicitaires, cela signifie que ses concurrents d'**envergure nationale** (Burger King, Wendy's et Hardee's) se sont donné des budgets de publicité bien en deçà de ce qui est nécessaire pour assurer une couverture **nationale** efficace de ce marché de consommation.

Ces firmes rivales font face aux choix suivants :

- Elles peuvent maintenir leur budget actuel de publicité, soit à un niveau légèrement supérieur, en proportion des ventes, à celui de McDonald's. Cependant, la fréquence et l'intensité de leur publicité seront alors en deçà du niveau optimal de publicité et ne contribueront donc qu'à consacrer l'avantage de notoriété et d'efficacité publicitaire de McDonald's.

- Elles peuvent tenter de se déplacer vers un niveau optimal de publicité et de promotion. Toutefois, une telle augmentation ne peut se faire ni rapidement ni même sans une augmentation préalable du nombre d'établissements, faute de quoi un budget comme celui de McDonald's ramené au nombre d'établissements actuel de Burger King et de Wendy's signifierait des dépenses publicitaires de l'ordre de 70 000 $ et de 100 000 $ respectivement par établissement. Les ventes potentielles et la rentabilité par établissement ne permettant pas un tel niveau de dépenses, il leur faudrait donc augmenter leur nombre d'établissements tout en reconnaissant que McDonald's, en tant que premier entrant, a raflé les meilleurs emplacements.

Pour modifier cette structure de marché, il faudrait que Burger King, Wendy's ou Hardee's trouvent des milliers de nouveaux emplacements de qualité et augmentent leur budget de publicité de façon très importante, tout en ne suscitant pas de réactions énergiques comme des guerres de prix, des promotions spéciales, etc., de la part de McDonald's. Il faut présumer une bonne dose d'inertie stratégique chez McDonald's pour que de tels comportements agressifs de la part de ses concurrents dans un marché maintenant arrivé à maturité ne provoquent pas de la part de cette entreprise une contre-offensive rapide pour protéger son volume d'affaires et sa position de leader.

Le tableau 3.4 illustre la dynamique de concurrence dans ce marché au cours de la période 1981-1987, période durant laquelle ce marché était encore en phase de croissance.

Si les comportements stratégiques de Burger King durant cette période ont été très énergiques et lui ont permis de faire croître son chiffre d'affaires de 21 % par année contre 14 % pour McDonald's, il n'en reste pas moins que cette dernière domine toujours plus de 50 % du marché et que chacun de ses établissements est beaucoup plus profitable que ceux de ses concurrents. Enfin, la décision d'investir des sommes importantes pour augmenter le nombre d'établissements ainsi que le budget publicitaire de Burger King a mis l'entreprise en difficulté financière et a contribué à une prise de contrôle de Pillsbury, la société-mère de Burger King.

Le calcul stratégique est désormais facile à faire. Conformément à la logique des coûts de croissance, Burger King s'est persuadé qu'elle doit offrir une concurrence habile à McDonald's à l'intérieur des paramètres établis, qu'elle doit chercher à atteindre un niveau acceptable de rentabilité malgré sa position non dominante dans ce marché et qu'il serait téméraire de tenter de changer l'équilibre concurrentiel en s'exposant à des coûts irrécupérables énormes et à des risques d'échec élevés.

C'est là un dilemme stratégique que vivent péniblement les concurrents d'AT&T, soit MCI et Sprint, dans le secteur des services téléphoniques interurbains aux États-Unis. Dans ce marché partiellement déréglementé depuis 1986, les nouveaux entrants ont pu acquérir une certaine part de marché tant qu'AT&T était handicapée par des restrictions à sa marge de manoeuvre concurrentielle, restrictions que lui avaient imposées les tribunaux. Depuis qu'une libre concurrence prévaut dans ce marché, AT&T a pu exercer toute la force économique que lui confère sa position dominante.

Par exemple, en 1990, AT&T a dépensé 751 millions de dollars américains en publicité alors que Sprint ne pouvait se permettre d'y consacrer que 150 millions de dollars et MCI, 225 millions de dollars. Avec une part de marché de 65 % contre 10 % pour Sprint et 15 % pour MCI, AT&T peut bénéficier dans ce marché d'une dynamique des coûts de croissance similaire à celle illustrée par la figure 3.11.

3.12 LA PRODUCTIVITÉ, LA COMPÉTITIVITÉ ET LE REPÉRAGE STRATÉGIQUE

Peu de sujets ont suscité autant de verbiage et de débats que ceux de la productivité et de la compétitivité. Au niveau des États, les comparaisons de mesures de productivité ont pris l'allure d'olympiades de la performance économique. La figure 3.12 donne un aperçu de la productivité des pays industrialisés pour la période 1979-1988.

À l'échelle de l'entreprise, le discours sur la productivité ne mobilise que rarement tout le personnel autour d'objectifs et de programmes concrets. On attribue souvent ce phénomène à un relent de coupures de personnel ainsi qu'à la carence de mesures fiables et crédibles de productivité.

Nous voulons, dans notre brève discussion sur ce sujet, souligner deux aspects de la question :

- Mettre en évidence un paradoxe associé aux gains de productivité et en tirer un enseignement utile pour l'entreprise.

Figure 3.12 Mesure de la productivité totale des pays industrialisés (1979-1988)

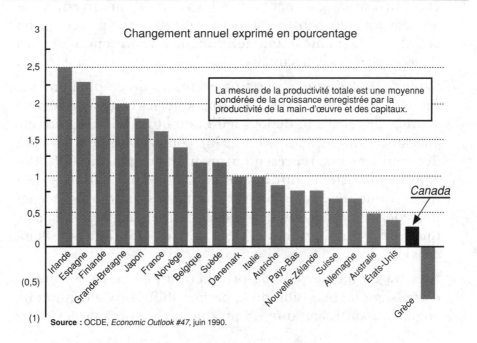

Source : OCDE, *Economic Outlook #47*, juin 1990.

- Présenter brièvement la méthode du repérage stratégique (*benchmarking*) qui propose une façon pratique de rendre tangibles à la fois les carences de la firme quant aux coûts et à la productivité, et les moyens d'y remédier.

Enfin, la relation entre la productivité de l'entreprise et celle de l'économie générale sera traitée à la section 3.13.

- **Un paradoxe** : Plus une entreprise, ou un pays, démontrera de l'**efficacité** à augmenter la productivité dans les secteurs et activités qui se prêtent à de forts gains de productivité, plus ses gains de productivité seront faibles éventuellement. Ce paradoxe, présenté et illustré dans l'ouvrage de Baumol, Blackman et Wolf (1991), résulte d'une évidence.

  Au fur et à mesure des gains de productivité dans les activités dites « progressives » (Baumol *et al.*), celles-ci représenteront une proportion de plus en plus faible des coûts totaux. Graduellement mais sûrement, les gains de productivité pour tout le système seront de plus en plus influencés par les activités dites « stagnantes », c'est-à-dire à faible potentiel de gain de productivité.

  La figure 3.13 offre une représentation schématique du phénomène. Si, au point de départ, les coûts d'un système étaient répartis également entre les activités « progressives » et les activités « stagnantes », après un certain laps de temps, les activités « stagnantes » en viendraient à représenter un fort pourcentage des coûts totaux.

  Baumol *et al.* donnent certains exemples de ce phénomène. Ainsi, dans le domaine de l'informatique, les coûts associés aux activités de rédaction de logiciels et de progiciels, naguère négligeables (moins de 5 % en 1973) comparativement au coût des équipements, représentent maintenant plus de 90 % des coûts d'un système informatique. Cette constatation a déjà mené à une recherche intensive de façons de transformer les procédés de production de logiciels pour en augmenter la productivité (voir Cusumano, 1991, sur les « fabriques de logiciels »).

  Il en va de même pour la production et la mise en ondes d'émissions de télévision où la partie « diffusion » a connu une augmentation fulgurante de productivité, alors que les coûts

Figure 3.13 Gains de productivité, activités «progressives» et activités «stagnantes»

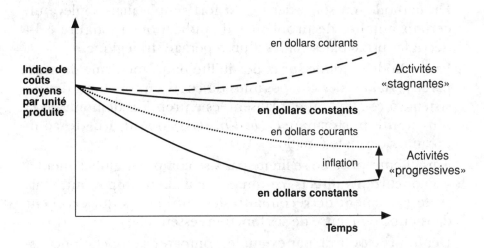

de la partie «production», laquelle est à fort coefficient de main-d'œuvre, ne cessent d'augmenter. Le même phénomène s'applique pour les coûts de la publicité, laquelle requiert aussi une main-d'œuvre importante, comparativement aux moyens hors-média, en particulier le marketing direct et les promotions, dont la productivité a été grandement améliorée par les nouvelles technologies de l'informatique et de la télématique.

Ainsi, les comparaisons entre pays et entre entreprises doivent tenir compte de ce principe. La faible croissance qu'a récemment connue la productivité des États-Unis et du Canada émane, selon Baumol *et al.*, d'une performance excellente dans le passé ayant comme résultat que les activités de service, pour la plupart «stagnantes», constituent une très forte composante de ces économies.

L'entreprise est aussi soumise à cette dynamique. Elle doit évaluer comment rendre ses activités «stagnantes» plus productives et comment diminuer l'importance de ces activités au sein de l'entreprise.

- **La méthode de repérage des coûts (*benchmarking*):** Cette méthode peut s'avérer utile pour rendre concrets certains des coûts traités dans ce chapitre. Cependant, elle se veut surtout une façon organisée de susciter dans l'entreprise l'émergence de nouvelles façons de faire et de penser pour ainsi stimuler la compétitivité.

La méthode, en son essence, est fort simple mais soulève un certain nombre de problèmes d'application. La figure 3.14 décrit les principales étapes d'un repérage stratégique.

La méthode se fonde sur la possibilité pour une firme de comparer certaines des composantes de coûts ou fonctions de son système à ce que font et réalisent les entreprises démontrant la plus haute performance (*best-in-class*) quant à cette composante ou à cette fonction.

Ainsi, l'entreprise ne se limite pas à se comparer globalement à ses concurrents directs, ce qui est également important, mais tente également de reconnaître les entreprises qui excellent dans l'une ou l'autre de ses fonctions essentielles.

L'entreprise pourra, par exemple, comparer sa fonction de distribution à celle d'entreprises réputées pour l'efficacité de leur système de distribution, et procéder de même pour ses autres fonctions importantes.

Cette méthode a donné de très bons résultats dans différents secteurs d'activité mais elle n'est pas sans comporter certains problèmes, dont:

– la difficulté d'obtenir, à cause de leur caractère confidentiel, des données fiables permettant de solides comparaisons;

– le caractère unique des opérations de la firme qui font que toute comparaison est plus ou moins boiteuse;

– le coût des opérations de repérage, qui n'est pas négligeable;

– le fait de comparer les opérations de la firme à celles d'autres entreprises peut être limitatif si le processus néglige l'examen d'approches vraiment innovatrices et non encore utilisées par d'autres firmes.

3.13 LES COÛTS AJUSTÉS POUR LES DIFFÉRENCES INTERNATIONALES DE PRODUCTIVITÉ

Nous voulons souligner ici un aspect important de la concurrence internationale, notamment celui de la relation entre les écarts de

Figure 3.14   Processus de repérage des coûts

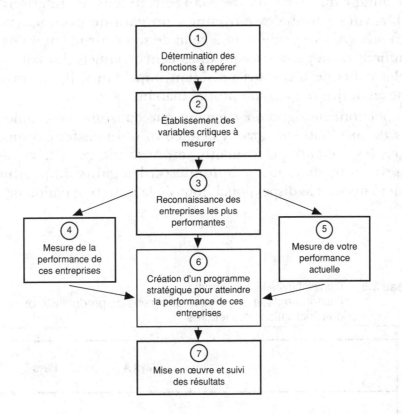

productivité de différents pays et les coûts d'exportation des producteurs de ces pays[11]. En l'**absence** d'interventions systématiques dans l'établissement des taux de change entre devises, les variations dans la valeur relative des monnaies de deux pays auront tendance à refléter les gains relatifs de productivité enregistrés par leur économie nationale.

En conséquence, une firme sera avantagée ou désavantagée dans l'exportation de ses produits dans la mesure où ses gains de productivité **relativement aux gains moyens de l'économie de son pays** sont supérieurs ou inférieurs aux gains de productivité des producteurs de l'autre pays en relation avec l'augmentation générale de productivité de leur propre pays.

---

11. Voir Bogue et Buffa, 1986.

Le tableau 3.5 illustre cette relation à l'aide d'un exemple simple. Pour autant que les taux de change reflètent les relations entre productivités nationales moyennes, un gain de productivité dans l'entreprise « A » très supérieur à celui de son concurrent du pays « B » ne suffirait pas à garder ses produits concurrentiels. En fait, à moins que les coûts de transport ne soient importants, l'entreprise sera même en difficulté dans son propre marché.

Ce phénomène signifie également que dans une économie où les gains de productivité varient beaucoup d'un secteur industriel à l'autre, les secteurs performants seront avantagés par rapport au même secteur dans une économie où les gains de productivité affichent une faible dispersion autour de la moyenne nationale.

Tableau 3.5   Compétitivité internationale
Illustration de la dynamique des gains de productivité et
des fluctuations monétaires

	Pays A	Pays B
Coût de départ pour un produit donné	5 000 UA*	5 000 UB**
Gains de productivité de l'entreprise pour une période donnée	20 %	5 %
Gains de productivité générale dans l'économie du pays	20 %	0 %
Coût après gain de productivité	4 000 UA	4 750 UB
Taux de change d'équilibre entre les monnaies en fin de période	80 UA = 100 UB	100 UA = 125 UB
Coût du produit de A dans le pays B	(4 000 UA × 1,25)	5 000 UB
Coût du produit de B dans le pays A	3 800 UA	(4 750 UB × 0,80)

 * UA = unité monétaire du pays A.
** UB = unité monétaire du pays B.

3.14 CONCLUSION

L'étude des coûts et de leur dynamique, reflet des impératifs économiques et technologiques de la firme, est essentielle aux orientations et à la conduite stratégiques de toute entreprise.

L'éventail des phénomènes présentés dans ce chapitre couvre de vastes pans de la théorie économique de la firme en ce qu'elle offre de pertinent pour la stratégie d'entreprise. Les nombreuses considérations conceptuelles et pratiques qui y sont alignées sous-tendent l'ensemble des stratégies ainsi que le concept de système stratégique qui font l'objet du **chapitre 5**.

Chapitre 4

LA DYNAMIQUE DES MARCHÉS ET DE LA CONCURRENCE

PLAN DE CHAPITRE

4.1 INTRODUCTION

La notion de «marché», simple et anodine dans le langage coutumier, présente, dès que l'on veut lui donner un sens précis ou une définition exhaustive, des défis conceptuels tellement redoutables que l'on tente souvent, par divers subterfuges, d'escamoter la difficulté à définir ce qu'est un marché.

Ainsi, dans un rigoureux ouvrage traitant d'économique industrielle, Tirole (1988, p. 12) avoue de guerre lasse que: «*For the purpose of the present book, this empirical difficulty of defining a market, will be ignored. It will be assumed that the market is well defined...*»

Le domaine de la stratégie d'entreprise et de l'analyse de la concurrence, tributaire d'une définition riche et dynamique des marchés, ne peut cependant pas recourir à une telle échappatoire.

Une définition utile du concept de marché doit atteindre un certain nombre d'objectifs:

- Elle doit relier simultanément au sein d'un même cadre de référence les caractéristiques de l'**offre** et de la **demande** de produits ou services.

- Elle doit être sensible aux multiples dimensions temporelles qui caractérisent la stratégie. L'entreprise ne peut se confiner à une vue à court terme de ses marchés. Elle ne peut pas non plus se mobiliser autour d'une vision à long terme au détriment d'enjeux de marché concrets et immédiats. La **myopie** et la **presbytie** sont deux affections également nuisibles à la vision stratégique.

- Elle doit offrir une explication dynamique du comportement des acheteurs face aux phénomènes de différenciation du produit et de segmentation du marché.

- Elle doit enfin fournir une démarcation des marchés géographiques pertinents tant du point de vue de la demande que de l'offre de produits ou services.

Nous proposons, dans ce chapitre, un examen de ces aspects du marché. La figure 4.1, qui est en fait une extension de la figure 1.11 du chapitre d'introduction, présente les différentes composantes de notre cadre d'analyse stratégique afin de mettre ce chapitre en relation avec les autres sections de l'ouvrage.

Figure 4.1   Cadre d'analyse stratégique de la firme et de l'entreprise

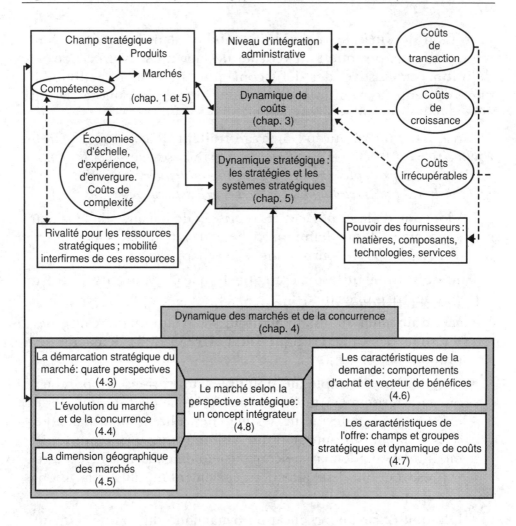

Ce chapitre est structuré autour des thèmes suivants :

Le traitement du concept de marché dans d'autres disciplines ou domaines de recherche (section 4.2). Cette section nous permettra, s'il y a lieu, d'extraire des enseignements utiles des efforts consacrés ailleurs qu'en stratégie pour donner un sens précis à la notion de marché.

La démarcation stratégique du marché : quatre perspectives (section 4.3). Axée sur deux paramètres de démarcation, soit les bénéfices recherchés par les acheteurs et la dimension temporelle pertinente des firmes, cette section présente quatre perspectives du

marché qui doivent faire partie intégrante de toute analyse stratégique.

L'évolution du marché et de la concurrence : les phases du marché
(section 4.4). Cette section traite de l'évolution du marché et de la
concurrence, et donne un aperçu général des forces qui font passer
un marché d'une phase à une autre de façon relativement prévisible.

La dimension géographique du marché (section 4.5). Cette section
décrit les phénomènes de démarcation du marché géographique du
point de vue de l'offre et de la demande. Cette description sera sensible aux particularités qui font que de petites zones géographiques
peuvent constituer des monopoles naturels alors que pour d'autres
produits, le marché pertinent est « mondial ».

**Les caractéristiques de la demande : comportements d'achat et
vecteur de bénéfices** (section 4.6). Cette section propose une schématisation du comportement des acheteurs qui permet de comprendre
les phénomènes de différenciation et de segmentation des marchés.

**Les caractéristiques de l'offre : champs et groupes stratégiques et
dynamique de coûts** (section 4.7). Cette section décrit les différents
comportements démontrés par les firmes en concurrence totale ou
partielle pour s'attirer les faveurs d'un ensemble d'acheteurs donnés.

Le marché selon la perspective stratégique : un concept intégrateur
(section 4.8). Cette section rassemble les éléments décrits dans les sections précédentes en une définition unificatrice et dynamique du
marché. Cette définition permettra, entre autres, de reconnaître différents **types** de marché aux fins de la stratégie et d'établir une distinction claire entre un marché et un segment de marché selon les
caractéristiques pertinentes de l'offre et de la demande.

4.2 LE CONCEPT DE MARCHÉ DANS D'AUTRES DISCIPLINES

Plusieurs disciplines académiques, allant de l'économie à la sociologie, ainsi que certains domaines de recherche appliquée, par exemple
en matière de réglementation de la concurrence et de fusionnement
d'entreprises, ont tenté de donner un sens précis au concept de
marché. Dans cette section, nous ferons un très bref examen de ces
différentes tentatives en nous concentrant sur celles qui nous ont
semblé utiles dans le contexte de la stratégie d'entreprise.

4.2.1 La théorie économique classique et le marché

Comme c'est souvent le cas, les ouvrages traitant d'économie classique offrent une réponse simple mais guère opérationnelle à la question: «Qu'est-ce qu'un marché?» Le marché y est en effet défini par l'ensemble des biens dont la demande est caractérisée par une forte élasticité croisée. L'élasticité croisée fournissant un indice de substitution entre des biens différents, il est évident qu'un marché devrait rassembler à l'intérieur de ses frontières tous les biens pour lesquels les acheteurs ont manifesté un niveau important de substitution. Évidemment, ce que constituent une «forte» élasticité croisée ou un niveau «important» de substitution ne trouve pas de réponse vraiment satisfaisante dans ces ouvrages.

Pour donner un contenu empirique à cette définition du marché, il est parfois suggéré d'établir la corrélation entre les fluctuations de prix de différents biens. Selon cette hypothèse, les biens aux mouvements fortement corrélés seraient alors considérés comme faisant partie d'un même marché. On a cependant vite fait de souligner que des biens provenant de marchés assurément distincts pouvaient malheureusement afficher des variations de prix d'une grande similarité. Par exemple, les prix de l'électricité vendue par Hydro-Québec et ceux d'Électricité de France sont hautement corrélés puisqu'ils sont influencés par les mêmes facteurs sous-jacents. Cela ne signifie pas pour autant que le Québec et la France font partie d'un même marché pour les services d'électricité.

4.2.2 La théorie économique de l'organisation industrielle et le marché

Les économistes de l'école dite de l'«organisation industrielle» concentrent leur analyse sur l'**industrie** et n'offrent qu'un bien maigre traitement du concept de marché.

Ainsi, les deux ouvrages de Michael Porter (1980, 1985), qui ont certes contribué de façon décisive à l'intégration des schémas analytiques de l'«organisation industrielle» au domaine de la stratégie d'entreprise, ne comportent aucune définition du marché. En fait, il semble parfois que, pour l'auteur, «marché» et «industrie» soient deux concepts synonymes, puisqu'il traite d'**industrie** en émergence, en maturité et en déclin, ainsi que de **segmentation de l'industrie**, un concept plus large et plus utile selon lui que la segmentation des marchés.

La notion de marché apparaît rarement dans ces ouvrages et ne fait référence qu'aux comportements des acheteurs. À toutes fins utiles, le marché est présumé connu et bien délimité. Toute la dynamique stratégique provient du côté de l'offre et, donc, de la rivalité entre firmes qui tentent d'accaparer les mêmes marchés.

4.2.3 Le marketing et le marché

La discipline du **marketing** devrait être le lieu privilégié pour un examen serré, à la fois théorique et pratique, du concept de marché. Or, dans les ouvrages traitant du marketing, on opte plutôt pour une solution de facilité qui consiste à donner un sens tautologique au concept, et à en éliminer les dimensions de l'**offre** et de la rivalité entre firmes : « Le marché est l'ensemble des individus et des organisations qui sont des acheteurs réels et potentiels d'un produit ou service » (Kotler, 1972). Dans les ouvrages plus avancés, le marché devient vite un « positionnement » multidimensionnel de marques concurrentes dans l'espace mental des consommateurs. Une telle conception du marché inspirée par la psychologie cognitive est d'une utilité limitée pour nos fins stratégiques.

Quoi qu'il en soit, si le marketing n'offre pas une conception stratégique du marché, il offre en revanche une riche modélisation de la **demande** et du comportement dynamique des **acheteurs**, aspects qui sont singulièrement absents des schémas stratégiques empruntés aux économistes. Nous nous inspirerons donc de l'expertise issue du marketing pour en arriver à une définition de marché qui laisse une juste place à la dynamique de la demande.

4.2.4 La surveillance de la concurrence et la notion de marché

C'est en fait du côté juridique que l'on trouve l'analyse la plus serrée du concept de marché. En effet, tout l'appareil réglementaire et juridique en matière de concurrence, de fusions et d'acquisitions fait appel et référence au concept de marché, et ce tant au Canada qu'aux États-Unis.

Ainsi, les parts d'un marché détenues par les parties engagées dans une fusion ou une acquisition sont le déclencheur de procédures et d'enquêtes par les agences gouvernementales concernées, soit la Federal Trade Commission, le département de la Justice aux États-Unis et le Directeur des enquêtes et recherches au Canada. Les parts de marché sont également au cœur de la preuve d'un pouvoir de marché indu et nocif pour les clients, les fournisseurs et la société en général.

Au fil des ans, des causes célèbres comportant d'énormes enjeux économiques, par exemple, IBM vs le département de la Justice, Coca-Cola vs FTC, Kellogg *et al.* vs FTC, AT&T vs le département de la Justice, ont eu comme pivot central la définition du marché pertinent, suscitant ainsi une expertise et une jurisprudence considérables en cette matière.

L'âpre confrontation entre témoins-experts devant les tribunaux compétents a donné lieu à l'établissement de règles et de directives permettant de guider toutes les parties dans la tâche délicate de définir le marché pertinent. Ainsi, une telle définition devait:

- tenir compte à la fois de conditions de l'**offre** et de la **demande**;
- fournir une démarcation du marché **géographique** pertinent à la cause;
- établir l'ensemble des produits ou services qui constituent un même marché en vertu de leur **substitution** probable;
- tenir compte de la **dimension temporelle** appropriée aux circonstances de la cause. Sur ce dernier point, les préoccupations plus immédiates des agences de surveillance de la concurrence se démarquent nettement de la démarche stratégique, comme nous le verrons plus loin dans ce chapitre.

Après plusieurs années de tâtonnement et de multiples essais de définition, les agences américaines et canadiennes en sont venues à proposer ce qu'on a baptisé la «règle du 5 %» comme méthode opérationnelle en vue d'établir le marché pertinent pour toutes causes juridiques.

Cette méthode propose que l'on définisse un marché de la façon suivante:

- quant à sa **dimension géographique**, établir l'étendue géographique que devrait posséder un **monopoleur hypothétique** pour que, de façon **profitable** pour lui, il puisse augmenter sensiblement ses prix, habituellement de 5 % d'où le nom de la règle, et maintenir cette augmentation pour une **période d'une année** et parfois de deux ans. En d'autres mots, il s'agit de déterminer quelle envergure géographique permettrait à une entreprise en situation de monopole d'être à l'abri a) des changements de comportement des acheteurs, qui autrement pourraient se procurer le produit dans une autre zone géographique, et b) des firmes qui, même si elles sont situées ailleurs, pourraient avec profit expédier leur produit dans la zone géographique du monopoleur advenant le cas où celui-ci déciderait d'augmenter ses prix de façon appréciable. La zone géographique **minimale** pour laquelle un monopoleur hypothétique pourrait accroître ses prix de façon **durable** et **rentable** est alors considérée comme la définition du marché géographique ;

• quant à sa **dimension marché-produits**, établir quels sont les produits et les services qui devraient être contrôlés par une même firme pour que celle-ci puisse imposer, de façon durable (1 an) et rentable, une augmentation importante (5 %) de ses prix. Ici encore, il s'agit de définir l'ensemble **minimal** de produits et de services qui satisfasse à cette condition. Cette évaluation est sensible aux conditions de l'offre et de la demande parce qu'elle se préoccupe tout autant des comportements de substitution des acheteurs que de la possibilité que des firmes fabriquant d'autres produits puissent assez rapidement réorienter leur production pour faire concurrence au monopoleur virtuel, si celui-ci tentait d'augmenter ses prix.

Les « Directives en matière de fusionnement » accompagnant la loi canadienne sur la concurrence définissent ainsi le concept de marché : « Sur le plan conceptuel, aux fins de l'analyse des fusionnements en vertu de la Loi, on définit un marché pertinent comme le groupe le plus restreint de produits et la plus petite région géographique pour lesquels les vendeurs pourraient imposer et maintenir avec profit, pendant un an, une augmentation de prix de 5 % par rapport aux prix pratiqués ou qui seraient pratiqués en l'absence de fusionnement, si les vendeurs agissaient comme une entreprise unique, un "monopoleur hypothétique" qui serait le seul vendeur de ces produits dans la région. » (P. 8-9.)

Cette façon d'établir le marché pertinent à des fins juridiques n'est pas sans susciter de nombreuses réserves et critiques, mais elle jouit d'une propriété utile, soit celle de permettre de centrer les débats et oppositions sur des points précis de définition et sur la recherche de faits concrets[1].

L'appareil conceptuel qu'ont construit les agences de réglementation de la concurrence au fil des ans et dans le creuset de la contestation judiciaire, fournit un cadre valable à la réflexion stratégique. Cependant, une dimension temporelle de courte durée (1 an) et une conception unitaire du marché où l'on dénote en effet l'absence de «segments» de marché, réduisent la pertinence de cette définition du marché pour des fins de stratégie d'entreprise.

4.2.5 La sociologie et le marché

Au premier abord, il peut sembler curieux que la sociologie puisse contribuer au domaine de la stratégie en ce qui a trait au concept de marché.

Or, un petit groupe de chercheurs en sociologie (White, 1981, 1988; Leifer et White, 1987; Berkowitz, 1988) fait œuvre utile en rendant explicite ce que les gens d'affaires et les consultants ont toujours su, mais n'expriment pas de façon ouverte, à propos du fonctionnement concret des marchés.

Les marchés ne sont pas ou sont rarement, sauf dans les schémas théoriques, le résultat fortuit des démarches de multiples producteurs et acheteurs, étrangers et anonymes, tous à la recherche de bénéfices maximaux.

En pratique, le marché est souvent constitué d'un petit groupe de firmes aux compétences différentes qui s'observent mutuellement dans le contexte d'un ensemble d'acheteurs et d'intermédiaires bien définis. «*Markets are self-reproducing social structures among specific cliques of firms... who evolve roles from observations of each other's behavior.*» (White, 1981, p. 515.)

---

1. En cette matière, la Commission économique européenne s'en tient encore à une définition consensuelle ou habituelle du marché par les firmes en place. (Voir, par exemple, la décision dans la cause Aérospatiale Alenia/DeHavilland.)

Même pour les produits de grande consommation où les acheteurs ultimes se comptent par millions, les acheteurs immédiats, soit les distributeurs, les grossistes, les concessionnaires, les magasins à succursales, s'avèrent relativement peu nombreux et sont connus individuellement et nommément par les producteurs. Ainsi, Procter & Gamble, grand fabricant de produits de consommation, a constaté que quelque **cent** intermédiaires, surtout des supermarchés à nombreuses succursales, représentaient presque 80 % de ses ventes aux États-Unis.

A fortiori, les secteurs des produits industriels et des produits de consommation durables, ainsi que tous les secteurs caractérisés par un faible nombre de producteurs et d'acheteurs, par exemple, les appareils pour l'aviation civile ou militaire, les turbines pour centrales hydro-électriques, etc., ont façonné de puissants réseaux d'information et parfois de communications entre producteurs ainsi qu'entre producteurs et acheteurs.

Dans ces circonstances, le marché devient un **lieu d'interactions programmées, de surveillance mutuelle et d'alliances opportunistes**. Ces marchés sont habituellement dotés, entre autres, d'une presse spécialisée et d'associations qui permettent à tous les intervenants de lever partiellement le voile qui cache les intentions des firmes rivales en matière de nouveaux produits, de plans de production, et de stratégies et tactiques de vente.

Si le brouillard qui enveloppe les intentions stratégiques des concurrents est ici moins dense, l'intensité et la complexité de la rivalité entre firmes n'en sont pas pour autant réduites puisque chacune cherche à tenir compte des comportements probables de ses rivaux dans l'établissement de sa propre stratégie.

Ce courant de recherche en sociologie nous incite donc à considérer les marchés comme des **réseaux** de producteurs et d'acheteurs aux relations continues et prévisibles, et à examiner comment et pourquoi ces réseaux se forment et perdurent[2].

Enfin, ces chercheurs, White en particulier, proposent une typologie utile des marchés selon des conditions spécifiques de l'offre et de

---

2. Cette façon d'étudier les marchés pourrait aider les firmes occidentales à comprendre pourquoi il leur est si difficile de faire une place à leurs produits sur les marchés japonais, ces marchés étant justement et essentiellement constitués d'un tissu de relations sociales, d'obligations durables et d'engagements réciproques.

la demande. Ces travaux seront repris et intégrés à notre définition des marchés à la section 4.8.

4.2.6 Les politiques publiques et le marché

Nous avons souligné plus haut comment le domaine de la surveillance de la concurrence fait appel au concept de marché. Or, les politiques des États et des gouvernements dans d'autres domaines exercent aussi une influence considérable sur la définition des marchés, que ce soit les marchés-produits ou les marchés géographiques.

Dans ce dernier cas, de toute évidence, la mise en place de traités de libre-échange et l'élimination des entraves à la circulation des biens et services, servent à élargir la dimension géographique des marchés et ainsi à transformer en un marché unique ce qui était auparavant plusieurs marchés de plus petites dimensions. Pour les firmes qui n'atteignaient pas un niveau d'efficience optimale lorsqu'elles étaient limitées à un marché géographique restreint, le marché élargi ou «commun» pourra permettre d'améliorer le bien-être des acheteurs et des actionnaires dans une proportion qui dépend des conditions de la concurrence dans ce plus grand marché.

De même, l'appareil réglementaire dans un grand nombre de secteurs industriels tels que télécommunications, services financiers, transport aérien, transport de fret par camions, production de bière, produits agricoles, etc., définit de façon **juridique** le périmètre du marché, sans égard et sans appel aux conditions économiques de l'offre et de la demande. Ainsi, jusqu'à tout récemment au Canada, la réglementation déclarait que les services financiers étaient constitués de quatre marchés distincts et interdisait à quiconque de desservir plus d'un de ces marchés, quels qu'en soient l'attrait et la logique économiques. En conséquence, les banques à charte, les firmes de courtage en valeurs mobilières, les sociétés d'assurance-vie et d'assurance générale ainsi que les sociétés de fiducie étaient confinées à un seul marché affichant un contour de plus en plus flou au fur et à mesure que de nouveaux produits et services ainsi que des innovations technologiques perçaient de grandes brèches dans le mur réglementaire et artificiel entre ces différents marchés.

Il en était de même aux États-Unis où la réglementation délimitait aussi le territoire géographique, habituellement un seul État ou moins, que pouvait desservir une institution bancaire.

La vague de déréglementation et de privatisation qu'ont connue au cours des années quatre-vingt le Canada, les États-Unis, la Grande-Bretagne et de nombreux autres pays, a eu pour effet, dans certains domaines, d'éliminer les distorsions politiques du marché et de permettre aux entreprises de tenter d'optimiser leur offre de produits et de services en fonction de leurs coûts et des attentes véritables des acheteurs.

Selon les courants philosophiques qui caractérisent le «Zeitgeist» d'une époque, ou qui appuient les fondements politiques d'une société et d'un État, les gouvernements voudront intervenir dans plus ou moins de domaines de l'activité économique et ainsi non seulement créer ou éliminer des marchés, mais aussi limiter ou favoriser le jeu des forces économiques inhérentes à différents secteurs d'activité.

En toute éventualité, les sociétés se distinguent, dans le temps et dans l'espace, par les biens qu'elles jugent «collectifs» et par leur recours à la production privée ou publique pour tout un ensemble de biens et de services.

La figure 4.2 ci-après présente une catégorisation des biens selon que leur consommation est individuelle ou conjointe et selon qu'il est possible ou non d'empêcher ceux qui ne voudraient pas en payer le prix d'avoir accès à ces biens ou services.

Cette typologie démontre bien qu'il existe un vaste éventail de possibilités en ce qui a trait au domaine public ou privé, que de nombreux chevauchements sont inévitables entre ces deux options et que les choix en cette matière reflètent probablement un compromis entre l'idéologie du moment et du lieu, et les implacables impératifs économiques. Cette typologie rappelle au stratège de l'entreprise que les marchés «privés» sont souvent le résultat de choix politiques, choix qui sont rarement irréversibles.

Au cours des années quatre-vingt, les États-Unis ont favorisé le plus possible l'émergence de marchés privés et la production de biens publics par le secteur privé ou selon les méthodes propres au secteur privé (voir l'ouvrage d'Osborne et Gaebler, *Reinventing Governments*, 1992).

Figure 4.2 Types de biens et de marchés selon leurs caractéristiques de consommation et d'exclusion

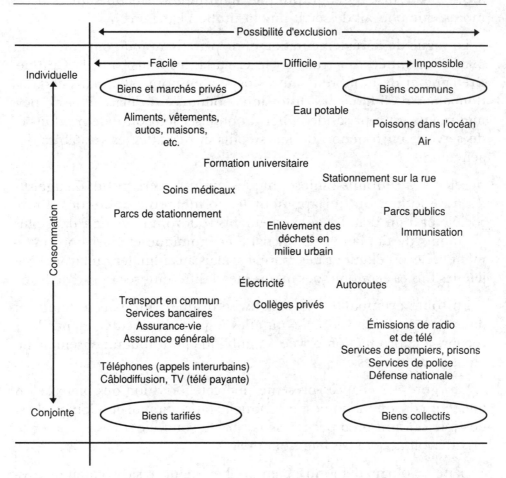

Source : Adapté de Savas, 1988.

D'autres sociétés ont opté pour une prise en charge par l'État de la production de biens et services couvrant une grande partie des situations présentées à la figure 4.2.

Depuis la déconfiture des États socialistes, cependant, les biens et marchés du quadrant nord-ouest à la figure 4.2, soit les « biens et marchés privés », semblent susciter moins d'intérêt et de convoitise de la part du secteur public.

Cette courte note sur les différentes catégories de biens et de marchés dans la perspective des politiques sociales et gouvernementales, souligne le caractère variable et changeant de ce qu'est un «bien privé» et montre l'importance des biens à consommation «conjointe» ou biens tarifés qui donnent lieu aux **économies de réseau** dont nous avons brièvement traité au **chapitre 3**.

4.2.7 Conclusion

Ce bref aperçu des considérations de marché glanées dans d'autres disciplines nous rappelle :

- que le marché est souvent le résultat de choix et de décisions **politiques** ;

- que le marché est délimité, tant dans sa géographie que dans sa dimension produits et services, par une composante «**offre**» et une composante «**demande**», chacune étant soumise à une dynamique spécifique ;

- que, dans des circonstances précises et relativement fréquentes en pratique, le marché devient également un produit social, un **réseau** durable d'information et de surveillance entre firmes rivales ainsi qu'un réseau de communications et d'échange entre les firmes et leurs clients ;

- et enfin, que le marché peut être défini différemment selon les **besoins** et la **dimension temporelle** pour lesquels cette définition s'applique.

4.3 LA DÉMARCATION STRATÉGIQUE DU MARCHÉ SELON LES BÉNÉFICES RECHERCHÉS ET LA DIMENSION TEMPORELLE: QUATRE PERSPECTIVES

Ce qu'est le «marché pertinent» pour l'analyse stratégique prend une signification différente selon les fins diverses que ce concept doit servir.

Différentes conceptions du marché, **toutes hautement pertinentes** en stratégie, s'imposent à l'entreprise, selon que l'on donne une défi-nition étroite ou large à l'ensemble des bénéfices ou besoins auxquels s'adresse un produit ou un service, et selon que l'on limite l'analyse à court terme ou qu'elle porte sur l'évolution de l'offre et de la demande à plus long terme.

Le tableau 4.1 schématise sous quatre perspectives ces deux paramètres de démarcation du marché pertinent. Chaque quadrant de ce tableau suscite des enjeux stratégiques précis qu'une analyse stratégique compétente se doit de considérer.

Cependant, ces différents enjeux sont souvent du ressort d'entités différentes au sein de l'entreprise, ce qui amène un double risque:

1. que les entités appropriées ne s'occupent pas du «marché» qui les concerne; par exemple, des entités très opérationnelles qui s'évertuent à se définir une stratégie à long terme alors que des enjeux de marché immédiats devraient mobiliser toutes leurs ressources et leur attention, ou des unités de planification stratégique ou de recherche et développement qui se préoccupent exclusivement du marché présentement desservi;

2. qu'à cause de carences structurelles, certains enjeux de marché tombent dans des interstices de responsabilité et ne soient jamais abordés avec le soin et la vigueur qu'ils méritent.

4.3.1 Les bénéfices spécifiques et l'horizon à court terme (le quadrant nord-ouest)

Ce quadrant du tableau 4.1 saisit ce qu'est un marché dans son sens premier et populaire. Le marché est ici défini par les produits qui sont de très proches substituts. La somme des ventes de ces produits constitue le «marché» dont on peut calculer la part détenue par chaque entreprise.

C'est la définition du marché qui est utilisée par le programme de recherche PIMS (*Profit Impact of Market Strategies*) dont les conclusions sur l'importante relation entre la qualité des produits, les parts de marché et la rentabilité de l'entreprise font maintenant partie du folklore de la stratégie (voir Buzzel et Gale, 1987).

Les agences de surveillance de la concurrence tendent aussi à définir ainsi le marché pertinent. En effet, avec une telle définition, les parts de marché détenues par chaque firme sont élevées et toute fusion entre entreprises de ce quadrant serait contraire à l'intérêt public. Évidemment, les entreprises concernées par une fusion ou

Tableau 4.1 Quatre perspectives du marché selon les bénéfices recherchés et la dimension temporelle

	DÉFINITION DES BÉNÉFICES RECHERCHÉS	
DIMENSION TEMPORELLE	**Étroite et spécifique**	**Large et générique**
Court terme (1-3 ans)	• Notion de marché desservi (PIMS). • Peu de segments et peu de concurrents directs mais beaucoup de substituts. • Cartes de positionnement de produits. • Approche favorisée par les agences de surveillance de la concurrence. *Exemples: boisson cola, traitement de texte, transport ferroviaire, courrier rapide, commande centrale d'épicerie, téléphone, services bancaires.*	• Élargissement du marché et de la concurrence. • Bénéfices recherchés définis par la technologie et les valeurs sociales actuelles. • Segmentation par bénéfices et par styles de vie. *Exemples: boissons gazeuses, télécommunications, services intégrés de transport, services d'alimentation, services financiers.*
	Risque de myopie	
Long terme (4-10 ans)	• Impact sur le marché desservi: - des marchés extérieurs et de l'arrivée de firmes étrangères - de nouveaux créneaux et de marchés périphériques - de l'innovation technologique. • Nouvelle définition de la commodité et de la proximité, et nouveaux modes de distribution. *Exemples: distributrice de boissons au bureau/domicile, systèmes de réservation dans le secteur du transport aérien, guichet et service bancaire individualisé, télécopieur (FAX) et messagerie rapide.*	• Redéfinition du marché par les changements de valeurs et de besoins de la société. • Création de nouveaux marchés par l'innovation et la discontinuité technologiques. • Foisonnement de nouveaux produits et de marchés potentiels; la surabondance de marchés potentiels excède la capacité de développement de marchés par la firme. • Possibilité d'acquérir une position dominante au sein de marchés en émergence. *Exemples: Factory-of-the-Future (GE), Office-of-the-Future (Xerox), Maglev, The Wired City, The Smart Home, etc.*
		Risque de presbytie

une acquisition tentent de convaincre les agences que le marché pertinent se situe plutôt dans le quadrant sud-est du tableau 4.1, puisque avec une telle définition du marché, la part de marché détenue par toute entreprise est faible et l'impact d'une fusion ou acquisition demeure minimal et négligeable.

Nous pouvons illustrer ce phénomène par un exemple concret, soit celui de la société Coca-Cola qui voulait acquérir l'entreprise Dr. Pepper dont le cola un peu particulier est très populaire dans les États du Sud-Est américain.

Si le marché est défini selon le quadrant nord-ouest de façon étroite et spécifique, c'est-à-dire que les boissons cola constituent le marché pertinent, alors Coca-Cola détient 56 % de ce marché aux États-Unis et Dr. Pepper 7 %. Selon les règles américaines en matière de fusionnement, Coca-Cola, avec un tel « pouvoir » de marché, ne serait pas autorisée à procéder à l'acquisition en question.

Si le marché est défini selon le quadrant nord-est, c'est-à-dire qu'il est constitué de toutes les boissons gazeuses non alcoolisées, alors la part de ce marché détenue par la société Coca-Cola serait de 35 % et celle de Dr. Pepper de quelque 3 %. Encore ici, selon les règles américaines, Dr. Pepper ne pourrait être acquise par Coca-Cola en vertu de l'augmentation présumée du pouvoir de marché qui en découlerait pour cette dernière.

Évidemment, la société Coca-Cola proposa une définition beaucoup plus large du marché et donc proche du quadrant sud-est. À moyen et à long terme, toutes les boissons **non alcoolisées**, y compris, selon Coca-Cola, l'eau du robinet, peuvent satisfaire au même besoin « générique » de se désaltérer. Dans un tel marché, où l'on trouve les jus de fruit, l'eau minérale, le lait ainsi que tous les types de boissons gazeuses, Coca-Cola ne détiendrait qu'une part de 7 %, abstraction faite de l'eau potable coulant des robinets, et son acquisition de Dr. Pepper deviendrait un événement insignifiant. La Federal Trade Commission, après que les experts eurent débattu la question devant son tribunal, retint la définition du quadrant nord-est, à savoir que le marché pertinent est celui des boissons gazeuses, débouta Coca-Cola de sa requête et lui interdit l'acquisition en cause.

Aux fins de la stratégie de Coca-Cola, cependant, **toutes** ces définitions du marché sont utiles et pertinentes.

Une définition spécifique et à court terme du marché sert à mobiliser les unités d'affaires concernées et à les inciter à augmenter leur part de marché au détriment de concurrents immédiats et tangibles, Pepsi-Cola en l'occurrence, par des innovations de produits telles que cola diététique, cola sans caféine, etc., par de nouveaux formats, par des promotions originales en magasin ou par une publicité performante. Ces unités d'affaires doivent donc se consacrer entièrement à la rude bataille que représente le maintien ou l'augmentation de leur part d'un marché bien défini.

Cependant, si toute l'entreprise Coca-Cola n'était mobilisée que par une telle définition du marché, elle souffrirait d'une dangereuse myopie. Pour établir la stratégie globale de l'entreprise, ses dirigeants doivent aussi se préoccuper d'autres enjeux de marché. Devrait-on élargir le champ stratégique de Coca-Cola pour y englober les boissons gazeuses autres que le cola et former des unités d'affaires dédiées à ce « marché » précis ? Comment les développements techniques ou socio-politiques peuvent-ils influencer les comportements et les besoins des acheteurs ainsi que la façon de vendre et de distribuer les produits de l'entreprise ?

Que ce soit au niveau stratégique global ou dans les efforts de recherche et de développement de nouveaux produits, l'entreprise doit chercher à comprendre comment l'évolution des goûts et des valeurs des consommateurs ainsi que les développements techniques feront apparaître de **nouveaux besoins** et de **nouvelles façons de satisfaire** les besoins tant nouveaux qu'anciens.

4.3.2 Une définition large avec un horizon à long terme (le quadrant sud-est)

Cette préoccupation pour établir une définition plus large du marché selon une dimension temporelle à plus long terme, ne doit cependant pas dégénérer en un exercice de futurologie, séduisant pour l'esprit tourné vers ce genre de cogitation, mais s'avérant souvent d'une portée stratégique limitée.

Il est en effet assez facile d'imaginer comment les développements de la technologie peuvent se traduire par une profusion de nouveaux concepts de produits. Il est beaucoup plus malaisé de déterminer

quand et **autour de quels produits**, parmi toute une gamme de possibilités, émergera un **marché viable et durable**.

Dans des domaines de haute turbulence technologique, les possibilités de nouveaux marchés sont souvent nombreuses et aucune entreprise, aussi grande soit-elle, ne peut toutes les évaluer et encore moins tenter de les mener à terme. L'entreprise doit alors faire des paris hasardeux quant aux possibilités les plus susceptibles de se réaliser.

Elle pourrait, lorsque le contexte s'y prête, se limiter à surveiller l'activité des entrepreneurs qui tenteront leur chance tous azimuts, et attendre que le marché donne concrètement sa caution à l'une ou l'autre initiative entrepreneuriele. Quand le marché aura « parlé » distinctement, bien que discrètement encore, l'entreprise pourra alors offrir d'acheter la firme entrepreneuriele et tenter, en y ajoutant ses capacités et ses ressources, de développer au maximum ce nouveau marché et d'y occuper la place dominante. Comme nous le verrons au **chapitre 7**, la société Johnson & Johnson procède essentiellement ainsi dans les secteurs des produits pharmaceutiques et des équipements médicaux et chirurgicaux qui, du moins aux États-Unis, comportent un haut niveau de risque et affichent une forte activité entrepreneuriele.

Cependant, cette approche, si valable qu'elle soit dans des circonstances précises telles que la présence d'une classe entrepreneuriele dynamique et l'abondance de capitaux de risque et de développement, fait courir le risque qu'un marché potentiel très lucratif ne soit ni reconnu ni développé parce qu'il exige des ressources hors de la portée des entrepreneurs individuels. Une grande entreprise qui sait reconnaître ce marché potentiel et y consacrer les ressources nécessaires, peut ainsi créer et dominer un marché important. Nous avons présenté aux **chapitres 3, 5 et 7** des exemples de telles situations.

Enfin, une vision à long terme des marchés peut souffrir d'une certaine presbytie, c'est-à-dire que l'objet (le marché) est bien réel, mais il semble beaucoup plus rapproché qu'il ne l'est en réalité. Il arrive souvent que de grandes entreprises aux énormes ressources souffrent d'une telle presbytie qui s'avère d'ailleurs coûteuse.

Par exemple, la société Xerox proposa au début des années soixante-dix sa vision de l'avenir « Office-of-the-Future », qui intégrait des systèmes interreliés d'ordinateurs, de traitement de texte, de photocopieurs, etc.

Or, cette vision de l'avenir, que Xerox prévoyait pour le début des années quatre-vingt, tarda à se matérialiser, engendrant ainsi des coûts importants pour la compagnie. Lorsque cette vision aboutit à un marché concret au début des années quatre-vingt-dix, elle se fondait sur des produits tels que télécopieurs, téléphones cellulaires, etc., que Xerox n'avait pas inventés et, pour une bonne part, ne fabriquait même pas.

La société General Electric connut une aventure similaire au début des années quatre-vingt avec son projet « Factory-of-the-Future », qui consistait à développer des robots et des systèmes de fabrication par ordinateur qui élimineraient à toutes fins utiles l'intervention humaine dans les procédés industriels. Cette vision de l'avenir fut ramenée à des proportions plus modestes après que GE y eut englouti plusieurs centaines de millions de dollars.

Un des grands courants en vogue à notre époque d'effervescence des technologies de l'informatique et de la télématique consiste à élaborer un univers de résidences individuelles (*smart homes*) et de villes (*wired cities*) reliées à un réseau de fibres optiques et de satellites de communications, et capables de communication interactive et de surveillance à distance.

Ces visions emballantes de l'avenir doivent toutefois être soumises au test des réalités économiques et s'adapter au rythme des changements propres aux individus et aux sociétés.

4.3.3 Une définition étroite avec un horizon à long terme (le quadrant sud-ouest)

Alors que les trois autres quadrants du tableau 4.1 font habituellement l'objet d'une évaluation au moins sommaire dans le cadre de la planification stratégique, le quadrant sud-ouest est quant à lui souvent oublié.

Ce quadrant invite à se questionner sur l'évolution à plus long terme du marché pris en son sens étroit et spécifique.

- Quelles possibilités de marché s'offrent à ce produit dans d'autres régions géographiques?
- Existe-t-il des firmes étrangères qui pourraient éventuellement offrir un produit concurrentiel dans notre marché? Par exemple, les bières « importées » sur le marché américain.

- L'évolution socio-politique, notamment en matière d'environnement, peut-elle susciter de nouveaux enjeux pour notre marché? Par exemple, le recyclage obligatoire de bouteilles et cannettes de boissons gazeuses et leur remplacement par des systèmes de distributrices dans les bureaux, dans les immeubles d'habitation et même dans les résidences privées, ou encore une rivalité plus énergique entre les modes de transport en commun et l'automobile pour le transport urbain, et entre l'avion et le train à haute vitesse pour le transport interurbain.

- Quels nouveaux attributs et bénéfices pourraient être proposés aux acheteurs afin de stimuler la demande ou de servir de fondement à une segmentation plus fine du marché? Par exemple, les protections contre les risques en tous genres offertes par les sociétés de cartes de crédit, les cartes «sympathiques» où un montant est versé à une œuvre charitable selon l'utilisation qu'en fait le détenteur, ou encore la multiplication de canaux de télévision spécialisés (sports, films, nouvelles, etc.) qui fragmente l'auditoire en de nombreux segments.

- L'évolution technique pourrait-elle permettre l'émergence de nouvelles façons de satisfaire aux bénéfices spécifiques associés au produit? Par exemple, la technologie du télécopieur comme substitut aux services de messagerie tels que Federal Express, DHL, etc., les systèmes de vidéo-conférence en remplacement des voyages d'affaires, les systèmes de câblodiffusion ou les satellites rivalisant avec les réseaux traditionnels de télévision.

- La maturité et la saturation du marché étroitement défini susciteront-elles l'émergence de segments de marché à la portée de petites firmes focalisées sur ces segments? Par exemple, les micro-brasseries qui offrent des bières locales de haute qualité.

- L'évolution technique pourrait-elle mener à une nouvelle définition de la commodité d'achat et à de nouveaux modes de distribution? Par exemple, les guichets automatiques ont changé radicalement la notion de commodité d'accès aux services bancaires essentiels. Comment seront achetés et distribués les produits et services répondant à ces besoins spécifiques à l'avenir?

4.3.4 Un exemple : le marché des services financiers

Le secteur des services bancaires et financiers fournit un exemple intéressant de la dynamique des marchés décrite dans cette section. Comme nous l'avons déjà noté, ce marché a été et est encore défini en grande partie par le contexte juridique régissant les activités des firmes qui y œuvrent. Traditionnellement, chacun des quatre secteurs d'activité, soit les banques, les fiducies, les assurances et les valeurs mobilières, fonctionnait en vase clos et était soumis à sa propre réglementation.

Dans un tel univers, seuls les quadrants nord-ouest et sud-ouest du tableau 4.2 étaient pertinents pour l'un ou l'autre de ces quatre secteurs d'activité. Les banques mesuraient leur part du marché de l'épargne des particuliers en divisant leurs dépôts des particuliers par la somme des dépôts des particuliers détenus par toutes les banques à charte et les caisses populaires ainsi que par quelques autres institutions de moindre envergure comme les caisses de crédit ailleurs qu'au Québec, la Banque de la cité et du district de Montréal, maintenant appelée Banque Laurentienne, etc.

Le jeu de la concurrence consistait pour ces institutions à se surveiller mutuellement, à ajuster en conséquence leurs taux d'intérêt, leurs services et l'étendue de leur réseau de succursales, et, à une époque désormais révolue, à coordonner les tarifs exigés pour différents types de services.

Les banques à charte, offrant en cela un bel exemple d'application des économies d'envergure, voulurent servir des marchés différents, soit les individus, les commerces et les industries, avec un même bassin d'actifs communs et indivisibles, soit leur réseau de succursales et leur personnel.

Comme il arrive souvent dans ces circonstances, les banques durent faire des compromis entre ces différents marchés lorsque vint le temps de décider des emplacements de leurs nouvelles succursales et des gammes de services offerts par ces mêmes succursales. À une certaine époque, ces choix étaient plutôt favorables aux marchés des commerçants et industriels.

En conséquence, les caisses populaires, un réseau bancaire entièrement dédié au marché des particuliers, purent établir des emplacements et des services entièrement conçus pour les individus, ce qui, à

Tableau 4.2　Le marché des services financiers : quatre perspectives

	DÉFINITION DES BÉNÉFICES RECHERCHÉS	
DIMENSION TEMPORELLE	**Définition étroite du marché**	**Définition large du marché**
Court terme (1-3 ans)	• Services bancaires traditionnels (épargne, REER, chèques, prêts personnels et hypothécaires). • Guichets automatiques sur sites et hors sites. • Cartes de crédit (Visa, MasterCard). • Concurrence: banques à charte fédérale, caisses populaires et l'équivalent, Banque Laurentienne et quelques banques étrangères.	• Services financiers individuels et familiaux: services bancaires, courtage en valeurs mobilières, assurance-vie, assurance générale, fiducie (testaments, gestion de succession, etc.). • Services de conseillers financiers. • Produits de placement (fonds mutuels de types variés, etc.). • Sociétés de crédit associées à un manufacturier (G.M.A.C., Ford Crédit, etc.).
Long terme (4-10 ans)	**Risque de myopie** • Gamme de points de service adaptés aux différents segments. • Télé-banque (services bancaires par le truchement de l'ordinateur personnel). • Cartes de débit et de paiement. • Cartes avec mémoire (Smart cards). • Concurrence plus vive de la part des banques étrangères. • Segmentation plus fine du marché et gamme de services mieux ciblés.	**Risque de presbytie** • Décloisonnement juridique et pratique des marchés, chassé-croisé de produits concurrents. • Croissance rapide de l'épargne. • Habileté croissante des particuliers en matière de placements. • Prolifération des cartes de crédit de sociétés non financières (Sears, AT&T, G.E. aux États-Unis). • Multiples services financiers offerts dans les mêmes circuits de distribution. • Utilisation de la technologie en temps réel pour effectuer des placements et autres transactions.

l'époque, leur conféra un avantage stratégique sur le réseau des banques à charte.

Avec des dépenses d'exploitation en général plus élevées par 100 $ d'actif puisque, contrairement aux banques à charte, elles ne jouissaient pas des effets d'envergure, les caisses populaires offraient cependant à leurs clients une telle valeur ajoutée grâce à la proximité physique et psychologique des services que cela justifiait pleinement les coûts, parfois plus élevés, desdits services. De plus, au fur et à mesure que le volume d'affaires de chaque caisse populaire augmentait, ses coûts d'exploitation diminuaient sensiblement[3].

Dans cet univers de marchés des services financiers départagés juridiquement, la rivalité entre institutions se faisait et se fait encore selon les quadrants nord-ouest et sud-ouest du tableau 4.2. Avec une définition étroite du marché pertinent, la rivalité se joue donc autour de questions comme celles-ci :

- Comment les développements techniques, en particulier le déploiement de guichets automatiques sur sites et hors sites, changent-ils les notions de commodité et de proximité ainsi que la dynamique économique de l'offre des services bancaires qui sous-tendaient les stratégies de réseau des différentes institutions ?

- Comment une segmentation plus fine du marché des services bancaires pour les individus se transforme-t-elle en une gamme de services et de **points de services** conçus pour s'ajuster aux besoins et attentes des différents segments ?

À ces questions, importantes en soi, s'ajoutent toute une série d'enjeux critiques au fur et à mesure que l'évolution de la réglementation et de la technologie force graduellement les institutions bancaires à examiner les quadrants nord-est et sud-est du tableau 4.2.

Une fois libérés du joug structurant de la réglementation de la concurrence, comment se définiront les marchés des services financiers sous la seule pression de l'offre et de la demande ? Ces marchés continueront-ils à être **distincts** dans l'esprit des acheteurs parce qu'ils répondent à des besoins très spécifiques ?

---

3. Même si les économies d'échelle dans ce secteur ne sont pas très fortes, elles s'avèrent tout de même substantielles jusqu'à trois ou quatre mille clients par établissement.

Quels seront les impacts des technologies de l'information sur les modes et coûts d'exploitation des banques, et comment ces phénomènes influenceront-ils l'intensité et la nature de la concurrence? Dans quelles proportions les transactions courantes seront-elles traitées électroniquement (voir Steiner et Teixeira, 1990)?

Quels seront les modes appropriés de distribution et de vente de produits financiers pour une clientèle mieux informée en matière de placements?

Quelles seront les combinaisons de produits et services qui offriront une valeur ajoutée importante pour les clients?

Quels sont les liens, synergies et actifs communs qui, du point de vue de l'**offre**, pourraient donner un avantage économique à l'entreprise qui desservirait ces différents marchés de façon intégrée?

Comment diminuer la tendance à la fragmentation d'allégeance des clients et comment établir avec des clients choisis une relation continue couvrant une large gamme de services financiers?

Quelle forme prendra la nouvelle concurrence suscitée par la forte croissance de certains segments de marché et la déréglementation graduelle de l'industrie?

Enfin, au niveau de l'institution bancaire dans son ensemble, comment coordonner et contrôler les activités de ses entités non bancaires? S'il y a lieu pour les banques d'ajouter de telles opérations à leurs activités régulières, comment le faire sans subir les effets des coûts de complexité, des coûts de mandat, etc.? Comment ne pas devenir vulnérables aux petites firmes bien focalisées sur des créneaux précis et lucratifs de ces vastes marchés?

4.3.5 Quatre perspectives et quelques enseignements

La section 4.3 propose donc une approche multiple de la définition des marchés pertinents. La réflexion stratégique doit comprendre dans son périmètre d'évaluation les quatre perspectives décrites dans cette section.

Une évaluation dynamique du marché et de la concurrence doit être attentive non seulement à leurs particularités actuelles mais également à leur évolution probable au fur et à mesure que les forces inhérentes à l'**offre** et à la **demande** de produits ou de services propulsent le marché d'une phase à l'autre de son développement.

Dans l'entreprise d'une certaine taille et envergure, il est fort possible, voire souhaitable, que la responsabilité de pousser à fond cet examen et d'en tirer des conclusions et des propositions de démarches précises, soit dévolue à des unités ou à des groupes d'individus différents.

En toutes circonstances, cependant, l'examen systématique des quatre quadrants du tableau 4.1 fournira une première évaluation des choix et options stratégiques pour la firme. Cette première coupe analytique devra également reconnaître les développements sociopolitiques et techniques ayant le plus d'impact sur les marchés de l'entreprise.

Les prochaines sections de ce chapitre font état des considérations supplémentaires qui viennent enrichir ces premiers schémas.

4.4   L'ÉVOLUTION DU MARCHÉ ET DE LA CONCURRENCE: LES PHASES DU MARCHÉ

Toute évaluation ou supputation quant aux comportements qui pourraient se manifester à plus long terme, tant du côté de l'offre que de la demande, devrait s'inspirer de ce que l'on a pu observer dans d'autres marchés, et tirer profit des enseignements et règles fondés sur l'expérience et la théorie des marchés.

Tout marché est un phénomène dynamique. Le marché évolue et se transforme au gré des changements, des forces et des influences qui s'exercent sur lui. Sans être soumis à des déterminismes implacables ou à des lois de la nature immuables et invariables, les marchés montrent toutefois une forte tendance à se développer selon des phases assez bien démarquées, chacune possédant ses caractéristiques propres.

Plusieurs nomenclatures de ces phases sont traitées ici et là dans les ouvrages portant sur la stratégie et le marketing. La typologie des phases du marché présentée à la figure 4.3 nous semble la plus fertile de toutes avec ses phases d'émergence, de croissance, d'épuration, de maturité, de saturation et de déclin.

Figure 4.3 Dynamique du marché
Les phases du marché et de la concurrence

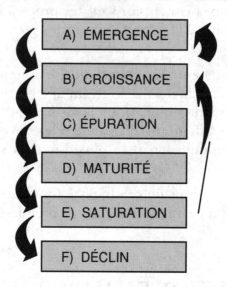

Notez bien qu'il s'agit ici des phases d'**évolution d'un marché** et non pas des phases du cycle de vie d'un produit, dont la description s'apparente souvent à cette nomenclature.

De plus, puisque selon la conception du marché proposée dans cet ouvrage, les aspects de l'offre et de la demande sont essentiels à une définition utile du marché, les phases d'évolution du marché doivent donc nécessairement se référer à la fois aux comportements des acheteurs et à ceux des firmes rivales au sein de ce marché.

Il arrive qu'un marché passe par toutes les phases de cette dynamique d'évolution à un rythme rapide. D'autres se maintiennent plus longtemps en phase de maturité ou de saturation, sans jamais passer à la phase de déclin. Ainsi, le marché de l'automobile est en phase de saturation depuis au moins vingt ans en Amérique du Nord sans montrer de signes de déclin.

Comme le montre la figure 4.3, certains marchés naissent et meurent sans jamais connaître toutes ces phases de développement. Par contre, certains marchés en phase de maturité ou de saturation connaissent, soit à cause de mutations dans les valeurs sociales, soit en vertu d'innovations technologiques, une deuxième jeunesse, une nouvelle phase de croissance.

Des marchés comme ceux de la bicyclette, du ski alpin, du golf ou du transport en commun en Amérique du Nord, qui se trouvaient en phase de saturation et même de déclin à une certaine époque, ont connu et connaissent encore pour certains une nouvelle phase de croissance résultant d'une évolution des valeurs, de la démographie et de l'innovation de produits. On utilise le terme «dématuration du marché» pour désigner ce phénomène, spontané ou suscité par les démarches des entreprises, qui transforme un marché en maturité en un marché en croissance.

La figure 4.4a décrit de façon stylisée la relation conceptuelle entre les phases du marché, le volume de ventes et le taux de participation au marché parmi une population cible. Le taux de participation se mesure par la **proportion d'une population ciblée qui a «acheté» le produit, service ou concept au moins une fois et qui l'utilise encore**, ce qui indique donc son intention de racheter en temps opportun le produit, service ou concept. La définition de la «population ciblée» dépend évidemment de la nature du produit, service ou concept, et pose habituellement peu de problèmes en pratique.

Le taux maximal de participation qu'atteindra un nouveau produit représente une donnée cruciale qui déterminera la taille de ce marché en phase de maturité et de saturation, et donc sa durée et sa rentabilité à long terme.

Ce taux maximal de participation sera fortement influencé par les efforts collectifs des firmes pour offrir des produits de qualité et en promouvoir énergiquement l'utilisation, ainsi que par l'établissement de prix qui facilitent l'adoption de ces produits par la population ciblée et favorisent des comportements de substitution au sein de celle-ci.

Le phénomène d'adoption mis en branle par un nouveau produit, service ou concept, à condition qu'il ne soit pas mort-né, sous-tend, par son ampleur et sa vitesse de propagation, la dimension ultime du marché et son rythme de développement. Il faut bien noter que c'est le taux d'adoption, d'utilisation et d'abandon d'un produit, service ou concept qui définit les phases du marché et non pas les variations du volume de ventes.

La figure 4.4a illustre comment le chiffre de ventes annuel exprimé en unités peut être beaucoup plus volatil que le taux de participation. Ce phénomène, vrai en général, est particulièrement marqué pour les biens durables. Au cours de la phase de croissance du marché, les

Figure 4.4a   Phases du marché selon l'évolution typique du taux de participation et du chiffre de ventes

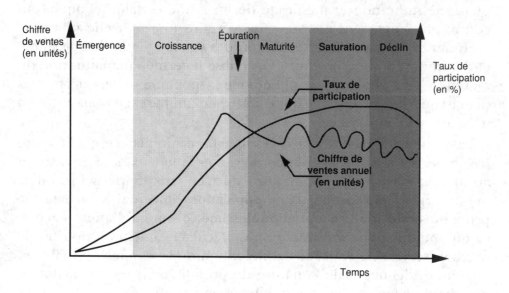

ventes totales résultent non seulement du processus dynamique de diffusion et d'adoption par de nouveaux acheteurs, mais aussi des achats répétés de ceux qui ont fait l'acquisition plus tôt du nouveau produit. Lorsque le taux d'adoption de ce nouveau produit commence à chuter, le marché est de plus en plus constitué des achats de remplacement, achats qui sont soumis à un cycle donné et aux pressions des produits usagés, s'il y a lieu.

Dans la suite de cette section, nous décrivons chacune des phases d'évolution du marché en ajoutant à la figure 4.4a les comportements de coûts et de prix selon les différentes circonstances qui ont donné naissance au marché.

Les figures 4.4b et 4.4c illustrent les phénomènes de ventes et de taux de pénétration pour les marchés de certains biens durables. Il faut noter comment les variations enregistrées par les ventes de motoneiges, par exemple, sont beaucoup plus fortes que les variations du taux de participation. Ce dernier paramètre indique que le déclin relatif de ce marché ne débuta qu'en 1980 pour se stabiliser en 1987.

Figure 4.4b Ventes nord-américaines pour certains biens de consommation durables (1968-1989)

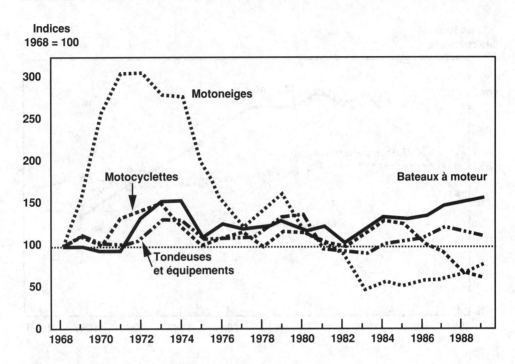

4.4.1 La phase d'émergence

Dans le cadre de cette phase, un nouveau produit, service ou concept est proposé aux acheteurs dans un **marché géographique donné**. Il peut s'agir d'un nouveau produit, d'un produit en maturité ailleurs mais nouveau dans cette région ou zone géographique, ou encore d'un nouveau concept, d'une nouvelle façon de produire et de distribuer un produit ou service qui est déjà disponible mais qui acquiert ainsi un caractère de nouveauté aux yeux de l'acheteur.

Un nouveau concept, tout comme un nouveau produit, peut susciter un phénomène d'adoption et définir un nouveau marché sans commune mesure avec celui associé aux anciennes façons de procéder. Par exemple, McDonald's proposa un nouveau concept pour un vieux produit, le hamburger et les frites, et créa un nouveau marché autour de ce concept.

Enfin, c'est durant cette phase d'émergence que le prix relatif du nouveau produit, si ce dernier doit faire tous ses frais, sera souvent

Figure 4.4c   Taux de participation des ménages pour certains biens de consommation durables (Canada, 1971-1989)

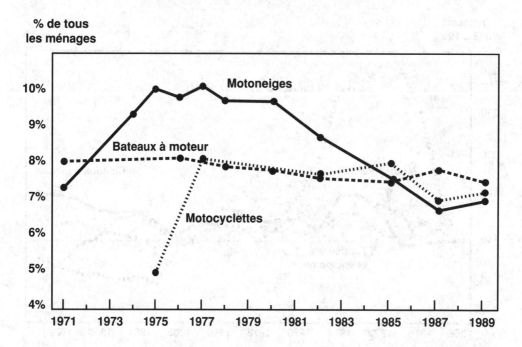

trop élevé pour susciter le niveau de demande qui lui ferait bénéficier des économies d'échelle, des courbes d'apprentissage et d'autres effets de volume. C'est pourquoi une option stratégique à considérer pour cette phase consiste à fixer le prix en fonction du niveau des coûts qui peut être atteint avec une demande plus considérable, laquelle est présumément suscitée par un prix plus modique. Si l'on ajoute à cette stratégie de prix des investissements importants en publicité et en promotion pour stimuler la demande et les comportements de substitution, nous venons de décrire une stratégie de création et de domination du marché, ce dont nous avons traité brièvement au **chapitre 3** et que nous disséquerons au **chapitre 5**.

Par contre, si la firme proposant un nouveau produit ou concept jouit d'avantages techniques protégés tels que des brevets, ou incontournables à court terme tels que le savoir-faire et les technologies en propriété exclusive et difficiles à imiter, elle pourra choisir une politique de prix et de distribution qui vise les acheteurs les plus intéressés au produit et les moins sensibles au prix. Cette politique d'«écrémage» des marchés (*market skimming*) produira évidemment un rythme beaucoup plus lent de développement du marché mais peut se traduire, selon les facteurs économiques spécifiques au produit ou au marché, par une récupération plus rapide des investissements associés au nouveau produit. En plus des ressources financières nécessaires à une telle stratégie de prix, les critères qui sous-tendent le choix en faveur d'une option de «prix de pénétration» portent évidemment sur la rapidité et la facilité avec laquelle le nouveau produit, service ou concept peut être imité par des firmes rivales ainsi que sur le rythme de réduction des coûts unitaires selon l'augmentation du volume de production.

4.4.2 La phase de croissance

Après les tâtonnements, le rodage et les ajustements qui caractérisent la phase d'émergence, le nouveau produit, service ou concept trouve preneur auprès d'une clientèle bien disposée envers la nouveauté.

Cependant, à moins de se gagner assez rapidement les faveurs d'un groupe plus large d'acheteurs, le nouveau produit sera un échec. Pour comprendre le succès ou l'échec de nouveaux produits, il faut examiner les facteurs qui alimentent les comportements de diffusion, d'essai et d'adoption de l'innovation.

Le nouveau produit, service ou concept répond-il mieux que les produits disponibles aux attentes et besoins des acheteurs, ou encore propose-t-il une nouvelle forme de satisfaction de besoins latents? Offre-t-il une relation valeur / prix qui soit supérieure à celle de substituts disponibles pour satisfaire aux mêmes besoins génériques de l'acheteur?

Le nouveau produit est-il appuyé par suffisamment de ressources de marketing et offre-t-il une valeur ajoutée suffisante pour percer dans la cohue de la «nouveauté», pour secouer l'indifférence des consommateurs et les amener à changer leur **routine d'achat**?

Offre-t-il une qualité et un niveau de satisfaction qui suscitent le rachat du produit par ceux qui se le sont procuré une première fois?

S'il passe les divers tests qu'imposent nos économies modernes aux nouvelles initiatives, le produit, service ou concept innovateur déclenchera un phénomène de diffusion plus ou moins vigoureux. À un rythme croissant, de nouveaux acheteurs essaient le nouveau produit, service ou concept en l'achetant pour la première fois. Durant cette phase du marché, le taux de participation et les ventes du produit, service ou concept augmentent à un taux croissant, c'est-à-dire que, d'une période à l'autre, le **taux de croissance augmente** constamment.

Comment se jouera la partie du côté de l'offre dépend entièrement des circonstances qui ont donné naissance à ce nouveau marché. Distinguons trois situations.

1. Le nouveau produit, service ou concept provient d'un autre marché géographique, où il a d'abord été lancé et qui a maintenant atteint une phase avancée de développement. La firme qui fait la promotion de ce produit, service ou concept dans un nouveau marché géographique jouit de l'expérience et des compétences acquises dans sa zone géographique d'origine et tire avantage des investissements, déjà en partie amortis, engagés pour y développer le produit et sa technologie propre.

   Dans ces circonstances, la concurrence la plus forte aura tendance à provenir de firmes qui offrent également ce produit, service ou concept dans le marché d'origine, bien que celles-ci tardent souvent et curieusement à se manifester.

   Des entrepreneurs locaux feront bien sûr quelques tentatives pour faire concurrence à ce nouveau produit, service ou concept, soit en copiant ses aspects les plus manifestes et souvent superficiels, soit en invoquant la supériorité locale, la tradition et la solidarité sociale. Ces parades n'ont guère de succès lorsque le nouveau produit, service ou concept offre une réelle valeur ajoutée aux acheteurs visés.

   La figure 4.5 montre les relations prix / coûts qui sont typiques de la situation décrite jusqu'ici, mais selon deux possibilités : la firme doit investir des sommes importantes pour adapter le produit et en faire la promotion dans ce nouveau marché géographique, ou la firme peut commercialiser le même produit sans avoir à engager de frais de lancement élevés. Dans les deux cas, elle devra établir s'il vaut mieux « écrémer le marché » par une politique de prix élevés ou accentuer le rythme de pénétration du produit par une politique de prix plus faibles. Selon que la firme optera pour l'une ou l'autre option, le taux de participation croîtra à un rythme très différent.

Figure 4.5   Dynamique de la demande et des coûts associés à un produit, service ou concept

Durée et volume total (échelle logarithmique)

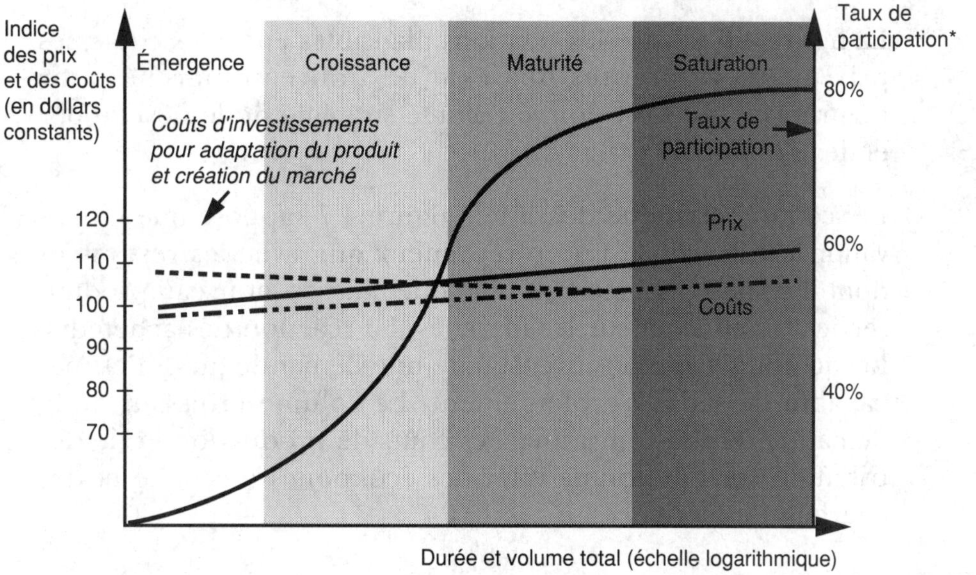

* % de la population ciblée ayant acheté le produit au moins une fois et l'utilisant encore

2. Le nouveau produit, service ou concept est proposé par une firme qui, sans être forcément celle qui a conçu cette innovation, possède la **conviction** quant au potentiel de ce nouveau marché ainsi que les ressources nécessaires pour se lancer dans une stratégie de création et de domination du marché.

La firme est alors engagée de façon irréversible envers ce marché, y fait des investissements préalables et concomitants du lancement du produit, service ou concept. Ces investissements, en partie irrécupérables, visent à mettre en place un système de production et de distribution performant et à appuyer le nouveau produit, service ou concept d'efforts promotionnels et publicitaires ainsi que d'un prix de lancement qui accélèrent le phénomène de diffusion et le rythme de premier essai ou de premier achat du produit, service ou concept.

Dans de telles circonstances, le nombre de firmes rivales qui entreront dans ce nouveau marché durant la phase de croissance sera relativement faible. Les risques financiers étant importants et les stratégies de prix et de publicité adoptées par la firme innovatrice laissant peu de marge économique dans l'immédiat, seules des firmes ayant les ressources et les compétences adéquates se hasarderont sur ce nouveau marché. La phase d'**épuration** ne sera donc pas très sensible.

La figure 4.6 illustre les relations plausibles entre les coûts, les prix et les différentes phases d'un nouveau marché pour l'entreprise qui s'est donné comme stratégie de le développer et de le dominer.

3. Le scénario classique décrit à la figure 4.7 suppose que l'innovation est le fruit d'un entrepreneur qui, avec les ressources dont il dispose, pousse tant bien que mal son nouveau produit, service ou concept sur les marchés. La réaction des acheteurs, lorsqu'elle s'avère positive, suscite une demande qu'il n'est pas capable de satisfaire pleinement. Le volume croissant de la demande tend à comprimer les coûts de production et de distribution sous le double effet des économies d'échelle et des courbes d'expérience.

Figure 4.6 Dynamique associée à la stratégie de création et de domination de marché*

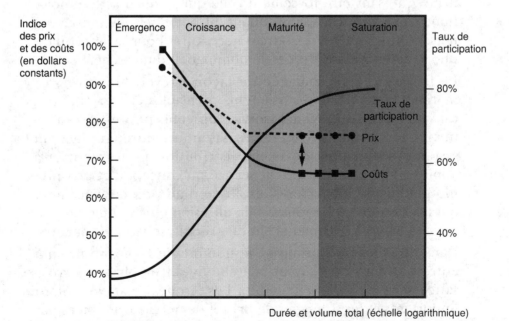

* Données hypothétiques

Figure 4.7 Dynamique de la demande, des prix et des coûts associés aux différentes phases d'évolution d'un marché selon le modèle classique de l'innovation de produit*

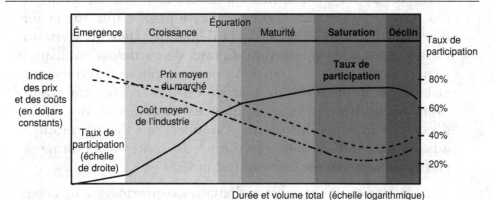

* Données hypothétiques

L'entrepreneur-innovateur donne à son entreprise toute l'expansion que lui permettent ses propres ressources et celles qu'il peut réunir, mais rarement dispose-t-il des moyens et des compétences nécessaires pour verrouiller le nouveau marché qu'il a créé. La forte demande pour le nouveau produit et son incapacité d'y satisfaire pleinement font que les prix ne chutent pas aussi rapidement que les coûts de fabrication.

Les fortes marges bénéficiaires, la croissance rapide des ventes et l'absence d'entraves importantes, telles que brevets et autres, à l'entrée de concurrents font qu'un grand nombre d'entrepreneurs viennent tenter leur chance sur ce nouveau marché.

Selon les capacités **collectives** des firmes de fournir un produit de qualité et de stimuler la demande **primaire,** selon les caractéristiques intrinsèques du nouveau produit, service ou concept, le taux de participation parmi la population ciblée augmentera plus ou moins rapidement et atteindra un taux maximal qui se situera parfois bien en deçà de ce qui aurait été possible si les firmes rivales avaient mieux soigné ce nouveau marché, s'étaient donné des politiques de prix et de promotion plus vigoureuses, et avaient offert une meilleure qualité de produit et un rythme d'innovation plus dynamique.

Dans ce scénario classique, la fin de la phase de croissance survient de façon inattendue et brutale pour les firmes en place. Comme elles estiment le niveau des ventes futures par des projections fondées sur les taux de croissance des dernières années, les firmes anciennes et nouvelles ajoutent une capacité de production qui ne se justifie que sur la foi d'une croissance continue de la demande. Dans le scénario classique, **au point d'inflexion du taux de participation**, lequel représente le point de transition entre la phase de croissance et la phase de maturité, le marché est desservi par un grand nombre de firmes aux compétences variables et aux coûts d'exploitation très divergents. Comme nous l'avons montré aux figures 4.4b et 4.4c, le volume de ventes a tendance à chuter de façon subite à ce point donné.

Afin de conserver un volume d'affaires conforme à leur capacité de production, les firmes les plus efficaces, dont les coûts d'exploitation sont inférieurs au coût moyen de l'industrie, réduisent leur prix de façon importante. Alors, impitoyablement et rapidement, les firmes les moins efficaces seront éliminées du marché alors que d'autres tenteront par fusion et acquisition de se donner la taille et le volume nécessaires pour y survivre.

La phase d'**épuration**, dans le scénario classique, est courte, dramatique et inévitable, quoique toujours surprenante pour les entrepreneurs optimistes et les observateurs peu avertis. Elle aboutit à une structure de marchés où évoluent quelques firmes de force économique à peu près égale qui tenteront de différencier leur offre de produits et qui se feront une féroce concurrence durant les phases de maturité et de saturation du marché.

4.4.3 La phase de maturité

Cette phase est caractérisée par un taux de participation qui continue d'augmenter mais à un **rythme décroissant**. La proportion des ventes totales à de nouveaux acheteurs diminue constamment et rapidement. Le marché est constitué à plus de 50 % d'acheteurs qui remplacent le produit ou répètent leur achat. Le taux d'abandon, c'est-à-dire la proportion de ceux qui ont acheté au moins une fois le produit, service ou concept mais n'en font plus usage et ne le rachèteront donc pas, est habituellement faible à ce stade, mais peut déjà être appréciable.

Le marché qui a atteint la phase de maturité commence à se fragmenter en segments d'acheteurs aux goûts et aux préférences plus ou moins clairement démarqués les uns des autres. La gamme des attributs et bénéfices associés au produit se combine en de multiples arrangements d'acheteurs dont la perception du produit idéal varie selon leur expérience concrète et répétée du produit, les conditions différentes d'utilisation du produit, leur niveau de sensibilité aux attributs du « produit total », soit le service, les garanties, la qualité des circuits de distribution, etc., ainsi que les efforts des firmes rivales pour différencier leur offre.

Ce phénomène inévitable de segmentation du marché comporte plusieurs conséquences d'une grande portée stratégique.

1. Dans la mesure où les phases d'épuration et de maturité auront abouti à une structure industrielle fortement concentrée sur quelques firmes rivales aux ressources suffisantes pour se confronter au sein de l'ensemble du marché, le phénomène de segmentation demeurera relativement longtemps occulte et peu sensible. Ces firmes tenteront de se différencier les unes des autres en prétendant offrir un produit supérieur selon tous les critères de choix importants pour les acheteurs. Chaque firme cherchera alors à rassembler le plus grand nombre d'acheteurs derrière son produit, service ou concept **unique**. Nous traiterons de cet aspect du marché à la section 4.6 de ce chapitre.

   Évidemment, au fur et à mesure que s'accentuent et se campent les différences entre acheteurs, cette approche du marché sera de moins en moins soutenable, comme nous le verrons d'ailleurs plus loin.

2. Par contre, si, en phase de jeune maturité, la structure industrielle est constituée de plusieurs entreprises aux ressources différentes et d'une envergure géographique variable, ces dernières ne pourront pas toutes espérer couvrir l'ensemble du marché. Leurs efforts pour survivre seront axés dans plusieurs cas sur la recherche active de créneaux et de segments d'acheteurs auxquels elles pourront offrir un produit mieux adapté à leurs attentes. Ce faisant, toutes les firmes

devront reconnaître que le marché est segmenté et ajuster leur stratégie en conséquence.

Les firmes qui en ont les ressources voudront offrir une gamme de produits adaptés aux différents segments d'acheteurs et se donner une plus grande envergure géographique. Elles s'efforceront de créer ainsi des avantages économiques et stratégiques qui pourraient leur permettre de bousculer et d'éliminer les firmes concentrées sur un seul segment d'acheteurs ou sur une seule région géographique.

3. Si le phénomène de segmentation est bien réel en phase de maturité et de saturation, la démarcation des segments s'avère un processus souvent difficile et problématique en pratique. Les méthodes de recherche auxquelles on fait appel pour établir les segments d'acheteurs dans un marché donné restent très imparfaites.

Malgré tous les raffinements méthodologiques apportés au cours des ans, l'hétérogénéité des perceptions, des préférences et des processus d'achat des acheteurs peut être telle qu'il devient difficile de réduire cette diversité à quelques segments utiles et valides, et d'en établir solidement les frontières (Allaire, 1973).

De plus, les segments de marché ont tendance à être en mouvement et à se redéfinir au gré des **offres** de produits des firmes rivales. Souvent les segments de marché apparaissent plus clairement *a posteriori* lorsque des groupes d'acheteurs affichent, au vu et au su de tous, des comportements très différents face aux offres de produits et aux stratégies des firmes. Ces segments, alors évidents, serviront de fondement aux stratégies des firmes jusqu'à ce que l'une d'elles, par le biais de la recherche, par chance ou simplement grâce à son flair, trouve une nouvelle façon de segmenter le marché.

Il est souvent difficile en pratique d'établir quels sont les segments **latents** dans un marché donné pour les mêmes raisons qu'il est téméraire de tenter d'établir le marché potentiel pour un nouveau **concept** de produit par le biais d'une recherche de marché. Le caractère hypothétique de la démarche et l'absence de points de référence concrets font que les acheteurs donnent aux chercheurs une réaction artificielle d'une validité douteuse.

Aussi est-il plus facile et plus fréquent d'établir une **typologie** des acheteurs qu'une véritable segmentation des marchés. Une typologie ne fait que classer les acheteurs selon leurs caractéristiques socio-économiques et d'achat du produit. Par contre, une segmentation du marché signifie la capacité de **discriminer** entre acheteurs selon leurs réactions ou, plus précisément, selon l'élasticité de leur demande aux différents attributs du produit ou aux décisions de la firme en matière de prix, de distribution, de promotion ou de publicité.

Enfin, une segmentation du marché, quoique possible, peut en certains cas ne pas être «opérationnelle», et ce pour trois raisons. D'abord, la valeur attribuée par l'acheteur aux différents bénéfices qui pourraient démarquer un segment doit être mise en relation avec les coûts que la firme devra engager pour lui offrir ces bénéfices spécifiques. La dynamique économique de la segmentation, souvent complexe comme nous le verrons aux sections 4.6, 4.7 et 4.8, peut rendre irréalisables certains types de segmentation. D'autre part, les segments peuvent s'exclure les uns les autres, c'est-à-dire qu'il est impossible pour une même firme de tenter de desservir deux segments différents, comme c'est souvent le cas pour les produits haut de gamme. La même firme ne peut prétendre desservir à la fois ce segment et le segment bas de gamme. Donc, même si la segmentation des marchés est claire et bien établie, il ne lui est pas possible d'exécuter une stratégie de segmentation. Enfin, il peut être difficile de faire la distinction entre les acheteurs faisant partie de l'un ou l'autre segment et donc de définir une offre différente pour des segments différents d'acheteurs.

4.4.4 La phase de saturation

Le taux de nouveaux acheteurs est maintenant faible et en équilibre relatif avec le taux d'abandon. Les ventes de remplacement représentent plus de 85 % de l'ensemble des ventes. Celles-ci sont plus ou moins variables au gré des conditions économiques générales.

La segmentation des marchés, amorcée à la phase précédente, prend maintenant un caractère dominant et inéluctable. Alors que des firmes aux ressources comparables ont pu continuer à se faire concurrence par une différenciation relative d'une offre unique durant la phase de maturité, un tel comportement n'est plus viable à cette phase-ci.

En toute probabilité, de nouvelles firmes spécialisées s'attaqueront à des segments précis d'acheteurs, leur proposeront un concept nouveau, plus performant. D'autres firmes se concentreront sur des segments d'acheteurs négligés des généralistes parce qu'ils sont jugés moins rentables ou sont situés en région périphérique.

Tôt ou tard, toutes les firmes d'envergure doivent se doter d'une stratégie de segmentation dans un marché en phase de saturation. Cependant, cela est plus vite dit que fait. Le passage d'une stratégie de différenciation à une stratégie de segmentation soulève pour l'entreprise un ensemble complexe d'enjeux et de défis, ce dont nous traiterons au **chapitre 5**.

4.4.5 La phase de déclin

La phase de saturation peut durer indéfiniment, c'est-à-dire tant qu'aucun substitut ne répondra mieux et plus efficacement aux besoins associés au produit. Le marché de l'automobile, qui demeure en saturation depuis vingt à trente ans en Amérique du Nord, ne montre encore aucun signe de déclin malgré des efforts importants consacrés pour lui substituer, en partie du moins, les moyens de transport en commun. Cependant, plusieurs marchés atteignent une phase de déclin, soit par l'arrivée de meilleurs substituts mis au point grâce aux innovations technologiques, soit par des changements dans les goûts et les valeurs des consommateurs.

Cette phase de déclin est souvent marquée par une variation importante entre les segments quant au rythme d'abandon du produit, service ou concept, et peut être caractérisée par une forte rentabilité au fur et à mesure que le nombre de firmes rivales diminue et que la menace de nouveaux entrants s'estompe. Le marché de la cigarette constitue un exemple historique de ces phénomènes.

Enfin, il faut bien tenir compte que certains marchés sont caractérisés par des cycles de demande de longue durée et qu'une phase de déclin des **ventes** ne signifie pas nécessairement un déclin du marché. Les marchés de biens d'équipement et d'infrastructures publiques illustrent ces phénomènes de façon probante.

4.5   LA DIMENSION GÉOGRAPHIQUE DU MARCHÉ

Tout marché est délimité géographiquement. Bien sûr, cette démarcation géographique est souvent le résultat de réglementations spécifiques à telle ou telle industrie, ou la conséquence d'entraves au commerce entre régions et pays. Les exemples de ces situations abondent : les services bancaires aux États-Unis, la télédiffusion un peu partout dans le monde, les banques « étrangères » au Canada, les services téléphoniques au Canada et aux États-Unis, le transport par camion entre États (avant la déréglementation aux États-Unis), l'importation de produits et denrées alimentaires en Europe, au Japon et au Canada, les services de transport aérien de passagers et de fret, la production régionale de bière au Canada, etc.

Cette propension à la réglementation et au protectionnisme, phénomène d'une intensité variable selon les époques et les sociétés, joue un rôle important mais familier pour toutes les parties concernées. Une grande part de la stratégie socio-politique des firmes et des producteurs œuvrant dans de tels secteurs, porte sur la façon de maintenir ces restrictions lorsqu'elles leur sont favorables, et de les amoindrir ou les contourner lorsqu'elles leur sont dommageables. Nous traiterons de cet aspect de la stratégie de l'entreprise au **chapitre 7** de ce volume.

Notre propos dans cette section vise plutôt à décrire les facteurs dynamiques, autres que les aspects politiques et juridiques, qui influencent le contour géographique du marché pertinent.

Nous proposons un examen de cette question en quatre étapes :

- Les facteurs de comportements d'achat : de l'infiniment petit à l'infiniment grand (section 4.5.1);

- La dimension variable du marché géographique pertinent pour l'entreprise (section 4.5.2);

- L'envergure géographique du marché et le déploiement stratégique de la firme (section 4.5.3);

- Conclusions sur les facteurs géographiques (section 4.5.4).

4.5.1 Les facteurs de comportements d'achat : de l'infiniment petit à l'infiniment grand

Une question de fond qui concerne tous les marchés est la suivante : « Comment l'acheteur procède-t-il pour acheter ce produit, service ou concept ? » La section 4.6 de ce chapitre aborde cette question de façon globale mais nous voulons ici nous limiter aux aspects de commodité, de proximité ainsi que de coûts de magasinage, ces derniers se mesurant au temps et aux efforts consacrés à l'achat de différents biens et services.

En certaines occasions et pour certains individus dont le nombre n'est pas négligeable, la démarche d'achat peut prendre une **valeur positive** et devenir une forme de loisir. À l'exception de ces cas encore atypiques, l'acheteur cherche normalement et de façon plus ou moins rigoureuse à minimiser le temps et les efforts qu'il estime devoir raisonnablement consacrer à l'achat de différents biens et services.

De toute évidence, les biens que l'on achète peu fréquemment, dont le prix est élevé et qui font courir un risque important à l'acheteur en cas de contre-performance suscitent, toutes choses étant égales par ailleurs, un processus d'achat plus complexe et méthodique ainsi qu'un investissement de temps et d'efforts plus considérable.

Toutefois, même dans ces circonstances, l'acheteur limitera sa démarche d'achat à une certaine zone géographique et ne pourra consacrer qu'un certain temps à la recherche d'information et à l'évaluation de produits. Le temps et les efforts consacrés à l'achat d'un produit spécifique pourront varier entre acheteurs selon leur expérience et leur connaissance du produit, et selon leur situation financière.

Ainsi, du point de vue d'un **acheteur** spécifique, la dimension géographique du marché est toujours **limitée**, quel que soit le produit ou le service, **par son calcul des coûts et des bénéfices** associés au processus d'achat.

On peut bien disserter sur le fait que Coca-Cola et IBM, par exemple, offrent des produits connus universellement et que leurs marchés sont dits « mondiaux » ou « globaux », ces réalités ne définissent pas pour autant le marché géographique pertinent pour un acheteur donné. Un individu intéressé à acheter un système informatique entrera en communication avec les représentants d'IBM et de leurs concurrents dans sa région. Ceux-ci se rendront avec plaisir à ses bureaux, lui feront toutes les analyses utiles et insisteront sur la qualité de leur service après-vente dans la ville ou la région où est située son entreprise. Serait-il plutôt acheteur d'ordinateurs personnels, il cherchera les commerces ou les centres de distribution qui offrent une gamme de ces équipements et sont situés à proximité.

L'individu qui souhaite se procurer du Coca-Cola se rendra, au Canada ou aux États-Unis du moins, chez son dépanneur habituellement situé à moins d'un kilomètre de sa résidence ou en fera l'achat au supermarché selon le rythme d'approvisionnement du ménage. Si ces endroits habituels sont à court de Coca-Cola, l'acheteur pourra se rendre chez un autre marchand même si ce dernier s'avère légèrement moins commode d'accès, pour se procurer sa boisson préférée ou encore acheter une marque rivale dans l'établissement qu'il fréquente habituellement. En fait, la dimension géographique du marché, **du point de vue de l'acheteur de Coca-Cola**, se limite à un **rayon de quelques kilomètres** autour de sa résidence ou en bordure d'un trajet coutumier entre son lieu de travail et son domicile.

Ce sont en fait les caractéristiques et les exigences économiques de l'**offre** qui contribuent à réunir ces multiples **micro-marchés** géographiques en **un** seul marché géographique.

Cet aspect concret du fonctionnement des marchés, souvent mal compris en pratique, leur donne un caractère dynamique et définit des enjeux stratégiques importants.

A) *La notion évolutive de commodité*

Au fur et à mesure des changements sociaux, de l'innovation technologique et des coûts de main-d'œuvre et de transport, la façon d'acheter les produits se transforme profondément et tend à redéfinir, du point de vue de l'acheteur, la dimension géographique du marché pertinent. Ainsi, alors que disparaissent les livraisons du lait et du pain à domicile, apparaissent les achats par téléphone ou par le truchement de la télévision. Les catalogues, ces instruments de vente que l'on pensait périmés, se spécialisent désormais par gammes de produits et par segments d'acheteurs et, combinés au téléphone, offrent un service jour et nuit, sept jours par semaine. Les guichets automatiques hors site des institutions financières, quant à eux, libèrent le client de la tyrannie des heures d'ouverture écourtées et éliminent la relation commodité–proximité physique.

La commodité pour l'acheteur prend souvent la forme de combinaisons optimales de biens et de services rassemblés dans un même lieu physique afin d'offrir à l'acheteur une **commodité d'agrégat** (*cluster convenience*), c'est-à-dire que le temps, le coût et les efforts nécessaires pour se rendre à un lieu d'achat plus éloigné sont économiquement justifiés lorsqu'ils sont « amortis » sur le vaste éventail de biens ou services différents disponibles en cet endroit, ou lorsque le **coût total** des biens ainsi achetés, y compris les « coûts de magasinage », est inférieur au coût total des mêmes biens achetés ailleurs ou en des lieux plus rapprochés.

Ce phénomène décrit évidemment les conditions qui ont contribué au succès non seulement des centres commerciaux en périphérie des grandes villes mais également des magasins-entrepôts (Club Price, Costco, etc.), où l'on offre dans des conditions sommaires et dans des lieux relativement éloignés toute une gamme de produits à très bas prix.

B) *Les monopoles « locaux »*

Il arrive souvent que la très faible dimension du marché géographique, du point de vue de l'acheteur, combinée aux impératifs économiques ou juridiques auxquels le marché est soumis, en fasse un **monopole naturel ou juridique**. Ces situations sont en pratique beaucoup plus fréquentes que ne le laisse supposer un examen superficiel des marchés, particulièrement lorsque l'on se fonde sur des statistiques générales. À titre d'exemple, on peut citer le concessionnaire exclusif dans un stade sportif ou une aérogare dont le bailleur des sites s'approprie souvent la rente de monopole, le dépanneur unique au rez-de-chaussée d'un immeuble résidentiel ou le commerçant qui, bénéficiant des obstacles naturels de terrain ou des règlements de zonage, occupe un site avec lequel aucun concurrent ne peut rivaliser efficacement sur le plan de la commodité d'accès.

Ce sont là des exemples évidents. Par contre, ce phénomène se produit également dans des situations plus subtiles. Supposons que la taille du marché géographique pertinent défini selon la **demande** n'atteigne pas la dimension nécessaire pour qu'on puisse y exploiter

deux établissements rentables de taille minimale efficace (TME). Supposons également qu'il ne soit pas économiquement viable d'importer dans ce marché géographique des biens fabriqués dans un établissement situé dans une autre région.

La première firme à s'établir de façon énergique dans un tel marché pourra alors y jouir d'une situation de monopole virtuel. En effet, les firmes rivales, constatant qu'un établissement de taille minimale efficace est déjà installé dans ce marché, n'auront pas d'autre choix que de concéder ce marché ou d'y établir quand même un établissement tout en sachant que ni eux ni le premier entrant ne feront leurs frais.

À moins d'être raisonnablement convaincus que le premier entrant offre un produit ou un système nettement inférieur, ou ne démontre ni la capacité financière ni la détermination nécessaires pour accepter de fonctionner à perte pendant une période de temps plus ou moins longue, les décideurs rationnels des firmes rivales devront se résigner à choisir la première option qui consiste à concéder le marché.

C'est là un exemple des avantages concrets que peut procurer une stratégie de création et de domination de marché. Parce que ces phénomènes se jouent au niveau de régions, de villes ou de quartiers, ils passent souvent inaperçus dans des analyses globales et sommaires des marchés.

Par exemple, McDonald's est un système d'envergure nationale et même de plus en plus mondiale. On évalue sa part du marché structuré du hamburger aux États-Unis à plus de 50 %. Toutefois, la véritable concurrence se joue **micro-marché par micro-marché**. Ainsi, à Stowe, centre de ski alpin et de résidences secondaires dans les montagnes du Vermont, McDonald's détient **100 %** de ce marché géographique puisque aucun de ses concurrents directs, soit Burger King, Wendy's ou Hardee's, n'y exploite d'établissement, estimant probablement que ce village n'atteint pas la dimension de marché nécessaire pour deux établissements de ce genre.

Ainsi, parmi les critères de sélection de Burger King, on trouve en tête de liste l'exigence qu'un site potentiel soit situé dans une zone d'au moins 30 000 habitants ou donne sur une rue ou un boulevard où circulent au moins 20 000 véhicules par jour.

Un autre exemple nous est fourni par l'entreprise de presse Gannett aux États-Unis qui s'est développée dans un premier temps par l'acquisition de quotidiens situés dans des villes, lesquelles, à cause de leur marché restreint, étaient desservies par un seul quotidien. Dans un deuxième temps, Gannett a conçu un nouveau quotidien, le *USA Today*, qui, grâce à de nouvelles technologies dans ce secteur, regroupe les États-Unis en un **marché géographique unique**.

La firme qui s'engage la première de façon dynamique et irréversible envers un marché géographique bien défini peut se retrouver ainsi dans une situation de domination, voire de monopole virtuel, lorsque ce marché géographique ne peut alimenter qu'un seul système de production ou de distribution de taille optimale.

Ces situations où un marché géographique n'offre de place que pour un seul établissement de taille optimale, donnent souvent lieu à une dynamique spécifique aux marchés cycliques. Une firme dominante y est alors entourée de petites firmes moins efficientes qui accaparent le volume qu'elle ne peut accommoder dans son système durant la phase prospère du cycle économique. Durant cette phase, les prix sont établis à un niveau tel que de petites firmes peuvent y être rentables malgré le niveau inférieur de leur productivité. À ces prix, la firme dominante est évidemment très rentable. Toutefois, durant la phase creuse du cycle, la firme dominante cherche à accaparer tout le volume d'affaires disponible pour maintenir un niveau optimal d'exploitation de son système. Elle détermine donc ses prix en fonction de ses coûts et élimine ainsi une bonne partie des petites firmes. Une analyse fine des marchés révèle souvent de telles structures de marché constituées d'une firme dominante qui alterne entre différentes stratégies dans l'établissement de ses prix, et de petites firmes dont le nombre varie selon les phases du cycle économique.

Nous verrons au prochain chapitre comment la firme Nucor exécute une telle stratégie dans le marché américain des poutrelles d'acier.

C) *La convergence des goûts et des préférences*

Le marché géographique, lorsqu'on le définit selon les attentes et les exigences de commodité de l'acheteur, est toujours de dimension relativement restreinte. Pour offrir un produit, service ou concept qui, pour les besoins d'une production et d'une distribution efficientes, nécessite un volume d'affaires beaucoup plus important que celui d'un micro-marché, une firme doit **réunir un grand nombre de ces micro-marchés** en un seul marché géographique.

La firme doit donc présumer que des acheteurs situés dans différents marchés géographiques afficheront des goûts, des préférences et des comportements d'achat fort similaires. Cette similitude peut soit être intrinsèque, soit résulter de puissants phénomènes de diffusion des innovations, ou encore être le fruit des efforts consacrés par les firmes pour façonner les goûts et les préférences des acheteurs.

Au fur et à mesure que des changements sont survenus dans les **moyens** et les **coûts** de communication et de transport des marchandises, et que les firmes se sont vues forcées d'augmenter leurs investissements pour se doter d'un appareil de production et de distribution à la fine pointe de la technologie, la dimension optimale du marché géographique s'est accrue considérablement au cours des ans, passant de régionale à nationale, puis à internationale. Cette extension du marché pertinent fut amenée, d'une part, par une convergence des préférences et des goûts des acheteurs dans le monde entier et, d'autre part, par l'évolution de la technologie qui a changé la nature et la dynamique des économies d'échelle et d'envergure.

Nous avons noté ci-dessus comment le quotidien *USA Today* se fonde sur la notion d'un marché unique pour tous les États-Unis. Le *Wall Street Journal* à New York, le *London Financial Times*, le *Globe and Mail* à Toronto et *The European* de Robert Maxwell fournissent tous de bons exemples de la façon dont les nouvelles techniques de communication par satellite, d'impression et de distribution des quotidiens ont transformé ce qui était naguère de multiples marchés locaux en un marché national ou international. Nous verrons plus loin comment un phénomène semblable s'est manifesté dans le marché de la bière aux États-Unis.

4.5.2. La dimension variable du marché géographique pertinent pour l'entreprise

Il arrive souvent que la taille optimale du marché géographique diffère selon les différentes composantes ou activités d'un système stratégique. En fait, il s'agit là de la variante géographique du phénomène décrit au **chapitre 3** (en particulier au tableau 3.2) selon lequel les différentes activités ou opérations d'un même système de production et de distribution peuvent être caractérisées par des tailles minimales efficaces (TME) très différentes.

Dans sa variante géographique, ce phénomène peut mener à une définition variable du marché pertinent selon les différentes composantes du système de l'entreprise. Cette réalité est plus facile à saisir par un exemple concret.

Tous les grands réseaux de commerce de détail à large envergure géographique, entre autres les *power retailers* du **chapitre 2**, que ce soit McDonald's, Home Depot, Toys R Us, Club Price, Canadian Tire ou les pharmacies d'escompte Jean Coutu, sont fondés sur une définition variable et parfois originale du marché géographique.

Prenons Toys R Us à titre d'exemple, puisque nous traiterons au **chapitre 5** de la stratégie de ce grand spécialiste américain de la vente au détail de jouets. Les composantes critiques du système Toys R Us font appel à une dimension géographique d'envergure croissante et s'énumèrent comme suit:

- Activité 1: La taille et l'emplacement de ses établissements de vente.
- Activité 2: Le niveau des efforts de publicité et de promotion.
- Activité 3: Le réseau d'entrepôts nécessaires pour approvisionner ses établissements selon des délais serrés.
- Activité 4: Les systèmes informatiques de gestion des stocks et de contrôle des flux financiers.
- Activité 5: Les achats auprès des fabricants de jouets.

L'activité 1, soit la taille et l'emplacement d'un établissement, fait appel à un marché géographique d'environ 500 000 habitants, qui représente une sous-région des grandes régions urbaines aux États-Unis ou au Canada. Ce marché géographique optimal fut établi de façon à maintenir un équilibre entre le volume potentiel de ventes de jouets dans une zone géographique donnée, la distance que l'acheteur devait et voulait parcourir pour se rendre à un grand établissement spécialisé, et la dimension de l'établissement nécessaire pour offrir une large gamme de produits. Ces décisions compensatoires (*trade-offs*) entre la taille de l'établissement, la distance moyenne parcourue par l'acheteur et l'étendue de la gamme de produits sont fondamentales et tiennent compte du marché géographique, tel qu'il se définit par les calculs des coûts et des bénéfices que font les acheteurs. De façon précise, la compagnie Toys R Us estime qu'elle peut s'approprier de 30 à 40 % de tout marché géographique qu'elle investit avec son système. Si l'on se fonde sur des dépenses *per capita* pour les jouets de quelque 50 dollars américains (1988), une telle cible se traduit par des ventes par établissement variant entre 7,5 et 10 millions de dollars.

L'activité 2, soit la publicité et la promotion des établissements, prend comme dimension géographique la zone de diffusion des médias (télévision, radio et journaux) pertinents. D'une part, Toys R Us, conformément aux choix décrits plus haut, est absente de tous les marchés géographiques de moins de 500 000 habitants et la couverture-médias ne peut donc pas être nationale. Par contre, cette stratégie ne peut se limiter au marché géographique pertinent pour un établissement sans donner lieu à des pertes d'efficacité, puisque les médias en région urbaine ont une couverture plus large que le marché propre à un établissement. Le marché pertinent pour cette activité se définit donc par la couverture des médias régionaux, ce qui signifie que Toys R Us installe **simultanément** le nombre d'établissements nécessaires pour pénétrer chacune des sous-régions d'une grande région urbaine. La firme réunit ainsi **quatre**, **cinq** ou **six** marchés pertinents pour chaque établissement et constitue ainsi **un marché** géographique de deux à trois millions d'habitants aux fins de sa publicité et de sa promotion.

Pour l'**approvisionnement** de ses établissements, la société Toys R Us établit le marché optimal comme étant composé des marchés géographiques qui peuvent être reliés à un entrepôt situé à moins de 24 heures de route par camion. Cela signifie que le marché pertinent pour chaque entrepôt comprend quatre ou cinq marchés régionaux desservis par plus d'une vingtaine d'établissements.

Quant aux **systèmes informatiques de gestion et de contrôle**, la firme a investi massivement dans une technologie de pointe qui lui permet d'obtenir des informations en temps réel sur les ventes et les stocks de tous ses établissements.

Ce coûteux système relie **tous** les établissements de Toys R Us en un réseau intégré de gestion et de contrôle. Donc, le marché pertinent pour cette activité est constitué de toutes les grandes régions urbaines aux États-Unis et au Canada, et rassemble en un seul marché les quelque **400** marchés sous-régionaux qui représentent chacun le marché pertinent d'**un** établissement Toys R Us.

Pour l'activité 5, soit **les achats auprès des fournisseurs**, il est évident que cette activité est d'envergure mondiale et que le volume d'affaires total et le taux de croissance réalisé par le réseau Toys R Us lui confèrent une influence exceptionnelle auprès des fabricants de jouets. Cette société peut en effet obtenir de meilleurs prix, de meilleurs délais de livraison, des garanties de réapprovisionnement, un premier droit de refus et d'essai de nouveaux produits, une liaison électronique (EDI) avec ses fournisseurs, etc.

La figure 4.8 rend compte de certaines des relations décrites ci-dessus.

Figure 4.8   Illustration de la dimension optimale du marché géographique selon les activités d'un système stratégique : Toys R Us

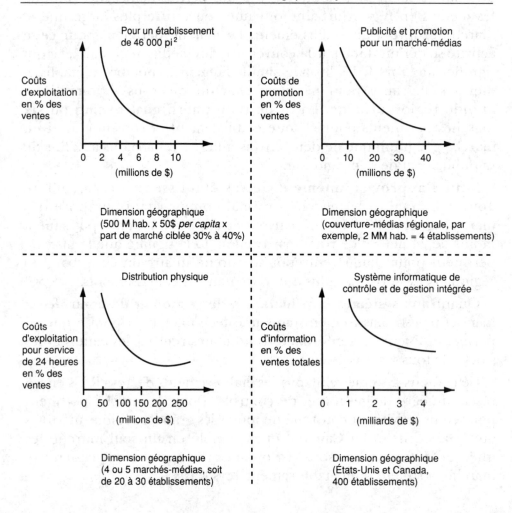

Il faut également noter ici l'aspect **réseau social** des marchés. Pour un fabricant de jouets, le test ultime de la valeur de son produit repose sur les millions d'acheteurs qui auront à faire un choix comparatif entre des produits concurrents. Cependant, la décision de Toys R Us d'acheter et d'appuyer son produit, d'en faire la promotion, de lui assigner un espace favorable dans ses établissements, fera souvent la différence entre le succès et l'échec d'un produit.

Le fabricant de jouets doit donc établir un réseau de communication et d'information avec ces quelques grandes sociétés de commerce de détail qui représentent une grande partie du marché, et ce pour bien connaître leurs attentes, leurs humeurs et leurs besoins.

En tant qu'**acheteur** de jouets, la société Toys R Us définit le marché comme étant «mondial», c'est-à-dire qu'elle doit connaître, stimuler et évaluer les offres de fabricants situés dans différentes parties du monde, mais avec une forte concentration aux États-Unis et dans le Sud-Est asiatique.

Voilà donc comment le marché géographique pertinent peut varier selon les différentes composantes d'un même système stratégique. C'est ainsi que les firmes, dans leur quête d'efficacité et de rentabilité, cherchent à assembler plusieurs petits marchés géographiques, chacun étant pertinent pour un groupe d'acheteurs, en des marchés de plus en plus vastes. Ce rassemblement est en effet nécessaire pour tirer pleinement avantage des phénomènes de coûts et pour donner au système toute sa force économique.

4.5.3 L'envergure géographique du marché et le déploiement stratégique de la firme

Les considérations présentées aux sections 4.5.1 et 4.5.2 font clairement état des facteurs dynamiques qui peuvent modifier les frontières des marchés géographiques pertinents. Sous la pression des comportements des acheteurs et surtout à cause des changements affectant les aspects économiques de la fabrication, du marketing et de la distribution, les firmes œuvrant dans des secteurs précis doivent déployer un système stratégique qui englobe une zone géographique de plus en plus vaste.

Ce déploiement, qui émane d'une recherche d'économies d'échelle et d'envergure ainsi que d'un effort de rentabilisation des actifs tangibles et intangibles de la firme, peut prendre quatre formes différentes :

1. Une **simple exportation** de biens d'un marché géographique vers un autre.

2. L'**établissement d'unités** pour l'assemblage final ainsi que la prestation de services de vente et de distribution dans un nouveau marché géographique encore alimenté principalement par les opérations dans le marché géographique d'origine.

3. La **mise en place**, graduellement et selon un échéancier plus ou moins précis, d'un **système** qui couvrira éventuellement un vaste marché géographique, une fois que l'on aura procédé à l'unification progressive de marchés géographiques beaucoup plus restreints. L'exemple de Toys R Us ci-dessus illustre bien ce type de déploiement progressif (*roll-out*). Il a en effet fallu plus de **dix** ans à Toys R Us pour se donner une couverture de tous les marchés urbains aux États-Unis et au Canada.

Tous les grands systèmes stratégiques dans le secteur du commerce de détail ont effectué leur déploiement géographique au rythme maximal que leur permettent leurs ressources financières et humaines. Leur performance économique dépend à un haut degré de cette couverture rapide des marchés géographiques qui rentabilise leur investissement initial et qui protège leur stratégie de premier entrant dans tout marché géographique. À cette fin, ces systèmes stratégiques sont habituellement rodés, programmés et uniformisés jusque dans leurs plus petits détails de façon à faciliter la croissance rapide du nombre d'établissements. Enfin, la méthode du « franchisage » sert souvent à accélérer le rythme d'expansion d'un nouveau concept.

4. La **conception d'un système** de production et de distribution qui modifie le périmètre du marché géographique pertinent. Par exemple, l'évolution de la technologie change la dimension de l'unité de production optimale, les coûts de communication et de transport des biens chutent de façon importante à la suite d'innovations techniques et de la déréglementation de ces industries, la dynamique de la publicité à la télévision offre aux annonceurs nationaux des avantages de coûts importants par foyer rejoint comparativement aux annonceurs régionaux ou locaux.

Le marché de la bière aux États-Unis illustre bien ce phénomène de redéfinition du marché pertinent. Au tout début, ce marché était composé de nombreux marchés régionaux et locaux où s'affrontaient quelques firmes locales. Une multitude de brasseurs exploitaient des établissements d'envergure locale ou régionale, sans aucun lien avec les entreprises situées dans d'autres marchés géographiques.

Au cours des années soixante apparurent de nouveaux procédés de fabrication nécessitant des investissements et des volumes de production plus importants, mais permettant de réduire les coûts d'exploitation. En combinant la TME de ces systèmes de production aux **coûts de transport** du produit, on en vint à établir que les États-Unis comportaient **cinq** ou **six** marchés régionaux et que, pour mettre sur pied un système de production optimal dans l'un ou l'autre de ces marchés régionaux, il fallait en obtenir une part de 20 à 30 % (voir Scherer, 1978).

Par ailleurs, les aspects économiques de la publicité aux États-Unis font en sorte qu'un message publicitaire diffusé sur une chaîne de télévision d'envergure nationale est de deux à trois fois plus efficient (coût par auditeur rejoint) que la publicité locale, sans compter tous les nombreux autres avantages que procure un gros budget de publicité, soit une meilleure grille horaire pour les annonces, des escomptes discrets, l'accès au meilleur personnel de création, etc. En conséquence, on a vu apparaître trois ou quatre grandes entreprises qui proposaient des marques nationales par le truchement de campagnes de publicité télévisée intensives et fabriquaient leur produit au sein de chacun des cinq ou six marchés régionaux dans des établissements disposant d'équipements à la fine pointe de la technologie. Ces systèmes stratégiques (Anheuser-Busch, Miller, etc.) visent une part du marché **global** qui leur procure un niveau optimal d'utilisation de leurs cinq ou six unités de fabrication situées en région.

En quelques années, d'un marché géographique régional desservi par quelques firmes locales, le marché de la bière est devenu national pour ce qui est de la publicité et de la notoriété des marques, et suprarégional (cinq ou six grandes régions) en ce qui concerne la fabrication et la distribution.

Cependant, il demeure constitué de milliers de micro-marchés de très petites dimensions géographiques lorsqu'il est défini du point de vue d'un acheteur qui cherche à se procurer sa marque de bière préférée.

Cette redéfinition du marché a eu pour effet d'éliminer un grand nombre de firmes locales, de susciter des fusions et des acquisitions, et de pousser certaines firmes régionales aux solides assises financières à se donner une envergure nationale. Les avantages de coût et de compétitivité inhérents aux systèmes stratégiques d'envergure nationale leur ont permis d'exercer des pressions sur toutes les autres firmes de moindre envergure. Celles qui n'ont pas su trouver un créneau leur assurant une relative imperméabilité aux attaques des systèmes stratégiques d'envergure nationale sont rapidement disparues du marché.

Cependant, cette recherche de tous les effets économiques positifs engendrés par l'envergure de marché a mené à une forte différenciation de l'**image** des produits mais a donné lieu à une relative homogénéisation et à une variété limitée dans les offres de produits concurrents.

Cela est souvent une conséquence de la recherche des effets de taille et d'envergure dans des systèmes de production et de distribution qui n'offrent leurs bénéfices économiques qu'en échange d'une standardisation du produit et d'une restriction dans la variété de marques techniquement différentes. Comme le montre la figure 4.9, l'approche traditionnelle fournit un niveau optimal de coûts avec une diversité limitée de produits dans un même système de production et de distribution. Au cours des dernières années, on a tenté de mettre en place des systèmes plus flexibles qui peuvent répondre aux exigences de variété des marchés sans augmenter indûment le niveau des coûts. L'atteinte de cet objectif dépend d'une configuration nouvelle de technologies et de procédés de fabrication.

Dans l'approche traditionnelle, la recherche de standardisation et d'homogénéité est inévitablement porteuse de vulnérabilité pour l'entreprise. La faible diversité de l'offre de produits signifie souvent que des segments complets d'acheteurs sont mal desservis, ce qui provoque une saturation prématurée du marché et parfois même son déclin.

Figure 4.9 Diversité, volume et comportement des coûts : l'approche traditionnelle vs un système à haute flexibilité

Approche traditionnelle

Coût unitaire

Coût d'exploitation optimal

Coûts totaux

Coûts de complexité

Coûts d'exploitation

200

100

Faible   100   200   Élevé

← Volume de production →

← Diversité de la gamme de produits →

Système à haute flexibilité

Coût unitaire

Coûts d'exploitation

Coût d'exploitation optimal pour une usine aux procédés de fabrication flexibles

Coûts totaux

Coûts de complexité

200

75

Faible   100   200   Élevé

← Volume de production →

← Diversité de la gamme de produits →

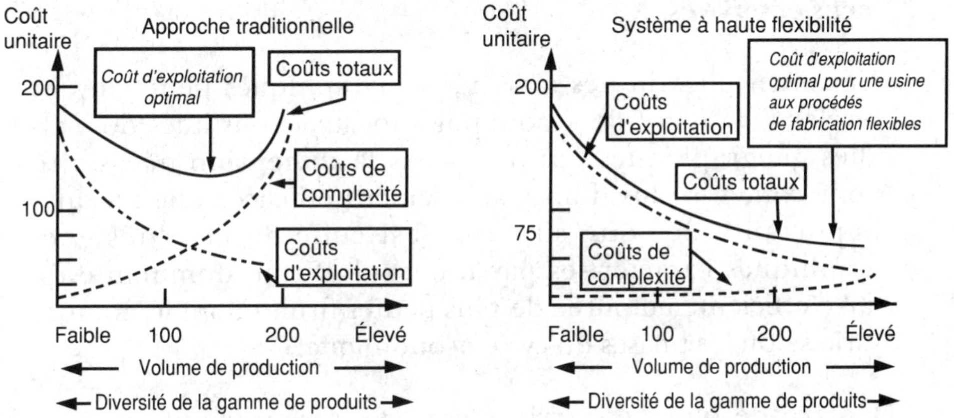

Source : Stalk et Hout, 1990.

Dans le cas précis du marché de la bière aux États-Unis et au Canada, les acheteurs se tournent de plus en plus vers les bières étrangères, soit allemandes, belges, etc. Plus récemment sont apparues de nouvelles entreprises régionales qui offrent un produit de haute qualité au goût distinctif, par exemple Samuel Adams en Nouvelle-Angleterre, Brasal au Québec, etc. Ces bières sont vendues et distribuées de façon innovatrice, c'est-à-dire sans le bénéfice d'un soutien publicitaire de masse, mais plutôt par le truchement d'établissements choisis. Enfin, par un ironique retour des choses, la technologie de fabrication de la bière a évolué de telle façon qu'il est possible pour ces micro-brasseries de fabriquer un produit de qualité à des coûts raisonnables, et ce malgré un volume très limité.

4.5.4 Conclusions sur les facteurs géographiques

Les caractéristiques géographiques tendent à définir les frontières de tout marché, tant du point de vue de l'offre que de celui de la demande. Nous avons relevé dans cette section 4.5 un certain nombre de réalités à propos de la dynamique géographique des marchés qu'il importe de bien maîtriser.

1. Le caractère évolutif de la notion de commodité et de proximité pour l'acheteur : sous l'influence de changements d'ordre social et technologique, les « coûts de magasinage » et le calcul

des coûts et des bénéfices se modifient et provoquent d'importants changements dans la façon de se procurer différents biens et services.

2. L'examen plus fin des marchés géographiques peut souvent révéler l'existence de «monopoles locaux» constitués de marchés géographiques qui n'ont pas la **dimension** nécessaire pour contenir plus d'un établissement efficace : une variante importante de cette situation est celle de marchés géographiques caractérisés par une seule firme dominante de taille efficiente entourée de plus petites firmes dont le nombre varie selon les phases du cycle économique.

3. L'**offre** de biens et services consiste à réunir autour d'un système stratégique un grand nombre de micro-marchés au contour défini par les caractéristiques de la demande : la conception et même l'architecture d'un système stratégique performant seront sensibles à la dimension du marché géographique qui sera optimale pour les différentes composantes du système. Un nouveau système stratégique émerge souvent d'une structure innovatrice qui rassemble de façon inhabituelle des micro-marchés en un marché unique.

4. L'envergure géographique d'une firme peut provenir de choix incrémentiels visant à élargir sa couverture de marché de façon à mieux utiliser les actifs tangibles et intangibles nécessaires pour son marché d'origine ; cette envergure peut être au contraire un objectif à atteindre fixé dès le départ et qui pourra nécessiter certains investissements préalables ; mais la rentabilité de la firme ne nécessite pas son plein déploiement géographique. En fait, l'envergure géographique ciblée ne pourra être atteinte que par un processus de déploiement graduel (*roll-out*) au cours des années selon un rythme défini par les ressources financières et humaines de l'entreprise. Enfin, dans certains cas, l'envergure géographique peut être le choix fondamental qui, fondé sur de nouvelles réalités économiques, donnera toute sa force et sa compétitivité au système stratégique à mettre en place. Le déploiement géographique d'un tel système devra se faire rapidement puisque sa rentabilité dépend de sa pleine et entière exécution.

4.6 LES CARACTÉRISTIQUES DE LA DEMANDE: COMPORTEMENTS D'ACHAT ET VECTEUR DE BÉNÉFICES

Dans cette section, nous examinerons de façon encore plus approfondie comment certains aspects de la demande contribuent à définir les caractéristiques d'un marché et, par conséquent, les stratégies qui lui sont appropriées. Nous allons traiter de deux aspects importants du comportement de l'acheteur.

Le risque perçu à l'achat d'un produit, **la confiance en soi de l'acheteur** et **les facteurs de réduction de risque** (section 4.6.1): cette partie du texte montre comment fonctionne le processus d'achat d'un produit et en quoi ce processus donne lieu à des phénomènes de loyauté face à la marque, d'habitude et de différenciation des marques.

Une schématisation des phénomènes bien distincts de différenciation et de segmentation (section 4.6.2): situés au cœur des stratégies de marché, ces deux phénomènes sont souvent mal compris, créant ainsi une confusion nuisible pour la formulation de stratégies.

4.6.1 Le risque perçu, la confiance en soi de l'acheteur et la réduction du risque

Il est utile de concevoir un produit non pas comme une entité physique, mais bien comme un ensemble ou un «vecteur» de bénéfices recherchés et valorisés par l'acheteur. Ces bénéfices comprennent évidemment toutes les propriétés intrinsèques du produit, mais également les facteurs de commodité d'achat dont nous avons traité à la section précédente, ainsi que les facteurs associés à la réduction du risque inhérent à l'achat d'un produit donné, ce dont nous allons maintenant traiter.

En effet, comme le montre de façon très schématique le tableau 4.3, le processus d'achat d'un produit sera très différent selon que le produit comporte ou non un fort risque inhérent, c'est-à-dire lorsqu'une contre-performance du produit expose l'acheteur à des coûts importants.

Tableau 4.3 Comportement des acheteurs selon le risque inhérent à l'achat d'un produit et leur confiance en soi

Confiance en soi de l'acheteur pour l'achat de ce type de produits ou services

	FAIBLE	FORTE
Haut niveau de risque perçu	L'acheteur cherche à réduire son risque en ayant recours à des facteurs de réduction du risque qu'il sait évaluer: - garanties - réputation - image de marque - bouche à oreille - sources présumées expertes (revues spécialisées) - vendeur et circuits de distribution comme source de réduction de risque. *Différenciation symbolique*	L'acheteur recherche l'information lui permettant d'évaluer les caractéristiques intrinsèques du produit ou service: - sources d'information crédibles - expertise et expérience personnelles utilisées dans le processus décisionnel - indicateurs techniques évalués de façon comparative. *Différenciation technique*
Faible niveau de risque perçu	Achats par habitude mais faible loyauté à la marque. Acheteurs sensibles à des arguments superficiels: appui par vedettes, etc.	Acheteurs extrêmement sensibles au prix ou indifférents face à des marques de prix équivalents: - sensibles aux promotions, rabais, coupons, etc. - sensibles à la qualité des relations sociales avec le fournisseur ou ses représentants.

Risque inhérent à une contre-performance du produit

De façon générale, ces coûts font référence aux coûts monétaires associés à une défaillance **technique** du produit. Cependant, il faut également tenir compte des coûts moins tangibles mais tout aussi réels engendrés par la contre-performance de certains produits comportant un haut risque **social** tels que, par exemple, la décoration de sa maison, les vêtements pour les sorties élégantes ou un vin de grand cru dans un restaurant chic.

Cette perception de haut niveau de risque peut résulter du fait qu'il est impossible de déterminer la qualité du produit par une inspection préalable à l'achat, par exemple, des services d'un consultant ou d'une agence de publicité.

L'acheteur peut évidemment estimer qu'il possède l'expérience et l'expertise nécessaires pour évaluer les offres rivales et déterminer celles qui représentent le meilleur coefficient valeur / prix pour lui. Le quadrant nord-est du tableau 4.3 (haut niveau de risque et forte confiance de l'acheteur) caractérise le plus souvent – quoique pas toujours – le processus d'achat de biens industriels et, pour un certain nombre d'acheteurs, de biens de consommation durables qui, forts de leur expertise et de leur expérience, voudront évaluer et comparer les caractéristiques intrinsèques des produits qui leur sont offerts, et obtenir des informations complètes et factuelles sur chacun d'entre eux.

Dans ces situations, la différenciation entre les marques ne peut se faire qu'en fonction des facteurs techniques associés au produit ou selon des éléments tangibles de service tels que fiabilité de livraison, pièces de rechange promptement disponibles, qualité de l'entretien, etc., qui soient appréciables et appréciés.

Par contre, pour beaucoup de produits de consommation durables comme les automobiles, les meubles, etc., ou non durables tels que les produits cosmétiques ou pharmaceutiques, la restauration, etc., pour des services professionnels offerts par des décorateurs, des avocats, des entrepreneurs en construction, etc., l'acheteur comprend bien qu'un choix erroné de produit ou de fournisseur comporte de graves conséquences et qu'en outre il est incapable d'évaluer la qualité intrinsèque du produit ou service qu'on lui propose.

Ces situations, qui se produisent fréquemment en pratique, sont illustrées au quadrant nord-ouest du tableau 4.3. L'acheteur faisant face à de telles circonstances ne procédera pas à un achat tant qu'il n'aura pas réussi à diminuer le risque qu'il ressent face à cet achat en deçà d'un niveau tolérable pour lui. Ce niveau tolérable de risque peut varier sensiblement d'un acheteur à l'autre, mais dans tous les cas, la réduction du risque en deçà de ce seuil est une condition nécessaire mais non suffisante pour qu'un achat s'effectue.

Pour réduire son risque en deçà du niveau tolérable, l'acheteur pourrait investir le temps et les efforts nécessaires pour acquérir des connaissances adéquates à propos de ce produit. Si l'acheteur porte un intérêt particulier au domaine, s'il est susceptible de devoir acheter ce type de produit à plusieurs reprises et si les enjeux économiques sont importants, un tel investissement pourrait avoir du sens. En d'autres circonstances et même pour celles-ci, le calcul des coûts net des bénéfices que fera l'acheteur pourra l'inciter à faire appel à d'autres mécanismes, moins onéreux pour lui, pour réduire le risque qu'il ressent avant de procéder à l'achat d'un produit spécifique.

Trois catégories de facteurs de réduction de risque font partie de la stratégie de vente et d'achat dans ces situations:

1. Les facteurs **tangibles** de réduction de risque comme des **garanties**, des promesses fiables de remboursement s'il y a insatisfaction, l'offre de périodes d'essai gratuit avant l'achat, un prix ferme de rachat à une date ultérieure, l'accès à une liste de clients satisfaits, un service après-vente impeccable, l'adhésion à une association accréditée ou à une corporation professionnelle reconnue, etc.

2. Les facteurs **intangibles** comme la **réputation** et la **familiarité** du fabricant, l'image de marque du produit et le sentiment de confort qu'elle procure, car on présume que le fabricant ne peut se permettre de mettre en péril les sommes qu'il a investies dans sa marque de commerce en offrant un produit inférieur, la réputation de qualité associée aux fabricants spécifiques de produits provenant de certains pays comme les voitures japonaises, les appareils électroniques allemands, les vins français, etc., la valeur symbolique du **prix** comme indicateur de qualité, et enfin, la capacité du **vendeur** ou du **circuit** de distribution d'assumer une fonction de réduction de risque.

3. Les facteurs **sociaux** comme le bouche à oreille, les références et les recommandations d'amis plus expérimentés ou d'acheteurs satisfaits, les revues spécialisées dans les domaines de la mode, de l'automobile, de la décoration, etc., les

rapports d'agences d'évaluation de produits tels que le Guide Michelin, le Guide du consommateur, les émissions spécialisées, etc.

Le rôle joué par ces trois catégories de facteurs de réduction de risque varie selon le type d'acheteurs et les groupes de produits. Cependant, et cela est important, **les facteurs tangibles et intangibles de réduction de risque deviennent des attributs ou des bénéfices associés au produit** et permettent à l'acheteur de faire la distinction entre les offres rivales. En particulier, les facteurs intangibles constituent l'assise de la **différenciation symbolique** entre les différentes marques concurrentes de produits.

Dans le cadre de son processus d'achat, l'acheteur doit décider quels sont les facteurs de réduction de risque qui sont **les plus** appropriés pour lui, c'est-à-dire qui lui procurent le **bénéfice** d'un gage de satisfaction adéquat au meilleur coût. Évidemment, plus l'acheteur acquiert de l'expérience avec le produit et plus les facteurs **sociaux** de réduction de risque sont facilement accessibles à faible coût, moins la différenciation symbolique est efficace comme mécanisme de réduction de risque pour l'acheteur.

En tout état de cause, l'évaluation du coefficient valeur / prix pour tout produit doit intégrer au numérateur les facteurs de réduction de risque qui sont compris dans l'offre de produits du fabricant en regard du prix qu'il demande. On comprend ainsi pourquoi les facteurs intangibles de réduction de risque, et donc la différenciation symbolique, offrent à l'acheteur des bénéfices justifiant pleinement un prix supérieur à celui des produits concurrents qui, eux, n'offrent pas un « bénéfice » adéquat de réduction de risque. L'acheteur devra alors, pour réduire son risque, avoir recours à d'autres facteurs sociaux ou non qui l'exposeront à des « coûts » additionnels supérieurs à la différence de prix entre les marques rivales.

Par exemple, dans les années soixante et au début des années soixante-dix, les acheteurs de systèmes informatiques, présumément des biens industriels, se trouvaient en fait confrontés à une situation semblable à celle illustrée par le quadrant nord-ouest du tableau 4.3, c'est-à-dire face à un achat à haut risque pour lequel ils reconnaissaient ne pas avoir les connaissances nécessaires pour établir des comparaisons objectives entre les systèmes concurrents.

Dans ces circonstances, une société comme IBM qui, en rappelant à l'acheteur les risques de se tromper avec, entre autres, sa fameuse campagne publicitaire promouvant le concept «*What if...*», alignait tous les facteurs de réduction de risque pour sécuriser l'acheteur, soit un service après-vente légendaire et notoire, une image de marque rassurante, une longue liste de clients satisfaits, des garanties de remplacement d'équipement au fur et à mesure de la modernisation, un haut niveau de fiabilité mis en évidence par des représentants-ingénieurs à l'habillement uniforme et conservateur, etc.

Tous ces bénéfices **tangibles** et **intangibles s'ajoutaient** aux caractéristiques techniques du produit, lesquelles étaient difficiles à évaluer et même parfois inférieures à certains égards à celles des produits concurrents, pour donner une valeur telle aux produits IBM que cette société pouvait en obtenir un prix beaucoup plus élevé que ses concurrents.

Cette situation de marché changea dramatiquement lorsqu'à la fin des années soixante-dix, les achats de systèmes informatiques se tarirent et que les acheteurs, désormais plus expérimentés, voulurent plutôt ajouter de la capacité à des systèmes déjà en place. Brusquement, le marché se déplaça vers le quadrant nord-est du tableau 4.3 et on y vit alors, ce qui est le cas depuis, les comportements d'achats caractéristiques de cette situation de marché.

4.6.2 Une schématisation des phénomènes de différenciation et de segmentation

Donnons d'abord une définition simple de ces deux notions.

La **différenciation** d'un produit fait référence au phénomène selon lequel des acheteurs établissent une distinction durable et importante pour eux entre les marques rivales d'une même catégorie de produits ou services. Il est bon de noter que la différenciation suppose que tous les acheteurs s'entendent sur les propriétés du **produit idéal** mais diffèrent quant à la marque qui s'en rapproche le plus.

La **segmentation** des marchés fait appel au phénomène selon lequel des acheteurs en arrivent à valoriser différemment les attributs ou bénéfices associés à une même catégorie de produits. Chaque groupe ou segment d'acheteurs s'entend alors sur ce qu'est pour lui le produit idéal, lequel sera différent d'un segment à l'autre. Ainsi, ce n'est qu'au sein d'un **même segment d'acheteurs** que les marques peuvent être comparées les unes aux autres et se différencier les unes des autres. Il est rare qu'une marque donnée puisse être la plus rapprochée du produit idéal pour plus d'un segment d'acheteurs. La figure 4.10 illustre ces définitions par un exemple simplifié où seulement deux attributs ou bénéfices seraient pertinents.

Dans cette illustration, la différenciation mène à une définition unique du **produit idéal**, selon une combinaison maximale des deux bénéfices recherchés. Les variations de parts de marché détenues par les marques A, B ou C résulteront des différences de perception ou d'évaluation des trois marques rivales, différences qui seront le reflet de l'expérience variable des acheteurs et de l'efficacité relative des marques à promouvoir leurs attributs.

Dans cette illustration, la segmentation du marché se manifeste par le fait que le même ensemble de bénéfices mène à des produits idéaux différents à cause d'une valorisation très différente des bénéfices sous-jacents par des groupes d'acheteurs distincts. Alors, les marques A, B, C doivent être redéfinies en nouveaux produits (A', A", B', B", etc.), chaque marque cherchant à se rapprocher du **produit idéal** pour un segment d'acheteurs précis. En effet, aucun produit dans ce cas ne peut être conçu de façon à être le premier choix pour les trois

Figure 4.10   Illustration du phénomène de différenciation et de segmentation

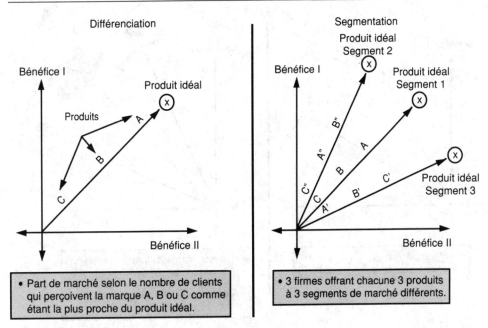

segments. En situation de segmentation, la part du marché pertinent doit se mesurer au sein de chaque segment puisque la concurrence s'exerce entre les marques spécifiques à chaque segment.

Les aspects dynamiques de ces phénomènes de différenciation et de segmentation se combinent en de nombreuses possibilités. Ainsi, comme le montre la figure 4.11a, il est concevable que des firmes ne s'attaquent qu'à un seul segment de marché, soit par manque de ressources, soit parce que les segments s'excluent les uns les autres ou n'offrent pas tous à l'entreprise d'aussi bonnes perspectives de rentabilité.

Il ne faut pas confondre de telles situations avec la situation de différenciation illustrée à la figure 4.10. Les produits B et C, par exemple, sont différents parce qu'ils s'adressent à des segments de marché différents et sont donc conçus pour mettre en valeur des attributs ou bénéfices différents.

La figure 4.11b illustre un aspect important et mal compris de la transition entre la différenciation de produits et la segmentation de

Figure 4.11   Deux situations de segmentation du marché

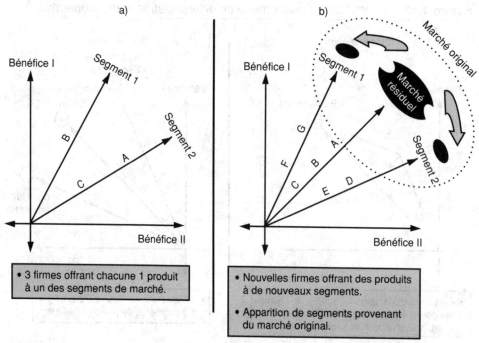

a)

Bénéfice I
Segment 1
B
Segment 2
A
C
Bénéfice II

• 3 firmes offrant chacune 1 produit à un des segments de marché.

b)

Marché original
Bénéfice I
Segment 1
Marché résiduel
G
F
A
B
C
E
D
Segment 2
Bénéfice II

• Nouvelles firmes offrant des produits à de nouveaux segments.

• Apparition de segments provenant du marché original.

marchés, phénomène qui survient au fur et à mesure de la maturation d'un marché. Sauf exception, un marché ne se fragmente pas subitement en segments étanches d'acheteurs, comme c'est le cas à la figure 4.10. Il est plus commun que les firmes qui se font concurrence par la différenciation de leur offre ne perçoivent pas ou même refusent d'accepter l'émergence de segments d'acheteurs aux attentes bien différentes.

En premier lieu, ces segments d'acheteurs sont parfois de petites dimensions comparativement au marché total. En outre, le système de production et de distribution mis en place donne d'excellents résultats économiques à condition de ne pas le surcharger de diversité et de complexité. Enfin, dans un marché à faible croissance, le fait d'offrir de nouveaux produits peut aboutir à une «cannibalisation» toujours appréhendée de son propre volume d'affaires, c'est-à-dire que le volume obtenu par un nouveau produit provient essentiellement du volume d'affaires généré par les autres produits de l'entreprise.

C'est pourquoi la segmentation du marché, bien réelle selon les attentes des acheteurs, ne se réalise parfois que par l'arrivée de nouvelles firmes qui viennent desservir ces segments émergents, ou encore par des firmes déjà en place mais plus petites et pour lesquelles il est donc plus facile de se concentrer exclusivement sur de petits segments de marché.

Ainsi, le marché se transforme progressivement de telle façon que le grand marché unique, au sens d'un seul produit idéal pour tous les acheteurs, est fragmenté par l'émergence de segments d'acheteurs recherchant des produits idéaux différents. Dans un tel contexte, le marché original devient un marché **résiduel** d'où se retirent graduellement des groupes d'acheteurs sensibles à des offres de produits plus en accord avec leurs goûts et leurs préférences. Ce marché «résiduel», ce segment **par défaut**, continue toutefois pendant plus ou moins longtemps à représenter un volume d'affaires important quoique décroissant. En conséquence, les firmes en place ne peuvent abandonner subitement ce marché résiduel, surtout qu'une bonne part des investissements passés de la firme ont été effectués pour desservir ce marché et ce type de clientèle. Néanmoins, pendant que se produit ce phénomène, l'entreprise ne procède pas au virage nécessaire qu'exige la mise en place d'une stratégie de segmentation.

La figure 4.12 illustre cette dynamique dans le secteur de l'alimentation au Canada et aux États-Unis. Ce grand marché de l'alimentation, naguère dominé par les supermarchés de type conventionnel, vit sa dimension globale diminuée et sa croissance freinée par des entreprises spécialisées comme les boucheries, les pâtisseries, les charcuteries, les dépanneurs, les pharmacies ainsi que par l'utilisation accrue des restaurants. Quant au marché résiduel de la **commande d'épicerie hebdomadaire**, il s'est graduellement segmenté sous la pression de nouveaux systèmes stratégiques comme les magasins-entrepôts, les clubs d'achat (Club Price), etc. Les supermarchés conventionnels en viennent ainsi à desservir un marché résiduel en forte contraction, ce qui amène une surcapacité, une pression sur les marges bénéficiaires et la disparition éventuelle de nombreux établissements. Évidemment, les entreprises les plus perspicaces se sont empressées d'entreprendre une transformation complexe de leur système stratégique pour en arriver à desservir plusieurs segments de ce marché.

Figure 4.12　　Dynamique du marché de l'alimentation en Amérique du Nord

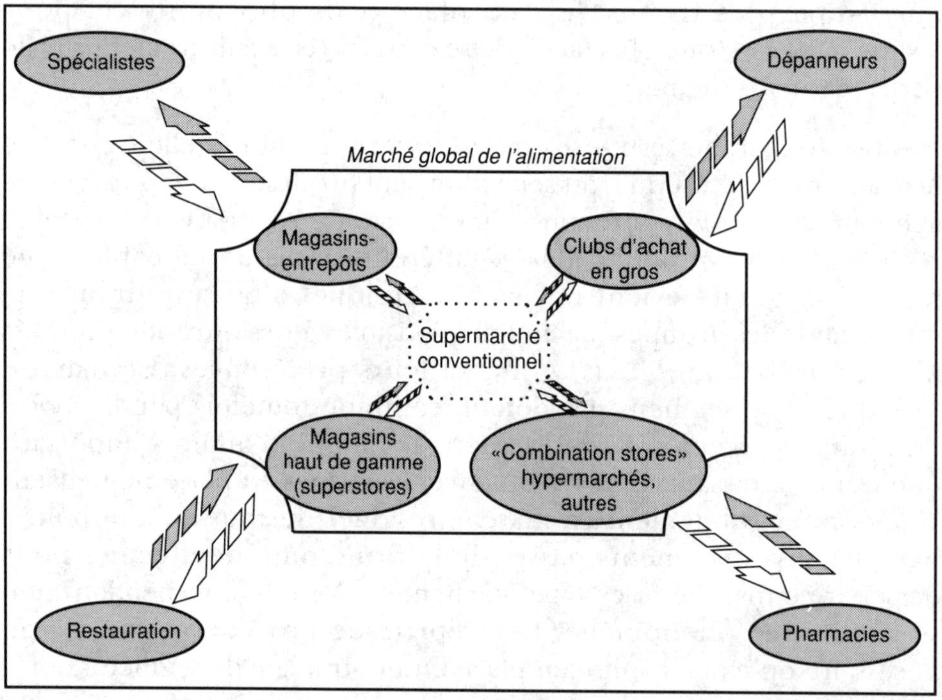

Cette dynamique de marché soulève des enjeux critiques pour l'entreprise qui ne veut pas péricliter et disparaître au fur et à mesure que son marché de base se divise en multiples segments.

1. La segmentation progressive des marchés force l'entreprise à examiner d'une part comment son système de production et de distribution peut être conçu pour fournir aux marchés un fort rythme d'innovation et une grande diversité de produits sans que cela ne provoque une hausse des coûts qui rende l'entreprise non concurrentielle ; l'entreprise doit chercher à obtenir les effets positifs associés au volume d'affaires et à l'envergure des marchés desservis sans limiter indûment la variété des produits qu'elle offre ni subir les coûts de complexité engendrés par la diversité des produits dans un même système de production. L'entreprise doit tenter par tous les moyens d'améliorer la capacité de son système de fournir une gamme variée de produits de façon économiquement efficiente.

2. L'ajout de bénéfices au produit dans le but de le différencier ou de le rapprocher des préférences d'un segment d'acheteurs, doit être sensible à la relation décrite à la figure 4.13 entre la valeur marginale d'un bénéfice additionnel pour l'acheteur et les coûts engagés par l'entreprise pour fournir un tel bénéfice. Dans l'exemple hypothétique présenté à la figure 4.13, le produit devrait comporter le vecteur de bénéfices suivants : [B1, B2, B4, B6, B8, B10], soit les bénéfices qui offrent à l'acheteur une valeur supérieure aux coûts engagés par la firme pour offrir de tels bénéfices. Évidemment, le jeu de la concurrence aura tendance à se manifester de la façon suivante.

   • Au gré de la maturation du marché, les firmes rivales en arriveront toutes à offrir les mêmes bénéfices [1, 2, 4, 6, 8, 10]. La pression de l'offre fera alors en sorte que la valeur de ces bénéfices convergera vers une situation où chacun se situe sur la courbe où $B/D = 1,0$, sauf si une firme possède un avantage incontournable sur des rivales quant à l'un ou l'autre des bénéfices recherchés par les acheteurs. Il peut en être ainsi, par exemple, pour les avantages que confèrent une solide réputation de qualité et de service pour un produit à haut risque ou encore un emplacement unique offrant une grande facilité d'accès.

Figure 4.13 Relation (B/D) entre valeur et coûts des bénéfices offerts

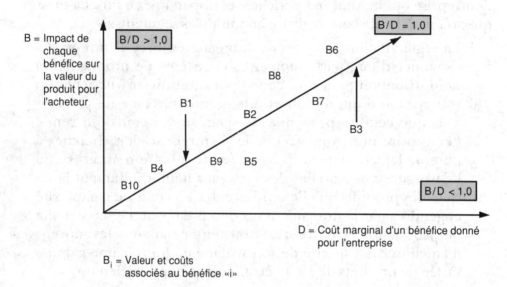

B = Impact de chaque bénéfice sur la valeur du produit pour l'acheteur

B/D > 1,0

B/D = 1,0

B/D < 1,0

D = Coût marginal d'un bénéfice donné pour l'entreprise

B_i = Valeur et coûts associés au bénéfice «i»

- Sous la pression de la concurrence, les firmes rivales seront tentées de se distinguer en offrant une combinaison de bénéfices profitables dans l'ensemble, mais qui comprend des bénéfices pour lesquels B/D < 1,0, par exemple une combinaison qui ajouterait le bénéfice 7 au produit. La firme ne peut obtenir un prix équivalent à son coût pour ce bénéfice mais elle peut estimer qu'une telle combinaison aura un effet positif sur les ventes et s'avérera rentable dans l'ensemble. De telles initiatives de la part de firmes rivales peuvent mettre en péril la rentabilité éventuelle d'un marché.

- Tous les concurrents tenteront de réduire les coûts qu'ils doivent engager pour offrir certains bénéfices comme B3, B5, B7, B9, de façon à augmenter la qualité de leur offre.

- La somme des relations B/D qui définissent un produit donné fournit en quelque sorte une mesure du coefficient qualité/prix (Q/P) du produit. Ce coefficient, assez vague en général, prend ici un sens précis: la qualité du produit est faite de la somme des valeurs associées aux caractéristiques du produit par l'acheteur alors que le prix est une fonction complexe des coûts associés aux bénéfices qu'offre le produit ainsi que de la décision de la firme d'extraire ou non la pleine valeur d'un bénéfice pour l'acheteur lorsque cette valeur est supérieure à son coût.

- La segmentation des marchés signifie, dans son essence même, que la figure 4.13 définit une relation B/D valable pour un seul groupe d'acheteurs alors que la figure 4.14 décrit comment deux segments peuvent différer quant à la combinaison de bénéfices offrant la meilleure relation B/D. Pour le segment 1, ce serait [1, 2, 4, 6, 8, 10] alors que, pour le segment 2, la meilleure combinaison de bénéfices serait [1, 2, 3, 5, 9, 10]. Si les bénéfices qui définissent le segment 1 et ceux qui définissent le segment 2 ne s'excluent pas les uns les autres, une même firme pourra offrir des produits ciblant chacun de ces segments. En fait, le phénomène d'économie d'envergure pourrait donner un net avantage concurrentiel à la firme qui offrirait des produits distincts ciblés pour chacun des deux segments du marché, tel qu'illustré à la figure 4.14.

- La représentation aux figures 4.13 et 4.14 de la valeur et des coûts des bénéfices associés aux produits dénote tout un potentiel stratégique fondé non seulement sur le choix de bénéfices pour définir le produit, mais aussi sur la décision des firmes rivales de se faire concurrence par des produits qui offrent un vecteur identique de bénéfices ou par des produits aussi différents que possible quant aux bénéfices qu'ils ont choisi d'y intégrer (voir Klemperer, 1992).

- Enfin, la capacité d'identifier ces relations entre valeurs et coûts de bénéfices associés à un produit et aux segments de marché constitue une compétence organisationnelle d'une grande valeur stratégique pour l'entreprise qui en est dotée.

Nous avons montré dans cette section comment la dynamique de la demande résulte des différences entre acheteurs, d'une part quant à la valeur qu'ils accordent aux différents bénéfices ou attributs qui définissent un produit et, d'autre part, quant à leurs perceptions de l'écart entre les différentes marques et le produit qu'ils considèrent idéal. Cette dynamique se traduit souvent en un large éventail de segments d'acheteurs et de créneaux de marché pour lesquels les firmes peuvent définir une offre de produits bien ciblée.

Figure 4.14 Valeur, coûts des bénéfices et segmentation du marché

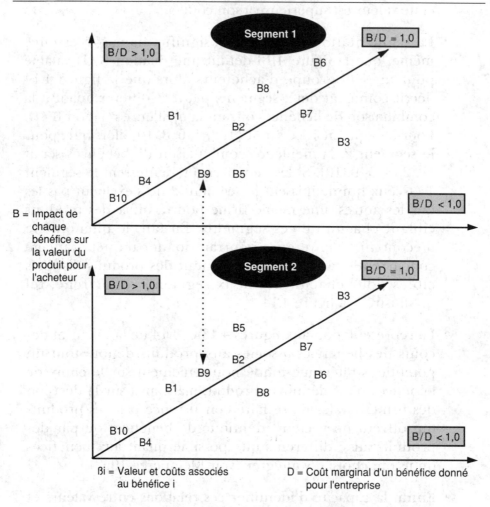

4.7 CERTAINES CARACTÉRISTIQUES DE L'OFFRE: RELATION REVENUS-COÛTS, CHAMPS ET GROUPES STRATÉGIQUES

Nous présentons dans cette section quelques aspects de l'offre de produits qui jouent un rôle essentiel dans la définition du marché pertinent aux fins stratégiques. Notre propos portera d'abord, à la section 4.7.1, sur la relation entre les revenus et les coûts de la firme selon le volume de sa production. Nous montrerons comment cette relation, tout comme celle décrite à la section précédente, entre la valeur et le coût des bénéfices associés au produit, nous fait comprendre d'une façon nouvelle les différents types de marchés et leur dynamique fondamentale.

Puis, à la section 4.7.2, nous décrirons comment une certaine hétérogénéité de l'offre peut correspondre à une hétérogénéité du côté de la demande non seulement par le biais des gammes de produits offerts, mais également par la nature même des différents systèmes stratégiques qui rivalisent pour se « tailler une place au soleil ». Nous y présenterons le concept de **groupes stratégiques** pour décrire des firmes au **champ stratégique** très similaire au sein d'une même industrie. Ainsi, une industrie, au sens conventionnel du terme, peut être constituée de quelques groupes stratégiques, chacun étant peuplé de firmes semblables quant à leur champ stratégique et quant à leur façon de se faire concurrence sur un marché donné. À la limite de ce phénomène, les firmes en viennent à se distinguer tellement les unes des autres par leurs expériences, par leurs compétences et par leurs technologies que **chacune devient un groupe stratégique**, unique par son champ et ses pratiques stratégiques.

4.7.1 La relation entre les revenus et les coûts selon le volume de production

Notre propos, jusqu'ici, n'a pas tenu compte de l'impact du volume de production d'une firme sur la **valeur de son produit** et sur les revenus qui en résulteront.

Dans le fonctionnement bien concret d'un marché spécifique, chaque firme sait, avec plus ou moins de précision, qu'une augmentation de son volume de production aura un effet sur la demande pour son produit ainsi que sur les revenus qu'elle pourra en tirer.

La figure 4.15 illustre cette relation incontournable qui reflète deux phénomènes bien distincts :

1. L'effet du volume de production total de toutes les firmes rivales sur les prix de cette catégorie de produits.
2. L'effet, spécifique à chaque firme, d'une augmentation de son volume de production sur la valeur perçue de son produit, c'est-à-dire à quel rythme la valeur du produit d'une firme se déprécie sous l'effet d'une augmentation de son offre de produits.

Figure 4.15   Relation entre revenus totaux et volume produit

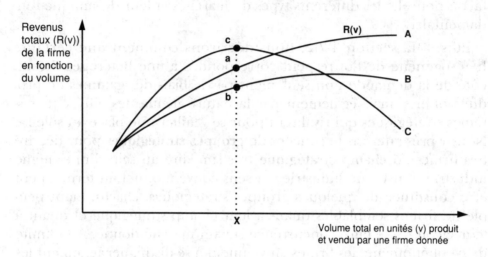

Sans connaître les paramètres précis de sa courbe R(v), la firme peut néanmoins apprécier premièrement les intentions des firmes concurrentes quant à leur volume de production, deuxièmement le niveau de leurs coûts et troisièmement la qualité relative des produits concurrents selon l'évaluation des acheteurs pris globalement et par segments.

La figure 4.15 nous rappelle que les effets d'échelle, d'expérience et d'envergure sur le niveau des coûts, décrits au **chapitre 3**, doivent être évalués en tenant compte de l'effet du volume sur les revenus globaux de la firme.

En simplifiant un peu, nous pouvons distinguer au moins trois situations différentes. La courbe «A» indique que l'augmentation du volume au-delà du point «X» continue d'avoir un effet positif sur les revenus totaux de la firme mais à un rythme décroissant par unité additionnelle vendue.

La courbe «B» reflète une situation où une augmentation de volume au-delà du point «X» aura pour les acheteurs un effet net tel sur la valeur du produit que ses revenus totaux n'augmenteront pas.

Enfin, la courbe «C» indique que les acheteurs sont très sensibles à l'augmentation du volume au-delà du point «X» et qu'une offre supérieure à «X» déprécie tellement la valeur du produit pour les acheteurs que les revenus totaux chutent rapidement.

En fait, à la section précédente, nous avons montré comment se fait l'évaluation des bénéfices à intégrer dans un produit en fonction de leurs coûts (B/D > 1,0). Nous y avons également souligné comment le coefficient qualité/prix (Q/P), si important pour l'acheteur, est associé premièrement à la valeur qu'ont pour lui les bénéfices inhérents au produit, deuxièmement aux coûts engagés par la firme pour fournir de tels bénéfices, et troisièmement à la décision de la firme de choisir d'obtenir un prix égal, supérieur ou inférieur à son coût pour offrir chacun des bénéfices spécifiques de son produit.

La relation globale qualité / prix (Q / P) peut être reliée assez directement aux courbes de la figure 4.15. Au-delà du volume «X», la courbe «A» représente la situation où une augmentation du volume n'a pas d'effet négatif sur la valeur perçue du produit et donc sur le prix que l'acheteur est prêt à payer. La courbe «B» illustre le cas où la valeur associée au produit commence à chuter et où la firme doit donc procéder à une réduction de prix pour maintenir le ratio Q / P de son produit. Enfin, la courbe «C» reflète un déséquilibre entre l'offre et la demande qui incite les acheteurs connaissant la quantité de produits disponibles à réduire sensiblement sa valeur et le prix qu'ils sont prêts à payer.

L'effet de ces phénomènes sur les revenus totaux de la firme (R(v)) doit être mis en relation avec les coûts de la firme et leur évolution en fonction du volume. Ainsi, si l'on définit C(v) comme la fonction reliant les coûts totaux au volume produit par une firme, et ce en tenant compte des effets d'échelle, d'expérience et d'envergure, on peut tracer, comme le fait la figure 4.16, plusieurs courbes de relation pour le coefficient R(v) / C(v) en fonction du volume, c'est-à-dire la relation entre les revenus et les coûts totaux selon le volume d'affaires de la firme. La courbe «A» indique que le système mis en place produit des coûts et une valeur de produits très positive à grand volume. Ce type de configuration donne souvent lieu à une domination d'un grand marché, comme nous le verrons au **chapitre 5**.

La courbe «B» trace le profil d'un système qui fonctionne bien à volume modéré mais qui, au-delà d'un certain volume, voit son produit perdre de la valeur R(v) ou encore connaît une augmentation de coûts plus que proportionnelle de sorte que sa performance se détériore rapidement. La courbe «C» montre une situation où la perte de

Figure 4.16   Relation entre revenus, coûts totaux et volume d'affaires

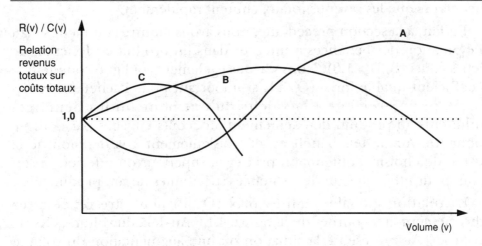

valeur R(v) avec l'augmentation du volume est beaucoup plus rapide que son effet bénéfique sur les coûts.

Nous pourrions ajouter beaucoup d'autres variantes aux situations décrites aux figures 4.15 et 4.16.

Cependant, ces schémas suffisent pour saisir comment des marchés peuvent être différents selon, d'une part, l'abondance des bénéfices associés au produit qui ont une valeur *ex ante* supérieure à leur coût (B / D > 1,0) et, d'autre part, le niveau de volume au-delà duquel les revenus totaux chutent en deçà des coûts totaux (R(v) / C(v) < 1,0). Le tableau 4.4 associe ces deux paramètres pour établir une typologie des marchés. Cette typologie est sensible à la diversité de bénéfices potentiels associés au produit ainsi qu'aux effets du volume de production sur le niveau des **coûts** et sur la **valeur du produit**.

Nous pouvons donc caractériser les marchés selon le niveau de volume qui fait chuter le rapport R(v) / C(v) en-deçà de 1,0 et selon la variété des bénéfices qui peuvent aider les firmes à différencier leur offre.

Les relations sous-jacentes à cette typologie sont associées aux marchés pris dans leur ensemble. Cependant, au sein de tout marché, **les relations R(v) et C(v) sont spécifiques à chaque firme**. Cela signifie que, dans un marché donné, on observe de grandes variations entre les firmes quant à leur situation face à la relation B / D et à la relation R(v) / C(v).

Tableau 4.4   Typologie des marchés selon B/D et R(v)/C(v)

À quel niveau de volume le ratio R (v)/C (v) devient-il ultimement inférieur à 1,0 ?		
Y a-t-il plusieurs bénéfices associés au produit pour lesquels B/D > 1,0?	**FAIBLE**	**GRAND**
Oui	*Marchés d'interstices* • Plusieurs firmes spécialisées de taille moyenne s'adressent à des groupes d'acheteurs spécifiques. • Distinction nette entre les firmes. • Possibilité de domination rentable.	*Grands marchés avec fort potentiel de segmentation* • Stratégie de segmentation et de large couverture des marchés géographiques pour obtenir les effets de volume. • Le ratio qualité/prix (Q/P) est soutenu par l'abondance de bénéfices sur lesquels les firmes peuvent miser.
Non	*Marchés homogènes locaux par exemple :* • Petits marchés desservis par des firmes locales. • Fournisseurs de composantes à haut coût de transport en relation avec la valeur du produit.	*Grands marchés homogènes, avec un potentiel réel de différenciation* • La dynamique de coûts fait que les coûts chutent plus rapidement que la valeur du produit pour l'acheteur.

où
B = Valeur du bénéfice pour l'acheteur
D = Coûts engagés par la firme pour fournir ce bénéfice

Ainsi, il se peut qu'une firme puisse offrir certains bénéfices qui ne sont pas à la portée de firmes rivales, par exemple l'effet rassurant pour l'acheteur d'une réputation et d'un service après-vente impeccables. Une autre firme pourra bénéficier, à cause de ses choix stratégiques et de ses investissements préalables importants, du fait que ses coûts continuent de chuter en fonction du volume de telle sorte qu'à grand volume elle détient un avantage marqué sur ses rivales qui ont fait des choix différents.

4.7.2 L'hétérogénéité de l'offre : les champs et groupes stratégiques

Ainsi, en vertu et en conséquence de ses choix d'investissement, de son développement plus ou moins conscient de compétences et de technologies spécifiques, de ses décisions quant aux attributs ou vecteurs de bénéfices à intégrer dans ses produits et de l'évaluation qu'elle fait des marchés, géographiques ou par segments, les plus propices pour elle, la firme en arrive à se donner une mission et un champ stratégiques qui la rapprochent de certaines firmes rivales et l'éloignent d'autres entreprises concurrentes pourtant considérées comme faisant partie de la même « industrie ».

Le concept d'industrie, selon le sens qu'on lui donne dans les statistiques officielles, n'est pas d'une grande utilité stratégique. Tout notre propos à la section 4.7.1 a consisté à montrer comment les firmes se distinguent par leurs choix et par les conséquences plus ou moins explicites de ces choix sur leur courbe de coûts et sur la valeur associée à leur produit.

Pour tenir compte de cette diversité entre des firmes qui sont potentiellement rivales et expliquer les différences systématiques et durables de rentabilité entre des firmes qui font vraisemblablement partie d'une même industrie, on a proposé le concept de **groupe stratégique**. Selon les schémas que nous avons présentés dans ce chapitre et au **chapitre 1**, un groupe stratégique serait constitué de firmes dont les **champs stratégiques** sont très similaires tant par leur envergure de produits et leur envergure de marchés que par leurs compétences, leurs ressources et leurs technologies.

Plusieurs groupes stratégiques peuvent coexister au sein d'un marché largement défini. Le degré de concurrence entre ces différents groupes, lequel est moindre qu'entre des firmes œuvrant au sein d'un même groupe stratégique, sera fonction du niveau de **chevauchement** entre leurs champs stratégiques.

Ainsi que le montre la figure 4.17, qui est une représentation statique d'un phénomène très dynamique, les firmes du groupe stratégique «A» se sont donné un champ d'action qui les place en concurrence partielle mais importante avec les firmes du groupe stratégique «B», mais en concurrence beaucoup moins forte, dans l'immédiat, avec les firmes du groupe «C» ou «D». Le groupe «C» offre un ou des produits que les groupes «A» et «B» ne peuvent ou ne veulent pas offrir. Quant au groupe «D», il limite ses activités à un segment d'acheteurs ou à un territoire géographique que les autres groupes ne veulent ou ne peuvent pas desservir.

Évidemment, les choses n'en resteront pas ainsi. Les firmes faisant partie de l'un ou l'autre groupe stratégique examineront les coûts et les avantages stratégiques d'élargir leur **champ stratégique** pour englober totalement ou en partie celui d'un autre groupe, ou encore,

Figure 4.17   Champs et groupes stratégiques

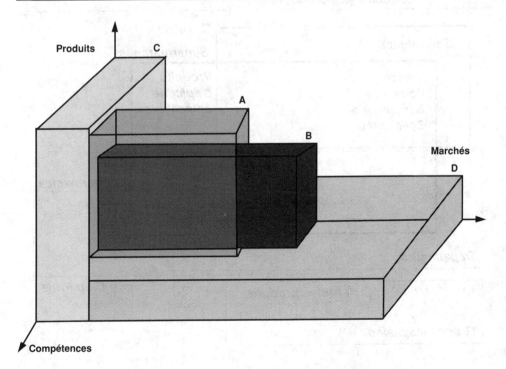

des firmes spécifiques évalueront les entraves à leur migration vers un autre groupe stratégique au champ stratégique plus attrayant.

Enfin, le champ stratégique d'une firme peut comprendre des produits appartenant à des marchés différents du point de vue de l'acheteur. Une firme à grande envergure de **produits** rivalise donc avec des firmes différentes selon les produits ou marchés qu'elle a choisi d'intégrer dans son champ stratégique.

Le tableau 4.5 illustre clairement ces situations. Au sein du marché de l'alimentation s'affrontent plusieurs groupes stratégiques, dont les magasins spécialisés, les supermarchés, les dépanneurs, les pharmacies, Club Price, etc. Chacun de ces groupes s'est donné une définition de produits ou services (bénéfices recherchés) qui lui procure certains avantages face aux autres groupes stratégiques.

L'entreprise Club Price offre un exemple intéressant car elle forme à elle seule un **groupe stratégique** qui ne ressemble à aucune autre firme. Son envergure de produits la place en situation de concurrence dans presque tous les secteurs du commerce de détail, y com-

Tableau 4.5 Champs et groupes stratégiques dans le marché de l'alimentation de détail au Québec (1992)

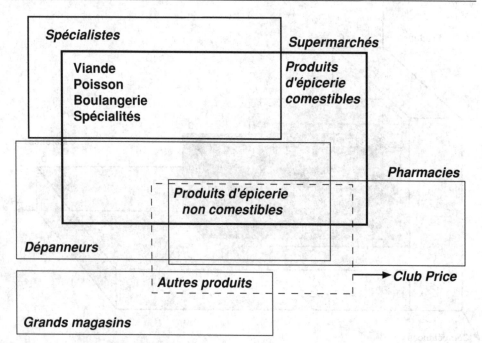

pris l'alimentation, les vêtements, les accessoires d'automobiles, les appareils électriques et électroniques, etc.

On ne peut comprendre les enjeux stratégiques dans le secteur de l'alimentation si on ne dispose pas d'une grille d'analyse comme celle présentée au tableau 4.5.

4.8 LE MARCHÉ DANS LA PERSPECTIVE STRATÉGIQUE: UN ESSAI DE SYNTHÈSE

Dans cette section, nous proposons une définition rigoureuse du marché que nous croyons utile à des fins stratégiques. Comme il se doit, cette définition considère simultanément les facteurs de la demande et de l'offre.

4.8.1 Définition du marché du point de vue de la demande

Du côté de la demande, un marché se définit par l'ensemble des bénéfices recherchés par un éventuel acheteur et obtenus par l'achat d'un produit ou d'un service donné.

De façon précise, on peut représenter un marché comme suit:

$\underline{B}_i$ = Ensemble des bénéfices associés à un acte d'achat, c'est-à-dire le vecteur de bénéfices qui définit un produit.

P_i = Catégorie de produits ou services définie par le vecteur $\underline{B}_i$ de bénéfices recherchés.

$\underline{W}$ = Vecteur de pondération indiquant l'importance de chaque bénéfice dans un même vecteur. Cette pondération peut être identique pour tous les acheteurs, ce qui signifie que ceux-ci ont tous la même définition du **produit idéal** ou alors qu'ils affichent des différences systématiques dans leur système de pondération.

$C_{ik} = f(\underline{W}_{ki}, \underline{B}_i)$: Dénote une configuration particulière de bénéfices et de pondérations associés à l'achat de produits de la catégorie « i ».

N_k = Nombre d'acheteurs ou d'occasions d'achat caractérisé par un vecteur de pondération $\underline{W}_k$ et donc par la configuration d'achat C_{ik}.

$k = 1$: Alors, $N_k C_{ik}$ définit un marché pour lequel tous les acheteurs partagent une même conception du produit idéal.

$k > 1$: Alors, chaque combinaison $N_j C_{ij}$ définit un **segment de marché** du point de vue de la demande, c'est-à-dire que chaque groupe d'acheteurs (N_j) s'accorde sur ce que devrait être le produit idéal, mais diffère d'opinion à ce sujet avec les acheteurs qui accordent un vecteur de pondération ($\underline{W}$) différent aux bénéfices et attributs de ce même produit.

$D_i = \sum_{j=1}^{k} N_j C_{ij}$ = Le **marché** pour le produit « i » défini selon les bénéfices recherchés.

Cette relation $[C_{ik} = f(\underline{W}_k, \underline{B}_i)]$ est au cœur du processus d'achat de tout produit. En effet, l'achat d'une marque donnée résulte de la perception de l'acheteur quant à la position relative des marques concurrentes sur des attributs ou bénéfices qui sont importants pour lui. Or, cet énoncé donne prise à plusieurs modélisations différentes du processus d'achat.

Ces modèles variés du comportement de l'acheteur partent tous de l'hypothèse que, d'une façon ou d'une autre, les acheteurs établissent un ordre de préférence entre les marques selon ce qu'ils connaissent de leurs propriétés et attributs. Cette perception des différents attributs ou bénéfices associés aux marques rivales se combine ensuite à l'importance que ces différentes caractéristiques du produit représentent pour l'acheteur.

Cependant, cette relation entre les bénéfices, le positionnement perçu des marques rivales et l'« importance » relative des bénéfices peut prendre plusieurs formes, par exemple celle d'une fonction linéaire compensatoire où l'acte d'achat découle d'une somme pondérée des attributs relatifs des marques rivales, ou encore des modèles plus complexes qui tiennent compte d'une prise de décision par l'acheteur selon une démarche séquentielle, faisant appel à différents attributs à différentes étapes du processus d'achat ainsi qu'à une utilisation **non compensatoire** des attributs. Dans ce dernier cas, l'acheteur en arrive à faire son choix, par exemple en établissant des **minima** pour certains attributs (modèle conjonctif) qui, une fois atteints par une marque, n'ajoutent plus de valeur pour lui. Cependant, si une marque n'atteint pas ce minimum souhaité, elle sera rejetée quelle que soit sa valeur quant aux autres attributs.

Certains modèles considèrent le fait qu'un attribut peut revêtir une telle importance pour l'acheteur que son choix se fixera sur la marque qui lui semble supérieure quant à cet attribut, **quels que soient les avantages des marques rivales** relativement aux autres attributs (modèle lexicographique). Toutes ces modélisations plus complexes du comportement de l'acheteur furent curieusement proposées pour tenir compte des stratégies de «parcimonie cognitive» qu'emploient les acheteurs en pratique (voir Allaire, 1973).

Le **processus d'achat** comprend donc à la fois la démarche d'achat, l'importance accordée aux différents attributs ainsi que le modèle cognitif utilisé par l'acheteur. Il est important d'insister derechef sur le fait qu'un **segment** de marché se compose d'acheteurs qui affichent des comportements **similaires** quant à leur **processus** d'achat pour une catégorie de produits et qui sont distincts d'autres acheteurs qui ont recours à un processus d'achat différent pour la même catégorie de produits.

Les segments d'un même marché[4] sont, du point de vue de la demande, caractérisés par un niveau de substitution potentielle plus élevé entre eux que ce n'est le cas pour des marchés différents. En effet, les différents segments d'acheteurs ont en commun un **même vecteur de bénéfices recherchés** qu'ils utilisent de façon différente pour en arriver à une décision d'achat. Les marchés diffèrent les uns des autres selon le **nombre de bénéfices qu'ils n'ont pas en commun.**

La définition du marché pertinent doit également tenir compte de sa **dimension géographique**. Cette définition peut prendre la forme suivante :

g_{ij} : Définit la zone géographique (j), ou le réseau de distribution, qui délimite les frontières habituelles

---

4. Dans plusieurs marchés, par exemple la restauration et le vêtement, il est plus utile de segmenter un marché en fonction des occasions d'achat ou d'utilisation. En effet, un acheteur peut, selon les occasions ou les contextes, s'identifier à des segments différents du marché.

de la démarche d'achat typique pour la catégorie de produits ou services P_i.

m_{ij} : Représente le nombre d'acheteurs ou d'occasions d'achat pour le produit **i** situés dans la zone géographique **j**, chaque zone géographique g_{ij} et son volume d'affaires (m_{ij}) représentant un **marché géographique** du strict point de vue de la demande.

$G_i = \sum_{j=1}^{n} g_{ij} * m_{ij}$: Indique le volume d'affaires total associé à tous les micro-marchés géographiques où le produit P_i se vend ou pourrait se vendre.

4.8.2 Définition du marché du point de vue de l'offre

Du côté de l'offre, un marché se définit par les **différentes configurations de bénéfices et de pondérations (C_{ik}) ainsi que par les zones géographiques (g_{ij})** qui sont desservies de façon **coordonnée et interreliée** par un même système stratégique.

Cette définition du marché se fonde sur l'examen du **champ stratégique** des firmes qui tentent de desservir le ou les marchés définis selon la demande. En fait, il faut établir quelle firme s'est donné le champ stratégique le plus étendu, c'est-à-dire la firme ou l'entreprise qui, de façon interreliée par ses actifs et ses ressources tangibles ou intangibles, dessert le plus grand nombre de segments d'acheteurs et de zones géographiques.

Appelons cette firme ou entreprise à l'envergure maximale **S***. Elle sera caractérisée par :

– un champ stratégique constitué d'une gamme de produits ou services, chacun étant défini par un ensemble de bénéfices ($\underline{B}_i$) recherchés ; l'envergure de produits de **S*** peut se limiter à une seule catégorie de produits si, par exemple, tous ses produits sont associés à des combinaisons du même vecteur de bénéfices ;

– une couverture de différentes configurations (C_{ik}), délimitant chacune un segment de marché : $\sum C_{ij} \leqslant D_i$;

– une envergure géographique mesurée par la somme des micro-marchés que **S*** dessert, soit $\sum g_{ij} \leqslant G_i$.

Ainsi, lorsque le système **S*** comprendra dans son envergure **plus d'une** catégorie de produits (P_i), on dira que ce système stratégique offre une gamme de produits qui dépasse les frontières d'un seul marché tel que défini par la demande parce que les produits ou services offerts par un tel système stratégique répondent à **différents vecteurs de bénéfices**.

Si le système **S*** dessert des segments de marché de telle sorte que $\Sigma C_{ij} = D_i$, alors il couvre **tous** les segments du marché défini selon la demande alors que si le système **S*** a une envergure de marchés telle que $\Sigma C_{ij} < D_i$, cela signifie que l'entreprise a choisi de ne pas intégrer certains segments d'acheteurs dans son champ stratégique. Alors, ces **autres** segments deviennent des **marchés distincts** du point de vue de l'**offre**.

On peut aussi donner au système **S*** une grande envergure géographique où $\Sigma g_{ij} = G_i$, ou encore limiter sa couverture à $\Sigma g_{ij} < G_i$, ce qui indique que même le système doté de la plus grande envergure de marché géographique doit laisser de côté certaines zones géographiques.

En résumé, un marché (M_i) se définit par l'ensemble des configurations d'un même vecteur de bénéfices (ΣC_{ij}) ainsi que par les zones géographiques (Σg_{ij}) desservies de façon **interreliée** par le **système stratégique de la plus grande envergure**.

Dans ce cadre rigoureux mais utile pour clarifier le rôle stratégique du marché, les différences entre un segment de marché et un marché apparaissent clairement.

- **Du côté de la demande** : les segments sont caractérisés par un niveau de substitution potentielle plus élevé entre eux que ce n'est le cas pour des marchés différents puisque les différents segments d'acheteurs ont en commun un **même vecteur de bénéfices** recherchés. Les segments de marché sont définis par les différentes combinaisons et pondérations des **bénéfices** qui composent un même **vecteur** de bénéfices.

- **Du côté de l'offre** : on fera référence au concept de segments d'un même marché lorsqu'une firme ou une entreprise fabrique des produits associés à un même vecteur de bénéfices et les distribue à des groupes d'acheteurs différents quant à leur processus d'achat pour ce type de produits. Par contre, si certains segments d'acheteurs ne sont ciblés que par certaines firmes alors que d'autres firmes se concentrent sur d'autres segments d'acheteurs, cette division fait de ces segments des **marchés distincts**.

Cette proposition signifie que des segments d'un même marché **du point de vue de la demande peuvent devenir des marchés distincts si aucune firme ne peut ou ne sait desservir ces différents groupes d'acheteurs simultanément par un système unique et coordonné**.

Inversement, même si une firme offre de façon **coordonnée** une **gamme étendue de produits** à des **groupes d'acheteurs différents**, on ne pourra parler de segments de marché que **si ces acheteurs ont recours à ces produits ou services pour satisfaire les mêmes bénéfices**, ou un sous-ensemble de ces bénéfices, et que ces produits sont donc caractérisés par un niveau de substitution potentielle élevé.

Une firme qui a mis en place un système stratégique lui permettant d'offrir de multiples produits à des **marchés** différents exécute une **stratégie d'envergure de produits**, un concept que nous décrirons au **chapitre 5**.

4.8.3 Les combinaisons stratégiques définissant un marché

Figure 4.18   Combinaisons stratégiques définissant un marché

	G1			G2			G3			Autres marchés?
	C1	C2	C3	C1	C2	C3	C1	C2	C3	
S1	X	X	X							
S2				X	X	X				
S3	X			X			X			
S4									X	
S5	X	X	X	X	X	X	X	X	X	X X

Légende

G_i = Zones géographiques distinctes.

C_i = Configuration de bénéfices et de pondérations qui caractérise un segment d'acheteurs.

S_j = Systèmes stratégiques différents quant à leur champ stratégique; dans cette illustration, chaque S_j constitue un groupe stratégique distinct.

$S^* = S5$.

La figure 4.18 illustre la définition de marché introduite dans cette section en présentant un marché hypothétique composé de trois segments d'acheteurs (C1, C2, C3) et de trois zones géographiques (G1, G2, G3). La rivalité qui s'exerce sur ces marchés prend plusieurs formes selon les champs stratégiques variables des entreprises.

En fait, la présence de la firme S5 et la vaste envergure de son champ stratégique font que C1, C2 et C3 sont des **segments** d'un même marché et que G1, G2, G3 sont des **segments** géographiques d'un même marché.

- Les systèmes S1 et S2 couvrent l'ensemble des segments mais dans une seule zone géographique. N'eût été S3 et S5, ces deux régions géographiques auraient été considérées comme des **marchés distincts**.

- Le système S4 ne couvre qu'un seul segment dans une seule région géographique (G3, C3), phénomène que nous définirons au **chapitre 5** comme une stratégie de concentration.

- Le système S3 **se spécialise** dans un seul segment mais couvre toutes les zones géographiques.

- Le système S5 est un système d'envergure puisqu'il couvre tous les segments et toutes les zones géographiques de ce marché, et peut également fabriquer des produits ou fournir des services pour d'autres marchés, ce qui est caractéristique de la stratégie d'envergure de produits.

4.8.4 La dynamique stratégique associée à la définition du marché

Cette conception du marché, comme un phénomène toujours en évolution et en changement, donne à la stratégie d'entreprise un caractère dynamique. Ainsi, des **marchés différents** peuvent devenir des segments d'un même marché, par exemple après des changements dans la réglementation, laquelle définit souvent les frontières des marchés en défendant à une firme d'œuvrer dans un secteur autre que le sien. Il en était ainsi jusqu'à tout récemment au Canada dans le domaine des services financiers où la réglementation définissait quatre marchés distincts, soit les banques, les compagnies d'assurances, les firmes de courtage en valeurs mobilières et les fiducies. Cette situation prévaut encore aujourd'hui dans le domaine des communications où la propriété croisée de stations de radio, de chaînes de télévision ou de quotidiens est étroitement surveillée. L'abandon de telles restrictions peut en effet transformer des marchés différents en segments d'un même marché.

Au même titre, des changements technologiques ou économiques ou, tout simplement, une façon inédite et audacieuse de concevoir le marché et l'entreprise, peuvent transformer ce qui était auparavant des marchés cloisonnés en **segments** d'un même marché, desservi désormais par une même entreprise qui acquiert ainsi un avantage stratégique important.

Comme il est fréquent en pratique et tel qu'illustré à la figure 4.19, un nouveau système stratégique (S6) peut attaquer le segment C2 avec une innovation, que ce soit une nouvelle formule plus attrayante, un nouveau concept d'entreprise, etc. Les démarches de S6 obligent les systèmes S1, S2 et S5 à abandonner ce segment. Alors le segment C2 devient un marché en soi **puisque aucune firme ne dessert à la fois C2 et d'autres segments du marché**. Le marché antérieur est ainsi redéfini pour ne contenir que les segments C1 et C3.

En d'autres mots, ce qui était défini comme un segment parmi d'autres segments desservis par des firmes généralistes a été transformé en un marché distinct par l'arrivée d'une firme spécialisée. Celle-ci écarte les généralistes du segment et lui donne toutes les propriétés d'un marché autonome desservi par des entreprises qui s'y consacrent entièrement. Ce marché redéfini en conséquence des efforts consacrés par les firmes pour le desservir de façon innovatrice connaîtra

Figure 4.19 Illustration de la dynamique stratégique associée à la définition du marché

	G1			G2			G3			Autres marchés?
	C1	C2	C3	C1	C2	C3	C1	C2	C3	
S1	X	O	X							
S2				X	O	X				
S3	X			X			X			
S4									X	
S5	X	O	X	X	O	X	X	O	X	X X
S6		X			X			X		

toutes les phases d'évolution d'un marché de plein titre, soit l'émergence, la croissance, l'épuration, la maturité, la saturation et le déclin.

4.8.5 Conclusions sur la définition stratégique du marché

Ainsi, un marché se définit par la jonction de l'offre et de la demande. Cette demande est faite de bénéfices et attributs associés à un produit, y compris ses aspects de proximité et de commodité d'achat ainsi que les facteurs de réduction de risque pertinents pour l'acheteur de ce type de produits. Tel que décrit à la section 4.3, on peut définir l'ensemble pertinent des bénéfices de façon plus ou moins étroite et selon un horizon à plus ou moins court terme. En général, nous proposons une définition du marché conforme au quadrant nord-est du tableau 4.1, c'est-à-dire une définition assez large des bénéfices et selon un horizon de 1 à 3 ans. De toute façon, la mise en relation des «segments» de marché, perçus du point de vue de la demande, avec le champ stratégique des firmes qui, du côté de l'offre, tentent d'offrir ces bénéfices, tracera une ligne de démarcation assez nette entre ce que sont les marchés et les segments de marché dans un contexte précis d'offre et de demande.

Les différentes phases du marché, comme nous l'avons montré à la section 4.4, surviennent sous la pression dynamique de l'offre et de la demande. L'expérience croissante et les attentes plus précises des acheteurs ajoutent aux bénéfices sur lesquels les firmes peuvent différencier leur offre de façon rentable. Les choix stratégiques des firmes de même que les effets plus ou moins sensibles exercés par le volume sur les coûts jouent un rôle critique dans l'émergence d'une structure de marché affichant un niveau de concentration plus ou moins élevé et une inégalité plus ou moins prononcée entre les firmes quant à leur part de marché.

La relation entre les coûts marginaux engagés pour fournir des bénéfices spécifiques et la valeur de ces bénéfices pour l'acheteur sous-tend l'activité de conception de nouveaux produits et de segmentation des marchés par l'offre de produits bien ciblés. Nous avons également montré comment la valeur de l'offre globale de produits pour les acheteurs (R(v)), lorsqu'elle est mise en relation avec les coûts de cette offre globale (C(v)), donne lieu à plusieurs représentations du marché, certaines menant à une domination potentielle du marché par une firme et d'autres tendant à définir des marchés de petites dimensions et à la rentabilité précaire. Enfin, dans la dernière section, nous avons voulu délimiter le marché de façon rigoureuse en le définissant comme étant la rencontre entre une demande faite de zones géographiques d'achats et de configurations variables de bénéfices ou attributs, et une offre définie par le champ stratégique le plus étendu que s'est donné l'une ou l'autre des firmes desservant ce marché. Par champ stratégique, on entend évidemment l'envergure de produits, de segments de marché et de zones géographiques que s'est donnée cette firme.

Cette définition rigoureuse nous permet de résumer une bonne partie du propos de ce chapitre et de montrer comment le dynamisme stratégique est alimenté par la définition changeante du contour des marchés, des segments de marché et des groupes stratégiques.

Enfin, ce chapitre sur le marché ainsi que le **chapitre 3** sur les coûts forment les assises essentielles aux stratégies concurrentielles dont nous traiterons au **chapitre 5**.

Chapitre **5**

LA DYNAMIQUE STRATÉGIQUE : SYSTÈME STRATÉGIQUE ET STRATÉGIES DE MARCHÉ

PLAN DE CHAPITRE

5.1   INTRODUCTION

Ce chapitre réunit les aspects coûts et dynamique des marchés présentés et illustrés aux **chapitres 3** et **4**, afin de donner une substance concrète aux notions de système stratégique et de stratégies de marché, et d'offrir au stratège un cadre d'analyse et de réflexion qui lui serve à définir des options stratégiques et à en comprendre les conséquences pour son entreprise.

- À la section 5.2, nous traitons de **systèmes stratégiques**. Nous y montrons comment le fait de concevoir la firme ou l'entreprise comme un système stratégique place dans une perspective nouvelle bon nombre d'enjeux stratégiques. La conception **systémique** de la stratégie qui en résulte constitue un des apports essentiels de cet ouvrage et nous amène à nous interroger brièvement sur l'**architecture** des systèmes stratégiques.

- À la section 5.3, nous offrons une vue d'ensemble de **dix stratégies** de marché dont nous traiterons dans les sections 5.4 à 5.13 de ce chapitre. Nous rapprochons ces différentes stratégies des phases d'évolution du marché dont nous avons longuement traité au **chapitre 4** et nous y présentons la stratégie d'entreprise comme un ensemble de stratégies de marché imbriquées et reliées les unes aux autres.

- À la section 5.14, nous tirons un certain nombre de conclusions à propos de la formulation de stratégies de marché.

5.2   LE CONCEPT DE SYSTÈME STRATÉGIQUE

Toute firme, de par ses origines particulières, de par ses compétences et ses savoir-faire spécifiques, et de par ses choix passés, en vient à constituer un **système**, c'est-à-dire un réseau dynamique d'interrelations et d'échanges récurrents entre ses **parties constituantes**. Lorsqu'il est bien conçu et bien exécuté, ce système représente l'aboutissement de choix économiques judicieux. Il est caractérisé par des relations stables et harmonieuses entre ses différentes composantes, relations établies et ajustées au fil du temps. Il est doté des compétences motrices nécessaires à son succès et est animé par certaines valeurs communes et des motivations largement partagées par tous ses membres. Un tel système est capable de « livrer » une **stratégie** appropriée garante de haute performance économique.

Par contre, la firme qui ne réussit pas à se constituer en système stratégique capable d'exécuter une stratégie de marché pertinente est appelée à disparaître à plus ou moins brève échéance. En fait, la rivalité économique se joue toujours entre des systèmes stratégiques aux propriétés différentes et possédant donc des compétences et des capacités très variables. La force de l'un par rapport à l'autre provient d'une meilleure combinaison de variables et d'une plus grande harmonie et cohérence entre ses différentes parties constituantes.

Parce qu'un système stratégique performant est le résultat d'arrangements organisationnels complexes ainsi que de choix astucieux quant à ses grands paramètres économiques, on ne peut comprendre les raisons véritables de son succès en se fondant sur un examen superficiel de son fonctionnement. En fait, un système stratégique ressemble à un iceberg en ce que sa partie visible n'est pas la plus importante. L'analyste stratégique doit pratiquer la « plongée sous-marine » s'il veut saisir les facteurs et les relations qui donnent à un système stratégique sa force économique et concurrentielle.

5.2.1 Le champ et la dimension du système stratégique

Les figures 5.1 et 5.2 rappellent certains aspects essentiels à la définition d'un système stratégique, aspects qui furent présentés aux **chapitres 1**, **3** et **4**.

Ainsi, la figure 5.1 montre qu'un système stratégique se définit par le choix plus ou moins net et explicite d'une envergure de produits et de marchés. Ce choix se fonde sur la dynamique des coûts pour chacune de ses activités (figure 3.4) ainsi que sur l'influence qu'exercent les différentes dimensions géographiques de ses opérations sur ses coûts (figure 4.8).

Un système stratégique est aussi constitué d'un ensemble de compétences, de savoir-faire, de ressources et de technologies propres à l'entreprise, qui sont un produit de l'**organisation** mise en place pour donner une substance à ces choix économiques et les appuyer (figure 1.4). Cette **capacité organisationnelle** du système stratégique déterminera en grande partie son aptitude à bénéficier de tous les avantages économiques qui proviennent des effets de volume et

Figure 5.1 Quelques relations qui définissent le champ et la dimension d'un système stratégique

Figure 1.4 Représentation de la firme et de l'organisation

Figure 3.9 Dynamique de coûts et taille optimale pour les systèmes stratégiques complexes

Figure 3.4 Illustration de la dynamique de coûts par activité

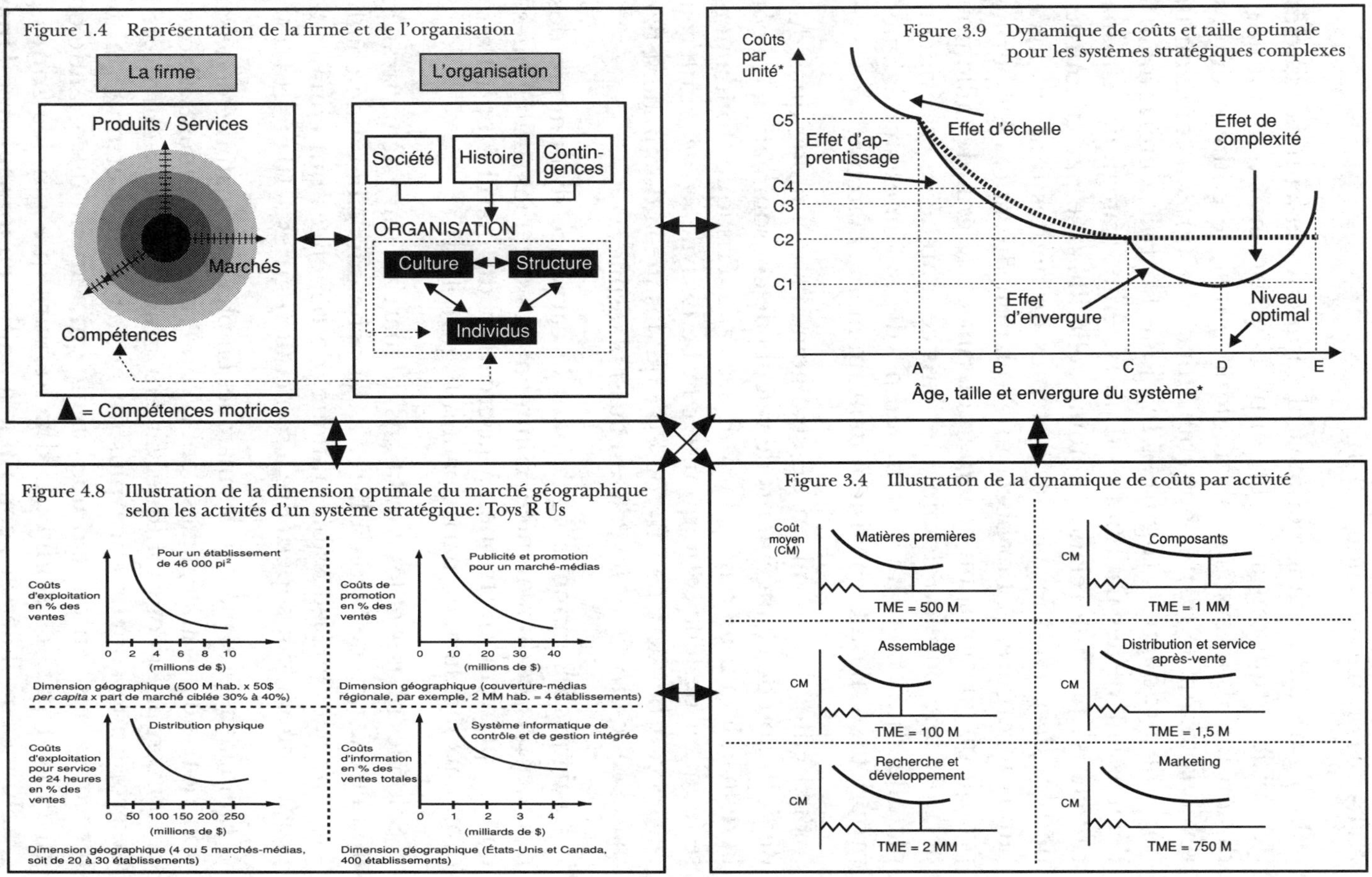

Figure 4.8 Illustration de la dimension optimale du marché géographique selon les activités d'un système stratégique : Toys R Us

d'envergure sans subir indûment ou précocement les effets nocifs des coûts de complexité (figure 3.9).

La figure 5.2 résume certains phénomènes essentiels associés à la demande et qui ont aussi un impact important sur la nature et la dimension d'un système stratégique. Ainsi, le comportement des revenus totaux (R(v)) et des coûts totaux (C(v)) en fonction du volume de production (figure 4.16) joue un rôle déterminant dans l'établissement des paramètres d'un système stratégique. Un marché caractérisé par une relation comme celle illustrée par la courbe «C» ne sera desservi que par des systèmes de petites dimensions et de faible envergure. À l'opposé, une relation du type «A» permet de prévoir qu'au moins un système puissant et de grande taille pourrait occuper une position dominante dans ce marché. Il est évidemment plausible que, pour un certain temps, des systèmes stratégiques aux propriétés A, B ou C coexistent dans un même marché.

Bien entendu, en raison de changements technologiques du côté de l'offre ou de changements de valeurs de consommation du côté de la demande, un marché peut voir ses caractéristiques fondamentales se modifier de telle sorte qu'une courbe de type «A» vienne remplacer les courbes de type «B» ou «C» qui jusque-là dominaient dans ce marché. Le processus inverse est aussi plausible.

La figure 5.2 rappelle également le caractère dynamique des différentes phases du marché et comment des systèmes stratégiques bien conçus peuvent contribuer à la création du marché et à l'atteinte d'un taux maximal de participation (figure 4.4a).

Selon les phases et les conditions du marché, un système stratégique doit être conçu de façon à livrer à des acheteurs ciblés une combinaison optimale et, si possible, unique, de bénéfices qui confère à son produit une valeur supérieure à son coût (figures 4.10 et 4.14).

Enfin, dans presque tous les marchés en phase de maturité et de saturation, des systèmes stratégiques dont la couverture de segments d'acheteurs et l'envergure géographique varient grandement (figure 4.18), se livreront une concurrence plus ou moins directe et plus ou moins féroce. La mise en place d'un système qui a atteint une grande envergure, tant par les segments d'acheteurs que par les zones géographiques qu'il dessert, contribue à unifier en **un seul grand marché** ce qui sans lui ne serait qu'un ensemble de multiples petits marchés.

Figure 5.2 Quelques relations qui définissent le champ et la dimension d'un système stratégique

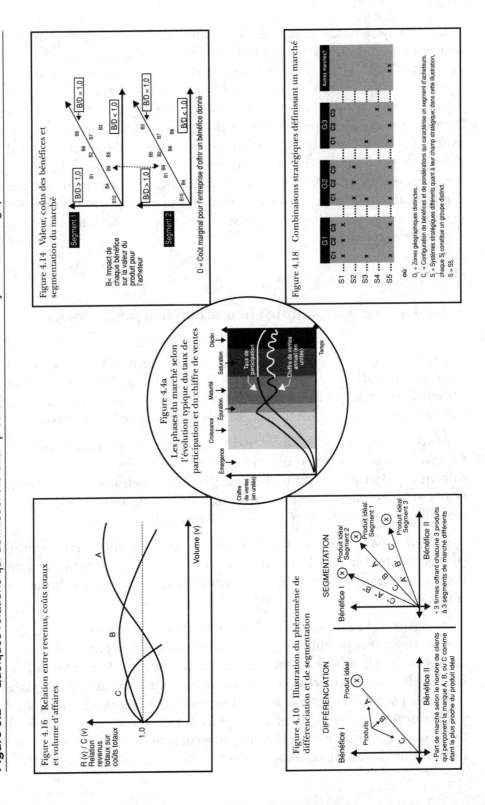

Figure 4.16 Relation entre revenus, coûts totaux et volume d'affaires

Figure 4.14 Valeur, coûts des bénéfices et segmentation du marché

Figure 4.18 Combinaisons stratégiques définissant un marché

Figure 4.4a Les phases du marché selon l'évolution typique du taux de participation et du chiffre de ventes

Figure 4.10 Illustration du phénomène de différenciation et de segmentation

De tels systèmes, à cause de leur taille et de leur envergure, sont souvent capables d'offrir un meilleur ratio qualité/prix que des concurrents de plus petites dimensions et de moindre envergure. Par contre, comme nous le verrons plus loin dans ce chapitre, les choix et les arbitrages qu'il a fallu faire pour tendre vers une certaine uniformisation et homogénéité de l'offre et bénéficier ainsi de tous les avantages économiques, peuvent avoir pour conséquence que des créneaux précis de marché soient mal desservis et mal défendus par les systèmes de grande envergure. Ces créneaux fourniront un point d'entrée facile pour les firmes de plus petite envergure qui ont choisi de se concentrer ou de se spécialiser sur les façons de mieux servir ces segments d'acheteurs.

5.2.2 Un exemple simple : le marché des petits colis

À une époque encore récente, des firmes « généralistes » offraient une vaste gamme de services de transport de colis et d'envois de toutes dimensions à de très nombreux clients. Ceux-ci variaient grandement quant à leur volume d'affaires et à la destination de leurs envois.

Au début des années soixante-dix apparurent aux États-Unis et au Canada un certain nombre de firmes (UPS, Purolator, etc.) qui mirent rapidement en difficulté ces généralistes en instaurant de nouveaux systèmes stratégiques conçus pour servir de façon supérieure et à meilleur compte des catégories d'acheteurs bien ciblés.

Ces nouveaux systèmes se fondaient sur des choix stratégiques précis et sur une solide compréhension de la dynamique de coûts dans ce secteur d'activité et c'est précisément ce qui explique leur réussite.

La figure 5.3 et les tableaux 5.1 et 5.2 offrent une version simplifiée de ces choix. En premier lieu, comme l'indique la figure 5.3, il fallait comprendre les différents facteurs qui influençaient le niveau et l'évolution des coûts de **chaque composante du système**. Il s'agissait d'établir comment, par exemple, différentes grilles géographiques de cueillette et de livraison propulsaient les coûts de cueillette et de livraison, et comment le volume par expéditeur et la distance entre expéditeurs faisaient varier les coûts de cueillette, et ainsi de suite.

Figure 5.3 Configuration de coûts des spécialistes en transport de petits colis

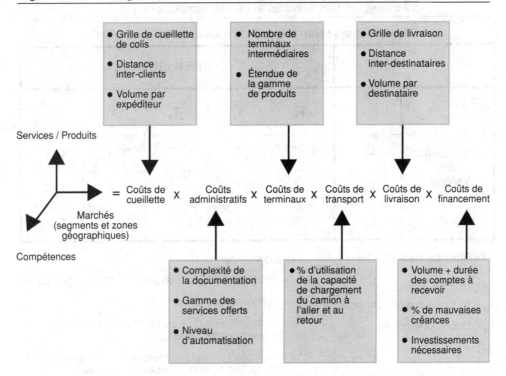

Comme le propose le tableau 5.1, il fallait également établir une typologie de clients potentiels selon la nature et la fréquence de leurs envois. Alors que les généralistes, les services de messagerie du CN et du CP entre autres, tentaient de combler tous ces besoins (sauf parfois T_1), les nouveaux systèmes étaient conçus pour se concentrer exclusivement sur un type précis de clients (essentiellement L_1T_2) qui affichaient un potentiel de volume élevé. En se spécialisant ainsi, le système bénéficiait d'avantages de coûts très importants, comme l'indique la figure 5.3.

De plus, l'envergure géographique de ces nouveaux systèmes était établie de façon à préserver leur efficience économique tout en donnant un bon service à la majorité de leurs clients éventuels. Selon un examen serré de l'impact qu'exerçaient différentes grilles de cueillette et de livraison sur leurs coûts et leurs revenus, les nouveaux systèmes, on avait décidé de limiter leur envergure géographique aux combinaisons (GG, GP, PG, PP) illustrées au tableau 5.2. Cette couverture géographique correspondait à plus de 80 % du volume

Tableau 5.1   Champ stratégique pour une firme de transport de petits colis :
l'envergure des services et de segments de clients

Clients classés selon le type et la fréquence de leurs envois

		TYPE D'ENVOI				
		T_1	T_2	T_3	T_4	T_5
FRÉQUENCE DES ENVOIS	L_1	$L_1 T_1$	$L_1 T_2$	$L_1 T_3$	$L_1 T_4$	$L_1 T_5$
	L_2	$L_2 T_1$	$L_2 T_2$	$L_2 T_3$	$L_2 T_4$	$L_2 T_5$
	L_3	$L_3 T_1$	$L_3 T_2$	$L_3 T_3$	$L_3 T_4$	$L_3 T_5$

FRÉQUENCE DES ENVOIS

L_1 = Tous les jours

L_2 = Au moins une fois par semaine

L_3 = Occasionnellement

TYPE D'ENVOI

T_1 = Courrier (enveloppes ou autres < 10 kg ; interurbains)

T_2 = Petits colis seulement (< 25 kg)

T_3 = Petits colis et autres envois inférieurs à un plein chargement de camion

T_4 = Expédition de toutes dimensions, mais représentant moins d'un plein chargement de camion

T_5 = À la fois plein chargement et chargement partiel de camion

d'affaires total et leur épargnait l'augmentation exponentielle des coûts associés à une couverture géographique totale.

Par contre, les généralistes, eux, cherchaient à augmenter leur volume d'affaires en offrant leurs services à toute la grille géographique du tableau 5.2. En conséquence de ces choix quant à sa gamme de services, à ses clients et à son envergure géographique, un généraliste comme **Les messageries du CN** en était arrivé à servir chaque mois quelque **150 000** clients différents, dont plus de 90 % lui accordaient un volume d'affaires **inférieur à 1 000 $ par année**. Une si grande diversité de clientèle répartie dans une si vaste grille géographique eut des effets désastreux sur la performance économique de la firme et sur sa capacité d'offrir un service approprié aux clients à haut volume.

Les spécialistes du petit colis, quant à eux, ont pu remporter le succès qu'on leur connaît grâce à un choix clair et judicieux de

Tableau 5.2 Champ stratégique pour une firme de transport de petits colis :
l'envergure géographique

		Emplacement du destinataire		
		Grands centres urbains (G)	Zones périphériques aux grands centres (P)	Petites villes et villages (V)
Emplacement de l'expéditeur	Grands centres urbains (G)	GG	GP	GV
	Zones périphériques aux grands centres (P)	PG	PP	PV
	Petites villes et villages (V)	VG	VP	VV

champ stratégique, soit celui des envois de moins de **25 kilos** par des expéditeurs **situés** dans une **grille géographique restreinte**, qui ont un volume **quotidien** de ces envois et dont les **destinataires** sont également **situés** dans une **grille géographique restreinte**. De plus, ces envois sont soumis à une documentation allégée, n'offrant pas de possibilité de repérage en cours de transit, de paiement à la livraison ou de perception de frais de transport chez le destinataire.

De toute évidence, le volume total d'affaires correspondant à cette description du marché, ainsi que la part de marché visée par un système spécialisé, doit suffire pour établir des circuits de cueillette et de livraison de colis qui soient économiques et fassent plein usage de l'équipement de camions. Enfin, le volume produit doit également être suffisant pour constituer de pleins chargements de camion-remorque pour le transport interurbain.

À ces conditions, les coûts d'exploitation deviennent très favorables et l'entreprise peut offrir des prix très concurrentiels et un service de haute qualité. Évidemment, parce qu'il peut offrir de tels bénéfices aux clients, le système contribue à susciter le volume d'affaires nécessaire à sa bonne performance économique.

Les systèmes spécialisés, comme celui conçu pour le transport de petits colis décrit ci-dessus, ont démontré à maintes reprises, et ce dans beaucoup d'autres secteurs d'activité, que l'entreprise qui **cherche à augmenter son volume** d'affaires en élargissant, sans égard aux facteurs économiques sous-jacents, sa gamme de produits et de services ainsi que son envergure géographique peut devenir très vulnérable à une attaque « spécialisée ». Non seulement une telle entreprise ne bénéficie pas des économies d'échelle découlant normalement d'un volume accru, mais elle se trouve plutôt handicapée par une telle variété et une telle complexité, et ses coûts d'exploitation et la qualité de son service se détériorent rapidement. Tôt ou tard, une firme ayant un champ stratégique plus restreint viendra faire la démonstration qu'il est plus rentable de s'efforcer de répondre pleinement aux besoins et aux attentes particulières d'une catégorie **choisie** de clients.

5.2.3 Un autre exemple : le marché de l'alimentation

La figure 5.4 montre comment les différentes composantes économiques qui définissent le taux de rendement d'une firme dans le secteur de l'alimentation sont influencées par les politiques adoptées par l'entreprise.

La nature de ces choix mène à la création de systèmes stratégiques fort différents, chacun étant capable de livrer un « produit » particulier ayant un certain attrait pour un segment précis d'acheteurs. Évidemment, lorsque ces choix ne sont pas conséquents ou sont mal calibrés, ou lorsqu'ils aboutissent à un « produit » pour lequel la demande est insuffisante, de tels systèmes deviennent vite dominés par des systèmes supérieurs et sont évincés du marché.

Ainsi, on peut facilement comprendre, à l'aide de la figure 5.4, comment des systèmes aussi différents que Club Price, les supermarchés à escompte Héritage et les dépanneurs Provi-Soir sont le résultat de choix très précis quant aux différents éléments décrits dans ce tableau. C'est pourquoi l'innovation stratégique provient souvent d'une nouvelle configuration de choix, laquelle définit un

Figure 5.4 Choix stratégiques et performance économique dans le commerce de l'alimentation

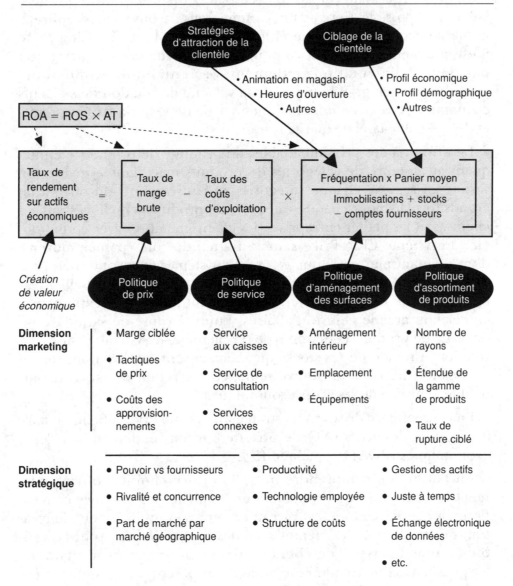

nouveau système stratégique supérieur à ceux déjà en place, du moins pour un ensemble d'acheteurs ciblés.

Par exemple, le système Club Price est conçu de façon à offrir de très bas prix tout en réalisant un fort rendement sur les actifs économiques. Le système doit pouvoir fonctionner selon un mince taux de marge brute et donc avec des coûts d'exploitation aussi faibles que possible. Cependant, comme nous l'avons vu au **chapitre 2**, la marge économique sur le chiffre d'affaires (ROS) de Club Price n'est que d'environ 2 %, et ce pour tous les secteurs de vente et non pas pour l'alimentation seulement. Sa rentabilité économique provient donc en grande partie de la vélocité de rotation de ses actifs économiques, vélocité qui résulte en partie de ses prix très attrayants et de son faible taux de marge brute.

En offrant à des prix imbattables une gamme de produits étendue quant au nombre de catégories de produits mais limitée quant à la variété au sein de chaque catégorie, en restreignant son offre à de grands formats pour chaque catégorie de produits, en **choisissant** ses clients, soit les petites entreprises, les clients-membres avec cotisation, etc., le système Club Price réussit à atteindre un « panier moyen » d'un montant plus élevé que ce que les systèmes conventionnels peuvent produire, c'est-à-dire que le montant des achats par **client** est beaucoup plus élevé, un facteur déterminant des coûts d'exploitation en relation avec le chiffre d'affaires. Enfin, à cause de sa judicieuse diversité de produits et de son type de clientèle, le système réalise une rotation si rapide de ses stocks que ceux-ci sont vendus avant même l'échéance des comptes fournisseurs, ce qui réduit de façon remarquable le niveau de ses actifs économiques.

En conséquence de ses choix stratégiques, Club Price affiche un taux de rotation des actifs (AT) de près de 8 et un rendement sur actifs économiques (ROA) de quelque 15 %.

En fait, il faut comprendre que Club Price choisit d'offrir **seulement** les catégories de produits pour lesquelles les systèmes conventionnels connaissent un fort niveau de ventes et un haut taux de rotation des stocks. Or, ces mêmes systèmes conventionnels sont **accessibles à tous les types de clients**, offrent plusieurs produits pour lesquels le taux de rotation est faible et proposent une grande variété au sein de chaque catégorie de produits, ce qui réduit encore le rythme de rotation des stocks. Leur volume se fonde donc sur le grand nombre de leurs clients, la grande diversité de leur offre de produits et la variété au sein de chaque catégorie de produits. Pour atteindre un rendement acceptable sur leurs actifs économiques, les systèmes conventionnels doivent obtenir des marges brutes plus fortes et établir des prix qui comportent une « subvention » cachée par certains

produits et **clients** très rentables envers d'autres produits et clients moins rentables.

Voilà un autre enseignement important qu'une approche systémique de la stratégie réussit à mettre en lumière. Dans les deux exemples cités plus haut, soit celui des firmes spécialisées dans le transport de petits colis et celui de Club Price, ces nouveaux systèmes ont su reconnaître la **vulnérabilité** des entreprises en place, vulnérabilité qui découle du fait que **leur offre de produits, leur service et surtout leurs prix comportent un important phénomène de subvention croisée**, phénomène souvent occulte et incompris tant qu'un nouveau système spécialisé n'en fait pas la démonstration.

Les systèmes complexes conçus pour la recherche de volume grâce à la grande envergure de leur offre de produits, de leurs segments de clientèle et de leurs marchés géographiques sont soumis au risque que ce phénomène de **subvention croisée** les trompe quant à leurs coûts d'exploitation par produit et par type de client et, par conséquent, mène à des erreurs ou à des anomalies lors de l'établissement de leurs prix pour leurs différents produits et types de clients.

Toute la concurrence et la rivalité en cours et à venir dans le domaine de la téléphonie et des télécommunications se jouent et se joueront en grande partie autour des marchés potentiels que créent ces phénomènes de subventions entre régions géographiques, entre services et entre types de clients. La déréglementation du secteur créera d'intéressantes possibilités pour de nouveaux systèmes qui, étant en mesure de **choisir** les services à offrir et les clients à servir, seront donc conçus uniquement pour maximiser leur ratio qualité / prix quant aux services qu'ils fournissent à ces clients.

Pour les dirigeants et les stratèges, il est essentiel d'établir un système d'information qui leur donne une bonne mesure de la **valeur** et des **coûts** afférents aux différents **produits et services** ainsi qu'aux **différents types de clients** que leur système cherche à servir. Il peut s'avérer nécessaire à cette fin de « désintégrer » l'entreprise, c'est-à-dire de reconstituer l'entreprise en unités autonomes entièrement dédiées à des groupes de clients précis et à la mise en marché de produits spécifiques, lorsque et **dès que** le volume le justifie.

5.2.4 Le champ stratégique ou les frontières d'un système stratégique

Le choix d'un champ stratégique, c'est-à-dire l'envergure à donner au système, s'avère critique pour sa performance économique à court et à long terme, et ce de plusieurs façons.

Premièrement, ce choix définit ce que les dirigeants perçoivent comme un **équilibre optimal** entre, d'une part, la variété et la diversité de leur offre de produits, l'étendue géographique de leurs opérations et la couverture des groupes d'acheteurs et, d'autre part, l'impact des phénomènes d'**échelle**, d'**envergure** et de **complexité** sur les coûts du système.

Deuxièmement, le choix d'un champ stratégique pour la firme, choix qui est arrêté plus ou moins consciemment au moment de sa création, en marquera profondément le potentiel de développement futur. En effet, l'envergure qu'une entreprise prend dans la **tête** de ses concepteurs conditionnera puissamment non seulement le type et le niveau des investissements à engager aux premiers stades de son développement, mais aussi et surtout les mentalités, les compétences et les styles de gestion de sa direction et de son personnel. C'est de cette façon que le concept galvaudé de «vision stratégique» prend un sens concret d'une grande importance.

Ainsi, la conception d'une entreprise de distribution, par exemple Toys R Us, devant ultimement «couvrir» les marchés américain et canadien, suppose la volonté de s'équiper, dès les premières phases de son développement, de systèmes de gestion, de personnel compétent et des appuis financiers nécessaires pour réaliser cette vision, même si l'objectif ne sera atteint qu'au prix de dix années d'efforts. Cela est bien différent de la situation où une entreprise conçue selon une dimension locale est poussée par les événements à élargir l'envergure de son champ stratégique. Dans ce cas-ci, la direction devra modifier les compétences, les mentalités et les façons de faire, y compris les siennes, qui sont déjà incrustées dans l'organisation et en conditionnent le déploiement et la stature.

L'ouverture des frontières au commerce international, tant en Amérique qu'en Europe, invite les entreprises à concevoir leur champ stratégique de façon beaucoup plus hardie. Évidemment, la démarcation entre une **vision** et une **lubie** n'est pas toujours claire, ni même étanche d'ailleurs. Cette distinction tient essentiellement à ce que la première s'appuie sur des hypothèses économiques et stratégiques valables, même si elles sont audacieuses ou encore incomprises par la plupart des gens, alors que la seconde s'abreuve surtout à une conviction personnelle sans fondements stratégiques, parfois teintée de mégalomanie.

Troisièmement, l'entreprise complexe, souvent constituée de plusieurs divisions, filiales ou unités d'affaires, doit décider **du nombre et de la démarcation des systèmes stratégiques en son sein**. Exprimé autrement, l'enjeu consiste à établir d'abord si l'entreprise n'est constituée que d'un seul système stratégique même si celui-ci se manifeste en plusieurs unités ou divisions. Dans ce cas, cependant, toutes ces unités seraient soit fortement reliées entre elles, soit intégrées verticalement ou horizontalement, soit caractérisées par une importante **mise en commun** d'actifs tangibles ou intangibles.

Peut-être l'entreprise a-t-elle atteint un niveau de diversité tel qu'il devient préférable de considérer que celle-ci est constituée **de plus d'un** système stratégique, chacun ayant son **champ stratégique** propre et bien démarqué, et entretenant des relations limitées et souples avec les autres systèmes de l'entreprise.

Ces choix de démarcation de systèmes sont d'une importance critique dans la très grande entreprise, qui se caractérise par une offre de produits diversifiée et une vaste envergure de marché.

Prenons à titre d'exemple, comme nous l'avons indiqué au **chapitre 2**, la société Bombardier, composée de plus de 25 divisions rassemblées en **six** groupes ou secteurs d'activité (matériel de transport en Amérique du Nord, matériel de transport en Europe, aéronautique en Amérique du Nord, aéronautique en Europe [Shorts], produits de consommation motorisés [Ski-doo, Sea-doo] et services financiers). L'entreprise Bombardier est-elle constituée de six systèmes stratégiques, de **plus de six** et de **moins de vingt-cinq systèmes**, de **moins de six** systèmes ? La réponse à cette question dépend du niveau d'intégration entre les divisions et les groupes, de la dépendance d'une unité envers l'autre pour atteindre ses objectifs économiques.

Ce niveau optimal d'intégration ou de « désintégration » doit être établi par les dirigeants de l'entreprise. Leur décision, quant au nombre et au **périmètre** des différents systèmes stratégiques au sein de leur entreprise, sera porteuse de conséquences importantes pour l'ensemble de la performance de l'entreprise et devra évidemment être revue et modifiée selon les résultats obtenus et les changements de circonstances.

Ainsi, en se référant à la figure 5.5, on observe que le groupe des produits de consommation motorisés est constitué des unités Ski-doo (motoneige), Sea-doo (motomarine), Scanhold (motoneige en Finlande), Rotax de Gunskirchen (moteurs en Autriche) et de produits industriels (équipement de damage de pistes de ski alpin, équipement industriel et de déneigement urbain).

Ce groupe d'unités devrait-il former un seul système stratégique ? Ne serait-il pas plus efficace de considérer comme des systèmes stratégiques autonomes chacune de ces divisions et de les doter de leurs propres outils de fabrication, de leurs réseaux de distribution, d'une direction générale spécifique ? Les avantages de cette seconde option proviennent de ce que chaque système est alors simple et peut se consacrer entièrement à un seul marché. La mesure de sa performance y est facile et le sentiment de responsabilité, entier et tangible.

Figure 5.5 L'entreprise complexe et la démarcation de ses systèmes stratégiques : l'exemple de Bombardier inc.

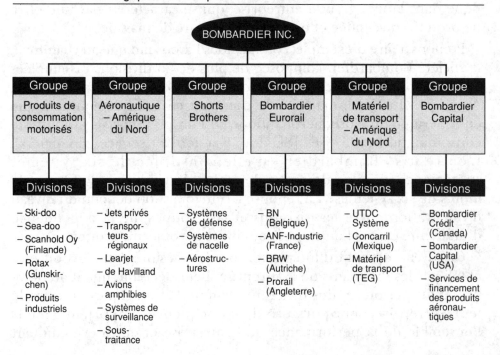

Selon une autre option, les divisions Sea-doo, Ski-doo et Rotax pourraient être intégrées dans un seul système pour des raisons économiques fort convaincantes, soit une meilleure utilisation des actifs de production puisque les deux produits (Ski-doo et Sea-doo) sont soumis à des cycles saisonniers de fabrication qui sont complémentaires, les gains d'efficience pouvant être réalisés en servant de façon intégrée les nombreux concessionnaires vendant les deux produits, le développement de nouveaux produits faisant appel à des ressources communes d'ingénierie, à une maîtrise des technologies de moteurs essentielle au développement de nouveaux produits.

Cependant, il faut reconnaître qu'un système stratégique unissant Sea-doo, Ski-doo et Rotax s'exposera à des frais additionnels de coordination. Par exemple, le responsable des ventes du produit Sea-doo et le responsable du produit Ski-doo seront-ils chapeautés par un responsable général des ventes pour coordonner leurs activités, et ainsi de suite, pour le marketing, le service après-vente, la production et certaines autres fonctions ? En outre, la relation entre les efforts de chacun et la performance économique d'ensemble qui, dans un système simple, est directe et mobilisatrice, risque d'être moins tangible dans un système plus complexe.

Les avantages économiques associés à un système de plus grande envergure sont-ils assez importants pour choisir une telle option ? Comment s'approprier les avantages économiques de ces systèmes d'envergure tout en minimisant leurs coûts de complexité et leurs effets négatifs sur le sentiment de responsabilité et d'imputabilité ? Voilà deux questions stratégiques auxquelles les dirigeants compétents doivent trouver des réponses adéquates.

5.2.5 Système stratégique et changement organisationnel

Le fait de concevoir l'entreprise sous la forme d'un ou de plusieurs systèmes stratégiques aide grandement à comprendre la difficulté d'y insérer de nouvelles méthodes de gestion et d'exploitation ou d'en changer les orientations fondamentales. Le concept même de système fait appel à un assemblage d'éléments imbriqués et de relations d'influence mutuelle entre ses diverses composantes. Le système stratégique est aussi un **produit à caractère historique**, c'est-à-dire que, tout au cours de son existence, les sédiments de son expérience ont façonné des arrangements équilibrés et durables de valeurs et de croyances, de compétences motrices et de structures, de styles de gestion et de modes de fonctionnement.

Les tentatives pour changer ces arrangements peuvent provoquer des effets «contre-intuitifs», c'est-à-dire qu'un changement apporté à l'une ou l'autre des composantes du système produit une séquence de réactions complexes dont l'aboutissement, imprévisible au départ, est très différent, voire à l'opposé de ce qui était l'intention ou l'objectif recherché (voir Forrester, 1971; Senge, 1990). À l'inverse, un phénomène entièrement différent se manifeste souvent en situation de changement. Lorsque les arrangements du système sont «tissés serrés» et sont donc le produit d'une longue et forte expérience, le système stratégique affiche alors certaines propriétés **homéostatiques** en ce que les tentatives de le changer déclenchent des mécanismes de protection et de conservation ainsi que de rétablissement de l'équilibre original et de son rythme de changement **habituel**.

Ces considérations générales nous mènent à quelques observations utiles pour les concepteurs et leaders de systèmes complexes. De toute évidence, plus un système stratégique est de formation récente, plus il est facile d'en influencer les arrangements et la constitution. C'est donc à cette phase que les dirigeants doivent y établir les propriétés de **flexibilité** et de **plasticité** qui seront nécessaires à son évolution et à son adaptation aux circonstances futures. Voilà d'ailleurs une autre facette de ce que devrait signifier l'expression «vision stratégique».

Le changement apporté à un système stratégique peut être considéré comme incrémentiel et relativement facile à exécuter lorsqu'il est conséquent avec l'**évolution** naturelle du système et qu'il est **légitime** selon les valeurs, les compétences et les croyances qui y ont cours. Un système stratégique est toujours en mouvement et en changement, mais cette évolution se déroule selon une dynamique et une logique qui sont le produit de ses origines, de son architecture et de son histoire.

Or, de nouvelles philosophies de gestion ou de nouveaux concepts d'entreprises, que ce soit la production en juste à temps, la qualité totale, l'orientation-clients ou d'autres objectifs également souhaitables, ne seront vraiment intégrés au fonctionnement du système stratégique que s'ils provoquent un changement **systémique**. C'est donc dire qu'il faut être prudent et parcimonieux dans l'adoption de nouveaux modes de gestion. Si les changements proposés sont essentiels au succès de l'entreprise, alors ils méritent d'être implantés selon une stratégie de changement proprement **radicale**[1]. Par contre, si ces nouveaux objectifs ne sont pas essentiels, ils risquent de provoquer inutilement un déséquilibre du système ainsi que des effets contre-intuitifs nocifs.

Quelle que soit leur importance, les changements proposés qui ne sont pas appuyés par une stratégie appropriée seront banalisés et transformés en changements mineurs et inoffensifs, comme autant de verrues sur un corps sain. Or, non seulement l'entreprise aura alors engagé des coûts importants et inutiles, mais aussi ses dirigeants auront ainsi dilapidé un précieux capital de crédibilité lorsque viendra le temps d'effectuer des changements nécessaires au système.

Il est étonnant par exemple de constater comment, après de nombreuses années d'efforts apparents pour mettre le client au centre des préoccupations de la firme, cet objectif n'est encore atteint que très partiellement. Cela tient souvent au fait que les compétences motrices du système et les valeurs de gestion qui les appuient n'intègrent toujours pas le marketing et l'importance du client, malgré toutes les exhortations de la direction et tous les séminaires de gestion organisés pour promouvoir ces orientations.

Enfin, il est important de comprendre qu'un système demeure un système même lorsqu'il produit des résultats défavorables. Il arrive justement qu'en conséquence de décisions irréfléchies, de mesures intempestives ou de changements contextuels majeurs, on aboutisse à un système dont les arrangements, naguère garants d'une bonne performance économique, produisent maintenant des résultats médiocres ou même franchement mauvais et menaçants pour la survie de l'entreprise.

Cependant, et cela explique pourquoi le redressement des entreprises est si difficile à effectuer malgré la menace évidente de déconfiture, les phénomènes homéostatiques ainsi que les relations imbriquées et complexes arrivent à contrer les tentatives de changement, et ce autant pour un système à la performance déficiente que

---

1. Les stratégies radicales de changement sont traitées brièvement au **chapitre 6** et plus à fond dans le volume 2 de cet ouvrage.

pour un système à haut rendement. Si l'on pense à General Motors, ou bientôt peut-être à IBM, il faut comprendre comment ces systèmes qui «tournent dans le mauvais sens» le font selon une dynamique aussi puissante que lorsqu'ils généraient un rendement économique exemplaire.

5.2.6 Le système stratégique en son sens restreint et en son sens large

Notre propos sur les systèmes stratégiques s'est limité jusqu'ici aux arrangements et aux relations établis au sein d'une même entité juridique ou d'une institution particulière. Nous ferons désormais référence aux systèmes stratégiques logés à l'intérieur des frontières d'une entreprise en disant qu'il s'agit du concept pris dans son **sens restreint**.

Dans son **sens large**, le concept de système stratégique doit embrasser les relations stratégiques établies avec d'autres entités juridiques. Le contour d'un système stratégique, lorsque cette expression est prise dans son sens large, doit être tracé de façon à comprendre les relations avec d'autres entités juridiques qui sont essentielles aux fins stratégiques de l'entreprise.

Cette définition vise évidemment les alliances de toute nature, les entreprises en participation (*joint ventures*), les consortiums de recherche et développement, et les programmes à risque partagé (fréquents dans le secteur de l'aéronautique). Elle cherche également à tenir compte des systèmes de franchise et de concessionnaires exclusifs, des réseaux de sous-traitants **attitrés**, de licences pour la fabrication ou la distribution de produits, et ainsi de suite. De toute évidence, ces relations doivent être intégrées dans la définition du système pour qu'on comprenne bien comment il fonctionne et d'où provient sa force ou sa vulnérabilité.

Nous l'avons écrit plus haut, on ne peut comprendre le système Toyota sans y incorporer sa «famille» de fournisseurs et de sous-traitants ainsi que le réseau des concessionnaires Toyota. Il en va de même chez McDonald's dont le succès est en partie attribuable à ses milliers de concessionnaires indépendants. Pour illustrer l'importance de cette définition élargie du concept de système, examinons les exemples concrets que nous fournissent les entreprises Provigo et Bell Canada.

Provigo, cette grande entreprise canadienne de distribution alimentaire, s'est acquis un volume d'affaires important par le truchement de «bannières», c'est-à-dire des marchands indépendants qui trouvent avantage à s'afficher sous la bannière Provigo (ou une autre) pour un ensemble de raisons, que ce soit de meilleurs coûts d'approvisionnement, les avantages d'une publicité et d'une promotion mises en commun, l'accès aux systèmes d'exploitation les plus performants, et, en certaines occasions, un précieux appui financier pour la modernisation de leurs établissements.

Il est certain que ces marchands pourtant juridiquement autonomes font en réalité partie du vaste système stratégique de Provigo. Ainsi, la stratégie de Provigo doit tenir compte non seulement de ses objectifs et intérêts propres, mais aussi de ceux de ses marchands affiliés.

Toute divergence d'objectifs, de priorités ou d'intérêts entre les différentes parties constituantes du système pris en son sens large aura des conséquences graves pour la performance et même pour la survie du système, du moins dans sa forme originale.

Par exemple, la société Provigo, c'est-à-dire le système stratégique en son sens restreint, décida que, pour s'adapter à un marché en phase de maturité assailli par de nouvelles formes de concurrence, elle devait se doter de ses propres établissements de commerce au détail pour cibler des segments de marché en croissance. Les marchands affiliés ne virent pas cette initiative du même œil. Alléguant que Provigo faisait ainsi concurrence à ses propres marchands affiliés, ceux-ci engagèrent des poursuites contre la société.

Cette situation démontre bien que lorsque le système stratégique, pris en son sens large, comprend plusieurs partenaires stratégiques, sa gestion exige alors un haut niveau de diplomatie et une grande sensibilité aux humeurs et aux intérêts des membres du système.

D'autre part, cet exemple montre aussi que, malgré les avantages indubitables de ces systèmes stratégiques composés d'alliances et de rassemblement de firmes juridiquement indépendantes, ceux-ci comportent également un haut risque d'inflexibilité en période de transformation des conditions du marché ou du contexte technologique.

La société Bell Canada, une entreprise de téléphonie et de télécommunications œuvrant dans les territoires du Québec et de l'Ontario, confrontée aux changements importants qu'elle anticipait tant sur le plan de la réglementation canadienne de la concurrence, c'est-à-dire l'ouverture du marché des appels interurbains, que de la concurrence internationale, se fit le promoteur d'une alliance de grande envergure avec six autres sociétés canadiennes du secteur de la téléphonie et des télécommunications.

Formée sous le nom de Stentor inc., cette nouvelle société regroupe toutes les ressources d'ingénierie et de développement de produits des compagnies membres. Puisque les agences de réglementation canadiennes ne permettent pas à une société de télécommunication d'acquérir une société de télécommunication dans une autre région, cette alliance est donc un mécanisme permettant d'atteindre plusieurs objectifs stratégiques, dont les suivants :

- Fournir aux grands clients dont les opérations sont pancanadiennes et internationales un service intégré, comme s'ils ne traitaient qu'avec un seul fournisseur de services de télécommunications.

- Réduire les coûts de développement de nouveaux produits en mettant en commun les ressources nécessaires et assurer l'uniformité technique des services offerts par les sociétés membres de l'alliance.

- Acquérir la capacité en tant que société canadienne de faire concurrence sur les marchés internationaux et de participer à des alliances internationales.

Cependant, étant donné qu'une grande partie des ressources stratégiques de chaque société membre de l'alliance sont maintenant transférées à Stentor, il est évident que le système stratégique de Bell Canada (et des autres sociétés) doit comprendre dans son périmètre cette nouvelle société dont elle n'est qu'un actionnaire parmi d'autres. Encore une fois, les raisons qui sous-tendent la constitution d'un tel système stratégique sont valables et convaincantes, mais il en résulte que le nouveau système stratégique de Bell Canada est plus complexe à gérer et est soumis aux aléas des divergences d'opinions et d'intérêts chez les différents actionnaires de Stentor.

5.2.7 Conclusions sur les systèmes stratégiques

Qu'il soit pris dans un sens large ou restreint, le concept de système stratégique invite le stratège à pénétrer dans les relations complexes entre les composantes d'un système. Il le presse d'être explicite quant aux arrangements souhaités et aux équilibres à maintenir entre les différentes parties du système. Le concept de système stratégique met en relief l'importance de l'**architecture** du système et fait comprendre que l'innovation stratégique réside souvent dans de nouvelles formes de relations, de nouveaux arrangements entre ses parties constituantes, ou encore dans une nouvelle définition de son champ stratégique, laquelle pourrait lui procurer des avantages économiques inaperçus jusque-là.

Imprégné de ce concept, le dirigeant comprend que la construction d'un système stratégique requiert de sa part une vision claire de l'aboutissement d'un tel système et un engagement indéfectible envers sa réalisation. Le dirigeant est incité à faire preuve d'une grande sensibilité aux décisions ou aux interventions qui peuvent dérégler un système performant et pernicieusement mener au développement involontaire d'un **système autodestructeur**.

Le dirigeant comprend également que ce sont les compétences, le savoir-faire et les technologies ainsi que les valeurs qui les appuient qui donnent un caractère distinctif à son système et le dotent de nets avantages dans des contextes de marché précis. Ces phénomènes qui font la force du système peuvent cependant ralentir dangereusement son rythme d'adaptation à de nouvelles réalités de marché.

Le dirigeant est également amené à s'interroger sur la façon de protéger les savoir-faire et les technologies qui donnent une grande valeur à l'entreprise et sur les moyens à prendre pour que l'apprentissage soit une propriété du système plutôt qu'un phénomène individuel.

Enfin, le concept de système stratégique pousse le dirigeant à adopter une approche mesurée et globale face aux changements systémiques. Conscient des effets contre-intuitifs, des forces homéostatiques et des risques de dérégler le système, il doit choisir avec soin et parcimonie les objectifs du changement et les stratégies pour y arriver.

5.3 UNE VUE D'ENSEMBLE DES STRATÉGIES DE MARCHÉ ET DE LEURS PROPRIÉTÉS DYNAMIQUES

L'univers des choix et des comportements stratégiques est composé d'un certain nombre de stratégies aux caractéristiques assez bien définies. Chacune de ces stratégies tend à se manifester à des phases particulières de l'évolution d'un marché ou de l'entreprise.

Le tableau 5.3 rend compte d'une gamme de stratégies génériques que nous allons décrire dans ce chapitre. Cette nomenclature de stratégies est le fruit de nos travaux sur les **fondements** économiques de la stratégie ainsi que sur l'observation des **comportements** stratégiques des entreprises. Les stratégies de diversification non liées cependant ne sont pas traitées dans ce chapitre, mais plutôt dans le volume 2 de cet ouvrage.

Tableau 5.3   Gamme des stratégies génériques

1. Création et domination du marché
2. Différenciation

Envergure de marché (trois variantes)

> 3. Segmentation
> 4. Expansion géographique
> 5. Mondialisation

6. Envergure de produits
7. Avantage de coûts

Stratégie de créneaux (trois types)

> 8. Concentration
> 9. Spécialisation
> 10. Interstices

Stratégie de diversification dans des secteurs industriels non reliés

> 11. Groupement de firmes appartenant à des secteurs industriels non reliés
> 12. Holding financier

Nous voulons dans la présente section porter à l'attention du lecteur deux phénomènes importants :

Premièrement, la relation dynamique à établir entre les différentes stratégies de marché et les phases d'évolution d'un marché. Au fur et à mesure de l'évolution d'un marché, des stratégies différentes (à la fois **causes** et **conséquences** de développements du côté de la demande et de changements de comportements des acheteurs, sont adoptées par les firmes en place ou par des firmes nouvellement arrivées sur le marché.

Deuxièmement, la stratégie d'entreprise comme ensemble intégré de stratégies de marché. Souvent, l'entreprise croît et prend de l'expansion par le biais d'un agrandissement de son champ stratégique. En conséquence, elle en vient à exécuter ce que nous appelons des **stratégies d'envergure de marché ou d'envergure de produits.** Pour ce faire, la grande entreprise doit mettre en œuvre tout un ensemble de stratégies de marché imbriquées et hiérarchisées selon le rôle et la portée de chacune. Par exemple, pour l'entreprise qui s'est progressivement donné une stratégie d'envergure géographique comportant la vente et la distribution de ses produits dans, disons, trois grandes régions, cette stratégie d'envergure géographique peut s'exécuter par le biais d'un réseau intégré de stratégies de marché, à savoir une stratégie de segmentation dans la région « A » où le marché est déjà en phase de maturité, une stratégie de différenciation dans la région « B » et une stratégie de création et de domination de marché dans la région« C » où son produit est tout nouveau et encore unique.

Cependant, ces différentes stratégies adaptées à chacune des régions prennent leur force et leur substance au sein d'un **même** système stratégique qui les appuie d'actifs communs, de savoir-faire et de frais de développement partagés.

5.3.1 La relation entre les stratégies et les phases du marché

Les différentes phases d'évolution d'un marché que nous avons décrites au **chapitre 4** suscitent des comportements stratégiques variés des firmes rivales sur ce marché et résultent elles-mêmes en partie des comportements de celles-ci.

La figure 5.6 montre le caractère dynamique des stratégies de marché. Le mouvement stratégique y est considérable et s'illustre par un déplacement des stratégies au fur et à mesure des changements dans les caractéristiques du marché, des tentatives continuelles de repositionnement stratégique des firmes pour améliorer leur situation concurrentielle au cours d'une même phase de marché, des efforts soutenus pour changer le contour du marché et des segments de marché.

Il faut souligner également, en relation avec la figure 5.6, les nombreux points d'entrée dans un marché donné. Dès qu'une première firme a proposé un produit, service ou concept nouveau, des entreprises peuvent être formées pour se saisir de cette occasion de marché. Plus la croissance du nouveau marché sera forte, plus facile et fréquente sera l'entrée de nouveaux intervenants.

Ainsi, durant sa phase de croissance, le marché de la motoneige était partagé par plus d'une centaine d'entreprises en Amérique du Nord. La société Bombardier, à l'origine de ce marché, conserva jusqu'au début des années quatre-vingt quelque 40 % du marché malgré la profusion de concurrents. Au Japon, durant les années cinquante, une période marquée par la forte croissance du marché de la

Figure 5.6 Phases d'évolution du marché et stratégies de marché

Types de stratégies / Phases du marché	Création et domination de marché	Différenciation	Envergure de marché	Envergure de produits	Avantages de coûts	Concentration	Spécialisation	Interstices
ÉMERGENCE	●							●
CROISSANCE	●	●			●			●
ÉPURATION	●	●	●		●			●
MATURITÉ	●	●	●		●	●	●	●
SATURATION			●	●	●	●	●	●
DÉCLIN			●	●	●			●

motocyclette, quelque 50 fabricants se disputaient le marché. Honda et Tohatsu, les deux principales firmes à l'époque, détenaient chacune environ 20 % du marché. Dans ces deux cas, après une phase d'épuration massive, le marché se concentra rapidement autour de **quatre** firmes rivales.

La figure 5.6 souligne également que non seulement le marché change de nature au fur et à mesure de son évolution, mais des entreprises y apparaissent et en disparaissent, et y rivalisent selon des stratégies différentes. La firme qui, la première, a donné substance au marché, ou une firme venue plus tard, peut réussir à imposer une structure de marché dans laquelle elle jouit d'une position **dominante**. Les autres firmes tenteront alors de s'en démarquer sur des aspects importants pour l'acheteur et de bénéficier ainsi des avantages d'une certaine différenciation technique ou symbolique.

Tôt ou tard le marché entrera en phase de maturité et les firmes en place, ou de **nouvelles** firmes, voudront répondre à une demande de plus en plus segmentée selon l'importance relative qu'accordent différents groupes d'acheteurs aux divers bénéfices qu'offre le produit. Certaines firmes en place, du moins celles qui en ont la capacité, pourront tenter d'offrir une **gamme** de produits pour satisfaire aux attentes différentes de plusieurs **segments** d'acheteurs. Certaines autres, poussées par divers phénomènes de coûts et par la recherche de la rentabilité, voudront étendre leur **envergure** à de nouveaux **marchés géographiques**.

Selon que certains des facteurs de coûts et d'utilisation d'actifs tangibles et intangibles joueront un rôle important, des entreprises pourront étendre leur **envergure** à plusieurs **marchés-produits**, c'est-à-dire qu'elles offriront des produits sur plus d'un marché. Enfin, en certaines circonstances précises, des firmes jugeront nécessaire d'exécuter une **stratégie d'avantages de coûts**.

Face à cette envergure croissante des firmes en place, de nouvelles firmes en arriveront à s'immiscer dans le marché par une stratégie de **concentration** sur des segments ou des territoires mal desservis ou mal défendus par les firmes en place. Dans un deuxième temps, ces nouvelles firmes tenteront d'élargir leur propre envergure en lançant une attaque de front sur les segments et les territoires que privilégient les firmes en place.

D'autre part, ayant compris la vulnérabilité des systèmes de grande envergure, de nouvelles firmes les attaquent directement par une offre **spécialisée** conçue pour un segment particulier d'acheteurs. Ce faisant, ces firmes spécialisées en arrivent à donner à un segment de marché une **dynamique** de nouveaux marchés. En effet, à cause des systèmes hautement performants qu'ils ont conçus et mis en place, ces spécialistes forcent souvent les firmes de grande envergure à leur abandonner le segment visé. Leur focalisation sur un segment donné et leur capacité d'offrir leurs produits ou services à un ratio qualité/prix très supérieur accentuent et propulsent le développement du segment de marché selon une dynamique propre à la **stratégie de création et de domination de marché**.

5.3.2 La stratégie d'entreprise comme ensemble de stratégies de marché

La grande entreprise peut bien sûr être constituée de firmes, d'unités ou de divisions disparates qui n'ont aucune relation entre elles, chacune exécutant sa propre stratégie de marché, isolément et indépendamment des stratégies des autres unités de la même entreprise. Ces situations sont en pratique plutôt rares quoique certaines formes de diversification **non reliée** s'en rapprochent passablement, comme nous le verrons au volume 2 de cet ouvrage.

Dans son fonctionnement concret, la grande entreprise a plutôt tendance à déployer un certain nombre de stratégies de marché adaptées à l'évolution des différents marchés-produits, marchés géographiques et segments de marché qu'elle a décidé de desservir. Ces différentes stratégies sont cependant reliées les unes aux autres par leur recours à des actifs tangibles ou intangibles communs. L'enjeu fondamental pour l'entreprise, nous l'avons décrit à la section 5.2, consiste à déterminer le nombre de systèmes stratégiques qu'elle peut convenablement diriger et appuyer financièrement, ainsi que le contour et l'envergure de chacun de ces systèmes.

Ainsi, une très grande entreprise peut n'être constituée que d'un seul système stratégique qui, de façon intégrée et coordonnée, exécute toute une gamme de stratégies de marché. La force économique de l'entreprise provient alors des actifs et des ressources mis en commun et partagés par les différents marchés ou segments de marché. Par exemple, une entreprise pourra exécuter une stratégie d'envergure géographique de marché en déployant des stratégies de segmentation, de différenciation ou de création et de domination de marché dans les différentes régions où elle a choisi d'œuvrer.

Comme le montre la figure 5.7, la stratégie concurrentielle dans l'ensemble de la société peut se répercuter en différentes stratégies de marché par **région** et, par exemple, au sein de la région A, en différentes stratégies de marché par **segment**. Ces stratégies sont imbriquées ou hiérarchisées en un réseau intégré de stratégies qui ont toutes recours aux mêmes actifs et ressources stratégiques.

La situation décrite à la figure 5.7 émane souvent d'un processus graduel d'expansion géographique. La firme fut d'abord fondée dans la région A. Quand son marché eut atteint sa phase de maturité, l'entreprise dut s'y donner une **stratégie de segmentation** et, à la

Figure 5.7 Stratégie concurrentielle de la firme : un réseau intégré de stratégies de marché

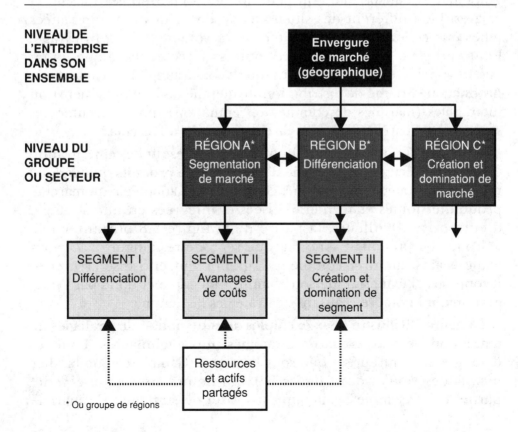

NIVEAU DE L'ENTREPRISE DANS SON ENSEMBLE

Envergure de marché (géographique)

NIVEAU DU GROUPE OU SECTEUR

RÉGION A*
Segmentation de marché

RÉGION B*
Différenciation

RÉGION C*
Création et domination de marché

SEGMENT I
Différenciation

SEGMENT II
Avantages de coûts

SEGMENT III
Création et domination de segment

Ressources et actifs partagés

* Ou groupe de régions

même époque, chercha à offrir son produit dans un nouveau marché géographique (région B). Ce marché en croissance compte maintenant d'autres firmes rivales, ce qui exigea de sa part un effort de **différenciation** de son produit. Enfin, l'entreprise a récemment entrepris de développer un nouveau marché (région C) où son produit est encore unique. La firme tentera de s'y implanter par une **stratégie de création et de domination de marché** afin d'entraver la venue de concurrents éventuels.

La **stratégie d'envergure de marché** dans l'ensemble de l'entreprise tire sa logique économique et stratégique du fait qu'elle offre des possibilités réelles d'avantages concurrentiels importants et de rentabilité supérieure par une utilisation optimale de ses investissements passés, du savoir-faire accumulé dans l'entreprise, de ses ressources de recherche et de développement de produits, et ainsi de suite.

Il se peut également que l'entreprise ne tire pas pleinement avantage de toutes ses ressources stratégiques si elle se limite à **un seul marché-produit**, étant donné, ou plutôt malgré, l'envergure géographique maximale que l'on peut donner à l'entreprise. En fait, et cela est bien différent des situations de diversification non reliées telles que celles dont nous traiterons au volume 2 de cet ouvrage, l'entreprise ne pourra atteindre toute sa force économique qu'en faisant appel à ses actifs communs, qu'ils soient tangibles (capacité de production, système de distribution, recherche et développement) ou intangibles (marques de commerce, réputation), pour exécuter des stratégies de marché dans des **marchés-produits différents**.

La figure 5.8 illustre des situations dans lesquelles une grande entreprise exécute une **stratégie d'envergure de produits** qui englobe nombre de stratégies de marché, chacune étant adaptée à un marché-produit, et toutes étant hiérarchisées et intégrées en une stratégie d'entreprise. D'ailleurs, la partie de la figure 5.8 portant sur le « Groupe de produits C » ne fait que reproduire la figure 5.7. Nous voulons ainsi montrer comment la grande entreprise se crée et se façonne par l'extension de son champ stratégique et donc par l'intégration d'un nombre croissant de stratégies de marché.

La figure 5.9 illustre deux exemples de cette notion de **stratégies de marché nichées au creux de stratégies plus englobantes**. Pour les deux grandes entreprises que sont Procter & Gamble et Bombardier inc., la description de la figure 5.9, qui ne présente qu'une petite partie de l'ensemble beaucoup plus vaste de stratégies de marché

Figure 5.8 Stratégie concurrentielle de la firme : un réseau intégré de stratégies de marché

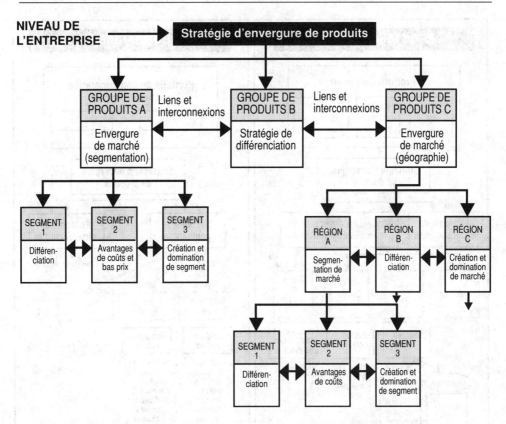

exécutées par ces deux entreprises, montre bien cependant **comment différentes stratégies sont regroupées en stratégies de plus grande envergure**, chacune s'appuyant sur les liens et les relations économiques qui unissent les différentes stratégies et y trouvant ainsi sa force économique. En d'autres mots, la stratégie de différenciation de Sea-doo et la stratégie de segmentation de Ski-doo sont plus efficaces et la performance économique du système stratégique «Produits de consommation motorisés» sera meilleure **parce que** ces stratégies s'interpénètrent et s'alimentent auprès de ressources et d'actifs communs.

Évidemment, les arrangements du type décrit aux figures 5.8 et 5.9 sont complexes et exigent donc une **grande capacité d'organisation et de gestion** pour en tirer tous les avantages économiques au moindre coût de complexité.

Figure 5.9   La stratégie d'entreprise comme ensemble intégré de stratégies de marché

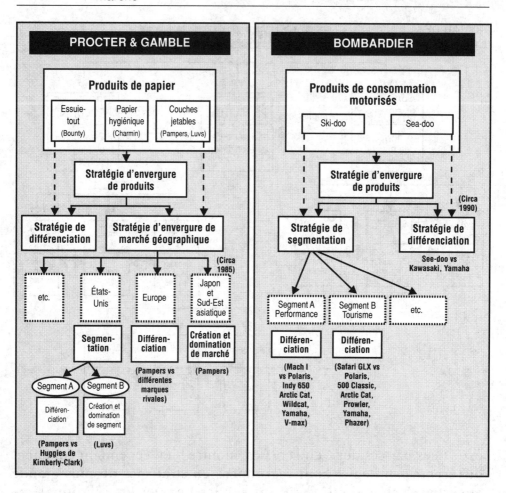

On ne peut, comme le propose Porter (1980, 1985), englober toute la richesse des comportements stratégiques des firmes en se limitant à trois ou quatre stratégies génériques. Non seulement nous proposons dans cet ouvrage une gamme beaucoup plus large de stratégies, mais aussi nous y concevons la **stratégie d'entreprise comme l'exécution coordonnée d'un faisceau de stratégies de marché, un faisceau qui devient de plus en plus dense et englobant au fur et à mesure que la dynamique des marchés et le développement rentable de l'entreprise l'exigent.**

5.4 LA STRATÉGIE DE CRÉATION ET DE DOMINATION DE MARCHÉ

5.4.1 Introduction

Connu en anglais sous l'expression *first mover strategy*, ce type de comportement stratégique a reçu tout au cours des vingt dernières années une attention toute spéciale dans la littérature en sciences économiques. Chandler (1990, 1992), le célèbre chroniqueur de l'histoire économique des grandes entreprises industrielles, en arrive à la conclusion que la domination de grandes entreprises dans certains secteurs industriels est souvent attribuable à une stratégie de création et de domination de marché, mise en place **il y a parfois plus d'un siècle**.

Ainsi, selon Chandler, la domination des firmes allemandes et des firmes américaines dans les industries de produits chimiques (Bayer, BASF, Hoechst, Du Pont), d'équipements de propulsion électrique (General Electric, Westinghouse, Siemens, AEG) et autres, serait le résultat de leurs investissements massifs à la fin du XIXe siècle et au début du XXe, pour mettre en place des appareils de production de grande capacité, pour ériger de puissants systèmes de vente et de marketing ainsi que pour former les gestionnaires et mettre au point les systèmes de gestion nécessaires à la gouverne d'entreprises de grande envergure.

À titre d'exemple, Chandler décrit comment les entreprises allemandes ont réussi à dominer l'industrie des produits de teintures pour textile au détriment des firmes britanniques. À la fin du XIXe siècle, les firmes britanniques, pourtant arrivées les premières sur ce marché, desservaient encore ce dernier par des unités de production offrant une gamme limitée de produits, lesquels étaient distribués par le biais d'agents manufacturiers (*jobbers*) autonomes.

Or, des firmes allemandes vinrent y établir des systèmes de production de grande envergure comprenant de 300 à 400 colorants différents contre 30 à 40 pour les firmes britanniques, ainsi qu'un réseau de distribution intégré formé de leurs propres vendeurs-chimistes. Les avantages économiques que leur ont donnés l'envergure et la taille de leurs opérations étaient tels que ces firmes allemandes

(Bayer, BASF, Hoechst) dominent ces marchés depuis lors. Voilà une autre illustration très concrète des choix, décrits au début du **chapitre 3**, entre une approche incrémentielle et une approche de domination des marchés.

Si cette stratégie fait habituellement référence aux avantages que peut tirer la firme qui, la première, propose un nouveau produit ou service et, ce faisant, crée un nouveau marché, il arrive souvent que le premier entrant n'ait pas pu ou su exécuter une stratégie qui lui fasse bénéficier de ces avantages virtuels. Alors, une firme venue plus tard sur ce marché pourra faire jouer à son avantage les facteurs dynamiques qui auraient pu donner au premier entrant une position de marché dominante.

Ce fut le cas, plus récemment, lorsque British Satellite Broadcasting (BSB), le premier entrant en Grande-Bretagne dans le marché de la télédiffusion par satellite, gaspilla un avantage de 18 mois sur le deuxième entrant, Sky Television, permettant ainsi à cette dernière entreprise de dominer le marché et de forcer BSB à fusionner avec elle en novembre 1990 pour éviter la déconfiture. Trop lente à développer sa clientèle, trop entichée de nouvelles technologies aux avantages imprécis et aléatoires, trop peu soucieuse de ses coûts d'exploitation, et trop imprécise dans le ciblage des segments du marché, la société BSB fut facilement rattrapée et doublée par Sky Television, pourtant le **deuxième** entrant sur ce marché.

Aussi ce que nous décrivons ici caractérise le **premier** concurrent qui exécute une stratégie de création et de domination du marché. Par ses comportements mêmes, une telle firme crée ou bâtit le marché, en élargit les dimensions et se taille une position de domination au sein de ce nouveau marché. Cet objectif pourra être atteint par des innovations de différentes natures, à savoir le développement d'un nouveau produit ou service, la mise en place d'un nouveau concept d'entreprise répondant plus efficacement à un besoin mal comblé par les firmes déjà actives sur ce marché, l'implantation d'un nouveau mode de fonctionnement ou d'une nouvelle configuration technique donnant un net avantage de coûts et de qualité à la firme innovatrice qui a su reconnaître la vulnérabilité et les effets pervers de subsides entre produits ou clients au sein des firmes en place.

5.4.2 Les aspects essentiels de cette stratégie

Une stratégie de création et de domination de marché comporte deux aspects essentiels.

En premier lieu, une nouvelle conception du produit ou du service qui puisse satisfaire certains besoins ciblés mieux que ne le fait l'offre actuelle, ou encore, une nouvelle façon de faire qui soit nettement supérieure quant au ratio qualité/prix à tout ce que les firmes en place peuvent offrir. Dans les cas les plus réussis, le nouveau produit, service ou concept est **supérieur, selon tous les critères importants pour l'acheteur ciblé**, aux autres façons à la disposition de ce dernier pour satisfaire les mêmes besoins.

Deuxièmement, la conviction que le nouveau produit, service ou concept ne pourra dominer et remplacer les autres moyens de satisfaire le besoin pour lequel il a été conçu que **si des investissements importants sont consentis dès le départ pour susciter le niveau de demande nécessaire à une forte rentabilité future à des prix concurrentiels**. Cette stratégie suppose donc un engagement de longue durée envers le marché et une volonté ainsi qu'une capacité financière d'**investir** dans quatre types d'activité:

1. Dans des **équipements et installations** d'une dimension et d'un niveau technique qui sont de nature à engendrer les coûts les plus bas lorsque le marché aura atteint son plein volume.

2. Dans des **systèmes de distribution**, et pour la **promotion** et la **publicité**, ainsi que dans une **politique de «prix de pénétration»**, c'est-à-dire de prix inférieurs aux coûts de démarrage, mais supérieurs au niveau des coûts qu'il sera possible de réaliser lorsqu'un plus grand volume sera atteint et que les effets d'apprentissage auront pleinement joué.

3. Dans le **développement** au sein de l'organisation des **compétences**, **capacités**, **valeurs** et **savoir-faire** qui sont essentiels au succès dans ce nouveau marché.

4. Dans des **mesures énergiques** pour protéger ce marché, allant jusqu'à des investissements stratégiques qui, bien qu'ils soient considérés comme non rentables selon de stricts critères financiers, contribuent à **accélérer le rythme d'innovation de produits, à étendre sa gamme de produits** pour occuper tout

l'espace de marché même au risque de «cannibaliser» ses propres produits actuels, et à **moderniser sa technologie** pour ne pas se laisser doubler par de nouveaux entrants à la fine pointe de la technologie.

Comme l'illustre la figure 5.10, cette stratégie n'a de sens que lorsque les caractéristiques de coûts ainsi que d'autres facteurs de marché confèrent un avantage stratégique **durable** à la firme qui assume les investissements et les risques d'une telle stratégie. De puissantes économies d'échelle et d'envergure, la présence d'importants effets d'apprentissage ainsi que d'un savoir-faire que l'entreprise peut s'approprier en exclusivité donnent un fondement économique à ce type de stratégie.

Le choix d'exécuter une stratégie de création et de domination de marché suppose d'importants investissements dès l'entrée sur le marché. L'instigateur de cette stratégie cherchera non seulement à **accélérer le développement de son marché**, mais également à **occuper** dès la phase d'émergence tout l'**espace disponible**, autant dans les circuits de distribution et les sites où s'achète ce type de produits **que dans l'esprit des consommateurs**.

Il faut bien noter que cette stratégie ne vise pas nécessairement à exclure toute concurrence. Un tel objectif, souvent illusoire et parfois politiquement non pertinent, peut ne pas être souhaitable lorsque l'arrivée de concurrents contribue à élargir le marché et à en développer tout le potentiel. L'objectif de cette stratégie est d'assurer à la firme une **place dominante** sur ce marché, cette position devant s'avérer rentable et difficile à renverser par les concurrents éventuels. La firme qui exécute cette stratégie tente d'imposer une **structure de marché** que les concurrents ne pourront modifier.

Comme le montre la figure 5.10, plusieurs facteurs autres que les coûts peuvent donner un avantage décisif à une firme qui, la première, acquiert une position dominante dans un nouveau marché. D'une part, la taille du marché, qui reflète les caractéristiques géographiques, économiques ou politiques, peut être telle qu'une **seule** firme d'une taille économique efficiente peut y œuvrer. D'autre part, des contraintes réglementaires ou contractuelles (baux avec exclusivité, permis et licences, etc.) peuvent lui assurer un avantage de marché incontournable. Enfin, des coûts de substitution importants (*switching costs*) pour l'acheteur ou l'obtention de brevets pourront

Figure 5.10 Dynamique de la stratégie de création et de domination de marché

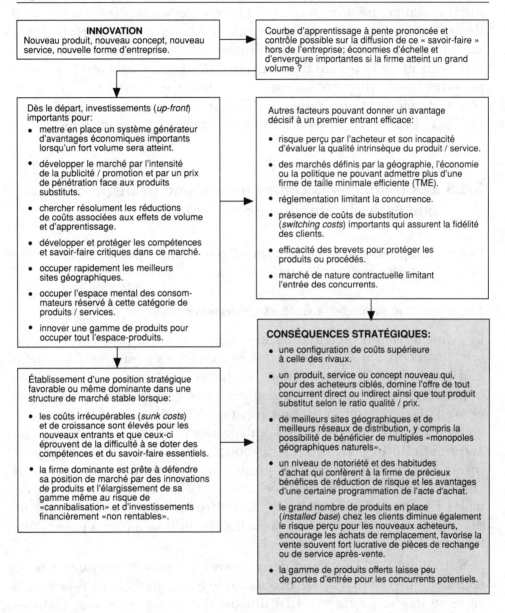

favoriser de façon durable la firme qui saura faire jouer ces phénomènes à son avantage.

La firme qui assume les risques d'un niveau élevé d'investissements
de démarrage, mais qui en revanche s'assure un ou plusieurs
des bénéfices que nous venons de décrire, peut jouir d'avantages

concurrentiels **durables**. Cette stratégie, lorsqu'elle est judicieusement exécutée, peut lui accorder des bénéfices importants sur le plan de ses coûts totaux, de sa place privilégiée et même parfois dominante dans les circuits de distribution, de sa notoriété auprès des acheteurs et de l'éventail de ses clients. Ce dernier phénomène, qui a un effet rassurant pour les nouveaux acheteurs, est une source de ventes de pièces de rechange et de services d'appoint, s'il y a lieu, et facilite l'obtention d'une part élevée des achats de remplacement.

5.4.3 Les fondements conceptuels d'une stratégie de création et de domination de marché

Cette stratégie trouve son bien-fondé dans une réponse affirmative à deux séries de questions fondamentales.

L'ampleur et la durée des avantages stratégiques

Les caractéristiques techniques et économiques du nouveau produit, service ou concept sont-elles propices à de fortes économies d'échelle et d'envergure ? Les phénomènes d'apprentissage y jouent-ils un rôle important ? Les savoir-faire et compétences que la firme aura acquis peuvent-ils demeurer sa propriété entière ? En d'autres mots, en suscitant un fort volume de ventes pour le nouveau produit, l'entreprise acquiert-elle des avantages de coûts tangibles et difficilement réversibles ? À quel rythme et jusqu'à quel niveau les coûts vont-ils chuter selon le volume de production et l'accumulation du savoir-faire ? Comment l'augmentation de l'offre influencera-t-elle la valeur du produit pour l'acheteur et donc le prix qu'il sera prêt à payer pour ledit produit ?

Notre figure 5.11 reprend deux figures utilisées au **chapitre 4** pour bien démontrer l'hypothèse économique fondamentale sous-jacente à cette stratégie. La figure 4.16 illustre différents types de relations entre les revenus et les coûts totaux en fonction du volume. La stratégie de création et de domination de marché se fonde sur une relation anticipée du type de la courbe « A ».

De plus, cette stratégie suppose l'émergence d'une structure de marché où une firme peut réaliser le niveau de performance décrit à la figure 4.6. Dans ce scénario, une forte rentabilité éventuelle

Figure 5.11 Hypothèses économiques fondamentales sous-jacentes à la stratégie de création et de domination de marché

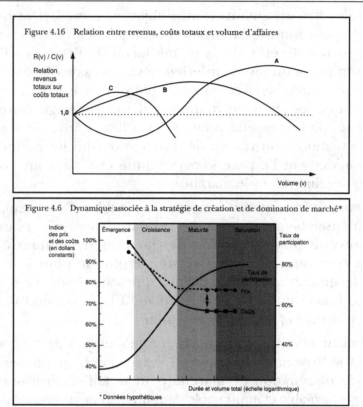

Figure 4.16 Relation entre revenus, coûts totaux et volume d'affaires

Figure 4.6 Dynamique associée à la stratégie de création et de domination de marché*

* Données hypothétiques

n'attire pas de nouveaux entrants capables de s'approprier ce surplus ou d'en diminuer l'ampleur par une rivalité de prix efficace. Ainsi, les investissements de démarrage et les risques assumés dans le cadre d'une stratégie de création et de domination de marché reçoivent leur pleine récompense grâce à une structure de marché comme celle décrite à la figure 4.6, avec tous les avantages qu'elle comporte pour la firme qui y évolue.

La capacité d'exécution de ce type de stratégie

La firme est-elle capable d'effectuer des investissements importants afin de créer et de développer le marché, et de s'assurer une position dominante dans un tel marché en croissance ? Ces investissements, tels qu'indiqués plus haut, ont trait à la fois aux **appareils de production**, aux **systèmes de distribution et de vente** ainsi qu'à l'acquisition **des**

compétences et systèmes de gestion essentiels à une haute performance. La firme est-elle prête à considérer les budgets publicitaires comme des investissements dont l'objet est d'éveiller et de créer la demande pour son produit **avant même** qu'aucun effet sur les ventes ne soit encore décelé? De la même façon, la firme est-elle prête à établir son prix à un niveau **inférieur** à ses coûts de démarrage, mais à un niveau compatible avec les coûts pouvant être atteints éventuellement lorsque les effets de volume et d'apprentissage auront pleinement joué? Enfin, est-elle prête, s'il y a lieu, à investir massivement dans la création d'un réseau de distribution qui lui permettra d'occuper rapidement l'espace géographique et d'ainsi lui assurer une position dominante sur le marché?

Plusieurs firmes innovatrices sont incapables de tels engagements pour un ensemble de raisons: des ressources financières insuffisantes, une mauvaise compréhension des facteurs dynamiques qui sous-tendent cette stratégie, une aversion profonde pour le risque, des valeurs de gestion qui favorisent une approche prudente et incrémentielle, ou l'incertitude bien réelle quant à la dimension véritable du marché potentiel et quant à sa pérennité.

Cependant, une firme qui choisit, lorsqu'il est judicieux de le faire, de consacrer les ressources nécessaires à l'exécution d'une stratégie de création et de domination de marché peut se tailler ainsi une position stratégique favorable et imprenable dans un marché de grande dimension.

McDonald's dans le marché des hamburgers, Procter & Gamble dans celui des couches jetables, Boeing et ses avions à réaction, IBM et ses systèmes 360, Toys R Us, le grand spécialiste du commerce de jouets, Honda et les «scooters», Federal Express dans les services de courrier ainsi que les entreprises citées plus haut et décrites par Chandler (1992), offrent d'excellents exemples de firmes qui ont exécuté une stratégie de création et de domination de marché, acquérant ainsi une position dominante et rentable dans un vaste marché.

5.4.4 Un exemple de création et de domination de marché: McDonald's

McDonald's, la fameuse chaîne mondiale de restauration rapide spécialisée dans les hamburgers, est une institution qui se passe de présentation.

Comptant plus de 10 000 établissements et inaugurant de nouvelles unités au rythme de une toutes les 17 heures, McDonald's sert environ un hamburger sur trois et plus du quart de toutes les pommes frites aux États-Unis.

Beaucoup d'observateurs tentent d'expliquer le succès de McDonald's en se limitant à décrire ses prouesses de marketing, son intense publicité, ses normes élevées de qualité et ses procédures strictes, sa passion fanatique pour la propreté et la formation offerte aux franchisés à l'«Université McDonald's».

Ces facteurs contribuent certainement au succès durable de McDonald's, mais ils n'en donnent qu'une explication partielle. En effet, la performance économique spectaculaire de McDonald's tient pour beaucoup à l'exécution impeccable d'une stratégie de création et de domination de marché.

Au début des années soixante, si l'on avait demandé à des analystes compétents de procéder à une évaluation stratégique du marché du hamburger, ils en seraient probablement arrivés à la conclusion suivante: il s'agit d'un marché caractérisé par un niveau élevé de fragmentation où des milliers de petits établissements rivalisent en offrant un produit indifférencié de fabrication «artisanale» à une clientèle locale. Certainement pas, aurait-on conclu avec assurance, le type de marchés offrant un potentiel permettant de construire une firme de grande envergure et de forte rentabilité. Quelle serait la cause d'une telle erreur d'évaluation stratégique? Après coup, il est facile de voir à quel point une telle analyse se serait montrée insensible aux **véritables facteurs de fragmentation** et à la réelle possibilité d'éliminer ces facteurs par une approche tout à fait **innovatrice** et adaptée au contexte de **marché en mutation** de l'époque.

Durant les années cinquante et soixante, l'Amérique se motorise, se déplace vers les banlieues et s'équipe d'infrastructures routières de haute qualité. Les grands centres commerciaux commencent à s'établir en périphérie des centres urbains. Les périodes de vacances plus nombreuses sont souvent l'occasion pour les familles d'entreprendre de longs voyages en automobile. Dans ce contexte, le couple américain voyageant avec des enfants en bas âge est souvent amené à «manger au restaurant» dans des lieux inconnus et éloignés du domicile familial. En conséquence, un concept de restaurant dont la **forte notoriété** s'appuie sur sa qualité, ses bas prix et son service rapide, devient fort attrayant parce qu'il offre un ensemble de bénéfices importants, dont celui de la réduction du risque associé à la consommation de produits alimentaires en milieux étrangers dans un pays sans grande tradition culinaire !

Consciemment ou non, Ray Krock, le grand architecte de l'entreprise McDonald's, fut influencé par deux concepts empruntés à l'époque au secteur de l'automobile :

- Un système de production ayant un haut niveau de standardisation et de spécialisation des tâches : pour livrer rapidement et à faible prix un produit de qualité, il ne fallait offrir que quelques produits standard, préparés par une main-d'œuvre spécialisée dans quelques opérations simples, donc facile à former et peu coûteuse.

- Un système de distribution s'inspirant largement des principes du système de concessionnaires d'automobiles : un entrepreneur indépendant qui met en jeu son propre capital pour acquérir et gérer un établissement fortement intégré à un vaste système de production et de mise en marché. Le système assume la responsabilité et le contrôle de la qualité des produits offerts, de l'architecture et du mode de fonctionnement de l'établissement ainsi que des promotions et de la publicité à l'échelle nationale.

À l'époque, la réunion des facteurs mentionnés plus haut pour créer un type d'entreprise inédit transforma McDonald's en un phénomène remarquable comportant des avantages précis associés à ce nouveau système de production et de distribution. Voici quelques-uns de ces avantages.

- La croissance du nombre d'établissements fut **sans commune mesure** avec le rythme qu'aurait pu soutenir McDonald's si l'entreprise avait dû financer son expansion et établir les mécanismes ainsi que les systèmes de gestion, de motivation et de contrôle pour des gérants d'établissements. Si McDonald's avait emprunté la voie habituelle à l'époque, c'est-à-dire celle des restaurants à succursales, son rythme d'expansion aurait été beaucoup plus lent et sa gestion plus complexe. Cela aurait permis à des entreprises rivales d'imiter le système de McDonald's dans plusieurs marchés géographiques avant même que la société ne puisse s'y établir.

- Un autre avantage de cette expansion rapide fut que McDonald's put s'approprier des marchés qui, à cause de leur géographie, sont de véritables **monopoles naturels**. Ainsi, comme nous l'avons souligné au **chapitre 4,** beaucoup de petites villes américaines constituent un marché potentiel intéressant pour **un seul** établissement du type de McDonald's. Étant la première à y passer, McDonald's s'est installée dans tous ces endroits, laissant ses rivaux devant un choix difficile: reconnaître la réalité économique de ces marchés et laisser à McDonald's son monopole ou installer tout de même un établissement non rentable. La première option leur paraît souvent la plus rationnelle, ce qui consacre un net avantage au premier arrivé.

Il en va de même évidemment pour le choix des meilleurs sites en milieux urbains ou en bordure des autoroutes. Certains sites sont souvent supérieurs sur les plans de la visibilité, de l'accessibilité et de l'achalandage à d'autres sites pourtant très rapprochés. Une firme qui exécute une stratégie de domination de marché sera particulièrement sensible à l'importance de reconnaître et de s'assurer ces sites avant même l'arrivée de toute concurrence sérieuse.

- Une stratégie d'expansion rapide par concessions (franchises) et leur déploiement dans différentes zones géographiques ont permis à McDonald's un effort publicitaire important dont le coût est réparti entre plusieurs établissements dans un même marché-médias. Enfin, McDonald's ayant réussi la première à s'établir solidement dans tous les marchés géographiques aux États-Unis, elle a eu depuis lors accès et recours à des campagnes de publicité à l'échelle **nationale**, lesquelles s'avèrent beaucoup plus efficientes quant au coût par client potentiel. Ces programmes intensifs de publicité et de promotion avaient pour objet, au départ, d'informer le public sur les bas prix de McDonald's et de le rassurer par la familiarité du nom et par l'engagement de la société envers la salubrité des lieux et la qualité de ses produits. En fait, le système mis au point par McDonald's fournit un exemple de phénomène décrit au **chapitre 4** selon lequel des milliers de micro-marchés géographiques sont réunis pour former **un seul** grand marché national sous l'influence d'une entreprise innovatrice.

Le système McDonald's domine encore le marché du hamburger et des produits connexes, marché qui est maintenant fortement concentré puisque quatre firmes détiennent 70 % du marché. McDonald's jouit d'un niveau de notoriété sans pareil dans ce secteur et maintient bon an mal an sa part de marché autour de 35 % (suivi de Burger King à 17 %). Si l'on s'en tient aux quatre grandes firmes spécialisées, la part de McDonald's se maintient au-dessus de 50 %.

Comme nous l'avons montré au **chapitre 3** pour illustrer le phénomène des coûts de croissance, la position dominante de McDonald's dans un marché en maturité place ses rivaux devant une situation difficile : ou bien ils acceptent leur position vulnérable dans la structure actuelle du secteur et tentent d'en tirer la meilleure rentabilité possible dans les circonstances, ou ils essaient de changer la situation et d'augmenter leurs parts de marché aux dépens de McDonald's.

Or, pour modifier la structure de ce marché, Burger King et Wendy's devront ajouter rapidement des milliers de nouveaux concessionnaires, accroître leurs budgets publicitaires afin de les porter à un niveau équivalent à celui de McDonald's et, surtout, espérer, contre toute vraisemblance, que McDonald's ne ripostera pas à ces assauts directs sur sa part d'un marché ayant maintenant atteint sa phase de maturité.

Il est probable qu'un sage calcul stratégique persuadera, tôt ou tard, les rivaux de McDonald's qu'**à moins de mettre au point une nouvelle stratégie et une nouvelle façon de desservir ce marché**, il vaut mieux s'imposer une certaine retenue en choisissant de rivaliser vigoureusement à l'intérieur des paramètres établis par McDonald's. En d'autres mots, il est plus sage de rechercher un niveau acceptable de rentabilité sans entreprendre de démarches qui pourraient provoquer une réplique massive de la firme dominante.

Burger King s'est fait servir une cuisante leçon lorsque, vers 1987, cette société tenta de modifier sa position en augmentant ses budgets de publicité et son rythme d'implantation de nouveaux établissements. La riposte de McDonald's, effectuée par le truchement de promotions spéciales, de budgets publicitaires encore plus massifs et d'augmentation du rythme d'ouverture de nouveaux établissements, se solda par une augmentation de deux points de la part de marché de McDonald's. Quant à Burger King, sa performance fut telle que toute sa direction fut changée et que Pillsbury (à qui appartient Burger King) fit l'objet d'une offre publique de rachat (OPA).

La position dominante de McDonald's comme chef de file dans le marché du hamburger depuis plus de 20 ans aux États-Unis, offre un témoignage éloquent de la force et des avantages durables d'une stratégie de création et de domination de marché bien exécutée.

Cependant, le niveau de maturité avancée du marché américain desservi par McDonald's lui impose une recherche d'envergure de marché, tant par l'ajout de mets à son menu (poulet, pizza) que par la diversité croissante de ses formats d'établissement, et cela, afin de :

- se donner une couverture géographique encore plus étendue (par exemple, s'installer au rez-de-chaussée de grands immeubles à bureaux, dans les centres commerciaux, etc.) ;

- s'adapter, dans la mesure où cela est possible pour un système monolithique, aux différents segments d'acheteurs en leur offrant des établissements d'une architecture et d'une conception variées.

Ces comportements stratégiques ne sont caractéristiques que de McDonald's aux États-Unis. En effet, la McDonald Corporation, une entité qui transcende McDonald's (États-Unis), exécute depuis un certain temps une **stratégie d'envergure géographique de marchés à saveur de mondialisation**. Ceci se manifeste par des stratégies de **différenciation** en Europe de l'Ouest, au Japon et ailleurs en Asie du Sud-Est, où Burger King et des concurrents (Quick en France et en Belgique, etc.) lui font concurrence, par une stratégie **de création et de domination de marché** en Russie et dans les pays d'Europe centrale et de l'Est, et ainsi de suite, alors qu'aux États-Unis, le défi de McDonald's est de s'adapter au phénomène de segmentation d'un marché en maturité.

5.4.5 Conclusions à propos de la stratégie de création et de domination de marché

Dans tout nouveau marché à grand potentiel, il est un moment, une période plus ou moins courte, où se joue le destin des firmes ou de la firme en place et se détermine la structure de ce marché pour une période relativement longue. L'exécution efficace, énergique et opportune d'une stratégie de création et de domination de marché constitue un événement d'une portée considérable.

Les grandes entreprises de notre époque sont souvent nées de l'exécution d'une stratégie de création et de domination de marché à une époque antérieure. L'audace, la vision et la vigueur concurrentielle qui animent les bâtisseurs de ces grands systèmes stratégiques semblent se manifester à certaines époques et dans certaines régions du monde, s'étioler dans un lieu pour apparaître dans un autre, selon une combinaison de facteurs économiques, culturels et sociaux encore mal compris.

Il semble que les phases de marché, dont nous avons traité au **chapitre 4** et à la section 5.3 en relation avec les stratégies de marché, ont en quelque sorte leur équivalence nationale. Certaines économies de pays arrivées à maturité ou en phase de saturation suscitent surtout des stratégies de segmentation, d'envergure géographique ou de créneaux. D'autres économies nationales en phase d'émergence ou de croissance à la même époque provoqueront l'apparition de nombreuses firmes qui voudront dominer leurs marchés respectifs, qui se feront une vive concurrence et qui attaqueront les marchés nationaux plus «matures» avec un dynamisme et une détermination inusités.

Pourquoi et comment une stratégie de domination s'est-elle manifestée dans certains secteurs d'activité et non dans d'autres? Quels sont les avantages véritables dont jouit la firme dominante? Ce phénomène aurait-il pu se produire dans d'autres secteurs d'où il est absent? Quels sont les marchés ou les segments de marché qui, actuellement, réunissent les conditions essentielles à une telle stratégie sans qu'elle se soit encore manifestée? Quels sont les facteurs de vulnérabilité associés aux changements techniques ou aux comportements des acheteurs qui peuvent menacer les firmes dominantes et permettre à des firmes rivales de changer à leur avantage la structure et le fonctionnement d'un marché jusque-là dominé par une seule firme?

Voilà le type de questions stratégiques auxquelles cette section fournit des éléments de réponse. Tant pour la firme qui domine un marché donné que pour toute entreprise industrielle qui cherche à assurer sa pérennité, ces questions demeurent fondamentales.

Il faut rappeler, en conclusion, que ce type de stratégie résulte de la mise au point d'un **système stratégique** hautement performant constitué d'arrangements économiques et organisationnels auxquels les concepteurs et les dirigeants du système croient avec une ferveur proprement idéologique.

La vulnérabilité de tels systèmes provient souvent d'abord de cette foi inébranlable dans le bien-fondé de leur stratégie, et ce malgré les profondes mutations du marché qui devraient mener à de nouvelles stratégies et façons de faire. Puis, l'architecture de ces systèmes, conçue pour leur efficacité dans des conditions précises de fonctionnement, fait souvent en sorte que le système soit **incapable de livrer autre chose que ce pour quoi il a été si bien bâti**. Finalement, la haute direction peut être très réticente à engager les investissements stratégiques nécessaires au maintien de sa position dominante lorsque ces investissements ne satisfont pas pleinement aux exigences de rendement selon une évaluation financière orthodoxe et qu'ils peuvent même comporter un effet de «cannibalisation» des revenus associés aux produits actuels de la firme.

Ainsi, une erreur stratégique fréquemment commise en pratique consiste pour les systèmes dominants à négliger ou à traiter avec indifférence certains segments du marché ou certains territoires géographiques où ils ne s'engagent pas faute de justification économique. Ces segments ou territoires servent alors de portes d'entrée par lesquelles de nouveaux joueurs, fragiles au départ, viennent petit à petit faire leur apprentissage du marché et deviennent éventuellement des concurrents directs et efficaces des grandes firmes en place. Cette stratégie de concentration, qui sera traitée plus loin dans ce chapitre, se manifeste sous plusieurs formes. Par exemple, de petites entreprises se limitent, dans un premier temps, à la **fabrication de marques maison** pour les grandes sociétés de distribution qui veulent offrir dans leurs établissements des produits portant leur nom et ainsi concurrencer les marques établies. C'est là une voie stratégique attrayante étant donné que, habituellement, les entreprises qui offrent ces grandes marques connues ne veulent pas, pour des raisons stratégiques valables selon leur perspective, offrir leurs produits sous forme de marques maison. Cependant, elles laissent ainsi un créneau à la merci de nouvelles firmes. Tant que les firmes dominantes sont assurées par des **barrières à la mobilité** suffisamment élevées que ces nouvelles firmes ne pourront changer leur champ stratégique et devenir des concurrents directs, leur choix de ne pas couvrir directement ce segment de marché est valable. Or, ce n'est pas toujours le cas. En effet, les entreprises japonaises purent augmenter leur part du marché américain des téléviseurs de 15 % en 1973 à 36 % en 1976 par leur succès dans le segment des marques maison offertes par les Sears, K-Mart et Montgomery Ward (voir Millstein, dans Zysman et Tyson, 1983). Ainsi, Sanyo fit son entrée aux États-Unis en 1977 lorsque cette société fut invitée par Sears Roebuck à reprendre l'entreprise Warwick Electronics, un fournisseur en difficulté qui fabriquait les téléviseurs de marque maison pour Sears (voir Katz, 1987, p. 412).

Une autre forme de stratégie de concentration consiste à desservir le segment de la **remise à neuf** qui offre une voie d'apprentissage d'un nouveau marché à peu de frais, et ce sans susciter de réactions des grandes firmes en place. Par exemple, la firme américaine d'ingénieurs Morrison-Knudsen, après quelques années d'expérience dans la remise à neuf de locomotives et de matériel roulant, s'est transformée en un concurrent direct de General Electric et de Bombardier respectivement sur le marché de l'équipement neuf.

Enfin, une forme très commune de stratégie de concentration comporte une focalisation sur le segment **économique**, c'est-à-dire le segment d'acheteurs sensibles au prix et ne recherchant que les attributs fondamentaux du produit. Ce segment du marché regroupe une partie non négligeable des acheteurs dans tout marché en maturité ou en saturation. Il arrive fréquemment que ce segment d'acheteurs offre des marges bénéficiaires trop minces pour intéresser les grandes firmes préoccupées par la défense de leur place dans les segments de marché plus attrayants. Les entreprises japonaises, tant sur le marché de l'automobile que sur celui des appareils électroniques en tous genres, se sont d'abord concentrées sur ce segment «économique» aux États-Unis et au Canada, parce que ce segment offrait une porte d'entrée mal protégée, ou carrément sans défense, grande ouverte donc à de nouveaux concurrents. C'est là une erreur que n'ont pas commise les fabricants américains de moteurs de bateaux (Brunswick et OMC), lesquels, en offrant une gamme complète de produits et en se montrant férocement combatifs sur **tous** les segments du marché, purent maintenir leur forte part du marché malgré les assauts répétés des firmes japonaises.

L'établissement et le maintien d'une position dominante dans un marché supposent, comme nous l'avons souligné à maintes reprises au **chapitre 2** et dans cette section, que la firme est capable d'engagements financiers et stratégiques importants lorsqu'il s'agit de mettre en place un système stratégique hautement performant. Cela suppose également une volonté d'investissements continus tant pour le lancement de nouveaux produits que pour la protection de tous les segments du marché, investissements qui seront d'ailleurs évalués selon des considérations tout autant **stratégiques** que **financières** (voir Baldwin et Clark, 1992).

5.5 LA STRATÉGIE DE DIFFÉRENCIATION

Cette stratégie se manifeste à un moment particulier, souvent de courte durée, du développement d'un marché lorsque certaines caractéristiques essentielles y sont présentes. Deux situations typiques captent bien la dynamique de cette stratégie de différenciation.

1. Le marché est relativement jeune. Les acheteurs, pour la plupart à leur première expérience d'achat du produit, recherchent tous les mêmes bénéfices et attributs du produit. Aucune firme ne détient encore de position dominante sur le marché et ne possède les ressources économiques et la volonté stratégique d'exécuter une stratégie de domination. Le produit est d'une nature telle que des avantages de coûts importants sont associés à une augmentation du volume d'unités vendues.

2. Le marché s'est développé en conséquence des efforts d'une firme qui y occupe une place dominante. Cependant, ce marché s'est structuré autour de **quelques attributs dominants** du produit. Les firmes rivales, pour réussir sur ce marché, doivent offrir un produit supérieur quant à l'un ou l'autre de ces attributs ou, à tout le moins, persuader une partie des acheteurs que leur produit est effectivement supérieur.

5.5.1 Le scénario classique

Dans le premier cas, la phase de différenciation aura une durée qui variera en fonction du nombre des attributs ou des bénéfices essentiels servant à définir le produit ainsi qu'en fonction de l'importance et de la pérennité des **facteurs intangibles de réduction de risque** (voir **chapitre 4**). Chaque firme tentera durant cette phase de **rassembler** autour de son produit le plus grand nombre d'acheteurs. Pour ce faire, elle tentera de rassurer l'acheteur et de lui démontrer la supériorité de son produit selon les attributs qu'il valorise. La firme veut ainsi établir une relation durable entre l'acheteur et son produit en suscitant une certaine **loyauté** à sa marque ou un **automatisme** d'achat de sa marque, processus qui rassure l'acheteur et simplifie sa démarche d'achat.

La figure 5.12 schématise les relations qui définissent cette situation de différenciation. La différenciation du produit ou du service d'une firme requiert des investissements appréciables en recherche et développement de produits, en publicité et promotion, ainsi qu'en opérations de vente. Lorsque cet effort de différenciation est judicieux, il mène à une perception favorable du produit par les acheteurs, lesquels seront prêts à payer le prix demandé pour une marque qui se rapproche le plus de la marque qu'ils perçoivent comme idéale, c'est-à-dire dont le **ratio** qualité/prix tel qu'estimé par l'acheteur est supérieur à ce ratio pour les autres marques. Dans la mesure où de nombreux acheteurs font une telle évaluation de ratio qualité/prix de sa marque, la firme obtient une forte part de marché et atteint donc un volume élevé de production.

Les relations suivantes entre prix, volume et coûts, qui sont souvent mal comprises en pratique, donnent un sens précis à la notion de différenciation.

- Si les effets de volume sur les coûts (« C ») sont faibles, le prix devra comprendre tous les coûts nécessaires pour le développement, la fabrication et le soutien d'un produit de qualité. Le prix élevé de ce dernier en diminuera le marché potentiel et en fera un produit **haut de gamme**. Il s'agira alors d'une stratégie de **concentration** ou de **spécialisation et non** de **différenciation**, une confusion que continuent d'entretenir les ouvrages de Porter (1980, 1985).

- Si l'effet du volume sur les coûts est supérieur aux coûts supplémentaires inhérents à cette stratégie, la firme pourra être rentable même avec un prix inférieur au prix qu'elle aurait dû demander si elle n'avait pas investi les fonds nécessaires pour exécuter une stratégie de différenciation. Dans ces cas, cette stratégie produit un gain net d'efficience pour l'ensemble de l'économie.

Figure 5.12 Certaines relations caractéristiques de la stratégie de différenciation

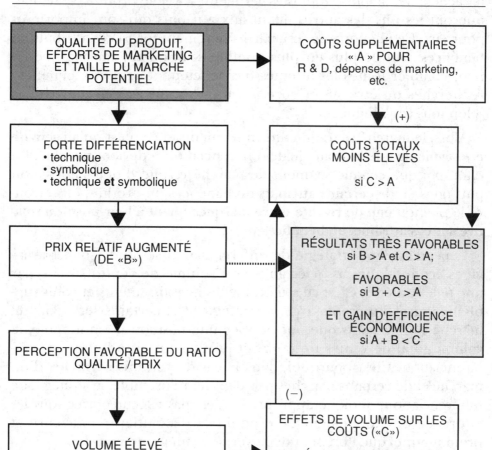

- Cependant, la firme qui offre un produit différencié en établira le prix selon la courbe de demande pour sa marque et non selon ses coûts. En effet, une des caractéristiques essentielles de la stratégie de différenciation est **d'établir une relation entre la demande et le prix pour une marque de produit comme s'il s'agissait d'une catégorie de produits**. Il peut arriver alors que le prix et la rentabilité de la firme soient tels qu'il y ait perte nette d'efficience économique. Une telle situation constitue un puissant incitatif pour des concurrents éventuels qui tenteront de s'approprier une partie de cette rentabilité.

Éventuellement, dans le cadre de l'évolution naturelle du marché, les acheteurs, de plus en plus expérimentés avec le produit, se démarqueront les uns des autres quant aux attributs qui sont importants pour eux. Ce phénomène sera particulièrement fort si ces attributs ou bénéfices sont de plus en plus nombreux et qu'aucune marque ne peut combler toutes les attentes des acheteurs quant aux bénéfices recherchés ou être supérieure à toutes les autres marques rivales selon tous ces bénéfices.

Alors, le marché se fragmente en segments et ce n'est qu'**au sein de ces segments** que la stratégie de différenciation redevient possible. En effet, puisque chaque segment de marché résulte d'une valorisation plus poussée de certains attributs ou bénéfices du produit, on retrouve le phénomène de **rivalité entre marques quant à leur position relative sur ces attributs ou bénéfices précis**.

Cependant, une stratégie de différenciation se fonde sur les avantages économiques associés au grand volume de ventes suscité par une telle stratégie. C'est ce qui justifie les investissements et coûts supplémentaires inhérents à cette stratégie. Or, certains segments de marché sont si petits que, même avec une position de monopole, le volume total de ventes ne pourrait justifier un grand effort de différenciation. C'est pourquoi, dans le cas de certains **segments** d'un marché et de certains marchés pris dans leur ensemble, la stratégie de différenciation, quoique appropriée, n'est pas exécutée avec tous les efforts de développement de produits et de soutien publicitaire et promotionnel que l'on peut déployer pour un grand marché.

Pour ces mêmes raisons, la stratégie de segmentation, pour être vraiment efficace, doit s'appuyer dans toute la mesure du possible sur des **ressources partagées** et des **actifs communs**, particulièrement lorsque les segments du marché sont de petites dimensions. Alors, une image de marque attrayante et une forte réputation d'entreprise qui chapeautent et appuient toutes les marques de ses produits, peuvent procurer un avantage stratégique considérable à l'entreprise qui jouit de ces caractéristiques.

5.5.2 Le scénario de marché dominé

Dans ce deuxième cas, la rivalité pourra se jouer pendant un certain temps entre une firme dominante tentant d'imposer une structure de marché qui lui est favorable et de nouveaux entrants qui, à la faveur de la croissance du marché, tentent de s'assurer les faveurs d'acheteurs en leur proposant un produit supérieur quant à certains attributs dominants.

Il y a lieu de dissiper la confusion qui entoure le concept de différenciation dans une partie de la littérature en sciences économiques. Il ne s'agit pas ici d'une situation où des firmes s'attaquent à un marché en proposant un produit de moindre qualité à un prix inférieur. En effet, de telles situations constituent des cas de **segmentation** puisque, par définition, on y reconnaît qu'un certain groupe d'acheteurs manifeste une valorisation des attributs « qualité » et « prix » **différente** de celle exprimée par d'autres acheteurs (voir Shaked et Sutton, 1987, pour un exemple de cette confusion).

Il ne s'agit pas non plus de situations où de nouveaux entrants proposent des produits possédant de **nouveaux attributs** ou offrant des **bénéfices autres** que ceux qu'affichent de façon supérieure les produits de la firme dominante. Ces nouvelles firmes tentent ainsi de provoquer une segmentation ou une fragmentation du marché pour s'attirer les faveurs d'un groupe d'acheteurs sensible à ces nouveaux attributs ou bénéfices du produit.

La situation que schématise la figure 5.13 a plutôt trait à de nouveaux entrants qui reconnaissent que, pour réussir **à ce stade de développement du marché**, ils doivent rivaliser avec la firme dominante quant aux quelques attributs ou bénéfices qui déterminent le choix des acheteurs. Ces attributs ou bénéfices ont un caractère déterminant, soit parce qu'ils revêtent une importance **intrinsèque** telle qu'ils s'avèrent incontournables, soit parce que la firme dominante **a réussi à structurer le processus de choix des acheteurs** autour de ces attributs ou bénéfices du produit.

L'entreprise McDonald's, dont nous avons décrit la stratégie de création et de domination de marché à la section 5.4, offre un bon exemple de ce type de comportement de marché. Les firmes concurrentes que sont Burger King et Wendy's cherchent à se différencier de McDonald's selon les quelques attributs et bénéfices qui sont fondamentaux pour les acheteurs de ces produits. McDonald's, quant à elle, cherche plutôt à **maintenir sa supériorité** quant à certains attributs et à **promouvoir l'importance** de ces attributs particuliers. Sa stratégie n'est une stratégie de différenciation que dans la mesure où,

Figure 5.13   Dynamique de la stratégie de différenciation dans un marché dominé

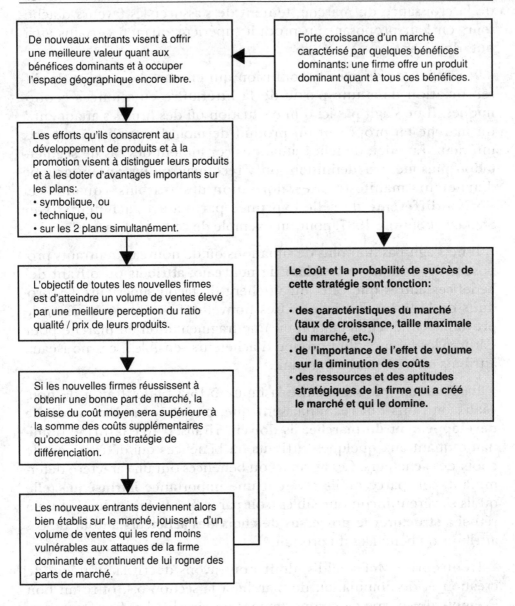

en affirmant sa supériorité, McDonald's cherche à maintenir une **dif-férence** entre son produit et celui de ses concurrents.

En certaines circonstances de marché, les nouveaux entrants peu-vent jouir d'avantages stratégiques non négligeables, dont les suivants:

- La possibilité d'étudier et de s'approprier l'expérience acquise par le premier entrant sur le marché, et d'imiter ce dernier à moindre coût.

- La possibilité d'étudier les besoins et les préférences des acheteurs du nouveau produit ainsi que les faiblesses et la vulnérabilité du premier entrant. En conséquence, il est possible de concevoir un produit et un positionnement stratégique qui tirent avantage de cette évaluation.

- Si les nouveaux entrants en ont la possibilité, l'accès à une technologie plus performante que celle employée par le premier entrant. Celui-ci, devant, ou voulant, amortir ses investissements passés avant de se doter de la meilleure technologie, se verra contraint d'accepter un certain retard technique comparativement aux nouveaux entrants.

5.6   LA STRATÉGIE D'ENVERGURE DE MARCHÉ : LA SEGMENTATION

Cette stratégie découle de la prise de conscience de certaines entreprises du fait que les acheteurs d'un même produit ont des critères de sélection qui diffèrent systématiquement et qui influencent leurs choix entre les marques rivales, et en conséquence qu'aucune marque ne peut être perçue comme la meilleure par tous les acheteurs. Les acheteurs qui, en vertu de leurs achats répétitifs, connaissent bien le produit commencent à se démarquer les uns des autres par leurs préférences et les bénéfices qu'ils recherchent dans un produit. Il n'existe donc plus dorénavant une marque unique qui peut satisfaire tous les acheteurs.

Dans le but de respecter ces critères d'achat différents qui s'excluent parfois les uns les autres, la firme peut adopter une **stratégie de segmentation** qui consiste à offrir une gamme de produits s'adressant chacun à un segment précis d'acheteurs. Ainsi, la société Coca-Cola qui, jusqu'à récemment, offrait un exemple remarquable de stratégie de différenciation, adopte maintenant, du moins en Amérique du Nord, une stratégie de segmentation. Elle commercialise et promeut grâce à une publicité énergique toute une gamme de produits visant des segments d'acheteurs spécifiques : deux colas réguliers, un cola diététique, un cola décaféiné, un cola à la fois diététique et décaféiné, une boisson limette, etc.

Une stratégie de segmentation exige des investissements considérables pour la recherche marketing ainsi que pour le développement et la mise en marché de produits. Chaque produit de la gamme doit offrir un bon ratio qualité/prix pour un segment donné d'acheteurs. Les ventes totales provenant des différents segments du marché desservi par la firme lui font bénéficier des effets de volume sur les coûts. Ces effets de volume compensent ainsi les dépenses élevées en recherche et développement de nouveaux produits, en recherche commerciale et en publicité qui sont nécessaires pour la réalisation de la stratégie de segmentation. La figure 5.14 rend compte de ces phénomènes.

Il faut bien comprendre qu'une stratégie de segmentation ne consiste pas seulement à offrir plusieurs marques d'un même produit. Elle se fonde également sur l'hypothèse que les ventes totales engendrées par cet éventail de marques confèrent, par le jeu des économies d'échelle et d'envergure, un avantage de coûts et d'efficacité à la firme. La stratégie de segmentation prend sa force, son essence même, dans la standardisation de certains composants pour toutes les marques, dans des procédés communs de fabrication, dans une distribution intégrée, dans une utilisation maximale de la réputation, de l'attrait et de l'image de l'entreprise, enfin dans tous les facteurs qui peuvent donner à la firme une position concurrentielle avantageuse.

Trop souvent, les entreprises ne retiennent de la stratégie de segmentation que la partie visible et superficielle, soit une gamme de marques. Toutefois, le manque d'intégration et de coordination entre ces marques peut faire en sorte que l'entreprise n'est pas plus efficiente et même parfois est moins efficiente qu'une plus petite entreprise concentrée sur un seul segment de marché. Ainsi, nous avons eu l'occasion d'observer à plusieurs reprises comment le jeu des rivalités internes, un mode de fonctionnement par centres de profit, chacun jaloux de son autonomie, et par gérants de produit à l'autorité exclusive, peut faire en sorte qu'une entreprise offrant sept marques d'un produit de consommation et réalisant des ventes totales de quelque 200 000 unités, ne soit en fait guère plus efficace que sept petites entreprises ayant chacune des ventes de 20 000 à 35 000 unités.

Figure 5.14 Dynamique de la stratégie d'envergure de marché: la segmentation

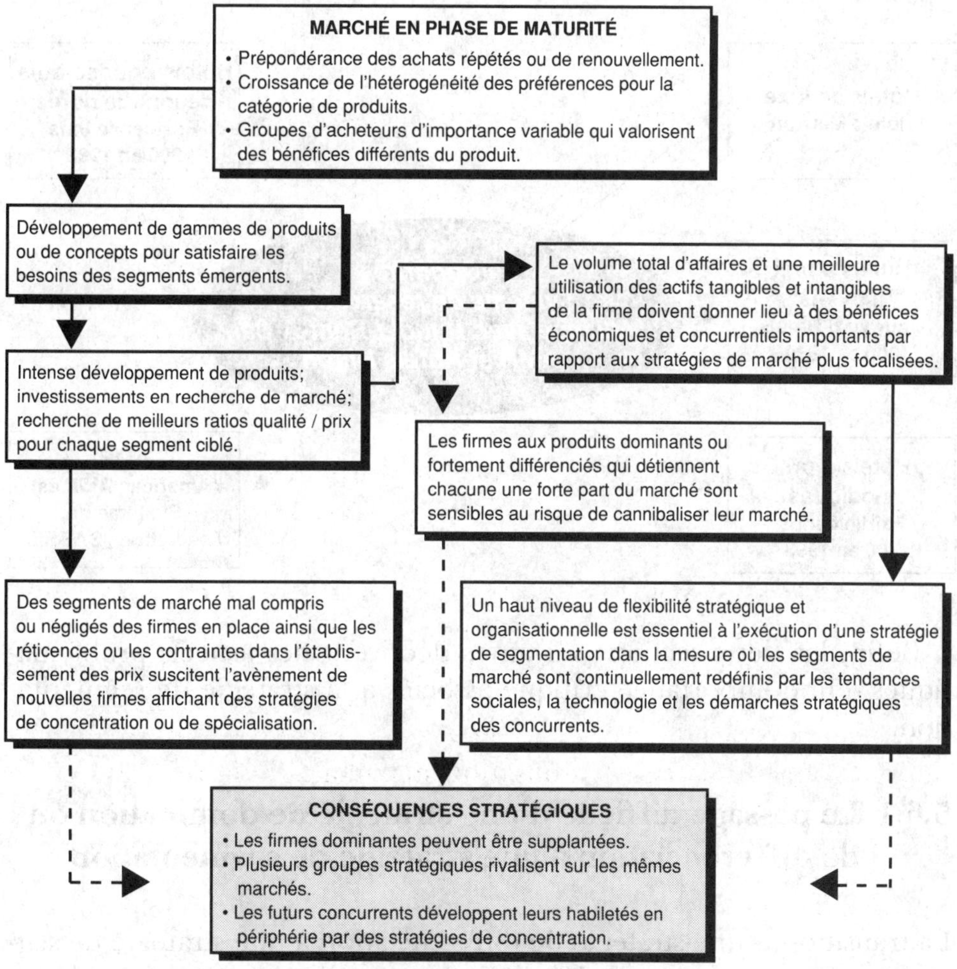

MARCHÉ EN PHASE DE MATURITÉ
- Prépondérance des achats répétés ou de renouvellement.
- Croissance de l'hétérogénéité des préférences pour la catégorie de produits.
- Groupes d'acheteurs d'importance variable qui valorisent des bénéfices différents du produit.

Développement de gammes de produits ou de concepts pour satisfaire les besoins des segments émergents.

Le volume total d'affaires et une meilleure utilisation des actifs tangibles et intangibles de la firme doivent donner lieu à des bénéfices économiques et concurrentiels importants par rapport aux stratégies de marché plus focalisées.

Intense développement de produits; investissements en recherche de marché; recherche de meilleurs ratios qualité / prix pour chaque segment ciblé.

Les firmes aux produits dominants ou fortement différenciés qui détiennent chacune une forte part du marché sont sensibles au risque de cannibaliser leur marché.

Des segments de marché mal compris ou négligés des firmes en place ainsi que les réticences ou les contraintes dans l'établissement des prix suscitent l'avènement de nouvelles firmes affichant des stratégies de concentration ou de spécialisation.

Un haut niveau de flexibilité stratégique et organisationnelle est essentiel à l'exécution d'une stratégie de segmentation dans la mesure où les segments de marché sont continuellement redéfinis par les tendances sociales, la technologie et les démarches stratégiques des concurrents.

CONSÉQUENCES STRATÉGIQUES
- Les firmes dominantes peuvent être supplantées.
- Plusieurs groupes stratégiques rivalisent sur les mêmes marchés.
- Les futurs concurrents développent leurs habiletés en périphérie par des stratégies de concentration.

En fait, comme l'illustre la figure 5.15 pour la société hôtelière Marriott, une stratégie de segmentation dépend non seulement d'un concept de produit adapté à chacun des segments ciblés, mais elle doit se fonder sur certains actifs communs à tous les produits, ce qui lui donne des avantages économiques et stratégiques dans tous les segments de marché. Dans le cas de la société Marriott, l'actif stratégique que constitue le système de réservation «Confirm», dont les coûts peuvent être partagés entre les différents produits et segments de marché, fournit un exemple de la signification économique d'une stratégie de segmentation.

Figure 5.15   The Marriott Corporation
Une stratégie de segmentation dans le marché de l'hôtellerie

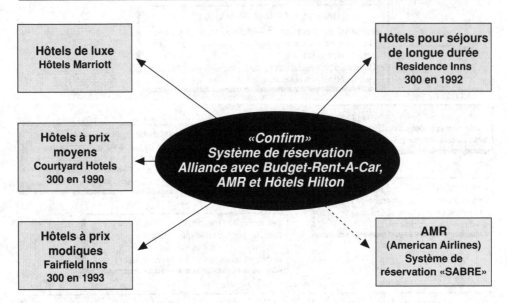

Enfin, les deux sections suivantes décrivent des aspects problématiques d'une importance critique associés à la stratégie de segmentation.

5.6.1 Le passage difficile d'une stratégie de domination ou de différenciation à une stratégie de segmentation

La transition d'une stratégie de différenciation à une stratégie de segmentation représente un défi difficile pour l'entreprise. Cette transition, provoquée par l'évolution du marché, est souvent extraordinairement pénible à effectuer, particulièrement pour l'innovateur qui a créé le marché et qui le domine encore. Cette résistance face à une évidence de plus en plus pressante s'explique en partie par des facteurs économiques, comme la « cannibalisation » possible des ventes et de la part de marché de son produit dominant, la crainte de semer la confusion dans l'esprit des acheteurs, les investissements pour modifier les modes de production et de distribution, ainsi que les coûts d'acquisition de connaissances et d'habiletés nouvelles.

Cependant, en dernière analyse, cette réticence provient surtout des schémas mentaux des dirigeants, de leur façon de percevoir et de comprendre le marché, des **compétences motrices** qui ont fait leur succès jusque-là. Le passage d'une stratégie de différenciation à une stratégie de segmentation constitue en fait un **changement radical** dans les modes de pensée et de fonctionnement de ces dirigeants.

C'est pourquoi une stratégie de segmentation sera souvent exécutée par une firme moins prisonnière de ses succès passés que ne l'est la firme qui a jusqu'alors dominé le marché. GM fournit un exemple historique avec sa stratégie de segmentation qu'elle adopta au cours des années trente et qui lui permit de supplanter Ford, dont le fondateur resta farouchement accroché à une stratégie de domination, et ce bien après que le marché se fut segmenté. Coca-Cola résista longtemps à la segmentation du marché des boissons gazeuses, se contentant d'introduire de nouveaux produits avec réticence pour ne pas perdre la face devant ses concurrents innovateurs. Aujourd'hui encore, ce n'est que par accident que Coca-Cola offre deux marques dans la catégorie des colas conventionnels.

À l'entreprise innovatrice et dominante durant la phase de croissance d'un marché, la maturité de ce même marché fera subir un rude test de clairvoyance, de flexibilité stratégique et de capacité d'adaptation. Aux entreprises concurrentes, cette phase de marché offre un moment unique, une occasion de modifier à leur avantage leur position dans ce marché.

5.6.2 La problématique d'exécution d'une stratégie de segmentation

L'implantation d'une stratégie de segmentation peut s'avérer complexe pour les raisons suivantes :

- La démarcation des segments est souvent floue et changeante. Il faut donc une bonne dose d'aptitudes de recherche et un excellent système d'information sur les marchés pour comprendre et anticiper les changements dans les besoins, les bénéfices et les critères de choix qui définissent les différents segments d'acheteurs (voir à ce sujet notre traitement de la segmentation au **chapitre 4**).

- Certains segments offrent une rentabilité moins intéressante ou encore s'excluent les uns les autres du moins pour des produits ou services associés à la même entreprise.

Ces deux situations mènent à des stratégies de segmentation incomplètes et dont le dynamisme est insuffisant pour empêcher de nouveaux concurrents d'entrer dans le marché en se concentrant sur certains segments d'acheteurs.

Ainsi, le segment d'acheteurs de petites voitures fut systématiquement négligé par les fabricants américains d'automobiles. Ce segment leur semblait marginal en importance et beaucoup moins rentable que les autres segments tant pour les fabricants que pour les concessionnaires. Ce fut évidemment cette porte d'entrée mal protégée que les firmes japonaises et Volkswagen utilisèrent pour percer le marché américain sans que cela suscite de réactions des entreprises américaines. Celles-ci firent très longtemps preuve d'une condescendance amusée envers ces intrus qu'elles jugeaient insignifiants.

Un comportement semblable des firmes américaines a également contribué aux premiers succès des firmes japonaises dans le secteur des téléviseurs couleur et d'autres produits électroniques.

Par contre, certaines situations de marché rendent difficile la couverture par une même firme de tous les segments d'acheteurs. Par exemple, les grandes firmes de location d'automobiles (Hertz, Avis, Budget) tentent de se différencier dans ce marché constitué surtout de gens d'affaires qui recherchent la commodité (service à l'aéroport, système de réservation, etc.), la rapidité du service (personnel abondant, systèmes informatisés, etc.) et la fiabilité (voitures récentes, en bon état, etc.). Leurs systèmes d'exploitation répondent bien à ce marché qui, par ailleurs, est relativement insensible au prix ou, plus exactement, pour lequel les acheteurs ne feront pas de compromis entre la commodité, le service, la fiabilité d'une part et le prix d'autre part.

Or, comme c'est souvent le cas, ce marché compte aussi des segments d'acheteurs sensibles au prix et prêts à échanger un peu de commodité ou de service contre un meilleur prix. De nombreuses entreprises ont été constituées pour desservir ces segments.

- De nouvelles firmes comme Agency Rent-A-Car et Action Rent-A-Car se concentrent entièrement sur le segment de location d'automobiles dont le coût est pris en charge par les sociétés d'assurance dans le cadre de leurs engagements envers les clients qu'une collision a privé de leur véhicule.

- Plusieurs nouvelles firmes se sont établies en périphérie des aéroports, évitant ainsi les coûts élevés de location d'espace dans les aéroports. Elles fournissent un service de navette entre leur établissement et l'aéroport et, dans l'ensemble, fonctionnent selon une structure de coûts très légère. Elles ne peuvent cependant pas offrir la commodité et la rapidité de service des Hertz et Avis, mais, en échange, elles demandent des prix inférieurs pour leur service. Ainsi, des firmes comme Alamo Rent-A-Car, Dollar Rent-A-Car, Thrift-Rent-A-Car connaissent un grand succès grâce au segment des voyageurs moins pressés et qui ne peuvent refiler la note à leur entreprise.

  De plus, selon un scénario classique, après s'être fait la main avec le segment négligé des touristes sensibles au prix, ces firmes s'attaquent ensuite au segment des sociétés sensibles ou qui peuvent être rendues sensibles au prix, c'est-à-dire au marché direct des géants de la location. Pour des entreprises comme Hertz et Avis, ces nouveaux entrants présentent un défi difficile à relever. En effet, même si leurs structures de coûts leur permettaient de rivaliser de prix avec ces nouvelles firmes, elles ne pourraient le faire sans perdre des revenus importants. Ne pouvant choisir parmi les types de clients, elles se verraient contraintes d'appliquer toute baisse de prix à leur énorme base de clients actuels qui sont pourtant tout disposés à payer le prix actuel pour le service qu'ils obtiennent[2].

Les options des sociétés Hertz, Avis et Budget sont limitées. Elles pourraient mettre sur pied ou acquérir une entreprise pour pénétrer ce segment de marché, éventuellement sous un nom de commerce différent. La question fondamentale qui sous-tend toute stratégie de segmentation, d'ailleurs, est la suivante : quels sont les avantages économiques (c'est-à-dire les économies d'envergure et d'échelle et autres effets sur les coûts et la concurrence) qui pourraient découler d'interconnexions entre ces deux entités ? Si ces **avantages sont minces,** Hertz ou Avis, après une telle démarche, ne seraient pas plus en mesure de rendre la vie difficile aux firmes concentrées sur le segment d'acheteurs sensibles au prix. En outre, l'acquisition de l'une

---

2. Ces entreprises peuvent cependant discriminer, selon la période de location, ce qu'elles font avec vigueur en offrant des prix spéciaux pour les week-ends ou pour les séjours qui comprennent au moins un week-end, puisque la clientèle des gens d'affaires fait rarement usage de tels services.

ou l'autre de ces nouvelles firmes par Hertz et Avis ne ferait que susciter l'entrée de nouvelles entreprises du même type. Cependant, si **ces avantages sont considérables**, particulièrement en ce qui a trait aux systèmes de réservation, au prix d'achat des voitures, aux systèmes d'entretien mis en commun, etc., alors Hertz et Avis devraient ou auraient dû déjà s'orienter vers une **stratégie de segmentation**.

Hertz, Avis et Budget pourraient tenter de diminuer les avantages de coûts de ces concurrents en utilisant de façon concertée leur poids politique et leur importance auprès d'un «fournisseur»: les aéroports. C'est d'ailleurs la parade choisie par les grands de la location: amener les aéroports pour lesquels Hertz, Avis et Budget représentent une importante source de revenus (jusqu'à 40 % dans certains cas) à imposer aux autres entreprises de location des tarifs élevés pour leur service de navette entre leurs établissements et les aéroports.

Beaucoup d'autres démarches et tactiques peuvent être envisagées. Cependant, le dilemme fondamental que nous voulions illustrer demeure. À cause des caractéristiques intrinsèques d'un marché, il arrive souvent qu'une même firme ne puisse desservir avec efficacité tous les segments d'acheteurs. Des firmes sont alors créées pour se concentrer sur ces segments qui ne sont pas ou qui sont mal desservis par les firmes en place. Évidemment, ces nouvelles firmes, après avoir acquis de l'expérience, voudront étendre leur champ stratégique aux segments les plus lucratifs du marché, c'est-à-dire se positionner comme des concurrents directs des firmes établies.

Comme nous l'avons longuement décrit au **chapitre 4**, un des aspects dynamiques de la stratégie provient justement de la définition changeante des marchés et de leur segmentation. Ainsi, des marchés différents peuvent devenir des segments d'un même marché à la suite des changements dans la réglementation.

Celle-ci définit parfois les frontières des marchés en défendant à une firme établie dans un secteur d'œuvrer dans un autre secteur. L'abandon de telles restrictions peut transformer des marchés différents en segments d'un même marché.

De même, des changements technologiques ou économiques, ou tout simplement une façon inédite et audacieuse de concevoir le marché et l'entreprise, peuvent transformer ce qui était auparavant un ensemble de marchés cloisonnés en segments d'un même marché maintenant desservi par une même entreprise qui se donne ainsi un avantage stratégique important.

Par contre, le phénomène contraire se produit également. Ce qui n'était qu'un segment de marché parmi plusieurs desservis par des généralistes est transformé en un marché unique par l'arrivée de firmes spécialisées. Celles-ci en écartent les généralistes et donnent au segment toutes les propriétés d'un marché autonome desservi par des firmes entièrement consacrées à ce marché. Même si, du point de vue de la demande, on pourrait encore à la limite considérer ce marché comme un segment d'un marché plus large, la domination exercée par des firmes entièrement consacrées à ce segment et l'exclusion quasi totale des généralistes lui donnent toutes les caractéristiques d'un marché autonome.

Enfin, il est évident que chaque segment de marché est soumis à une dynamique fort semblable à **celle d'un marché de plein titre** avec ses phases d'émergence, de croissance, de maturité, de saturation et de déclin. La phase de maturité pour un segment est un phénomène courant qui suppose souvent une fragmentation du segment et l'émergence de nouveaux segments en un processus continu de morcellement et de redéfinition des segments.

La firme doit donc, aux fins de ses stratégies de marché, considérer chaque segment comme un marché et exécuter des stratégies appropriées à la phase de développement de chaque segment. Elle pourra donc, dans un **segment** donné, exécuter une **stratégie de différenciation** pour accaparer la plus grande part de ce segment où elle rivalise avec d'autres firmes. Par ailleurs, ayant reconnu la présence d'un groupe d'acheteurs qui recherchent une configuration nouvelle de bénéfices, la firme voudra exécuter une stratégie de premier entrant, une **stratégie de création et de domination** de marché **dans ce segment**, et ainsi de suite.

L'entreprise, au fur et à mesure de son développement, englobe un nombre croissant de stratégies de marché **arrangées** et **intégrées** en une **stratégie concurrentielle globale** pour la société, comme nous l'avons montré à la section 5.3.

5.7　LA STRATÉGIE D'ENVERGURE DE MARCHÉ GÉOGRAPHIQUE

L'entreprise prend racine dans un marché géographique donné et tend à occuper un territoire défini par les facteurs politiques (économies nationales avec leurs barrières tarifaires, culturelles et psychologiques), réglementaires (limitations imposées aux entreprises quant aux marchés géographiques qu'elles peuvent desservir) ou économiques (facteurs techniques, coûts de transport et valeurs des monnaies qui délimitent les marchés géographiques). Avec le temps et l'expérience, ou à la suite de changements importants dans la configuration politique, réglementaire ou technologique, l'entreprise voudra élargir la dimension géographique de ses opérations, agrandir le **champ stratégique qui lui avait servi jusque-là à délimiter son périmètre stratégique**.

Dans la mesure où des marchés géographiques nouveaux sont accessibles et que l'on y trouve, actuellement ou à terme, des acheteurs ayant des besoins et des goûts semblables à ceux du marché d'origine, l'entreprise dynamique voudra y prendre sa place, surtout lorsque son marché d'origine arrivera à sa phase de maturité ou de saturation. Une telle augmentation de l'envergure géographique de la firme pourra n'engendrer que de faibles coûts supplémentaires pour l'adaptation des produits et le rodage des systèmes et contribuer ainsi à une utilisation plus efficace des actifs tangibles et intangibles de l'entreprise.

La figure 5.16 décrit de façon schématique les principaux facteurs qui alimentent cette stratégie. L'adoption d'une stratégie d'envergure géographique suppose que la firme doit apprendre à fonctionner dans de nouveaux marchés géographiques qui **ne faisaient pas jusqu'à ce moment-là partie du champ stratégique de l'entreprise**. Dans un premier temps, la firme peut se limiter à exporter ses produits et ne déplacer que quelques opérations, comme l'assemblage final, dans ces nouveaux marchés. Alors, le défi a trait au marketing, à la vente et à la distribution.

Ce nouveau marché pourrait bien être en phase **d'émergence ou de croissance**. Une stratégie d'envergure géographique dans l'ensemble de l'entreprise pourra donc aboutir à une stratégie de segmentation dans le marché d'origine en phase de maturité, ainsi qu'à une stratégie de création et de domination dans un nouveau marché en phase d'émergence, ou à une stratégie de différenciation dans un marché en croissance, mais comportant déjà des concurrents directs.

Enfin, il arrive fréquemment que l'on tente d'exécuter une stratégie d'envergure géographique par des acquisitions. Il s'agit évidemment d'un moyen plus rapide d'arriver à ses fins et qui

Figure 5.16 Dynamique de la stratégie d'envergure de marché géographique

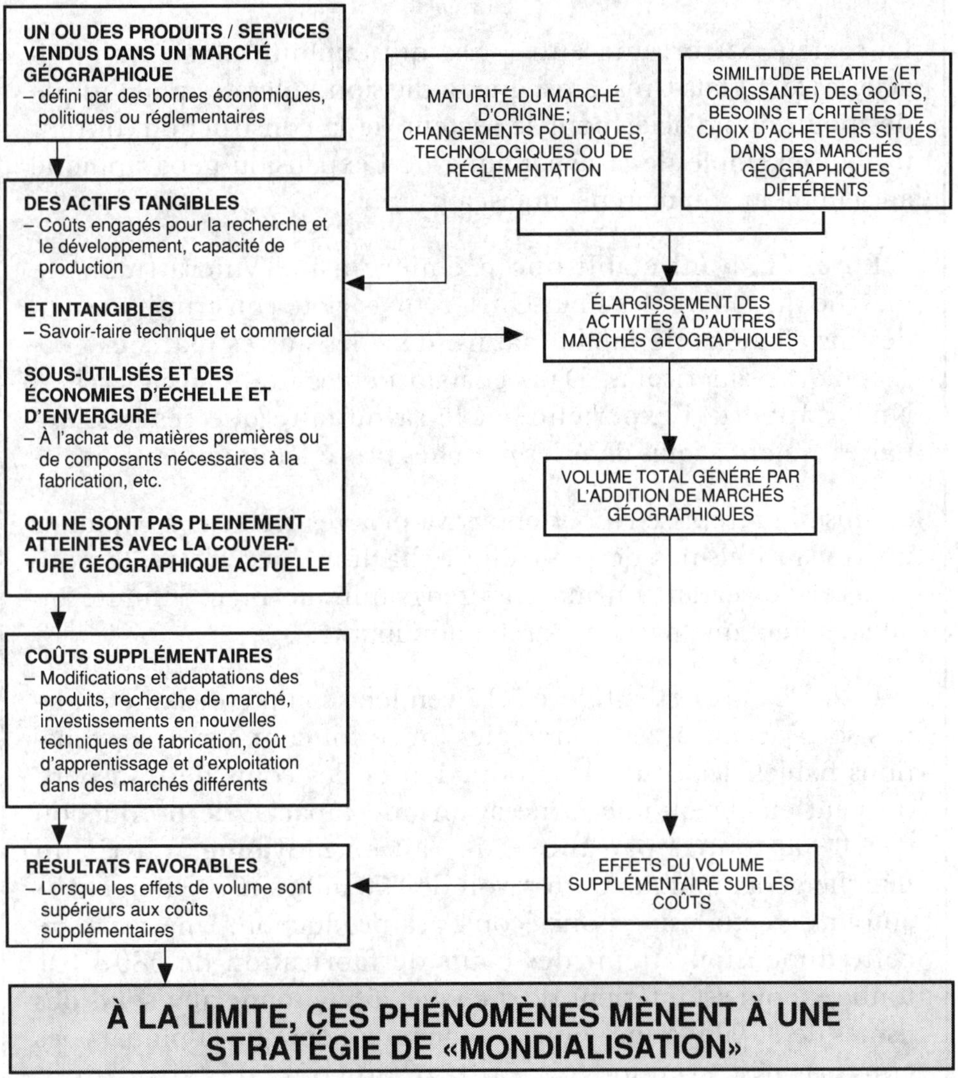

UN OU DES PRODUITS / SERVICES VENDUS DANS UN MARCHÉ GÉOGRAPHIQUE
– défini par des bornes économiques, politiques ou réglementaires

MATURITÉ DU MARCHÉ D'ORIGINE; CHANGEMENTS POLITIQUES, TECHNOLOGIQUES OU DE RÉGLEMENTATION

SIMILITUDE RELATIVE (ET CROISSANTE) DES GOÛTS, BESOINS ET CRITÈRES DE CHOIX D'ACHETEURS SITUÉS DANS DES MARCHÉS GÉOGRAPHIQUES DIFFÉRENTS

DES ACTIFS TANGIBLES
– Coûts engagés pour la recherche et le développement, capacité de production

ET INTANGIBLES
– Savoir-faire technique et commercial

SOUS-UTILISÉS ET DES ÉCONOMIES D'ÉCHELLE ET D'ENVERGURE
– À l'achat de matières premières ou de composants nécessaires à la fabrication, etc.

QUI NE SONT PAS PLEINEMENT ATTEINTES AVEC LA COUVER-TURE GÉOGRAPHIQUE ACTUELLE

ÉLARGISSEMENT DES ACTIVITÉS À D'AUTRES MARCHÉS GÉOGRAPHIQUES

VOLUME TOTAL GÉNÉRÉ PAR L'ADDITION DE MARCHÉS GÉOGRAPHIQUES

COÛTS SUPPLÉMENTAIRES
– Modifications et adaptations des produits, recherche de marché, investissements en nouvelles techniques de fabrication, coût d'apprentissage et d'exploitation dans des marchés différents

RÉSULTATS FAVORABLES
– Lorsque les effets de volume sont supérieurs aux coûts supplémentaires

EFFETS DU VOLUME SUPPLÉMENTAIRE SUR LES COÛTS

À LA LIMITE, CES PHÉNOMÈNES MÈNENT À UNE STRATÉGIE DE «MONDIALISATION»

contourne les nombreuses difficultés associées à une approche plus incrémentielle de développement autonome. Cependant, à moins que la firme n'ait déjà acquis une grande expérience et sagacité en gestion plurinationale, elle pourra trouver la transition difficile, car non seulement lui faudra-t-il apprendre un nouveau marché, mais encore devra-t-elle être rapidement en mesure de gouverner, contrôler et motiver une entreprise dans un contexte politique et culturel nouveau.

Le cas de Nucor

La société Nucor, une entreprise qui exploite plusieurs mini-aciéries aux États-Unis, ainsi que sa division Vulcraft, qui fabrique des poutrelles d'acier pour le secteur de la construction, offrent un bon exemple de la dynamique de l'expansion géographique au sein même du marché américain.

En effet, ayant établi une première usine Vulcraft dans le marché du sud-est des États-Unis, cette société construisit ensuite des installations de même nature dans les autres marchés géographiques américains. Dans chacun de ces nouveaux marchés, Nucor apporta l'expérience et le savoir-faire que ses gestionnaires avaient acquis dans les marchés précédemment investis.

Ainsi, l'entreprise Nucor en arriva progressivement à exploiter un réseau d'usines de poutrelles, chacune étant de taille optimale et desservant un marché géographique bien délimité où elle détenait une part de marché dominante.

Le tableau 5.4 et la figure 5.17 rendent compte des phénomènes sous-jacents à cette stratégie. En se fondant sur des estimations fiables des coûts de production et des coûts de transport, on peut établir qu'une usine ayant une capacité de production de 70 000 tonnes par année devrait **en moyenne** couvrir un marché géographique d'un rayon de 356 milles (570 kilomètres) autour de cette usine pour écouler sa production. Une usine de cette dimension atteint des coûts de fabrication de 580 $ par tonne, ce qui est inférieur de quelque 25 $ la tonne aux coûts des usines de 30 000 tonnes qu'exploitaient à l'époque la plupart des concurrents. Avec un tel avantage de coûts de fabrication, l'entreprise peut étendre sa couverture géographique de façon à obtenir le volume nécessaire pour atteindre un haut taux d'utilisation de sa capacité de production. Avec un avantage de coût de 25 $ par tonne, Vulcraft peut desservir un client à meilleur prix qu'un rival exploitant une usine de 30 000 tonnes, même si ce client était voisin de ce rival, tant que le client est situé à **moins de 400 milles** (640 kilomètres) de l'établissement de Vulcraft.

Tableau 5.4   Effets de la couverture géographique sur les coûts et le volume : l'exemple de Nucor–Vulcraft

Capacité de l'usine (000 tonnes)	Rayon de livraison [1] (milles)	Distance moyenne [2] (milles)	Coût de transport total [3] (000 $)	Coût de transport moyen ($ / tonne)	Coût de fabrication	Coût total
20	190	134	168	8,37	645	653,37
30	233	165	309	10,31	605	615,31
40	270	191	478	11,94	592	603,94
70	356	252	1 102	15,75	580	595,75
100	426	301	1 881	18,83	578	596,83

[1] = à une distance moyenne du marché US de 0,35 tonne / mi^2

[2] = la distance départageant 50 % du volume

[3] = à un coût de 0,0625 $ / tonne-mille

Figure 5.17   Coût moyen du produit fabriqué à l'usine et après livraison au client en fonction de la capacité de production : le marché des poutrelles d'acier

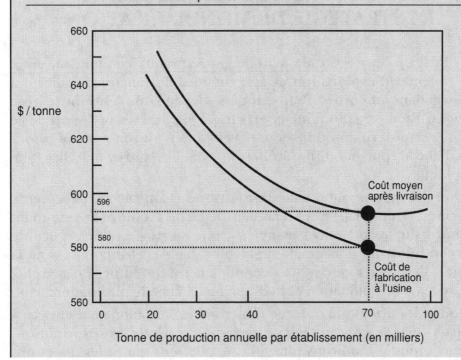

Tonne de production annuelle par établissement (en milliers)

Selon un scénario que nous avons décrit au **chapitre 4**, Vulcraft, durant les périodes de forte demande, établira ses prix selon les **coûts** de ses concurrents de petite taille de façon à conserver un volume rentable. En période de faible demande, Vulcraft voudra obtenir tout le volume disponible pour maintenir son rythme de production. Pour ce faire, elle établira souvent ses **prix** à un niveau inférieur aux **coûts** des concurrents de petite taille qui, privés de volume d'affaires, fermeront leurs portes si la période difficile perdure.

En conséquence de cette approche stratégique, Vulcraft exploite maintenant **cinq** établissements, chacun dominant dans un marché géographique délimité par les phénomènes de coûts de fabrication et de transport décrits au tableau 5.4 (voir Barnett et Crandall, 1986).

5.8   L'ENVERGURE GÉOGRAPHIQUE ET LA STRATÉGIE DE MONDIALISATION

La stratégie d'envergure de marché géographique conduit souvent à des systèmes d'exploitation et à des modes de fonctionnement qui transcendent les bornes d'un seul pays. Cependant, l'entreprise reste associée à son pays d'origine et est dirigée par des ressortissants de ce pays. Les nouveaux produits sont développés pour son marché principal d'abord, puis modifiés au besoin pour les autres marchés géographiques.

Une stratégie de **mondialisation** est une façon bien différente de concevoir l'entreprise et ses marchés. De façon évolutive et se fondant d'abord sur les bénéfices associés à une stratégie d'envergure de marché (utilisation maximale des actifs tangibles et intangibles de la firme), l'entreprise en arrive éventuellement à définir son marché, son système d'exploitation et sa direction à l'échelle plurinationale.

Toutes les firmes qui ont une dimension transnationale **n'ont pas** à se transformer en « entreprise mondiale ». Cette transformation, comme nous le montrons plus loin, n'a de sens que si les impératifs économiques et concurrentiels l'imposent. Dans des industries et des marchés bien spécifiques, les impératifs économiques et la pression des systèmes des concurrents rendent nécessaires les **transferts de technologie** et de **savoir-faire** entre divisions nationales, la **spécialisation** des opérations nationales, l'adjudication de **mandats à portée internationale** à des divisions nationales et le **développement des produits** en fonction de marchés de **dimension transnationale**.

Dans ces cas, l'entreprise doit en arriver tôt ou tard à rompre avec le passé et à concevoir l'ensemble de ses opérations comme **un seul système stratégique** tout en se donnant les moyens et les structures pour gérer un tel système plurinational. Alors, dira-t-on, avec quelque exagération, que l'entreprise est devenue « mondiale » et que sa stratégie en est une de « mondialisation ».

Pour bien saisir la portée du concept, il est utile cependant de faire une distinction entre trois dimensions du phénomène de mondialisation, à savoir la mondialisation du système de **production**, du **produit** et du **marché**.

1. Les avantages de coûts que l'on peut retirer en établissant un réseau international d'approvisionnement et de fabrication constituent un puissant motif de **mondialisation de la production**, que ce soit directement ou par un réseau d'alliances entre firmes. Une entreprise peut donc se doter d'un réseau « mondial » de production tout en demeurant « nationale » quant aux autres dimensions de son fonctionnement. Par exemple, la société The Limited, nous l'avons vu au **chapitre 3**, exploite un réseau de 140 fabricants de vêtements situés dans le Sud-Est asiatique, réseau qui lui sert à approvisionner quelque 3 200 établissements situés aux États-Unis. Cette société a donc procédé à une « mondialisation » de sa production, sans pour autant « mondialiser » ses produits ou marchés.

2. La mondialisation du **produit** résulte souvent de la combinaison de deux facteurs : l'augmentation importante des coûts de développement de nouveaux produits et la réduction sensible de la vie utile des produits. Par mondialisation du produit, on entend ce phénomène qui consiste à développer des produits ou des composants simultanément pour de multiples marchés géographiques. Cependant, des firmes de dimensions strictement nationales peuvent par ailleurs assurer la mise en

marché de ces produits dans leur zone géographique. Ainsi, un produit peut garder une identité et une personnalité «nationales» spécifiques alors que ses composants et sa technologie sont en fait le résultat d'une opération plurinationale. Le chassé-croisé des alliances et des accords de licence pour le développement de produits dans les secteurs de l'automobile, de l'électronique, de la biotechnologie, de l'aéronautique et des télécommunications fait en sorte que le produit offert par une firme «X» dans un pays «Y» est très semblable dans sa définition même à des produits offerts par d'autres firmes dans d'autres pays. Ainsi, tout un réseau international de sous-traitants assume les mandats à la fois pour Boeing et pour Airbus, deux entreprises pourtant rivales et possédant une identité bien démarquée. De même, à la limite du phénomène, les automobiles russes de marque Lada roulent avec des moteurs Ford.

3. La diffusion rapide et transnationale des modes, de l'innovation, des styles de vie ainsi qu'une réduction des barrières politiques au commerce international ont donné lieu à une certaine **mondialisation du marché** pour des catégories de produits sensibles à ces particularités. Comme le montre la figure 5.18, l'homogénéisation des goûts et des critères de décision des acheteurs ainsi qu'une plus grande liberté du commerce et de l'investissement permettent et encouragent la diffusion simultanée de produits à une échelle plurinationale. Les colas, les cosmétiques, les vêtements de couturiers, les appareils électroniques, les ordinateurs, les équipements de télécommunications et les avions fournissent de bons exemples de marchés mondiaux, du point de vue de l'offre de ces biens.

Par contre, ces phénomènes seraient demeurés latents s'ils n'avaient pas été accompagnés d'une massive **redéfinition politique des marchés** au cours des dernières années. Le vent de libéralisation des échanges et de déréglementation qui a soufflé au cours des années quatre-vingt a favorisé l'abaissement des barrières protectionnistes et a ouvert les portes de nouveaux marchés. Les traités et pratiques de libre-échange, que ce soit en Europe ou en Amérique du Nord, provoquent de profondes mutations dans l'environnement des entreprises,

Figure 5.18 Dynamique de mondialisation des marchés

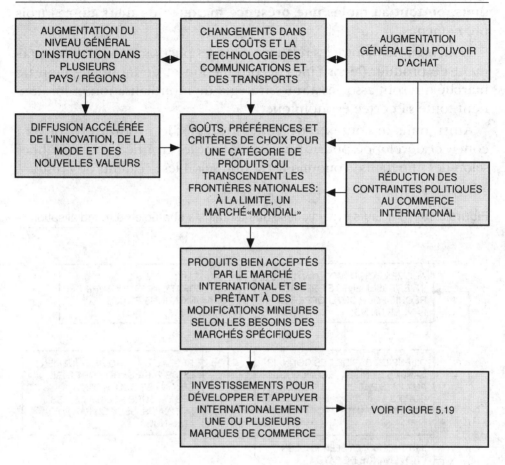

les obligeant à une redéfinition de leur marché, de leur stratégie et de leur mission. L'expansion transnationale devient alors non seulement une source d'avantages concurrentiels, mais surtout plus une **nécessité stratégique** pour la survie de la firme.

Ainsi, le degré de «mondialisation» de l'entreprise peut varier, allant de «l'établissement d'un réseau de production dans plusieurs pays à faibles coûts de main-d'œuvre pour appuyer une stratégie de marché purement nationale», à une «gestion transnationale de développement des produits, de leur fabrication, de leur distribution et de leur mise en marché».

Le concept de stratégie de «mondialisation» devrait être réservé pour ces situations où l'on trouve de façon simultanée et à un fort

degré une mondialisation des marchés, de la production et des produits, ou tout au moins une présence marquée de deux de ces trois phénomènes.

La figure 5.19 montre les relations entre les phénomènes de développement de produit, de systèmes de production et de mondialisation de marché qui sont associés à une stratégie de mondialisation et lui donnent toute sa portée économique.

Ainsi, dans le contexte de cette stratégie, le produit est souvent conçu et développé pour un marché dont les frontières sont établies selon des impératifs économiques et non selon les accidents de l'histoire

Figure 5.19   Facteurs dynamiques sous-tendant la stratégie de mondialisation

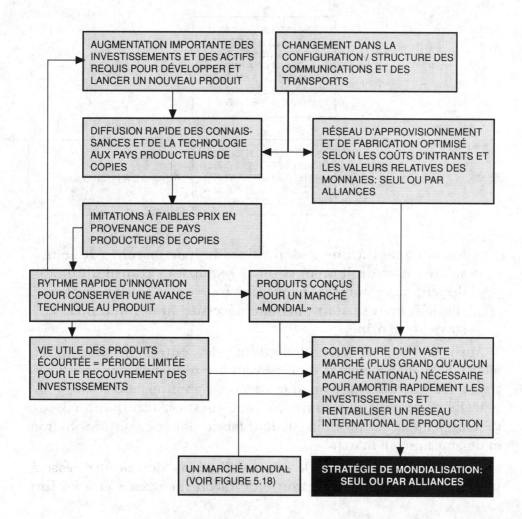

et de la politique. Il peut être utile d'illustrer ce phénomène de coût de développement de produits qui pousse la firme à concevoir le produit aux fins d'un marché aux dimensions sans commune mesure avec les démarcations des États-nations.

Par exemple, le coût de développement d'un commutateur central numérique à la fine pointe de la technologie, un dispositif électronique capable de satisfaire un volume de plus de 15 000 appareils téléphoniques, s'élève à plus de **1 milliard de dollars (1990)**. Northern Telecom et sa société affiliée, Bell Northern Research, dépensent plus de 700 millions de dollars annuellement en recherche et développement.

Ses concurrents, des firmes plurinationales, offrent tous des systèmes numériques complexes et à la fine pointe de la technologie. Aussi, Northern Telecom est contrainte d'investir des sommes importantes chaque année pour se maintenir dans le peloton de tête de ce marché. Pour appuyer un tel niveau d'investissement en recherche et développement et demeurer dans la course, Northern Telecom doit s'assurer **10 % du marché mondial** des systèmes électroniques de commutation.

Puis, une stratégie de mondialisation implique souvent que le réseau des fournisseurs et des sous-traitants ainsi que les installations de fabrication et d'assemblage soient conçus de façon à livrer les produits aux meilleurs **coûts** dans tous les marchés géographiques. Ce système de production et d'assemblage doit, dans son architecture, être sensible aux pressions politiques pour augmenter la valeur ajoutée dans chacun des pays ainsi qu'aux équilibres nécessaires pour diminuer la vulnérabilité de la firme aux variations des taux de change.

Enfin, d'un point de vue de marketing, la stratégie de mondialisation comporte le développement et la promotion d'une image de marque et d'une réputation à une échelle transnationale. Ces puissants avantages stratégiques donneront une position dominante de marché à la firme, ainsi qu'une différenciation symbolique ou technique à ses produits dans un marché de dimension « mondiale ».

Une telle stratégie, lorsqu'elle est appuyée ou rendue essentielle par les phénomènes économiques dont nous avons traité plus tôt, fait bénéficier de nombreux avantages stratégiques la firme **qui sait l'exécuter** : système économique efficient, accès aux ressources technologiques internationales, diversification géographique et donc stabilité des revenus de l'entreprise, utilisation stratégique du savoir-faire et des technologies de la firme, avantages possibles en ce qui touche le coût de capital, c'est-à-dire la capacité de se financer dans des pays à faible taux d'intérêt sans augmentation du risque de change, etc.

Cependant, l'exécution d'une telle stratégie comporte de hautes exigences de qualité et des systèmes de gestion fort efficaces. Tous les bénéfices théoriques que nous avons décrits peuvent s'avérer illusoires et être annulés par les coûts de coordination, de suivi et de contrôle ainsi que par les conflits entre des unités dispersées géographiquement et disparates culturellement.

C'est pourquoi les exemples les plus réussis de stratégie de mondialisation proviennent souvent de firmes qui ont bâti un tel système sur une période de temps relativement longue et avec une détermination patiente mais infléchissable.

Il existe peu d'exemples d'une stratégie mondiale qui fut exécutée rapidement. Lorsqu'on procède par acquisitions, celles-ci doivent servir à renforcer un **système déjà bien établi,** mais auquel on veut ajouter une autre dimension géographique. Autrement dit, l'entreprise peut se mondialiser par acquisitions si son système est déjà puissant, bien rodé et riche de savoir-faire, de technologies et de systèmes d'exploitation que l'on peut facilement et avec légitimité transmettre à toute entreprise acquise pour l'intégrer dans le système stratégique global.

5.9   LA STRATÉGIE D'ENVERGURE DE PRODUITS

La stratégie **d'envergure de produits** consiste à réunir dans un même système stratégique le développement, la production et la distribution de produits ou de services destinés à des marchés-produits distincts. Cette stratégie se fonde sur les avantages économiques ou commerciaux provenant des économies d'envergure et des interconnexions entre ces produits ou services à quelque stade que ce soit, à savoir l'approvisionnement, la recherche et le développement, la fabrication, les composants, la distribution, le marketing, le service après-vente, etc., et vise à utiliser pleinement tous les actifs intangibles de la firme comme sa maîtrise de technologies en propriété exclusive, sa domination de circuits de distribution, sa connaissance de types d'acheteurs, sa réputation, son image, etc., tels qu'on les décrit à la figure 5.20.

Parfois, cette recherche des effets d'envergure mène à des démarches limitées mais utiles. Ainsi, le grand fabricant allemand d'autocars, Kässbohrer, produit également des équipements de damage de pistes de ski alpin et détient plus de 50 % de ce marché en Europe. Les liens entre ces deux produits se trouvent dans certains composants communs, par exemple les moteurs, mais surtout dans le service après-vente. Les centres d'entretien installés partout en Europe pour le service des autocars deviennent un actif précieux qui peut être rentabilisé par l'ajout d'un produit dont la qualité et la rapidité du service sont des variables critiques pour l'acheteur.

Dans les cas les plus réussis, une stratégie d'envergure de produits émerge et se façonne organiquement sur une longue période de temps. Certaines entreprises japonaises comme Honda et Sony en sont arrivées à développer et à produire une gamme impressionnante de produits pour des marchés bien différents, même si tous leurs produits sont reliés par une même technologie de base et sont souvent distribués par le biais des mêmes réseaux. L'entreprise Procter & Gamble a patiemment établi, à partir de l'acquisition en 1957 d'une

Figure 5.20   Dynamique de la stratégie d'envergure de produits

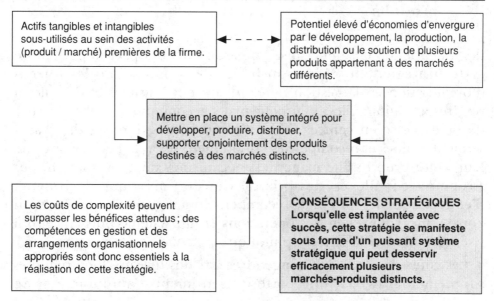

petite entreprise fabriquant le papier hygiénique Charmin, un puissant système stratégique offrant une gamme étendue de produits de papier, comme nous l'avons vu à la section 5.3 de ce chapitre.

La dynamique des coûts et des marchés rend souvent attrayante, voire inévitable, une stratégie d'envergure de produits. C'est ce que tentent de réaliser dans le secteur des services financiers American Express et Sears aux États-Unis, Black and Decker dans les petits appareils électriques, Electrolux dans les gros appareils ménagers, Thomson, en Europe, dans les appareils électroniques (téléviseurs, magnétoscopes à cassettes) et autres.

Dans plusieurs situations de marchés, la véritable rivalité tend à se jouer entre des **systèmes stratégiques** fort semblables. Ainsi, le système stratégique de Procter & Gamble dans le domaine des produits de papier reçoit une concurrence efficace du système de Kimberley-Clark, dont le degré d'intégration et l'envergure de produits sont comparables à ceux de Procter & Gamble. Par contre, **à des moments charnières**, des innovateurs pourront mettre en difficulté ces puissants systèmes par une conception d'entreprise radicalement différente et mieux adaptée à de nouveaux contextes économiques et technologiques.

5.9.1 Une mise en garde à propos de l'envergure de produits

Il y a lieu ici de faire une mise en garde sur un aspect important de cette stratégie. Son exécution intégrale se fait selon des formes d'organisation et de gestion qui sont souvent inusitées et difficiles à rendre opérationnelles. Elle peut mal s'accommoder d'une division de l'entreprise en centres de profit autonomes dont les dirigeants seraient évalués et récompensés entièrement selon la performance de leur unité propre. Elle exige des mécanismes de coordination, des structures complexes, des prix de transfert ainsi que des **valeurs d'entreprise** et des formes de récompense qui incitent à la coopération entre unités, qui relient les opérations en un système puissant et qui visent à **optimiser le système** plutôt que chacune de ses composantes.

Les coûts de complexité engendrés par des niveaux hiérarchiques supplémentaires, par une perte du sentiment d'autonomie et de responsabilité des cadres opérationnels, et par la bureaucratisation du fonctionnement risquent d'annuler tous les bénéfices prévus et même de conduire à une firme globalement moins efficace.

Ce risque est particulièrement sensible lorsqu'on tente de regrouper et d'intégrer des entités jusque-là autonomes. Pourtant, au cours des dernières années, plusieurs entreprises ont fait le pari téméraire d'exécuter une stratégie d'envergure de produits par l'acquisition et l'intégration totale ou partielle d'entreprises importantes, dont chacune avait sa propre histoire, ses propres valeurs et ses propres façons de faire.

Près de 25 % des 200 acquisitions les plus importantes aux États-Unis en 1986 furent motivées par la recherche de bénéfices et d'économies associés à l'envergure de produits (voir Allaire et Firsirotu, 1987b), dont l'acquisition de White Consolidated (appareils ménagers) par Electrolux, de Magic Chef par Maytag, de la division des disques de RCA par la maison d'édition allemande Bertelsmann, de Thorn EMI par Thomson. Ces acquisitions émanent d'une volonté d'étendre l'envergure des marchés-produits de l'entreprise à des secteurs liés de façon étroite à l'utilisation de certaines de ses ressources (mêmes clients, mêmes réseaux de distribution, même technologie, etc.).

Peut-être un exemple malheureux fournira-t-il une illustration utile des dangers d'une stratégie d'envergure de produits malavisée. United Airlines fit l'acquisition de Hertz Rent-A-Car, de Westin Hotels et de Hilton International. Ces entités furent regroupées en une nouvelle entité appelée Allegis Corporation, dont on voulut faire une **entreprise intégrée de services de voyage**. Cette stratégie était évidemment articulée autour d'un actif stratégique important, soit le système de réservations «Apollo» de United Airlines, qui est le deuxième réseau en importance aux États-Unis après le système «Sabre» d'American Airlines.

L'idée était peut-être valable, mais le concept se heurta à l'hostilité des syndicats, au scepticisme des marchés financiers et à des problèmes épineux d'exécution, ce qui rendit la valeur marchande d'Allegis Corp. inférieure à la valeur supposée de ses composantes. L'entreprise fut la cible d'une OPA (offre publique d'achat), on congédia le chef de la direction, architecte de cette stratégie, et Allegis fut démembrée.

5.9.2 L'envergure de produits et la mondialisation

Lorsque les phénomènes de coûts et autres avantages de taille et d'envergure exercent une forte pression sur le développement de la firme, celle-ci doit adopter des stratégies d'entreprise progressivement plus englobantes, fondées sur de multiples stratégies de marché, chacune contribuant à la force de l'ensemble et étant elle-même plus efficace parce qu'elle est tributaire de l'ensemble. Nous avons décrit à la section 5.3 ce phénomène d'imbrication de stratégies de marché en une stratégie concurrentielle globale.

La grande entreprise efficace n'est pas qu'un ramassis hétéroclite de produits et d'unités de production visant à se donner les avantages financiers d'une large diversification. Elle est au mieux le résultat de la patiente édification d'un ou de plusieurs systèmes stratégiques. Ce type d'arrangement confère à l'entreprise une force stratégique qui parfois échappe à l'observateur externe des épiphénomènes de marché.

En conséquence, la très grande entreprise est souvent le résultat de forces économiques qui favorisent à la fois une **grande envergure de produits** et une **grande envergure de marchés géographiques**. À la limite du phénomène, l'entreprise exécute une stratégie d'envergure de produits en « mondialisant » ses opérations, comme c'est le cas pour 3M et Honda.

La description de tels systèmes devient immensément complexe. Ils sont un peu comme des icebergs dont la partie visible est trop facile à décrire, mais dont la force stratégique provient de ce qui n'est pas visible, de ce qui demeure « submergé », pour ainsi dire. Aussi ne percera-t-on les secrets de tels systèmes qu'en faisant un peu de « plongée stratégique ».

5.9.3 La stratégie d'envergure de produits et la mondialisation : le cas Honda

« Le succès de Honda repose sur son expertise et son leadership dans le développement et la fabrication de produits conçus pour utiliser sa technologie des moteurs à haute performance », voilà comment les dirigeants de Honda décrivent leur entreprise dans leur rapport annuel aux actionnaires en 1990.

Une coupe schématique du système Honda, présentée à la figure 5.21, illustre bien la complexité et l'envergure de tels systèmes et souligne un certain nombre d'aspects essentiels à ce type de stratégie :

- Il est évident que le cœur de l'entreprise, ses **compétences motrices**, se trouve dans la technologie des moteurs et l'abondance de savoir-faire et d'expertise en matière de développement de produits motorisés. Tout produit qui dépend de façon importante de la qualité et du coût du moteur à essence est un candidat à l'innovation.

- Le système de fabrication de Honda consiste en un réseau impressionnant de 77 usines réparties dans le monde et en un chassé-croisé de relations et de transactions entre ces usines et les sociétés de distribution de Honda.

- Sur le continent nord-américain, Honda exploite deux usines de fabrication d'automobiles avec une capacité de 50 000 unités aux États-Unis et une usine en Ontario dont la capacité est de 80 000 unités. Elle possède également une usine de motocyclettes et une usine pour la fabrication de tondeuses et d'autres équipements.

- En Europe, Honda exploite des usines dans plusieurs pays, soit l'Angleterre, la Belgique, la France, l'Espagne, l'Italie et l'ex-Yougoslavie. La France se distingue en tant que plate-forme européenne pour la fabrication de tondeuses et autres équipements associés.

- Pour réduire sa dépendance à l'égard de la valeur du yen, Honda a établi plusieurs unités de fabrication dans des pays nouvellement industrialisés en Asie comme Taïwan, la Malaisie et la Thaïlande.

- La prépondérance dont jouit Honda dans des circuits de distribution constitue un avantage stratégique important. L'innovation chez Honda s'articule autour de produits pour lesquels un moteur à combustion efficace est essentiel et qui sont distribués ou peuvent être distribués dans des **circuits où sont déjà vendus d'autres produits Honda**, par exemple, les véhicules tout terrain (VTT) dans le réseau de concessionnaires de motocyclettes.

- Honda ajoute progressivement de nouveaux circuits de distribution pour ses produits. Après les circuits de la motocyclette

Figure 5.21 Stratégie d'envergure de produits avec mondialisation
Le système Honda, circa 1990

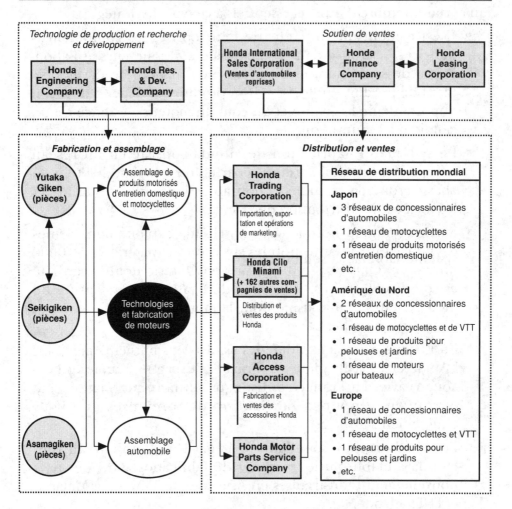

et de l'automobile, elle visa le circuit des équipements pour entretien extérieur (Lawn & Garden Equipment) en offrant des tondeuses, de petits tracteurs, des souffleuses à neige, des génératrices, etc. Enfin, la société s'intéresse depuis peu au quatrième et dernier circuit important, du moins en Amérique du Nord, celui des moteurs pour bateaux.

- Le phénomène d'économies d'envergure pousse évidemment à élargir la gamme des produits distribués dans les mêmes circuits. Cependant, il faut savoir reconnaître les limites du phénomène. Ajouter des produits au même circuit peut se solder par une perte d'efficacité. Les actifs de distribution sont surutilisés, les circuits deviennent encombrés et leur rendement décroît rapidement. De même, le comportement du consommateur peut faire en sorte que l'entreprise gagne à utiliser des circuits différents même si elle perd ainsi quelque bénéfice économique. Honda, pour ces raisons, distribue ses automobiles par le biais de trois réseaux distincts au Japon et de deux réseaux en Amérique du Nord, où elle jugea inefficace de confier la distribution du produit haut de gamme « Acura » aux concessionnaires de ses autres véhicules automobiles.

- Chaque composante du système Honda est incitée à rentabiliser les actifs tangibles et intangibles dont elle dispose en trouvant des marchés externes à Honda. Même Honda Engineering Co. cherche à vendre ses « produits » à des clients externes au système Honda; la seule exception à cette pratique, et elle est de taille, a trait à Honda R&D où se créent les produits et la technologie.

- Enfin, même dans une coupe aussi schématique que celle de notre figure 5.21, il est facile de reconnaître de multiples possibilités de conflits, de choix individuels contraires aux intérêts de l'ensemble, de calculs bureaucratiques, etc. La réussite d'un tel système dépend en grande partie d'une culture organisationnelle qui contient ces forces nocives et **donne une âme et une substance à ce qui pourrait n'être qu'une vision théorique et utopique des choses**. Les entreprises japonaises ont pu compter, jusqu'à récemment, sur des conditions favorables à une grande envergure de produits. Il n'est pas certain qu'à l'avenir elles puissent encore jouir des conditions financières et « culturelles » qui ont appuyé ces stratégies.

Le résultat de cette stratégie globale d'envergure de produits fait de Honda un intervenant important dans presque toutes les catégories de produits où la société a choisi de s'implanter.

L'orientation stratégique de Honda se trouve également dans quelques-unes des entreprises japonaises les plus connues (Yamaha, Suzuki, et à un moindre degré Kawasaki) comme le démontre l'envergure respective de leur champ stratégique présenté à la figure 5.22.

Tel que décrit au **chapitre 4**, le marché prend forme non seulement sous la pression des facteurs de la demande, mais également sous

Figure 5.22   Envergure de produits de firmes sélectionnées
Marché des produits motorisés, circa 1990

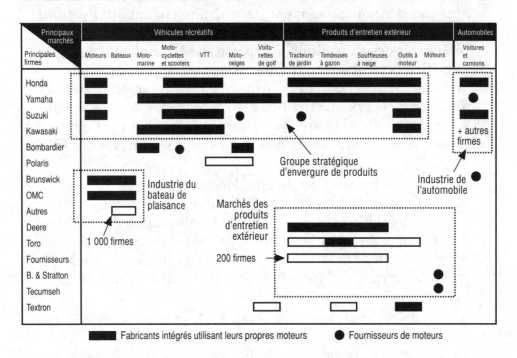

l'effet dynamique des stratégies des firmes rivales. Nul doute que la stratégie d'envergure de produits implantée par ces entreprises japonaises influence de façon déterminante la dynamique de marché pour ces produits de consommation motorisés.

Des phénomènes nouveaux, tant politiques que technologiques, favorisent présentement une recrudescence de la « mondialisation » des entreprises ou, du moins, les incitent à donner un caractère transnational à leurs opérations. Nous avons montré comment des facteurs tels que les coûts élevés de développement des produits, le transfert de savoir-faire et de technologies, la perméabilité de marchés nationaux distincts aux mêmes attributs des produits ainsi que les avantages économiques d'un réseau international de fabrication et de distribution se conjuguent pour donner une force redoutable à l'entreprise qui sait tirer avantage de ces facteurs dynamiques en exécutant une stratégie de « mondialisation ».

5.10 LA STRATÉGIE D'AVANTAGES DE COÛTS

Cette stratégie, beaucoup moins fréquente en pratique que ne le laisse entendre Porter (1980), consiste à **rechercher** et à **faire entrer en jeu** des avantages de coûts dans un marché où les acheteurs sont très **sensibles** aux moindres variations de **prix**.

Pour l'enthousiaste du marketing, les produits vraiment homogènes et non différenciés sont rarissimes et le fait que plusieurs produits affichent des caractéristiques d'homogénéité n'est que la conséquence du manque d'imagination et de sens de marketing chez les dirigeants des entreprises qui fabriquent ces produits (voir Levitt, 1983).

Cela ne fait aucun doute, mais il faut bien admettre que le rôle et l'intensité de la différenciation du produit varient grandement. La vente par téléphone du bois de charpente de dimensions uniformes à des grossistes répartis à travers l'Amérique du Nord offre moins de possibilités de différenciation et de segmentation, bien que celles-ci ne soient pas inexistantes, que la mise en marché de bières, d'automobiles ou de produits alimentaires ou pharmaceutiques. De même, les marchés aux enchères ou d'adjudication forcent souvent les entreprises à se donner une stratégie d'avantages de coûts.

De façon générale, la stratégie d'avantages de coûts est associée à des produits très homogènes, presque des denrées, pour lesquels les acheteurs ne font pas ou en sont arrivés à ne plus faire de distinction entre les produits offerts par différents fabricants. De même, on présume dans ce cas-ci que la firme ne peut influencer les prix demandés par des interventions individuelles ou concertées avec d'autres producteurs[3]. La figure 5.23 décrit les aspects essentiels de cette stratégie.

Que ce soit par manque de créativité en marketing ou à cause de facteurs intrinsèques et inéluctables, la firme considère que sa survie dépend essentiellement du niveau de ses coûts qui doivent être à tout le moins égaux à ceux du plus efficient de ses concurrents.

Évidemment, dans de telles situations, la firme recherche toutes les économies associées au volume d'affaires. Mais bien plus encore, toute la démarche stratégique de la firme est focalisée sur la découverte de moyens et de façons de faire qui pourraient se traduire en un

---

3. Dans le cas contraire, il s'agit de stratégies politiques plutôt que de stratégies de marché, sujet qui sera abordé au **chapitre 7** de cet ouvrage.

Figure 5.23   Dynamique de la stratégie d'avantages de coûts

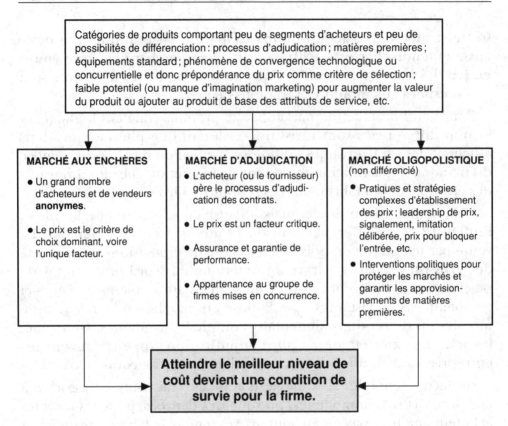

net avantage de coûts. Lorsque les prix, une variable sur laquelle la firme a peu d'influence, seront favorables, la firme affichera une rentabilité supérieure à celle des concurrents moins efficients. En période difficile, elle sera aussi dans une position moins vulnérable.

Dans sa forme pure et complète, la stratégie d'avantages de coûts n'est pas très fréquente. En effet, **il faut bien noter que, pour toutes les stratégies décrites jusqu'ici, la recherche d'avantages de coûts joue un rôle important.** Cette préoccupation n'est donc pas limitée aux circonstances particulières associées à la stratégie d'avantages de coûts. Par ailleurs, une direction d'entreprise avec un minimum de sens stratégique n'acceptera pas comme immuables les facteurs qui rendent la stratégie d'avantages de coûts nécessaire.

Les dirigeants tenteront de différencier le produit de l'entreprise, celui-ci compris dans un sens large comme comprenant des attributs importants tels que le service, la fiabilité, le soutien aux acheteurs, etc. Ils chercheront à exercer dans toute la mesure du possible une plus grande influence sur le prix de vente du produit par des stratégies politiques : leadership de prix, coordination tacite, acquisitions et fusions, revendications contre les importations, etc.

Néanmoins, pour certains produits et marchés (acier, aluminium, pâtes et papiers, etc.), il n'est pas inexact de décrire la stratégie générale de l'entreprise comme une stratégie de recherche d'avantages de coûts, même si cette stratégie **est assortie de nombreuses interventions politiques et de multiples tactiques pour s'assurer la loyauté du client** de façon durable et ainsi réduire l'importance du facteur prix comme critère de décision.

Enfin, une recherche d'avantages de coûts afin de s'approprier un segment d'acheteurs précis caractérise souvent les stratégies de **concentration** et de **spécialisation** dont nous traitons plus loin dans ce chapitre. Dans ces cas, cependant, la firme vise un seul **segment** d'acheteurs alors que la stratégie d'avantages de coûts suppose que tout un **marché** d'acheteurs est caractérisé par un processus d'achat axé sur une seule dimension, à savoir le prix.

5.11 LES STRATÉGIES DE CRÉNEAUX : LA STRATÉGIE DE CONCENTRATION

Nous avons déjà montré dans ce chapitre comment certaines firmes peuvent réussir à entrer dans un marché par des portes ou des créneaux mal défendus ou impossibles à défendre par les firmes en place. Une firme qui prend de l'envergure et recherche les avantages économiques d'une couverture simultanée de plusieurs segments et marchés géographiques différents, crée souvent des ouvertures pour de nouveaux entrants. Ce phénomène est particulièrement visible lorsque les effets d'échelle et d'envergure ne sont pas démesurés et que les coûts irrécupérables d'entrée dans le segment sont faibles.

Nous faisons dans ce chapitre une distinction qui nous apparaît essentielle entre trois stratégies de créneaux, la **concentration**, la **spécialisation** et les **interstices**. Chacune de ces stratégies est associée à des facteurs stratégiques bien distincts même si les textes en stratégie prêtent grandement à confusion à ce sujet.

Dans le cas d'une stratégie de **concentration**, une nouvelle firme cible un groupe d'acheteurs qu'elle estime mal desservi par les généralistes, c'est-à-dire les firmes exécutant des stratégies de **grande envergure**. La nouvelle firme ne prétend pas détenir un avantage stratégique important sur les généralistes en place, sauf celui d'être prête à se concentrer sur un groupe d'acheteurs de moindre intérêt pour eux. Cette stratégie se fonde sur la négligence et l'indifférence des firmes en place ou encore sur le fait que des contraintes opérationnelles ou stratégiques empêchent les généralistes de bien desservir certains segments d'acheteurs ou certains territoires.

Nous avons décrit plus haut comment la fabrication de marques maison ou la remise à neuf ont servi de porte d'entrée à la périphérie de grands marchés auxquels il aurait été très difficile de s'attaquer directement. Nous avons également décrit et illustré par l'exemple du marché de location d'automobiles comment et pourquoi il est problématique pour les généralistes d'empêcher que de nouvelles firmes viennent desservir le segment des acheteurs qui sont tous prêts à sacrifier certains bénéfices qu'offrent les produits des généralistes pour obtenir un meilleur prix.

Enfin, les phénomènes de coûts de transport et de familiarité avec un marché local font en sorte que de petites firmes concentrées sur une zone géographique périphérique peuvent accaparer un volume d'affaires suffisant pour s'assurer une bonne rentabilité, et ce sans que les généralistes n'y puissent grand-chose.

La figure 5.24 décrit les principaux aspects de cette stratégie. Évidemment, les généralistes ont pu faire preuve de « myopie stratégique » en laissant ainsi de nouvelles firmes apprendre tranquillement leur métier en marge de leur marché. Celles-ci seront demain les concurrents directs avec lesquels il faudra composer.

5.12 LES STRATÉGIES DE CRÉNEAUX : LA STRATÉGIE DE SPÉCIALISATION

Dans ce cas-ci, contrairement à la stratégie de concentration, il s'agit d'une **attaque directe** de la part d'une nouvelle firme spécialisée qui veut expulser les généralistes d'un segment de marché en concevant une façon nouvelle de desservir ce segment. Les généralistes sont incapables de trouver une réplique efficace parce qu'ils sont prisonniers

Figure 5.24 Dynamique de la stratégie de concentration

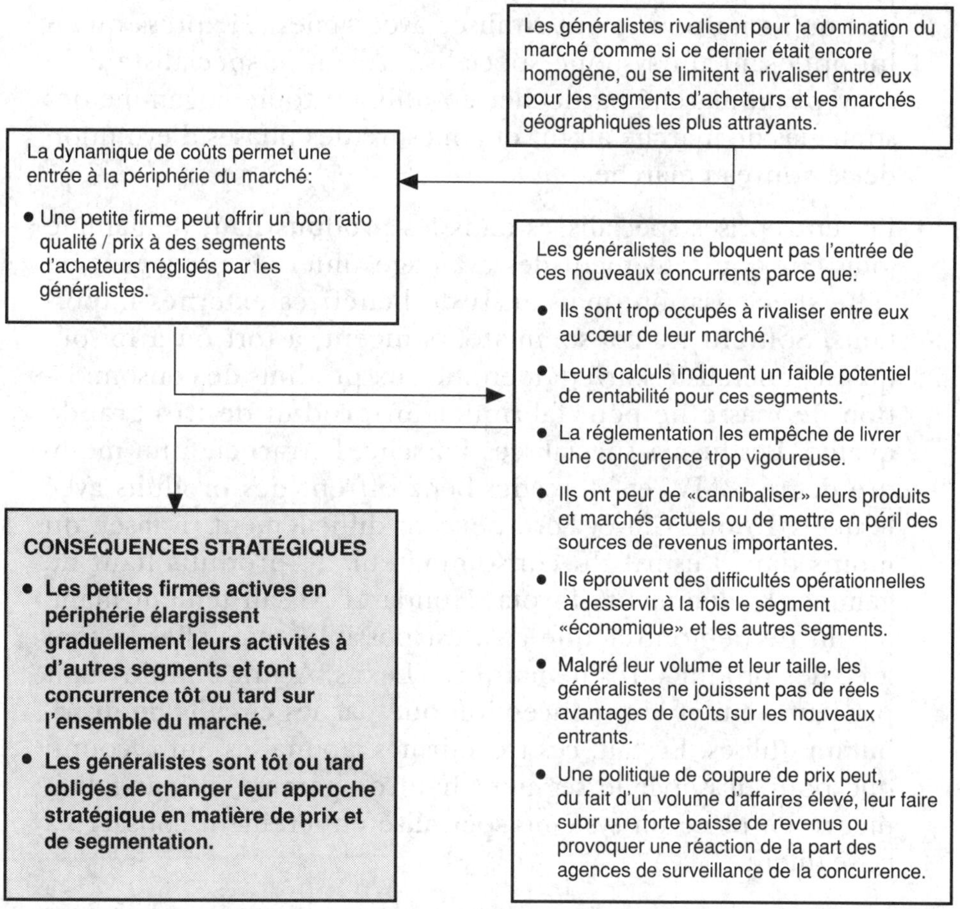

La dynamique de coûts permet une entrée à la périphérie du marché:

- Une petite firme peut offrir un bon ratio qualité / prix à des segments d'acheteurs négligés par les généralistes.

Les généralistes rivalisent pour la domination du marché comme si ce dernier était encore homogène, ou se limitent à rivaliser entre eux pour les segments d'acheteurs et les marchés géographiques les plus attrayants.

Les généralistes ne bloquent pas l'entrée de ces nouveaux concurrents parce que:

- Ils sont trop occupés à rivaliser entre eux au cœur de leur marché.
- Leurs calculs indiquent un faible potentiel de rentabilité pour ces segments.
- La réglementation les empêche de livrer une concurrence trop vigoureuse.
- Ils ont peur de «cannibaliser» leurs produits et marchés actuels ou de mettre en péril des sources de revenus importantes.
- Ils éprouvent des difficultés opérationnelles à desservir à la fois le segment «économique» et les autres segments.
- Malgré leur volume et leur taille, les généralistes ne jouissent pas de réels avantages de coûts sur les nouveaux entrants.
- Une politique de coupure de prix peut, du fait d'un volume d'affaires élevé, leur faire subir une forte baisse de revenus ou provoquer une réaction de la part des agences de surveillance de la concurrence.

CONSÉQUENCES STRATÉGIQUES

- **Les petites firmes actives en périphérie élargissent graduellement leurs activités à d'autres segments et font concurrence tôt ou tard sur l'ensemble du marché.**
- **Les généralistes sont tôt ou tard obligés de changer leur approche stratégique en matière de prix et de segmentation.**

de la logique économique de leur propre système. Les exemples de stratégie de spécialisation sont nombreux ; en voici quelques-uns.

- Federal Express, ce spécialiste du courrier aérien, a mis au point un extraordinaire système d'exploitation qui lui permit d'offrir un service unique : la livraison de colis avant 10 heures le lendemain matin dans presque toutes les villes nord-américaines importantes, à des prix concurrentiels. Tous les généralistes en place, à savoir la poste américaine, UPS, Purolator, etc., ont été dès le départ incapables d'offrir un service semblable avec leur système stratégique conçu pour couvrir une large gamme de services et de produits. Après un long moment, la concurrence est venue de systèmes copiés sur celui de Federal Express. Dans certains cas, cette concurrence provient maintenant de généralistes comme UPS qui ont compris qu'ils ne pourraient rivaliser avec Federal Express qu'en lui opposant un système spécialisé. Ainsi, le spécialiste crée souvent un marché particulier en utilisant toute la gamme des stratégies de marché au fur et à mesure des phases d'évolution de ce nouveau marché.

- Les entreprises spécialisées dans les produits haut de gamme jouissent non seulement des avantages internes provenant de cette spécialisation, mais aussi de bénéfices externes importants. Souvent les consommateurs jugent, à tort ou à raison, qu'un généraliste souvent identifié aux produits de consommation de masse ne peut fabriquer un produit de très grande qualité. Les firmes spécialisées Porsche, Ferrari et, à un moindre degré, BMW et Mercedes-Benz offrent des produits avec lesquels Toyota, GM et Ford peuvent difficilement rivaliser, du moins dans l'esprit du consommateur de produits haut de gamme. Évidemment, Toyota, Honda et Nissan tentent maintenant de démontrer que cela est possible, mais elles le font avec des produits très démarqués (Lexus, Acura, Infiniti) tant par leur nom et leur conception que par les **circuits de distribution** utilisés. En fait, ces trois firmes japonaises ont reconnu que pour desservir le segment haut de gamme, il leur fallait mettre en place un système **spécialisé** entièrement consacré à ce segment.

- Le réseau des caisses populaires, ces institutions financières québécoises spécialisées dans l'épargne et le crédit, et entièrement consacrées aux particuliers, a bénéficié des avantages afférents au spécialiste en concurrence avec des généralistes dont le système est conçu pour tirer avantage des économies d'envergure. Les banques à charte canadiennes, à la recherche des économies d'envergure associées au fait de desservir plusieurs clientèles, soit les particuliers, les commerçants et les entreprises, dans un même réseau d'établissements, ont dû en conséquence faire certains compromis dans le choix des sites de leurs succursales. À une certaine époque, ces choix étaient pleinement justifiés par l'étroitesse du marché des services financiers pour les particuliers. Or, et c'est là un phénomène bien commun, la croissance d'un marché ou d'un segment de marché en vient à justifier brusquement et sans avertissement l'**existence de firmes consacrées entièrement à ce marché ou segment de marché**. Cependant, les firmes en place éprouvent souvent beaucoup de difficultés à ajuster leur stratégie à cette nouvelle réalité.

- Les entreprises spécialisées en transport de petits colis, dont nous avons décrit le système à la section 5.2, fournissent un autre exemple de la façon dont le spécialiste peut tirer avantage de la vulnérabilité du généraliste. En effet, l'envergure de clients et de produits de ce dernier dissimule le fait que certains segments de clients ou types de produits représentent maintenant un volume d'affaires suffisant pour justifier qu'une entreprise leur soit entièrement consacrée. En outre, les prix demandés par les généralistes ainsi que la qualité du service offert à ces clients comportent souvent un élément de subside caché favorisant d'autres clients de l'entreprise.

- Dans plusieurs secteurs industriels, des firmes se spécialisent de façon rentable dans la fabrication d'un composant ou dans un segment de marché. Ainsi, la société Rhor fabrique des nacelles, c'est-à-dire des enveloppes pour moteurs d'avion. Pour des raisons techniques et économiques, les grands fabricants de moteurs d'avion, à savoir GE, Pratt & Whitney, Rolls-Royce, ont choisi de ne pas intégrer cette composante dans leur offre de produits.

- Les grands magasins offrent un exemple typique de stratégie **d'envergure de produits.** Afin de rentabiliser deux actifs, soit la valeur du terrain où est situé le magasin et la réputation de l'entreprise bâtie au cours des années, ces établissements, souvent situés en plein centre-ville, offrent sur plusieurs étages un large éventail de produits dont plusieurs sont vendus sous leur marque maison. L'envergure de leurs opérations leur procure de nombreux avantages. Cependant, elle les rend aussi, du moins en Amérique du Nord, vulnérables à une attaque par des spécialistes. Ceux-ci peuvent en effet concevoir de nouvelles configurations d'entreprises pour offrir à des segments d'acheteurs une gamme de produits et de services ainsi que des prix qui leur conviennent mieux que ce que peuvent offrir les généralistes. La société Toys R Us, dont nous avons décrit certains aspects du fonctionnement au **chapitre 4,** offre un exemple saisissant de ce phénomène.

Le cas de Toys R Us

Dans plusieurs secteurs du commerce de détail en Amérique du Nord, des firmes ont acquis une position dominante par la mise en place d'un puissant système stratégique fondé sur un choix fondamental, celui de bâtir une entreprise spécialisée capable de développer et de dominer un segment du marché. Le phénomène est tellement répandu qu'on lui a donné un nom: «*power retailer*». La société Toys R Us fournit un exemple paradigmatique de cette approche du marché.

Cette entreprise de jouets exploite des établissements aux dimensions gigantesques (plus de 4 000 m^2) répartis de façon à investir toute agglomération urbaine où elle choisit de s'établir. Il s'agit d'un système intégré et équilibré conçu pour livrer un service valorisé au meilleur coût.

Un aspect important de ces types de systèmes consiste en l'importance qu'ils accordent aux dimensions économiques du fonctionnement de l'entreprise. Toys R Us devint un énorme succès de **marché** parce que son fondateur, Charles Lazarus, comprit et utilisa à son avantage la **dynamique des coûts** sous-jacente au commerce de détail en milieux urbains nord-américains.

Voyons en résumé les principales articulations du système Toys R Us. D'abord, l'entreprise fit une observation judicieuse quant au marché et à sa segmentation: le marché du jouet était naguère essentiellement desservi par les grands magasins, qui ne lui accordaient une place importante que durant les quelques semaines précédant Noël, bien que cette place soit limitée par le peu d'espace et la crainte de surplus de stocks. Le marché du jouet était également desservi par de petits établissements souvent situés dans des centres commerciaux, qui offraient une gamme limitée de produits à des prix forcément élevés. Charles Lazarus, le fondateur, constata que cet arrangement laissait insatisfait un segment important d'acheteurs recherchant un vaste choix de produits, l'assurance que les produits populaires seraient en stock ainsi que des prix avantageux.

Pour bien desservir ce segment de marché et **développer son plein potentiel**, il lui fallait fournir un type d'établissement approprié, un important soutien promotionnel de lancement et de maintien, un mode d'entreposage et de contrôle des stocks des plus perfectionnés, le tout intégré en un système qui pouvait engendrer des coûts inférieurs à la concurrence et donc permettre des prix très concurrentiels en même temps qu'une rentabilité élevée.

Toys R Us, après une période de rodage, arrêta les paramètres de son système et l'implanta. La firme continue d'ailleurs de le faire, à un rythme effréné. Voici les principaux paramètres de son système :

- Le segment de marché ciblé, sensible aux bénéfices offerts par le système (une vaste gamme de produits, une disponibilité assurée, des prix concurrentiels), représente quelque 40 % du marché total.

- Les marchés urbains américains engendrent des ventes annuelles pour les jouets de 50 $ (1988) *per capita.*

- L'équilibre à garder entre la **dimension** de l'établissement (gamme, rupture de stock, coûts de construction) et le **nombre** d'établissements dans une agglomération urbaine donnée, laquelle est définie par la couverture médias (facilité relative d'accès en automobile, occupation de l'espace géographique), d'où la règle suivante : un établissement de 46 000 pieds carrés (environ 4 200 mètres carrés) pour chaque tranche de 500 000 habitants. De plus, si une agglomération urbaine (ou plus exactement le marché desservi par les médias locaux) compte 2 millions d'habitants, on y ouvrira **simultanément** quatre établissements géographiquement situés de façon à offrir un haut niveau de commodité d'accès pour les clients.

- Pour s'approprier cette part de marché, il est essentiel de prévoir au moment de l'ouverture des établissements dans un nouveau marché urbain un important programme de publicité et de promotion. Cette publicité sera appuyée par la distribution à domicile de catalogues et de dépliants promotionnels.

- Chaque établissement doit être desservi par un entrepôt situé à moins de 24 heures de route.

- Un système informatique qui relie tous les magasins aux entrepôts et au siège social de façon à ce que les ventes et les niveaux des stocks en magasin et en entrepôt soient connus en temps réel et que les commandes soient passées aux fournisseurs.

- Les établissements sont tous d'une architecture et d'un aménagement identiques (planogrammes, espaces de réception, etc.), et sont tous situés en périphérie des grands centres urbains, à proximité mais jamais à l'intérieur des centres commerciaux qui encerclent ces grandes villes américaines.

Ce système a été déployé à travers l'Amérique à un rythme qui atteint maintenant presque 100 nouveaux établissements par année. Toys R Us comptait en 1992 quelque 800 établissements et générait un chiffre d'affaires de plus de 6 milliards de dollars ainsi qu'un rendement sur l'avoir des actionnaires après impôts constamment supérieur à 15 %. La figure 5.25 rend compte des principaux éléments du système Toys R Us.

Comme le souligne notre figure 5.26, la stratégie de spécialisation vise, pour le segment ciblé, l'exclusion ou la marginalisation des généralistes, ces entreprises de grande envergure qui exécutent des stratégies de différenciation, de segmentation ou d'envergure de produits.

Les spécialistes proposent souvent, par la conception même de leur système d'exploitation, une façon innovatrice d'aborder un marché qui leur donne un avantage stratégique indiscutable sur les firmes en place, du moins auprès d'un segment d'acheteurs bien ciblé.

La stratégie de **concentration** et la stratégie de **spécialisation** diffèrent en ce que, dans le premier cas, les firmes souhaitent ultérieurement devenir des généralistes même si pendant un certain temps elles doivent se limiter à un segment de marché. Dans le cas des spécialistes, au contraire, leur système est conçu pour leur conférer un net

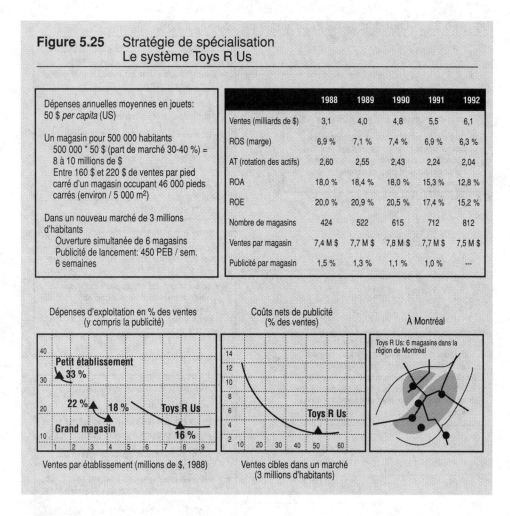

Figure 5.25 Stratégie de spécialisation
Le système Toys R Us

	1988	1989	1990	1991	1992
Ventes (milliards de $)	3,1	4,0	4,8	5,5	6,1
ROS (marge)	6,9 %	7,1 %	7,4 %	6,9 %	6,3 %
AT (rotation des actifs)	2,60	2,55	2,43	2,24	2,04
ROA	18,0 %	18,4 %	18,0 %	15,3 %	12,8 %
ROE	20,0 %	20,9 %	20,5 %	17,4 %	15,2 %
Nombre de magasins	424	522	615	712	812
Ventes par magasin	7,4 M $	7,7 M $	7,8 M $	7,7 M $	7,5 M $
Publicité par magasin	1,5 %	1,3 %	1,1 %	1,0 %	---

Dépenses annuelles moyennes en jouets:
50 $ *per capita* (US)

Un magasin pour 500 000 habitants
500 000 * 50 $ (part de marché 30-40 %) =
8 à 10 millions de $
Entre 160 $ et 220 $ de ventes par pied
carré d'un magasin occupant 46 000 pieds
carrés (environ / 5 000 m²)

Dans un nouveau marché de 3 millions
d'habitants
Ouverture simultanée de 6 magasins
Publicité de lancement: 450 PEB / sem.
6 semaines

Dépenses d'exploitation en % des ventes
(y compris la publicité)

Petit établissement 33 %

22 % 18 % Toys R Us

Grand magasin 16 %

Ventes par établissement (millions de $, 1988)

Coûts nets de publicité
(% des ventes)

Toys R Us

Ventes cibles dans un marché
(3 millions d'habitants)

À Montréal

Toys R Us: 6 magasins dans la
région de Montréal

avantage sur les généralistes auprès d'un segment précis du marché. Cela fait en sorte qu'ils ne peuvent pas facilement étendre leurs activités aux autres segments, et donc devenir des généralistes, sans perdre leurs avantages de spécialiste.

5.13 LES STRATÉGIES DE CRÉNEAUX : LA STRATÉGIE D'INTERSTICES

Cette expression veut saisir une réalité évidente du fonctionnement des marchés. Contrairement aux situations décrites par les stratégies de concentration et de spécialisation, beaucoup de marchés sont caractérisés par l'absence totale de grandes firmes. Les petites

Figure 5.26   Dynamique de la stratégie de spécialisation

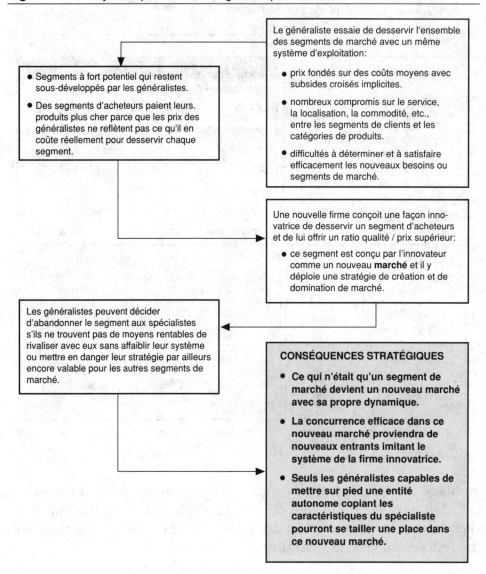

entreprises qui s'y trouvent se concurrencent entre elles sans avoir à attaquer un segment de marché mal desservi par des généralistes.

Plusieurs marchés ne comportent pas de fortes entraves à l'entrée et la taille minimale d'efficacité (TME) n'y représente qu'une faible proportion du marché total. Ces marchés sont habituellement desservis par de nombreuses firmes qui y entrent et en sortent au gré des conditions économiques et des aptitudes entrepreneurielles de leurs propriétaires. On dit alors que l'industrie est fragmentée et qu'aucune firme ne peut s'approprier une forte part d'un tel marché.

Dans d'autres cas plus intrigants, un marché est desservi par quelques petites firmes fort rentables et d'une grande pérennité, chacune détenant une forte part du marché. Nous réservons la notion d'**interstice** pour décrire ces situations.

Schématisés à la figure 5.27, les facteurs suivants expliquent ce phénomène d'interstice:

- Un marché global trop **limité** et une croissance du marché trop **faible** pour intéresser les grandes firmes: pour des raisons de coûts mandat et de coûts de complexité, les grandes firmes tendent à se tenir à l'écart des marchés dont la taille actuelle ou potentielle se situe en deçà d'un seuil minimum.

- Des entraves à l'entrée, telles que l'expertise, le savoir-faire et les technologies spécifiques et non transférables, les coûts irrécupérables, les liens privilégiés avec les circuits de distribution, une TME qui représente une fraction importante du marché total, servent à dissuader l'**entrepreneur individuel**, le particulier, qui voudrait bien pénétrer ce marché rentable. Ces

Figure 5.27   Dynamique de la stratégie d'interstices

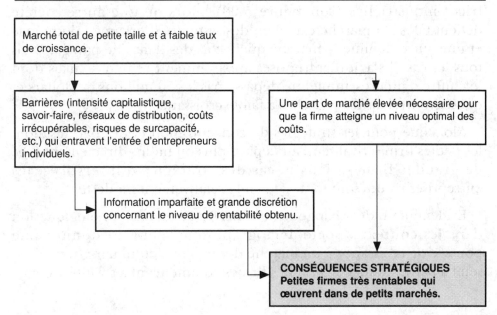

barrières seraient inefficaces pour bloquer l'entrée à une grande entreprise. Toutefois, cette dernière, à cause de la taille limitée et de la faible croissance du marché, ne démontre pas d'intérêt pour ce secteur.

- Enfin, une information imparfaite à propos des occasions de marché et une grande discrétion de la part des propriétaires de ces entreprises quant à leur rentabilité réelle servent aussi à protéger ces marchés contre la venue de nouveaux entrants.

En fait, plusieurs des stratégies de marché décrites auparavant comme les stratégies de création et de domination du marché, de différenciation, de segmentation, d'envergure géographique, d'avantages de coûts, sont pertinentes à ces petits marchés. Cependant, en vertu de leur petite taille, on a tendance à les considérer comme des « créneaux » de marché. C'est là, *stricto sensu*, un concept inexact puisque ce sont des marchés de plein titre où peuvent se manifester toute une gamme de stratégies de marché. Nous avons proposé la notion de stratégie d'interstices justement pour établir une nécessaire distinction entre cette situation et celles propres aux véritables stratégies de créneaux comme la concentration et la spécialisation.

La structure économique de toute société comporte un grand nombre de ces marchés d'interstices. Par exemple, une société canadienne, Exeltor inc., détient 20 % du marché mondial des aiguilles de tricot industrielles (voir figure 5.28), alors qu'une autre société détient 60 % du marché canadien des systèmes d'éclairage d'urgence et une autre domine le marché québécois des dalles de pavage. Dans tous les cas, il s'agit d'entreprises apparemment rentables, mais dont le chiffre d'affaires annuel ne dépasse pas les 50 millions de dollars et qui œuvrent dans des marchés à faible croissance.

Alors que pour les stratégies de concentration et de spécialisation, les petites firmes rivalisent, au départ, plus ou moins directement avec de grandes firmes, dans le cas des stratégies d'interstices, les entreprises rivales sont toutes de taille relativement modeste.

Évidemment, des changements dans les facteurs technologiques ou dans les contextes socio-démographiques peuvent donner une poussée de croissance à un marché d'interstices et lui faire franchir le seuil à partir duquel de grandes firmes commencent à s'y intéresser.

Figure 5.28   Illustration de la dynamique de la stratégie d'interstices
Aiguilles de tricot industrielles, segment haut de gamme :
Exeltor inc.

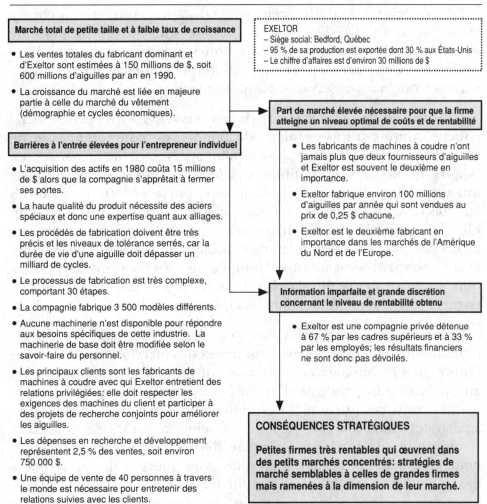

5.14 CONCLUSIONS À PROPOS DES STRATÉGIES DE MARCHÉ

S'appuyant sur les concepts de coûts présentés au **chapitre 3** et sur la notion multiforme de marché au **chapitre 4,** ce chapitre a brossé le tableau des différents types de comportements stratégiques en matière de concurrence et de rivalité entre firmes. Le choix judicieux et l'exécution compétente de stratégies de marché constituent l'un des principaux moteurs de création de valeur économique pour la firme, comme nous l'avons vu au **chapitre 2.**

La stratégie de marché prête une substance concrète au **champ stratégique** de la firme et se manifeste sous forme de **système stratégique** plus ou moins efficace conçu pour livrer les stratégies souhaitées. Cette présentation des différentes stratégies mène en conclusion à quelques observations importantes.

L'influence des choix stratégiques passés L'entreprise est ici conçue comme un assemblage de talents, de compétences et de savoir-faire, inséré dans un arrangement systémique de croyances, de valeurs, de normes, de politiques et de pratiques. Cette entreprise, qui est le produit de ses choix passés, porte en elle de grandes attentes de continuité ainsi qu'une capacité variable de changement. Elle s'accommode mal du changement qui rendrait caducs certaines de ses valeurs, de ses pratiques, de ses compétences et son savoir-faire. Plus l'entreprise s'est montrée compétente et efficace dans l'exécution d'une stratégie de marché donnée, plus il lui est difficile de changer son orientation lorsque les circonstances l'exigent.

La mouvance stratégique L'évolution des attentes des acheteurs, la redéfinition des frontières géographiques des marchés, la pression de l'innovation technologique, la rivalité entre les firmes en place quant aux prix et aux produits, l'arrivée de nouveaux entrants sur le marché, tous ces phénomènes donnent un caractère « temporaire » aux stratégies de marché. Cependant, selon la nature des avantages stratégiques de la firme, selon le degré d'effervescence technologique, selon le rythme d'évolution des goûts et des préférences des acheteurs pour les produits ou services offerts, une stratégie d'entreprise jouira de plus ou moins de pérennité. Les époques, les contextes socio-culturels et les catégories de produits sont des facteurs qui influencent le degré de stabilité stratégique. On semble noter à cet égard une tendance récente à l'accélération du « temps stratégique », ce qui suppose une plus grande plasticité ou polyvalence des systèmes stratégiques. Il faudrait donc que l'architecture même du système soit maintenant conçue de façon à accommoder des stratégies différentes au fur et à mesure du développement des marchés. Au cours de périodes plus stables, l'entreprise a eu tendance à construire des systèmes mono-stratégiques, c'est-à-dire des arrangements organisationnels efficaces pour « livrer » un seul type de stratégie.

La nature variable de la concurrence Selon les phases **d'évolution du marché**, selon la **dissémination des technologies** et du savoir-faire entre entreprises et entre pays, et selon les **démarcations géographiques** des marchés imposées par des contingences économiques ou politiques, la rivalité entre firmes peut prendre plusieurs formes :

- Une confrontation directe entre concurrents de force à peu près égale et œuvrant tous dans une même région.

- Une rivalité entre des systèmes très différents quant à leur envergure géographique ou à leur envergure de produits.

- Une rivalité mesurée entre une firme dominante et des entreprises de moindre force.

- Une concurrence mitigée ou indirecte entre des entreprises généralistes et des firmes concentrées sur un seul segment d'acheteurs ou une seule zone géographique habituellement périphérique.

- Une attaque frontale par des spécialistes portant sur un segment spécifique d'acheteurs.

- Une rivalité entre quelques grands systèmes stratégiques semblables par leur architecture, leur envergure géographique et leur envergure de produits.

La stratégie de l'entreprise complexe comme un système de stratégies de marché imbriquées et interreliées Avec la maturité de son marché d'origine, l'entreprise ne peut continuer de croître qu'en augmentant son champ stratégique, c'est-à-dire en intégrant dans sa couverture de marché plusieurs segments d'acheteurs, plusieurs zones géographiques, et éventuellement plusieurs catégories de produits. Elle peut bien sûr accroître son envergure sans établir de liens entre les différentes composantes de son champ stratégique. Mais alors, une telle stratégie de **diversification non reliée** soulève un grand nombre d'enjeux, dont, non le moindre, la capacité de l'entreprise de créer de la valeur économique au-delà de la valeur de chaque composante. Or, la croissance rentable de l'entreprise passe plutôt par le développement et l'utilisation maximale de ses actifs tangibles et intangibles, un objectif qui s'atteint par l'exécution de **multiples stratégies** de marché **reliées entre elles par des actifs communs et des ressources partagées**.

Ce sont ces liens entre stratégies, ces partages de ressources et d'actifs qui donnent une grande valeur économique à toute entreprise qui sait bénéficier de ces phénomènes sans s'exposer à de trop grands coûts de complexité.

Chapitre 6

LA DYNAMIQUE SOCIALE ET PSYCHOLOGIQUE DE L'ORGANISATION

PLAN DE CHAPITRE

6.1   INTRODUCTION

Partout, on célèbre les créateurs d'entreprises, rarement les créateurs d'organisations. Si la clairvoyance ou la témérité des premiers est une condition nécessaire mais non suffisante pour le développement économique, c'est le génie discret des seconds qui permet aux entreprises de croître et de durer. En effet, nous devons aux **bâtisseurs d'organisations** le fonctionnement efficace de grandes entreprises capables d'extraire, tant pour elles que pour la société, tous les bénéfices économiques que rendent possibles la taille et l'envergure dans plusieurs secteurs industriels.

Bien sûr, l'un et l'autre attribut, créateur d'entreprises et créateur d'organisations, peuvent être réunis dans la même personne, quoique l'histoire économique n'ait retenu que peu d'exemples de tels phénomènes, à part peut-être Henry Ford, Konosuke Matsushita, et encore. On trouve parfois cette combinaison de talents dans un tandem de fondateurs comme Sears et Rosenwald chez Sears, Hewlett et Packard chez Hewlett Packard, Honda et Fujisawa chez Honda, Ibuka et Morita chez Sony. Plus fréquemment encore, les grandes entreprises résultent d'une séquence heureuse d'entrepreneurs et de bâtisseurs d'organisations comme ce fut le cas chez GM avec la succession Durant-Sloan, chez IBM avec Watson senior et Watson junior, chez Johnson & Johnson avec Robert W. Johnson senior et Robert W. Johnson junior, chez Coca-Cola avec Candler et Woodruff et chez Bombardier avec J.-Armand Bombardier et Laurent Beaudoin.

Lorsqu'un système économique est constitué pour une bonne part de grandes entreprises en rivalité transnationale, sa richesse en talents de management devient déterminante pour sa performance économique. Ce n'est alors pas la carence d'entrepreneurship qui le menace, mais bien la faiblesse de son réservoir en talents et en expérience nécessaires à la gestion de grandes organisations.

Dans ce premier volume, nous avons rassemblé sous le thème de la dynamique économique de la **firme** un grand nombre de considérations portant sur les aspects financiers de la stratégie, sur les coûts, sur les marchés et sur les multiples options stratégiques qui s'offrent aux firmes en quête de rentabilité et de pérennité.

Ces dimensions économiques de la stratégie exercent une grande fascination sur les esprits formés à l'analyse, aux supputations abstraites et aux calculs financiers. Cependant, elles définissent au mieux une condition nécessaire mais non suffisante pour l'excellence stratégique. En certaines occasions, on a même observé la réussite de stratégies qui faisaient fi de certains principes économiques parce que lesdites stratégies étaient exécutées avec un brio et une efficacité exceptionnels. Dans la plupart des circonstances, cependant, le réel avantage stratégique d'une entreprise provient de sa capacité d'exécuter avant ses concurrents, ou de façon supérieure à ceux-ci, une stratégie qui s'appuie sur un solide fondement économique.

Cet avantage stratégique provient habituellement des ressources **uniques** et **difficiles à imiter** que possède l'entreprise. Ces ressources peuvent prendre la forme, soit :

- d'**avantages physiques** : réseau de distribution, système d'information, marché national protégé, accès privilégié aux matières premières, ressources financières, technologie de production ;
- d'un **personnel** singulièrement doué, expérimenté ou motivé ;
- de **compétences organisationnelles** distinctives en matière de gestion, d'exploitation, de planification, de rémunération, de contrôle et de coordination ;
- d'un fort **capital social** de réciprocité, de confiance mutuelle et d'engagement chez les membres de l'organisation.

De telles ressources accumulées dans l'entreprise en conséquence des choix stratégiques, d'investissements financiers et d'apprentissage faits au cours des ans, deviennent ses actifs **tangibles** et **intangibles**. Ceux-ci se combinent en un assemblage unique que l'on a convenu d'appeler dans cet ouvrage un **système stratégique**.

C'est pourquoi au **chapitre d'introduction** comme au **chapitre 2** sur la création de valeur économique, nous avons insisté sur l'importance des actifs **intangibles** et sur la capacité de l'**organisation** d'exécuter une stratégie qui la distingue de la concurrence. C'est aussi pourquoi tout le volume 2 de cet ouvrage, intitulé *Réaliser la stratégie*, s'attache à démontrer l'importance de l'**exécution** en stratégie d'entreprise.

Le présent chapitre est entièrement consacré au fonctionnement des organisations, c'est-à-dire à la compréhension de ces lieux d'émotion, de pouvoir et de passion où se manifestent l'âme et l'esprit de l'entreprise.

Des défis et des enjeux importants sous-tendent la création d'organisations performantes. Comment en arrive-t-on à canaliser les énergies et les talents d'un groupe d'individus vers l'atteinte des objectifs de l'entreprise, en dépit des jeux de pouvoir, de la poursuite d'ambitions propres et de la recherche de l'intérêt personnel, avec ou sans duplicité, phénomènes qui ne tardent jamais à se manifester dans tout rassemblement d'êtres humains?

De tout temps, le **fonctionnement des organisations** a dû s'appuyer sur le **consentement** d'un grand nombre de personnes au **leadership** de quelques-unes. Pourquoi ce consentement est-il accordé ou refusé? Comment les **motifs** de consentement ont-ils changé au cours des âges? Quelle forme prennent l'engagement et le consentement du personnel selon les différents types d'organisations, d'institutions ou de sociétés? Quels rôles jouent la loyauté, la confiance et l'engagement dans la vie des organisations?

Ce chapitre est structuré autour de ces thèmes majeurs dont l'examen s'appuie sur un modèle conceptuel de l'organisation. Ce modèle élaboré, fruit de nos recherches, de notre enseignement doctoral et de nos activités de consultation menées depuis plus de quinze ans, non seulement assure l'intégration et la synthèse de nombreuses théories et écoles de pensée sur la vie et le fonctionnement des organisations, mais surtout fournit aux gestionnaires et aux décideurs un cadre de réflexion riche et pratique sur la dynamique des organisations et du changement organisationnel. Ces sujets complexes mais combien essentiels pour la gouverne des entreprises seront traités selon la séquence suivante.

La relation entre l'individu et l'organisation   Dans la section 6.2, nous rapprochons les visions «économiste» et «humaniste» de l'individu en situation organisationnelle et explorons certains thèmes d'une importance particulière comme le développement et la rétention des connaissances, du savoir-faire, de technologies et de ressources stratégiques de plus en plus mobiles dans le contexte moderne des entreprises, ainsi que la nature changeante du contrat psychologique et économique entre les individus et l'organisation.

Un modèle conceptuel de l'organisation   Cette section 6.3 est consacrée à la présentation des principales composantes, soit la structure et la culture, du modèle esquissé au **chapitre 1**, ainsi qu'aux facteurs et aux forces qui façonnent le développement, l'architecture et les valeurs de toute organisation, à savoir la société ambiante, l'historique de l'organisation, les nombreuses contingences auxquelles cette dernière a dû s'adapter pour survivre et se développer. Nous traiterons également dans cette section du «cadre mental» de l'organisation et du fonctionnement cognitif des individus en milieu organisationnel.

L'organisation et ses contextes : diagnostics et changement radical
Dans la section 6.4, nous proposons différentes hypothèses quant au degré d'adaptation de l'organisation à ses contextes **présents** ou **futurs**. Selon que l'on formule un diagnostic de continuité ou un diagnostic de discontinuité, différentes **stratégies organisationnelles** seront appropriées : **réorientation**, **revitalisation**, **redressement** ou **transformation**. Ces stratégies sont brièvement décrites dans cette section et feront l'objet d'une analyse détaillée dans le volume 2 de cet ouvrage.

L'évolution et les frontières de l'organisation Dans la section 6.5, nous traitons de l'évolution typique de l'organisation et des différentes formes de gestion et de leadership qui tendent à se manifester selon les phases de son développement. Nous y présentons également les forces centrifuges et centripètes qui donnent à l'organisation une extension différente, sans commune mesure avec la définition juridique de la firme ou de l'entreprise. Nous y voyons aussi quels défis d'ordre organisationnel se posent à la direction qui recherche les avantages économiques d'une grande taille et d'une grande diversité d'activités au sein d'une même entreprise. Cette recherche des bénéfices associés à une grande taille ou à une grande envergure fait souvent en sorte que la dimension géographique de l'entreprise s'étend sur plusieurs pays et cultures nationales, passe par l'acquisition d'entreprises aux valeurs très différentes, ou encore nécessite l'établissement d'alliances avec des partenaires «étrangers».

Conclusion À la section 6.6, à la fin de ce chapitre, nous établissons les liens essentiels entre les considérations sur les organisations et les autres aspects de la stratégie traités dans ce volume.

6.2 LA RELATION ENTRE L'INDIVIDU ET L'ORGANISATION

Selon un modèle qui prévaut encore en 1993 dans la plupart des grandes entreprises japonaises, mais dans un nombre de plus en plus restreint de compagnies nord-américaines, l'entreprise embauche son personnel à la sortie des études secondaires ou universitaires, investit dans sa formation et lui fait acquérir une expérience des multiples facettes de ses opérations.

L'entreprise évalue soigneusement le rendement des employés et leur accorde des promotions selon leur mérite. Leur rémunération est établie selon leur ancienneté et leur position hiérarchique, tout en tenant compte du contexte économique général. Chaque employé devient un **spécialiste de sa firme**, plutôt qu'un spécialiste fonctionnel. Sa valeur économique pour tout autre employeur est donc inférieure à ce qu'elle est pour son employeur actuel.

Dans ce modèle, les cadres et dirigeants sont peu connus à l'extérieur des frontières de leur entreprise. Les politiques en matière de ressources humaines visent la sécurité d'emploi, l'absence, si possible, de syndicats affiliés à des centrales ou, au besoin, la coopération avec les syndicats. L'entreprise investit des sommes importantes dans des programmes de formation pour élargir la base de connaissances des travailleurs, leur mobilité interfonctionnelle et, donc, la flexibilité et la capacité d'adaptation de toute l'entreprise. La rémunération totale des dirigeants comporte peu d'incitatifs financiers variables et ne varie donc que faiblement selon la performance économique de l'entreprise.

Ce type d'entreprise, naguère la norme en Amérique du Nord, offrait un haut niveau de sécurité d'emploi et des perspectives de promotion jusqu'au plus haut niveau de l'entreprise selon le talent et les compétences de chacun. En échange, l'individu démontrait son engagement et sa loyauté à l'entreprise, et se sentait étroitement associé aux succès et aux déboires de celle-ci.

En misant sur une relation durable et en investissant dans la formation et le développement de son personnel, l'entreprise accumulait graduellement une somme considérable d'habiletés, de connaissances tacites et d'apprentissages transmissibles qui constituaient de précieux actifs intangibles, **lui appartenant en propre**. Ces actifs étaient source d'avantages concurrentiels durables parce qu'ils **ne pouvaient être ni achetés** ni facilement **imités** par les concurrents. En effet, ces actifs résidaient dans les cerveaux d'un personnel essentiellement inamovible.

Pour un ensemble de raisons, ce modèle n'est plus pertinent pour la majorité des entreprises nord-américaines, qui en vinrent à répudier ce contrat psychologique, social et économique entre l'entreprise et son personnel, pourtant fort répandu à une époque. Les « clauses » essentielles de ce contrat, la pérennité d'emploi, les promotions exclusivement internes et la très faible mobilité du personnel d'une entreprise vers une autre, subirent l'assaut d'un ensemble de facteurs socio-économiques interreliés, tels que :

• la spécialisation par discipline (marketing, finances, ressources humaines, etc.) comme fonctions étanches prises en charge par des experts fonctionnels : dans la ligne de cette propension à la spécialisation, les tentatives pour transformer le management en profession entreprises par les écoles supérieures d'administration, surtout par leurs programmes de MBA et de Ph.D. ;

• l'émergence des connaissances et du savoir techniques, mobiles et transmissibles, comme principal « outil » de production ;

• les exigences de flexibilité et de mobilité stratégique qui ne pouvaient s'accommoder des contraintes de l'ancien contrat social et économique entre l'entreprise et son personnel ;

• la volonté des entreprises d'ajuster rapidement leurs effectifs à la conjoncture économique en réponse aux attentes d'un marché financier très efficient ;

• l'émergence d'intermédiaires qui stimulent et structurent un « marché secondaire » pour les cadres et le personnel scientifique et technique (firmes de recrutement, chasseurs de têtes, etc.) ;

• le faible rythme d'innovation de produits des grandes entreprises comparativement à l'effervescence technique dans les petites entreprises, phénomène qui est à la fois **cause** et **conséquence** de la forte mobilité interfirmes du personnel technique et scientifique ;

• l'attrait de l'entrepreneurship auquel sont maintenant associés un grand prestige social et des récompenses économiques sans commune mesure avec la rémunération offerte par la grande entreprise ;

• les politiques gouvernementales favorisant la **mobilité interfirmes** (régime universel de sécurité sociale, régime de retraite « transférable » ou universel, etc.) ainsi que la mobilité **géographique** de la main-d'œuvre (politiques d'immigration, élimination de barrières régionales à la mobilité, etc.) ;

• plus généralement, une évolution des valeurs sociales en Amérique du Nord dont l'effet est défavorable aux relations de loyauté et de dépendance qui caractérisaient l'entreprise d'antan.

6.2.1 Les termes d'une nouvelle relation individu-organisation

Quelles qu'en soient les causes, le fonctionnement des grandes entreprises nord-américaines s'est graduellement et profondément modifié. On estime maintenant que le cadre dirigeant aura travaillé pour six ou sept compagnies différentes au cours de sa carrière. Une après l'autre, les grandes entreprises abandonnent leur politique de promotion interne exclusive, embauchent et licencient selon leur performance et leur stratégie, recrutent des spécialistes fonctionnels et recherchent le personnel à haut rendement où qu'il soit en lui offrant des programmes de rémunération exceptionnels pour l'attirer.

Ainsi, la société IBM, modèle pour les entreprises japonaises et bastion de l'ancien contrat social en Amérique du Nord, constata, au début de 1993, son inadaptation aux réalités du marché et renonça à ses principes fondamentaux en mettant à pied des milliers d'employés et en recrutant, hérésie pénible, un nouveau chef de la direction hors de son personnel. La société GM, quant à elle, après la défection à Volkswagen d'un dirigeant vedette (Ignacio Lopez), demanda aux tribunaux d'enjoindre Volkswagen de cesser de recruter du personnel de GM et exigea de ses cadres supérieurs des engagements contractuels de non-concurrence (voir *Wall Street Journal*, 1993).

Dans le nouveau contexte qui résulte de l'abandon graduel de l'ancien contrat entre les individus et les entreprises, ces dernières adoptent des politiques de gestion différentes. En effet, puisqu'elles peuvent à la fois perdre du personnel et se procurer du personnel sur le **marché secondaire** des ressources humaines, les entreprises doivent revoir profondément leurs façons de procéder en matière de recrutement, de formation et de rémunération.

Dans un tel univers, les dépenses en formation et en recherche et développement des entreprises sont caractérisées par des **effets de débordement**, c'est-à-dire que l'entreprise ne peut s'approprier tous les bénéfices associés à ses dépenses et investissements en ces domaines. Cela signifie aussi que, **sans le soutien de l'État**, les entreprises investiront des sommes inférieures à ce qui serait **optimal** pour la société dans son ensemble. Ainsi, une formation qui fait augmenter la valeur marchande de l'individu, mais qui ne fournit pas un rendement rapide ou assuré par une durée contractuelle d'emploi, ne peut se justifier économiquement.

Pour sa part, le cadre et dirigeant d'entreprise comprend rapidement que la firme n'a plus d'engagement indéfectible envers lui et envers sa carrière. À tout moment, elle peut le mettre à pied ou encore lui préférer un cadre d'une autre entreprise pour un poste qu'il convoite. Il lui faut donc, **en bon gestionnaire de sa carrière**, se donner quelques faits d'armes, par exemple des initiatives concrètes ayant donné des résultats à court terme, faire sa promotion tant au sein de son entreprise qu'à l'extérieur de celle-ci, et choisir judicieusement le moment pour changer d'employeur. Un marché secondaire efficient offre une prime importante à quiconque a su se faire connaître et s'attirer les faveurs d'entreprises à la recherche de nouveaux dirigeants. Ces phénomènes peuvent avoir l'effet pervers d'inciter les cadres et dirigeants à mettre l'accent sur le rendement à court terme et à dissocier leur intérêt individuel de l'intérêt à long terme de la firme.

Bien sûr, toutes les entreprises et tous les cadres n'affichent pas les comportements froidement calculateurs décrits ci-dessus. Cependant, la tendance en ce sens est forte et suffisamment répandue pour que son effet soit sensible et incite les entreprises à définir les termes d'un **nouveau** contrat social avec leur personnel.

Ce nouveau contexte a suscité l'émergence dans les grandes entreprises de deux conceptions de la gestion, différentes mais interdépendantes à la fois. Une première conception veut que le monde soit mené par un **petit nombre de héros, de leaders-nés** qui sont nettement supérieurs au commun des mortels. La devise de Ross Perot, fondateur de la compagnie Electronic Data Systems, exprime très bien cette attitude : *« Eagles don't flock ; you have to pick them one by one. »*

Selon cette conception de la gestion, la direction d'une grande entreprise consiste, tout compte fait, à reconnaître, à recruter et à promouvoir aux postes de haute responsabilité une élite de cadres, de personnes « exceptionnelles » qui sont souvent des « clones » du chef de la direction. Ces individus pousseront l'entreprise vers l'excellence et créeront un climat de haute performance et de dépassement auquel devront s'ajuster tous les cadres de l'organisation. Petit à petit, les gestionnaires qui ne sont pas à la hauteur graviteront vers d'autres cieux moins exigeants.

Ces cadres-héros ne sont pas le produit d'une culture d'entreprise particulière. Leurs comportements sont motivés par un puissant besoin de réussite et d'excellence. Ils sont innovateurs et entreprenants par nature. Il s'agit pour l'entreprise d'orienter correctement ce potentiel et cette énergie. Les cadres-héros sont héroïques justement parce que les incitations structurelles à l'opportunisme, au calcul mesquin n'ont pas de prise sur eux, et qu'ils ne peuvent se satisfaire de rien de moins qu'une performance étincelante reconnue de tous. Maccoby (1976) décrit ce type de cadres comme des «gamesmen» et Kidder (1981) en fournit un exemple éloquent.

Une deuxième conception veut que la gestion soit une **profession**. Selon cette perspective, les gestionnaires, tout comme d'autres professionnels (tels que les médecins, les avocats, etc.) doivent être socialisés à des valeurs spécifiques de leur profession et imbus de principes d'éthique qui guideront leurs comportements. Quelle que soit l'entreprise qui embauche ces gestionnaires, elle bénéficiera de leurs compétences professionnelles et sera protégée contre tout comportement opportuniste de leur part par des valeurs professionnelles intériorisées et par leur souci de protéger leur réputation auprès de leurs pairs. Des liens affectifs puissants les relient à leur profession plutôt qu'à une organisation ou entreprise spécifique.

Selon ce point de vue, la notion qu'une culture d'organisation partagée doit unir des membres et agir comme mécanisme occulte de contrôle, apparaît désuète et de plus en plus inefficace. Au fur et à mesure que les gestionnaires deviennent plus cosmopolites et qu'ils se déplacent d'une entreprise à l'autre au cours de leur carrière, il devient plus difficile de les intégrer à une culture organisationnelle particulière.

Chacune de ces deux conceptions contient un grain de vérité. Il est facile de voir l'attrait du concept du gestionnaire-héros ou du gestionnaire professionnel, individus motivés par des besoins ou des valeurs qui tirent leur force de phénomènes qui transcendent toute organisation. Dans la pratique, cette conception des choses entraîne cependant un grand nombre de difficultés.

Un système de gestion axé sur une image héroïque des gestionnaires a tendance à créer un fossé profond entre l'élite et le reste des troupes. Qui plus est, par sa nature même, ce groupe de gestionnaires « exceptionnels » est nomade, étant toujours à la recherche de possibilités d'avancement de carrière, passant d'une entreprise à l'autre en laissant sur son parcours une série de réussites parfois éphémères. Il faut se rappeler que les meilleures entreprises sont celles qui ont su créer une culture dans laquelle des individus ordinaires fournissent un rendement extraordinaire, et non pas l'inverse. Cependant, dans un contexte difficile exigeant une remise en question des fondements mêmes de l'organisation et une énergie hors du commun au sommet de l'entreprise, on aura tendance à rechercher ce type de dirigeants héroïques. On pense ici à des exemples plus ou moins récents tels que Iaccoca chez Chrysler ou Gerstner chez IBM.

Quant à la notion que la gestion se transforme en profession, cela nous semble une idée erronée. Il n'est pas possible de concevoir la gestion comme l'exercice d'habiletés cliniques par un individu ou par une petite équipe pour le compte d'un client. Pour les gestionnaires et les dirigeants d'entreprise, l'organisation est bien plus qu'un simple outil servant à appuyer leurs pratiques individuelles, un peu comme l'hôpital pour le chirurgien. La gestion consiste justement **à créer et à bâtir des organisations efficaces**. Les récompenses des gestionnaires, voire leur gagne-pain, sont liées à la réussite dans cette tâche de construction d'une organisation performante, ce qui demande un engagement considérable, passionné même, envers l'organisation à laquelle ils appartiennent.

Enfin, la pratique de la gestion n'exige pas encore et n'exigera probablement jamais que tous les praticiens soient soumis au préalable à un long apprentissage formel avec un contrôle serré des aptitudes et compétences. Les programmes de MBA sont le plus proche équivalent d'une formation professionnelle. Cependant, ils ne sont pas un préalable à la pratique en tant que cadre. En outre, ils ne fournissent ni une base scientifique uniforme, ni un système de valeurs, ni une éthique bien définis.

Ces deux conceptions, le cadre d'élite et le cadre professionnel, furent appuyées et stimulées naguère par les grandes écoles américaines de management et par le développement de disciplines de recherche et de pratique autour de fonctions spécifiques de l'entreprise telles que le marketing, la finance, etc. Ces phénomènes ont contribué à la mobilité interfirmes des cadres et des dirigeants ainsi qu'à une certaine conception implicite selon laquelle l'entreprise n'est qu'un assemblage fortuit de spécialistes fonctionnels.

Or, l'intérêt des dirigeants pour de nouvelles approches de gestion s'explique par les dysfonctions que ces tendances ont provoquées, en particulier l'incapacité pour l'entreprise de conserver à son usage exclusif les savoir-faire et les compétences qu'elle a contribué à créer, ainsi que la constitution dans l'entreprise de «silos fonctionnels» étanches, mal coordonnés, voire en rivalité plus ou moins ouverte.

Ainsi, la notion populaire d'«apprentissage organisationnel» (*Organizational Learning*, Argyris, 1982; Senge, 1990), en proposant l'institutionnalisation du savoir-faire et des compétences, tente de redonner à ces actifs intangibles le caractère d'exclusivité et d'inamovibilité qu'ils présentent tout naturellement dans un contexte de non-mobilité du personnel stratégique.

De même, par leur préoccupation singulière pour les **processus**, les démarches de «qualité totale» (Deming, 1986) ou de «nouvelle ingénierie» de l'entreprise (*re-engineering*) (Hammer et Champy, 1993) tentent de redonner à cette dernière une capacité d'intégration organique et de faciliter les relations interfonctionnelles et interdivisionnelles. L'entreprise possédait plus couramment ces propriétés naguère, à l'époque de la pérennité des emplois, de promotions internes exclusives ainsi que de cheminements de carrière qui comprenaient nécessairement, avant l'accès à un poste de haute direction, un passage par toutes les fonctions et divisions **importantes** de l'entreprise.

6.2.2 Les moteurs de la motivation

Un aspect important du fonctionnement de toute grande entreprise concerne les éléments moteurs incitant son personnel au dépassement et à l'effort. Dans la grande entreprise japonaise, le sentiment général et entretenu de vulnérabilité collective, c'est-à-dire la perception quasi universelle chez les employés que leur entreprise est soumise à des forces incontrôlables, joue un rôle critique. Cette vulnérabilité, tributaire d'un sentiment national de précarité, a d'ailleurs constitué l'un des moteurs de la performance économique des grandes entreprises japonaises (voir Allaire et Firsirotu, 1988b et **chapitre 2**).

Lorsque l'on combine la très faible mobilité interfirmes du personnel scientifique et des cadres avec ce sentiment aigu de vulnérabilité de l'entreprise, on obtient une puissante mixture. La survie de la firme est synonyme de sécurité économique personnelle. La sécurité et le prestige associés à un emploi dans la grande entreprise sont mis en péril si celle-ci ne peut soutenir la concurrence. La carrière et les promotions dépendent essentiellement de la croissance de son entreprise. Aussi, les études portant sur les objectifs de l'entreprise japonaise sont éloquentes : les deux objectifs dominants sont la croissance de la part de marché et donc l'augmentation du chiffre d'affaires dans le marché actuel, ainsi que le rythme d'introduction de nouveaux produits pour élargir la base d'affaires et fournir une protection contre la stagnation des marchés actuels.

Il va sans dire que ces deux facteurs caractéristiques de grandes entreprises japonaises, soit la **faible mobilité interfirmes des cadres et du personnel scientifique** et le **fort sentiment de vulnérabilité de l'entreprise**, ne se manifestent pas au même degré, ni de la même manière, dans les sociétés nord-américaines ou européennes.

En effet, la situation la plus fréquente en Amérique du Nord combine une **forte vulnérabilité** de l'entreprise aux aléas de la concurrence et de l'innovation de produits avec une **forte mobilité** des cadres et du personnel technique au gré de leurs choix de carrière et selon les besoins de l'entreprise.

L'Europe occidentale, avec son contingent de sociétés d'État et ses politiques industrielles favorisant et appuyant des entreprises « stratégiques », occupe une position intermédiaire à la fois sur le plan de la vulnérabilité plus mitigée que ressent le personnel de ses grandes sociétés et, en conséquence, sur celui de la mobilité interfirmes de ce dernier, qui est beaucoup moins forte qu'en Amérique du Nord.

De toute évidence, les moteurs de la motivation ainsi que la nature des relations entre l'individu et l'organisation devront varier selon ces différentes circonstances et s'ajuster au contexte socio-politique de l'entreprise. Ainsi, le tableau 6.1 décrit quatre contextes différents découlant d'une combinaison simple (à deux niveaux seulement) de la vulnérabilité ressentie par le personnel et de la mobilité de celui-ci.

Tableau 6.1 Vulnérabilité de l'organisation et marché secondaire pour ses ressources humaines

	Mobilité interfirmes du personnel cadre et technique de l'organisation	
Sentiment de vulnérabilité et de précarité de l'organisation chez les membres	**Forte**	**Faible**
Fort	**3** • Contrat économique et valeurs fondamentales structurent la relation entre l'individu et l'organisation. • Achat de ressources de savoir technique plutôt que développement interne. • Ratio risque/rendement plus élevé se traduit en récompenses financières très généreuses pour les fortes performances. • Formation interne limitée, sans secours de l'État. • Stratégie de promotion personnelle et de mobilité chez les cadres. • Incitation au développement de *compétences organisationnelles* inamovibles et difficiles à imiter. • Rivalité rationnelle entre syndicats et management. • Flexibilité et adaptation rapide à de nouveaux contextes. • Recherche de contrats de gestion incitant le personnel stratégique à une haute performance et à la durée d'emploi souhaitée par l'entreprise. • Risque de gestion par les chiffres et à court terme. *Amérique (1975-), Japon (199?-), Europe (post-Maastricht?)*	**1** • Engagement rationnel du personnel envers le succès de la firme. • Investissements importants en développement de nouveaux produits. • Formation et développement massifs du personnel. • Le marché et le client deviennent des *valeurs dominantes* pour tout le personnel. • Contrôle par les pairs des comportements opportunistes et contraires à l'intérêt général. • Connaissances tacites, habiletés et technologies apprises et développées dans la firme demeurent sa propriété exclusive. • Coopération entre management et syndicats. *Amérique (1950-1975) Japon (1955-199?)*
Faible	**4** • Calcul, coûts/bénéfices de la part du personnel. • Rémunération forfaitaire généreuse et extraction de la plus-value économique par le personnel. • Achat de ressources selon les besoins et leur valeur économique. • Asymétrie favorable au personnel ou aux « propriétaires » selon les circonstances. • Situation de transition plus ou moins rapide vers le quadrant 3. *Par exemple : grandes entreprises en phase de privatisation ou de déréglementation de leur industrie*	**2** • Importance critique des valeurs et de la socialisation comme mécanisme de contrôle de l'opportunisme. • Fortes tendances à la bureaucratisation et à la politisation. • Niveau élevé de formation interne et de développement technologique, mais selon le mode bureaucratique. • Mesures de protection de la sécurité d'emploi et de relèvement du niveau des salaires. • Utilisation des ressources excédentaires (*organizational slack*) pour maintenir la paix sociale dans l'entreprise. *Amérique, Japon et Europe (Pour secteurs protégés ou fortement concentrés, monopoles, sociétés d'État, institutions publiques)*

Par **forte mobilité**, on entend bien sûr la grande facilité pour les cadres et le personnel technique de vendre leurs services à d'autres entreprises, aidés pour cela par toute une série de mécanismes qui rendent le « marché secondaire » pour les ressources humaines de plus en plus efficient (par exemple, les firmes de conseillers en recrutement avec leur inventaire informatisé de ressources disponibles, les cahiers hebdomadaires d'offres d'emploi dans les grands quotidiens, etc.). Ce concept de mobilité comprend également la possibilité et l'attrait de l'entrepreneurship, ainsi que tous les arrangements sociaux qui rendent le **départ** d'une entreprise moins difficile et traumatisant pour le personnel, soit les programmes de sécurité sociale, l'assurance-chômage, le régime universel de retraite ou la possibilité de transférer un régime de retraite d'un employeur à un autre, les REER, le travail du conjoint, etc.

De toute évidence, le niveau de **mobilité du personnel cadre et technique** pourra être très élevé alors que, pour la même entreprise et au même moment, la **mobilité du personnel de production** pourra être très faible, en raison des possibilités d'emploi limitées dans la zone géographique à laquelle s'identifie ce personnel.

Ainsi, un établissement de fabrication, qui est le principal employeur dans une petite ville éloignée des centres urbains, jouit d'une relation de durée avec son personnel, relation qui comporte à la fois des avantages et des engagements particuliers pour l'entreprise.

Ce concept de mobilité interfirmes comprend donc la **prédisposition** du personnel à se déplacer d'un lieu **géographique** à un autre et les occasions qui s'y prêtent. L'attachement à son patelin, à son coin de pays, les barrières linguistiques, tout comme les entraves juridiques, sociales ou politiques à la mobilité de la main-d'œuvre, tendent à limiter la portée du phénomène. La faible mobilité relative de **certaines** catégories de personnel contribue à conserver à la relation employés-entreprise son caractère de pérennité et d'exclusivité.

Aussi faut-il bien noter qu'un contexte d'entreprise où les cadres et le personnel professionnel jouissent et se prévalent d'une forte mobilité géographique et interfirmes alors que le personnel de production est lié à la firme sans véritable option de rechange, peut donner lieu à une crise de légitimité. En effet, le bien-être et le destin du personnel de production deviennent alors beaucoup plus tributaires et dépendants de l'entreprise que ce n'est le cas pour le personnel de direction. Les décisions de la direction ayant des conséquences négatives pour le personnel de production peuvent être très mal reçues et même contestées avec virulence dans ces circonstances. On peut observer ces phénomènes lors de fermetures d'usines dans les régions périphériques, par exemple Cascades à Port-Cartier.

Les défis et enjeux de la motivation, du leadership, du consentement et du contrôle sont soumis à une dynamique très différente selon les quatre quadrants du tableau 6.1.

Le quadrant 1 (forte vulnérabilité et faible mobilité) décrit la situation encore typique, mais pour combien de temps, de la grande entreprise japonaise, situation qui fut celle de beaucoup de grandes entreprises en Amérique du Nord au cours des années soixante et soixante-dix. Dans ce cas, la relation entre l'individu et l'organisation est relativement simple à gérer : un recrutement méticuleux de jeunes personnes de talent montrant des dispositions appropriées à l'entreprise, un système méritocratique de formation et de promotion, une structure salariale associée à la fonction et à l'ancienneté, le tout caractérisé par un haut niveau d'équité **interne** et une adéquation générale aux salaires payés par de grandes entreprises **du même type**.

Étant donné le faible niveau de risque de carrière et de mise à pied assumé par les gestionnaires et les dirigeants, et en l'absence d'un marché secondaire pour leur type de talent et d'expertise, ceux-ci ne bénéficient pas ou ne devraient pas bénéficier d'une rémunération **variable** importante selon les performances économiques de la firme.

Le principal moteur de la motivation réside alors dans la conviction partagée par tous les membres du personnel que leur entreprise est vulnérable à des phénomènes comme la concurrence et les humeurs des acheteurs. Évidemment, dans un tel contexte, la déconfiture de leur entreprise aurait des conséquences extrêmement pénibles pour tout le personnel, du point de vue tant économique que social. Ce sentiment d'être tous «dans le même bateau» se traduit par une motivation **intrinsèque** au haut rendement, et par une volonté des **pairs** de contrôler et de punir les comportements opportunistes ou de tire-au-flanc (*free-rider*) chez leurs collègues de travail.

Le système de valeur et toute la culture de l'organisation sont alors profondément influencés par cette **contingence** fondamentale qu'est la nécessité collective de faire face aux sources de vulnérabilité qui pèsent sur le destin de l'organisation. Lorsque cette vulnérabilité provient du marché, de la concurrence et des clients, tout le personnel est facilement mobilisé pour mieux servir le client et mieux répondre aux attentes du marché.

Cependant, deux phénomènes viennent parfois (inévitablement) enrayer cette belle mécanique qu'est l'entreprise qui œuvre selon les caractéristiques du quadrant 1.

Premièrement, la grande entreprise qui a réussi à se donner une position forte et dominante dans ses marchés a tendance à glisser graduellement et subrepticement vers le quadrant 2 (faible vulnérabilité et faible mobilité), c'est-à-dire que les membres du personnel à tout niveau en arrivent à concevoir leur entreprise comme imperméable aux avaries de la concurrence et capable «d'imposer» aux clients ses prix et ses produits. Ce glissement s'est opéré chez nombre de grandes entreprises nord-américaines au cours des années soixante-dix et quatre-vingt. Ce fut le cas des grands fabricants d'automobiles (GM, Ford et Chrysler), d'IBM, d'International Harvester, de Massey-Ferguson, de Sears, etc.

Ces entreprises rejoignirent dans le quadrant 2 les grandes bureaucraties gouvernementales et les institutions publiques. Or, celles-ci avaient toujours été à l'abri des aléas des marchés et de la concurrence et durent, pour fonctionner adéquatement, se doter dès leur création de puissants systèmes de valeurs et de socialisation incitant leur personnel à des comportements de probité, d'engagement et de loyauté envers les objectifs de l'institution.

Lorsque de tels systèmes de valeurs ne sont pas institués ou cessent d'avoir prise sur le personnel, les comportements opportunistes, la politisation, la corruption, le favoritisme et le mercantilisme risquent de spolier l'institution et de la détourner des fins pour lesquelles elle fut créée.

A fortiori, les entreprises commerciales qui gravitent vers ce deuxième quadrant deviennent terriblement vulnérables. L'assise même de leur système de valeurs, soit la pressante nécessité de satisfaire aux attentes des clients aux meilleurs coûts, devient de moins en moins crédible et mobilisatrice. Or, l'entreprise **commerciale** ne comporte aucune **autre valeur** aussi puissante pour faire contrepoids aux propensions bureaucratiques et aux comportements opportunistes du personnel qui, inévitablement, se manifestent alors (voir Jacobs, 1992, à propos des syndromes moraux divergents devant animer l'activité commerciale et l'activité publique ou gouvernementale).

Pendant un temps plus ou moins long, selon le pouvoir de marché et la rente économique dont jouit la grande entreprise, celle-ci utilise ses ressources excédentaires (*organizational slack*) pour acheter la paix avec son personnel par le biais de salaires élevés, de la semaine de travail écourtée, de la sécurité d'emploi, etc., et pour renforcer l'appareil bureaucratique de contrôle qui lui semble maintenant nécessaire pour contrer et combattre les comportements opportunistes, les tricheries et les abus qui risquent de se manifester avec une fréquence croissante.

Le fonctionnement de l'entreprise et sa véritable performance sur le marché se détériorent lentement. La qualité des produits, le rythme d'innovation et la productivité chutent. Les coûts d'exploitation et de gestion, les dépenses somptuaires, les avantages de toutes sortes offerts aux dirigeants augmentent rapidement (voir Crystal, 1991, à cet effet). En fait, on assiste alors à une rivalité plus ou moins ouverte entre différents groupes, soit les dirigeants, les cadres intermédiaires, le personnel syndiqué, les fournisseurs de services et, souvent en résiduel, les actionnaires, pour **s'approprier** la plus-value économique que rendent possible la performance **passée** de l'entreprise et sa situation dominante dans le marché.

Cette érosion de performance économique par la bureaucratisation et l'imperméabilité aux réalités changeantes du marché, fit l'objet de nombreuses études empiriques et d'analyses journalistiques : par exemple, Keller (1989) à propos de GM ; Katz (1987) sur Sears ; Clayton (1988) à propos de Jaguar ; Firsirotu (1984) sur CN (société d'État canadienne de transport ferroviaire) ; Halberstam (1986) sur Ford ; Hall (1976) à propos du *Saturday Evening Post* ; Lundstrom (1987) sur Univac ; Marsh (1985) à propos d'International Harvester ; Nelson (1981) sur Zenith ; Van Auw (1983) sur AT&T ; Loomis (1993) sur Sears, GM et IBM.

Dans les conditions du quadrant 2, les consommateurs et acheteurs des produits de l'entreprise et le développement de nouveaux produits ne sont pas ou plutôt ne sont plus au cœur de ses préoccupations, de sa raison d'être. La perception qu'ont les dirigeants de l'évolution de leurs marchés est fortement conditionnée et biaisée par les présupposés, les postulats et les cadres mentaux qui ont cours dans l'organisation. En conséquence de ces facteurs, souvent un tribut de ses succès passés, l'organisation ne **détecte** pas des phénomènes importants comme de nouvelles formes de concurrence ou l'émergence de technologies de substitution et de nouveaux modes de comportement d'achat. Dans ce quadrant, le bien-être et la satisfaction des «producteurs» deviennent plus importants que la mission originale de l'entreprise de fournir des produits de qualité au meilleur prix. Cette confusion quant à la vocation première de l'entreprise, parfois entretenue par les politiques et les orientations économiques des gouvernements, provient inévitablement de la croyance largement répandue parmi le personnel de l'entreprise que celle-ci est invulnérable aux aléas des marchés et de la concurrence.

C'est pourquoi toutes les sociétés politiques doivent trouver un **équilibre convenable et soutenable** entre les intérêts des citoyens comme **travailleurs et producteurs** et leurs intérêts comme **consommateurs et payeurs de taxes**. Cet équilibre, fluctuant au gré des courants d'opinion et des forces politiques, définit le degré d'emprise du marché sur la performance des firmes et la pression qu'exerce la concurrence sur leur quête d'efficience et d'innovation.

Tôt ou tard, mais inévitablement, l'entreprise qui a glissé vers ce deuxième quadrant fera face à une crise de performance, à son incapacité de soutenir la concurrence, ce qui provoquera des tentatives de redressement parfois brutales. Toutefois, il semble qu'il ne soit plus possible de revenir au quadrant 1 (forte vulnérabilité et faible mobilité), bien que ce soit **ainsi que les dirigeants tentent d'abord mais futilement de redresser la situation** désormais précaire de leur entreprise. En effet, les termes du contrat social établi entre l'individu et l'entreprise, lequel s'avérait efficace lorsque celle-ci faisait partie du quadrant 1, ont toutefois contribué à la dégénérescence de l'entreprise dans le quadrant 2 et ont suscité l'incrustation de mentalités et de modes de fonctionnement qui **entravent** l'adaptation de l'entreprise à des contextes de marché de plus en plus difficiles.

L'entreprise qui se trouve dans cette situation échappera à la déconfiture si, dans un soubresaut proprement révolutionnaire, elle brise et répudie l'ancien contrat social et psychologique, et entreprend un pénible cheminement vers le **quadrant 3** (forte vulnérabilité et forte mobilité). C'est le hasardeux processus que les sociétés GM et IBM durent mettre en branle au début des années quatre-vingt-dix.

Les grandes entreprises japonaises sont soumises également au risque de se déplacer vers le quadrant 2, bien que leur conscience aiguë du danger que représente ce phénomène leur fasse entretenir le sentiment de vulnérabilité parmi leur personnel, tout en maintenant leur faible mobilité interfirmes.

Cependant, elles ne pourront maintenir indéfiniment les termes du contrat social actuel avec leurs employés. Certaines entreprises glisseront vers le **quadrant 2** alors que leur emprise sur leur marché et leurs abondantes ressources financières sembleront, au su de leur personnel, les mettre à l'abri des aléas du marché. D'autres entreprises plus chanceuses ou plus astucieuses, pour les raisons indiquées au point suivant, se déplaceront vers le **quadrant 3** sans faire un pénible détour par le **quadrant 2**.

Un deuxième phénomène qui, celui-là, pousse l'entreprise à se déplacer **volontairement** vers le **quadrant 3** (forte vulnérabilité et forte mobilité) provient de sa recherche de flexibilité pour s'adapter à des changements **discontinus** dans les contextes de marché et de concurrence où elle œuvre. En effet, le mode de fonctionnement qui caractérise le premier quadrant se montre très efficace au sein d'un marché donné. Il incite à une amélioration constante et **incrémentielle** des façons de faire de l'entreprise. À juste titre, les entreprises japonaises, dans de telles circonstances, pratiquent le **Kaizen**, une philosophie de l'amélioration continue qui est maintenant populaire en Occident (voir Imai, 1986), de même que le **Hoshin Kanri**, une approche extrêmement méthodique d'implantation de la qualité totale (Akao, 1991).

Cependant, ces valeurs, mentalités et modes de gestion, puissants moteurs d'excellence et de haute performance en mode **continu**, s'avèrent souvent **inadaptés** et **inadaptables** à des contextes en profonde mutation. Alors, l'entreprise, pour survivre et s'ajuster à de nouvelles réalités de marché, devra souvent briser le contrat social entre elle et son personnel, et répudier des méthodes et des stratégies de gestion pourtant jusque-là sanctifiées. Elle gravitera alors vers le quadrant 3 puisqu'elle aura, de son propre chef, provoqué la mobilité de son personnel.

En conséquence des phénomènes décrits plus haut, la plupart des grandes entreprises commerciales et non monopolistiques aux États-Unis et au Canada ainsi qu'un nombre croissant d'entreprises européennes dans le contexte de l'Europe de Maastricht, et bientôt probablement des entreprises japonaises, œuvrent dans un contexte comme celui que schématise le **quadrant 3**.

Il s'agit d'un contexte de fonctionnement radicalement différent de celui du premier quadrant. Or, le contexte de faible mobilité du quadrant 1 a encadré le fonctionnement des grandes entreprises pendant si longtemps qu'il continue, **même là où il est périmé**, à influencer les politiques et modes de gestion de beaucoup d'entreprises, de même qu'à sous-tendre plusieurs modèles et théories en gestion.

Le quadrant 3 (forte vulnérabilité et forte mobilité) définit un contexte de gestion où les règles du marché jouent un rôle important (mais non exclusif) dans la relation entre l'entreprise et son personnel. Dans un tel univers, le talent et l'expertise nécessaires à l'exécution d'une stratégie nouvelle ou d'un redressement de l'entreprise peuvent être obtenus sur un marché relativement efficient pour les ressources humaines. La faible sécurité d'emploi et les hautes exigences de performance font en sorte que les contrats d'emploi des dirigeants et des cadres supérieurs contiennent de puissants incitatifs financiers et des conditions de fin d'emploi négociées entre conseillers juridiques avertis.

Confrontée à un tel contexte, l'entreprise doit savoir établir avec son personnel stratégique des conditions d'emploi qui lient ce personnel à l'entreprise pour une **durée appropriée aux fins de l'entreprise**. Ces modalités peuvent comprendre, selon les niveaux stratégiques, un ensemble de plus en plus raffiné et innovateur d'incitatifs financiers à court, moyen et long terme, des perspectives de promotion, un climat de travail stimulant, des valeurs d'entreprise en harmonie avec les valeurs personnelles. Tous ces aspects constituent d'importants éléments de motivation et de rétention du personnel.

Cependant, dans le cadre du quadrant 3, aucune garantie d'emploi n'est offerte au personnel. Les promotions ne se font à l'interne que si le candidat de l'entreprise est jugé égal ou supérieur à tout candidat externe. Le personnel cadre et de direction en vient à être constitué de personnes ayant acquis une expérience professionnelle dans des entreprises différentes et s'étant jointes plus ou moins récemment à leur employeur actuel.

En conséquence, les problèmes de mandant-mandataire et les coûts de mandat décrits aux **chapitres 2** et **3**, phénomènes pratiquement inexistants dans le contexte du quadrant 1, deviennent maintenant de plus en plus importants. Le passage du quadrant 1 au quadrant 3 a pour résultat de favoriser la « désintégration » de l'entreprise (*unbundling and unfirming the firm*). En effet, dans un univers de faibles coûts de mandat, les coûts de transaction (décrits au **chapitre 3**) inhérents à la relation fournisseur-acheteur, auront tendance à favoriser l'option de «faire chez soi» plutôt que «faire faire». Dans le contexte du quadrant 3, les coûts de mandat prennent beaucoup plus d'importance et favorisent souvent l'option du **recours au marché** plutôt que celle de l'intégration administrative.

C'est d'ailleurs un phénomène que l'on observe depuis quelques années dans les entreprises américaines, au fur et à mesure que celles-ci en viennent à fonctionner selon les termes du quadrant 3. Par contre, la grande entreprise japonaise œuvrant dans le quadrant 1 n'a jamais procédé à l'intégration verticale de ses opérations comme l'avait fait naguère l'entreprise américaine.

Ayant appris de l'expérience américaine, les entreprises japonaises voulurent contenir les problèmes que poserait en temps économiques difficiles leur engagement envers la pérennité des emplois. En ayant recours à des fournisseurs nombreux, elles purent limiter le nombre d'employés à qui elles offraient une sécurité d'emploi à long terme. Puis, en établissant avec une famille de fournisseurs stables un haut niveau d'intégration des fonctions critiques comme le contrôle de la qualité, le rythme de production et le développement de nouveaux produits, les firmes japonaises créèrent une forme **hybride** de relation à mi-chemin entre l'intégration verticale et une relation de marché contractuelle et ponctuelle. Cette forme hybride de relation diminuait les coûts de transaction tout en évitant les embûches des relations complexes entre mandants et mandataires dans l'entreprise intégrée verticalement.

En conclusion, les conditions de fonctionnement du quadrant 3 favorisent la flexibilité et l'adaptation rapide, mais peuvent facilement inciter les cadres et les dirigeants d'entreprise à une optimisation des résultats à court terme, à une intense promotion de leur carrière au détriment des intérêts de l'entreprise, à un engagement toujours réticent et calculé envers l'entreprise, ce qui, à la longue, vide celle-ci de son âme et de sa substance. Enfin, comme nous le verrons à la section 6.4, cet univers de forte mobilité des cadres et des dirigeants peut susciter un mode de gestion analytique axé sur les résultats chiffrés et les contrôles financiers exercés par des mandants sans connaissance approfondie de l'entreprise et de l'industrie.

Aussi, les grandes entreprises **qui n'ont d'autre choix** que d'exercer leurs opérations dans le contexte du quadrant 3, et ce même si elles conservent la nostalgie des conditions révolues du quadrant 1, doivent composer avec trois enjeux importants:

1. **Elles doivent comprendre quelles sont les causes réelles de leur rentabilité**. Dans quelle mesure leur bonne performance économique provient-elle d'actifs physiques uniques et d'avantages naturels, par exemple, un monopole géographique virtuel, l'accès à des ressources naturelles ou financières, etc.?

   L'entreprise doit établir dans quelle mesure sa rentabilité dépend du talent, des connaissances et du savoir-faire de membres de son personnel, en évaluer l'abondance ou la rareté dans l'entreprise ou autour de l'entreprise, et en établir la valeur économique pour d'autres entreprises, rivales ou non, ainsi que les mesures qui pourraient diminuer la dépendance de l'entreprise face à ce talent rare.

   Enfin, l'entreprise doit bien comprendre quel rôle joue ou pourrait jouer le «savoir institutionnalisé» dans des **systèmes et procédés d'exploitation ou de gestion** pour la performance économique de l'entreprise. Ces systèmes et procédés sont-ils la propriété exclusive de l'entreprise? Sont-ils difficiles à copier par les concurrents? Sont-ils de telle nature qu'aucun membre du personnel ne pourrait les reproduire dans une autre entreprise? Ayant établi les facteurs essentiels à sa haute performance économique, l'entreprise pourra **déterminer** quels membres du personnel jouent un rôle vraiment **stratégique** et évaluer l'**importance** de ce rôle et la **vulnérabilité** de l'entreprise au départ de ce personnel.

2. **L'entreprise doit définir les termes d'un contrat social et économique** qui soit hautement motivant pour ce personnel stratégique et qui donne une durée suffisante à la relation entre l'entreprise et ces individus pour bénéficier pleinement de leur contribution. Trois principes fondamentaux devraient inspirer les modalités qui régissent la relation entre l'entreprise et ce personnel, à savoir:

   — Dans l'univers du quadrant 3, la relation entre l'individu et l'organisation est fortement imprégnée de la logique du marché faite d'optimisation des occasions et de calculs économiques. Cependant, cette relation, comme toute autre relation commerciale d'ailleurs, ne fonctionne vraiment bien que si elle est **lubrifiée par la confiance et la crédibilité** entre les parties. L'entreprise qui n'a pas su se créer un certain **capital social** de respect, de réciprocité et d'engagement est fortement pénalisée dans l'univers du quadrant 3. Parce qu'il est impossible de prévoir toutes les éventualités et de les consigner dans un contrat en bonne et due forme, **l'évaluation et la rémunération de la performance** du personnel stratégique comporteront toujours un élément de subjectivité qui peut mettre à rude épreuve la relation mandant-mandataire si celle-ci n'est pas enchâssée dans un climat de confiance réciproque et de crédibilité du mandant quant à sa capacité de porter de tels jugements.

— Le sentiment de vulnérabilité aux pressions du marché et de la concurrence constitue un moteur essentiel de la motivation et de l'efficience pour l'entreprise du quadrant 3 (forte vulnérabilité et forte mobilité). Il est donc important de maintenir cette pression et d'éviter que l'entreprise ne glisse vers le quadrant 4 (**faible** vulnérabilité et **forte** mobilité), ce qui se traduirait par des comportements néfastes pour la performance de l'entreprise, comme une certaine complaisance, certaines formes de chantage, une forte rotation du personnel, etc. Par contre, le sentiment de vulnérabilité ressenti par le personnel stratégique doit être maintenu **en deçà** du seuil où celui-ci pourrait juger plus prudent d'exercer son option de mobilité interfirmes. En effet, l'entreprise du quadrant 3 doit maintenir un équilibre délicat entre, **d'une part**, les démarches pour rendre concrètes et continues les pressions du marché afin de stimuler l'efficience économique et ainsi de contenir les comportements contraires aux intérêts de l'entreprise, et, **d'autre part**, les efforts consacrés afin de s'assurer que l'anxiété quant à la vulnérabilité de l'entreprise n'atteigne pas un niveau qui déclenche des comportements dysfonctionnels de la part du personnel stratégique tels que la diversification de ses sources de revenus, les départs prématurés, etc. Enfin, l'entreprise dont les titres sont détenus par le grand public et font l'objet de transactions en Bourse doit concilier le propos empreint de maîtrise de son avenir, de domination de la concurrence, de croissance et de stabilité des revenus, propre à rassurer le public des investisseurs, avec le discours interne sur les lendemains incertains et la vulnérabilité de l'entreprise aux agissements des concurrents, qui vise à mobiliser le personnel.

— Le savoir-faire nécessaire pour développer le **capital social** de l'entreprise, pour façonner entre les individus et l'entreprise une relation qui combine intelligemment le respect et la valorisation de la personne, la satisfaction de ses besoins d'accomplissement ainsi que de puissants incitatifs économiques à la haute performance à court et à long terme, constitue un précieux actif stratégique. La capacité d'établir de tels contrats sociaux et économiques peut s'avérer une **compétence organisationnelle** qui distingue l'entreprise de ses rivales et lui procure un net avantage stratégique.

3. **L'entreprise doit susciter un apprentissage organisationnel** pour inscrire et « institutionnaliser » dans des systèmes et procédés de gestion et d'exploitation les méthodes et l'expertise propres à l'entreprise qui lui confèrent un avantage concurrentiel. De tels systèmes, méthodes ou procédés, importante assise de ce qui distingue l'entreprise de ses concurrents, ont le grand mérite d'être inamovibles et difficiles à imiter alors que le talent et le savoir-faire demeurent la propriété des individus, lesquels peuvent, dans un contexte de forte mobilité, obtenir un prix fort pour leurs services.

Les organisations dans le domaine du sport professionnel, en particulier le base-ball aux États-Unis et au Canada, offrent une démonstration probante de l'appropriation par le personnel de talent de la plus-value économique qu'ils ont contribué à créer. Leur mobilité d'une équipe à l'autre, au gré des offres que leur font des équipes rivales, donne aux joueurs étoiles une grande valeur marchande, diminue la rentabilité des entreprises, change les comportements de ces organisations en matière de développement de jeunes joueurs et de rémunération, et modifie le concept d'esprit d'équipe et de soutien mutuel qui prévalait autrefois en ces domaines.

Dans la situation du quadrant 1, le talent et le savoir-faire inhérents au personnel ainsi que les capacités organisationnelles se fondent en une **seule entité** puisqu'ils sont également **inamovibles** et la **propriété exclusive** de l'entreprise.

Dans le contexte du quadrant 3, cependant, il y a lieu d'établir une distinction entre les avantages stratégiques provenant des connaissances et de l'expertise **personnelles**, mobiles et marchandables, et ceux provenant du « savoir institutionnalisé », de **capacités organisationnelles** distinctives, inamovibles, difficiles à acheter ou à imiter. Par exemple, une **capacité organisationnelle** critique pour l'entreprise du quadrant 3 consiste justement en l'établissement de **systèmes de gestion des ressources humaines**, et en particulier, de systèmes de rémunération qui attirent, retiennent et protègent le personnel stratégique à un coût moindre que leur contribution à la performance économique de l'entreprise.

6.2.3 Les conceptions « humaniste » et « économiste » de la relation individu-organisation

Notre propos, tant aux **chapitres 2** et **3** que dans le présent chapitre, se réfère de façon plus ou moins explicite aux tensions entre des conceptions différentes de la relation entre l'individu et l'organisation. Selon un courant de pensée issu du domaine de la science économique, la relation entre l'individu et l'organisation est soumise aux contraintes, aux limites cognitives et aux calculs intéressés, caractéristiques du fonctionnement des êtres humains en milieu social.

Selon cette perspective, le défi principal pour l'architecte et le leader d'une organisation consiste à y établir les structures et les systèmes de gestion qui lui permettent d'atteindre un haut niveau de performance, et ce **malgré** les limites cognitives et les propensions opportunistes des membres de l'organisation. Ainsi, Williamson (1975) affirme que la plus grande innovation économique du XXe siècle a probablement été l'invention de la forme multidivisionnelle d'organisation.

Cette forme dite « **M** » aurait permis le développement et la gestion efficace des grandes sociétés modernes. N'eût été cette innovation, les tentatives pour bâtir des entreprises de dimension économique optimale auraient échoué, se butant à l'augmentation exponentielle des **coûts de complexité** associés à une structure fonctionnelle ou unitaire traditionnelle. En effet, les coûts associés aux limites cognitives des individus et à leurs propensions opportunistes augmentent rapidement au gré de la diversité, de la complexité et de l'envergure de l'entreprise.

La forme multidivisionnelle apporte une solution à ces phénomènes en séparant l'entreprise en entités relativement autonomes – chacune étant d'une taille raisonnable et d'un niveau tolérable de complexité – qui sont coordonnées, supervisées et contrôlées par un noyau central de **mandants** crédibles et bien informés.

Williamson faisait donc, à propos des organisations, le même constat que Douglas C. North (1990) à propos de la société civile, lorsque celui-ci écrit : «[...] *the returns on opportunism, cheating, and shirking rise in complex societies.*» (P. 35.)

La conception «économiste» de la relation entre l'individu et l'organisation recouvre d'autres courants théoriques, comme ceux postulant la concurrence permanente entre individus, leur profond besoin de puissance et de domination, la primauté de l'intérêt individuel sur le bien-être de l'ensemble (Schelling, 1978), ou encore, la propension à tricher, à tirer profit gratuitement et de façon calculée du travail et du mérite des autres (*free-rider*).

Le champ de la finance et de l'économie, comme nous en avons traité aux **chapitres 2** et **3**, se préoccupe au plus haut point de la relation entre mandants et mandataires ainsi que des coûts de mandat résultant de l'avantage d'information et d'expertise du mandataire sur son mandant, tout comme des comportements du mandataire qui seraient contraires aux intérêts du mandant (*moral hazard*) [Jensen et Meckling, 1976 ; Pratt et Zeckhauser, 1985, *et al.*].

Enfin, selon une conception plus positive, mais tout aussi «économique» dans son essence même, les membres de l'organisation, par leur talent, leur expérience et leur savoir-faire, constituent de précieuses ressources stratégiques qu'il faut pleinement utiliser, protéger de la concurrence et rémunérer selon les conditions d'un marché que l'entreprise souhaite aussi **imparfait** que possible (Barney, 1991 ; Dierickx et Cool, 1987, 1989 ; Wernerfelt, 1984, *et al.*).

Cette conception des rôles et des comportements des individus en milieu organisationnel, si sombre ou froidement réaliste qu'elle puisse sembler, comporte néanmoins des enseignements précieux pour la gestion d'organisations complexes. Il ne fait pas de doute que toute organisation contient les germes en puissance des comportements décrits dans cette section.

Les tenants d'une conception «humaniste» de l'organisation reprochent aux théoriciens de la conception «économiste» de présenter leurs modèles comme des lois ou des données générales, de faire le postulat qu'un certain système de valeurs foncièrement américain jouit d'une portée universelle. Cette vision «économiste» essentiellement américaine serait donc insensible au fait que les cultures des différentes nations sont fort variables quant aux types de comportements qu'elles incitent et provoquent en milieu organisationnel.

La vision «économiste» de l'organisation ne serait pas une norme inéluctable, mais bien le **résultat de l'échec ou de l'incompétence** à façonner une organisation qui mobilise la capacité et la volonté d'engagement, de solidarité, de coopération, de confiance et de loyauté que les individus manifestent dès que l'on sait créer une culture organisationnelle propre à stimuler ces comportements.

Or, de toute évidence, certains présupposés «humanistes» en ce qui a trait à la relation entre l'individu et le système social auquel il appartient, ont contribué à la création de systèmes sociaux oppressifs, dégénérés et profondément dysfonctionnels. L'échec monumental du socialisme a d'ailleurs été causé par la foi absurde de cette doctrine en l'émergence éventuelle d'un «nouvel homme» qui transcenderait et disciplinerait toutes ses pulsions opportunistes et ses calculs intéressés.

Par contre, certains chantres du marché et de l'«économisme» souffrent d'un réductionnisme moral pernicieux. Ils semblent parfois oublier que les relations de marché et les comportements économiques doivent être enchâssés dans un système de valeurs civiques qui établissent les balises et les normes de l'activité économique. Adam Smith l'avait bien compris, lui qui est l'auteur d'un ouvrage tout aussi important que *The Wealth of Nations,* mais moins bien connu, *The Theory of Moral Sentiments* (voir Muller, 1992).

Putnam (1993), dans un ouvrage récent et fouillé, démontre de façon brillante l'importance des valeurs civiques pour le développement économique et social d'une société. À la suite de son examen des facteurs pouvant expliquer les différences de performance économique et sociale entre les régions du Sud et du Nord de l'Italie, Putnam tire des conclusions d'une grande pertinence pour la gestion des grandes organisations.

«Where the norms and networks of civic engagement are lacking, the outlook for collective action appears bleak.» (P. 183.) *«Most fundamental to the civic community is the social ability to collaborate for shared interests.*

Generalized reciprocity [...] generates high social capital and underpins collaboration.» (P. 182-183.) *«The social contract that sustains such collaboration in the civic community is not legal but moral. The sanction for violating it is not penal, but exclusion from the network of solidarity and cooperation.»* (P. 183.) *«For political stability, for government effectiveness, and even for economic progress, social capital may be even more important than physical or human capital.»* (P. 183.)

Si l'on remplace l'expression *civic community* par « organisation » dans le propos de Putnam, nous trouvons dans son étude un appui empirique pour la position que nous défendons dans ce chapitre. L'organisation moderne doit établir, avec son personnel stratégique, les bases d'un nouveau contrat social, c'est-à-dire les valeurs de confiance, de réciprocité et d'engagement mutuel qui constituent le **capital social** essentiel pour que l'entreprise puisse atteindre son plein développement économique.

Le tableau 6.2 rapproche les conceptions « économiste » et « humaniste » de la relation entre l'individu et l'organisation. Ces **deux** conceptions décrivent des cas extrêmes, mais chacune comporte sa part de vérité. Les organisations oscillent et vacillent entre ces deux pôles quant aux relations qu'elles entretiennent avec leurs membres.

De toute évidence, la **pérennité** des relations individu-entreprise et la **faible mobilité** interfirmes (quadrants 1 et 2 du tableau 6.1) appuient, et même exigent, une vision humaniste de l'organisation. Par contre, le contexte de forte mobilité des quadrants 3 et 4 redonne une grande pertinence aux aspects économiques de la relation entre l'individu et l'organisation.

Autant la conception « économiste » de l'organisation telle qu'énoncée au tableau 6.2 est formelle et réaliste, mais incomplète et incapable de saisir toute la richesse et la complexité de la vie en organisation, autant la conception « humaniste » est à maints égards anecdotique, utopique et anachronique, et en même temps sensible au caractère affectif, émotif, voire passionnel, de la relation entre l'individu et l'organisation.

Or, l'entreprise moderne œuvrant dans un contexte de marché qui exige un haut degré de flexibilité et d'adaptation (voir le **chapitre 7** à ce propos) et qui favorise la mobilité professionnelle, doit trouver les

Tableau 6.2 Conception « humaniste » et conception « économiste » de la relation individu-organisation

CONCEPTION « ÉCONOMISTE »	CONCEPTION « HUMANISTE »
• L'individu, par ses compétences et son savoir-faire, est une ressource stratégique dont il faut optimiser la valeur nette pour l'entreprise. (Barney, Nelson, Beer *et al.*)	• L'individu, par sa participation à l'organisation, cherche à satisfaire des besoins d'appartenance, de sécurité économique, de maîtrise de sa destinée et de réalisation de soi. (Maslow, McGregor *et al.*)
• L'individu est soumis à de fortes limites **cognitives** (*bounded rationality*) qui restreignent sa capacité analytique en situation de complexité et de prise de décisions. (March, Simon *et al.*)	• L'individu, par l'apprentissage intense et passionné d'une activité, développe des cartes cognitives et des schémas mentaux qui lui procurent une flexibilité, ainsi qu'une capacité d'adaptation et de prévision. La pensée configurale transcende les limites de la pensée analytique. (Hampden-Turner, Edelman *et al.*)
• L'individu est fondamentalement mû par la recherche de son intérêt personnel. En l'absence de contrepoids, les comportements opportunistes sont la norme plutôt que l'exception. La combinaison d'opportunisme et de capacités cognitives limitées constitue le principal enjeu pour la structuration et la gestion des grandes organisations. (Williamson *et al.*)	• L'individu est capable, et même désireux, d'engagement non calculé dans son fonctionnement en milieu social et organisationnel. L'émergence d'un climat d'opportunisme et de calcul intéressé au sein de l'organisation est la manifestation d'une carence de leadership et d'incompétence administrative. (Etzioni *et al.*)
• L'individu n'hésitera pas à maximiser son intérêt personnel même en sachant que si tous les membres de l'organisation se comportaient comme lui, le résultat global serait déplorable. L'individu cherchera à tricher et à bénéficier du travail des autres et de leur observation des règles et des valeurs de l'organisation (*free-rider*). Si ces comportements se multiplient sans contrepoids ni punition, la grande organisation deviendra un système ingouvernable de relations intéressées et de calculs opportunistes. (Schelling *et al.*)	• L'individu veut participer à une organisation dont les intérêts et ses intérêts propres convergent à long terme. La socialisation au système de valeurs de l'organisation lui inculque une préoccupation pour le bien-être de l'ensemble et l'incite à contrôler les propensions opportunistes chez lui et chez ses collègues. (Peters et Waterman, Moss-Kanter *et al.*)
• Toute relation de mandant-mandataire suppose des coûts pour établir une symétrie d'informations et contrôler les risques de comportements contraires aux intérêts du mandant. (Jensen et Meckling, Pratt et Zeckhauser *et al.*)	• Dans une organisation fondée sur les **connaissances** et l'**expertise** que chacun apporte aux fins de l'organisation, les relations mandant-mandataire sont inexistantes. Elles sont remplacées par des relations de **partenaire** et d'**associé** entre les membres de l'organisation. (Drucker *et al.*)
• L'individu est foncièrement mû par son besoin de puissance et de conquête. Ses relations avec les autres membres de l'organisation sont empreintes de rivalité et de recherche de domination. (Hobbes, Maccoby *et al.*)	• L'individu mis en situation de relations continues en vient à comprendre que la **coopération** constitue la stratégie optimale dans ses rapports avec les autres membres de l'organisation. (Axelrod, Wilson *et al.*)

arrangements qui définissent **pour son lieu et son époque** les termes d'une association satisfaisante et mutuellement rentable.

Le défi pour le leader de l'entreprise moderne est de réconcilier ces conceptions «économiste» et «humaniste», de faire une synthèse des dimensions économiques et sociales ainsi que rationnelles et émotives qui encadrent et influencent la relation entre les individus et l'organisation. Les termes de cette nouvelle relation pourraient comporter les éléments suivants:

- Des **valeurs fondamentales** qui contribuent au développement du **capital social** de l'entreprise, en imprègnent toutes les activités et suscitent la fierté et l'adhésion de tous les membres de l'organisation; par exemple, qualité et engagement envers le client, frugalité et efficience, innovation et ouverture, intégrité et sens éthique, respect et équité.

- Un **milieu de travail** qui comporte un fort potentiel de croissance professionnelle compatible et conciliable avec les exigences de la vie privée.

- Un **système de rémunération** qui est calibré de façon à donner une durée suffisante à la relation avec l'entreprise, à maintenir un équilibre entre la haute performance à court et à moyen terme et à susciter des comportements de coopération dans l'intérêt de l'ensemble de l'organisation. Dans toute la mesure du possible, il y a lieu d'établir un mode d'intéressement pour le personnel stratégique qui en fasse des **partenaires** et des **associés** plutôt que de simples employés.

- Une **structure,** un **leadership** et un **mode de gestion** fondés sur la crédibilité, l'expertise, la légitimité et la confiance réciproque entre mandants et mandataires.

Ces quelques considérations à propos de la relation complexe entre l'individu et l'organisation démontrent bien la nécessité d'un cadre de réflexion qui aide à comprendre les phénomènes d'organisation dans toute leur variété et leur complexité. C'est ce que propose la prochaine section de ce chapitre.

6.3 UN MODÈLE CONCEPTUEL DE L'ORGANISATION

6.3.1 Introduction

À cause de leur importance pour le fonctionnement de toute société civile, les organisations ont été examinées avec toutes les lentilles qu'offrent les sciences humaines. Située à l'intersection de la sociologie, de la psychologie, de l'anthropologie culturelle, de la science politique et de l'économique, l'étude des organisations a peut-être souffert d'une surabondance de métaphores et de métonymies. Cette richesse de concepts a provoqué une profonde fragmentation conceptuelle et a empêché l'émergence de paradigmes unificateurs.

Machines cybernétiques pour les uns, les organisations ne sont pour d'autres que des arènes politiques, des lieux de confrontation et de luttes de pouvoir. Pour certains chercheurs, ce sont des lieux fortuits de coordination entre acteurs calculateurs, opportunistes, limités dans leur rationalité et cherchant à atteindre par tâtonnement une mixture d'objectifs personnels et organisationnels.

Ailleurs, les organisations deviennent des constructions de l'esprit, des artefacts de l'expérience commune d'un groupe social. Les organisations abritent des cultures exotiques avec leurs rituels complexes et leurs cérémonies particulières. Elles sont dotées de systèmes de symboles et de langages particuliers faits d'acronymes, d'expressions cryptiques et elliptiques.

Enfin, les chercheurs du domaine des organisations sont facilement séduits par les courants et les modes scientifiques ou pseudo-scientifiques venus d'autres disciplines. Du structuralisme au «déconstructionisme» en passant par la théorie des catastrophes de René Thom ou la théorie du chaos de Prigogine, le lecteur un peu assidu trouvera facilement des auteurs publiés dans des revues sérieuses qui ont proposé l'une ou l'autre de ces «nouvelles» lentilles, toutes supérieures il va sans dire, comme façon d'étudier et de comprendre la dynamique des organisations.

Le schéma conceptuel que nous proposons au lecteur dans cette section a été décrit et étayé par des articles publiés dans des ouvrages spécialisés (Allaire et Firsirotu, 1982, 1984, 1985, 1989; Abravanel, Allaire, Firsirotu *et al.*, 1988) et a servi de cadre de recherche pour plusieurs thèses et mémoires (par exemple, Firsirotu, 1984 ; Bédard, 1991) et de nombreux travaux de consultation (par exemple, ACDI, 1992).

6.3.2 Les dimensions et les composantes de l'organisation

Le modèle conceptuel que nous proposons définit l'organisation comme une entité à trois composantes interreliées, soumise aux influences provenant de son histoire, de la société ambiante et des contingences particulières que définissent la concurrence, la technologie, la forme de propriété, etc. Ce modèle est présenté à la figure 6.1.

Toute organisation se compose de trois dimensions internes en étroite coordination et synchronisation :

- Une **structure**, qui contient toutes les caractéristiques formelles et tangibles de l'organisation. La structure se réfère donc aux objectifs officiels et aux stratégies explicites, aux aspects structuraux et concrets de l'organisation, à ses actifs physiques et à leur déploiement, aux politiques et règles de fonctionnement, aux systèmes mis en place pour assurer la gestion des ressources humaines (rémunération, formation, promotion), ainsi que le contrôle et le suivi des opérations. Enfin, la « structure » se réfère également aux relations hiérarchiques et aux formes explicites de direction et d'exercice du pouvoir. En fait, la « structure » est constituée de tout ce que l'on prend souvent à tort pour l'ensemble de l'organisation.

- Une **culture**, qui englobe les traditions, les présuppositions, les valeurs, les croyances et les coutumes propres à une organisation. La culture exerce une influence souvent considérable sur les **prémisses** des décisions, sur les comportements et les actes des gestionnaires et du personnel. Clifford Geertz (1973) définit la culture comme le « logiciel » qui fait fonctionner la « machine » d'une société :

  > « La culture doit être comprise non pas comme un ensemble de schémas concrets de comportements – coutumes, usages, traditions, habitudes particulières – comme nous l'avons toujours envisagée, mais plutôt comme un ensemble de mécanismes de contrôle – projets, recettes, règles, directives (ce que l'on appelle en informatique des

Figure 6.1 Un modèle de l'organisation

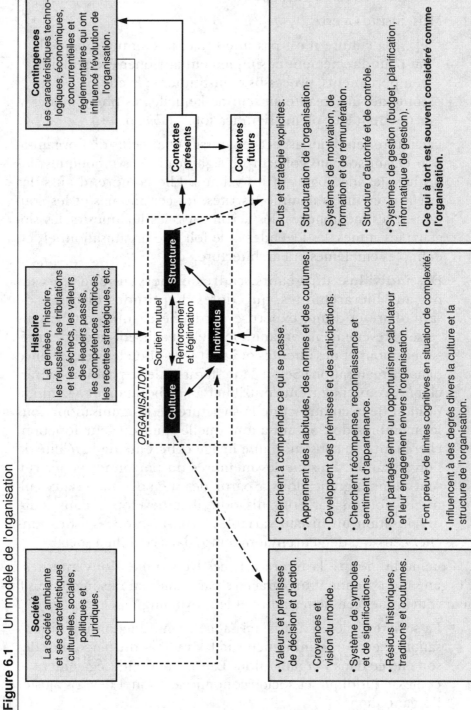

« programmes ») – qui conditionnent les comportements. » (Geertz, 1973, p. 44.)

Mais, insiste Geertz,

« [...] la culture n'est pas une force, une entité à laquelle on peut directement et simplement attribuer événements, comportements, processus et institutions : la culture est un contexte, une réalité au sein de laquelle ces phénomènes acquièrent leur pleine signification. » (*Ibid*, p. 14.)

La culture réunit les aspects expressifs et affectifs de l'organisation en un système collectif de significations symboliques : les mythes, les idéologies et les valeurs. Elle comprend aussi les artefacts culturels comme les rites, les cérémonies et les coutumes ; les métaphores, les acronymes, les lexiques et les slogans ; les contes, les légendes et le folklore organisationnel ; et, enfin, les emblèmes et l'architecture.

- Des **individus**, dirigeants, cadres et personnel à tous les niveaux hiérarchiques, qui, dotés d'aptitudes diverses, de savoir-faire et d'une expertise particulière, interprètent sans cesse les événements organisationnels et agissent selon des présuppositions et des attentes qui sont le fruit de leur expérience dans l'organisation. Selon leur statut et leur position hiérarchique, ceux-ci peuvent contribuer à l'élaboration et à la modification de la culture et de la structure de l'organisation. Tous les membres de l'organisation, quelle que soit leur fonction, cherchent à se construire une image cohérente de la réalité de l'organisation. Puisque les membres du personnel « construisent » leurs significations à partir des mêmes « matériaux culturels » fournis par l'organisation, il se développe dans toute organisation un niveau variable de partage de significations chez ceux qui demeurent longtemps dans ce milieu social.

Comme le montre la figure 6.1, ces trois dimensions internes de l'organisation prennent un caractère particulier en raison de trois facteurs qui influencent leur nature et leur dynamique :

- La **société** civile où a pris naissance et où fonctionne l'organisation exerce une influence sur les valeurs du personnel dès son entrée dans l'organisation. La société définit également le contexte juridique et socio-économique auquel devra s'ajuster l'organisation.

- **L'histoire** de toute organisation est faite des conditions et des raisons de sa création (sa genèse), des valeurs des fondateurs et des leaders successifs qui l'ont dirigée, des habiletés et des compétences qui ont été essentielles à son succès, de ses échecs et triomphes et de leurs explications, des recettes et des routines qui s'y sont enracinées. Tous ces événements et ces facteurs sédimentent dans l'organisation des croyances, des attentes ainsi que des façons d'être et de faire, et influencent fortement la texture de sa culture de même que son architecture structurelle.

- Les **contingences** particulières de fonctionnement et de survie auxquelles a dû s'adapter l'organisation influencent profondément le type de culture et de structure qui s'y manifestent. La forme de propriété, soit privée, publique, société d'État, etc., le type de relations syndicales, l'intensité de la concurrence et le niveau de vulnérabilité de l'entreprise aux pressions du marché, le rythme de l'évolution technologique, l'importance des capitaux nécessaires et l'horizon-temps associé aux décisions de l'organisation ainsi que le caractère de la réglementation publique sont tous des facteurs qui façonnent le caractère d'une organisation.

Ces trois groupes de facteurs jouent un rôle important dans la définition des propriétés culturelles et structurelles de toute organisation. Bâtir une organisation consiste justement à orienter ces processus de façon à forger un alliage de culture et de structure qui soit garant de haute performance dans le contexte particulier de l'organisation.

6.3.3 La dynamique organisationnelle : les relations entre les facteurs et les composantes de l'organisation

La description même sommaire des éléments de la figure 6.1 fait apparaître un grand nombre de relations qui contribuent de façon critique au façonnement et à l'évolution de toute organisation.

La figure 6.2 met au jour **onze** relations (**A** à **K**) importantes qui, dans l'ensemble, permettent de comprendre comment et pourquoi les organisations se font et se défont, croissent, stagnent, se transforment ou meurent.

Figure 6.2   Un modèle dynamique de l'organisation et de ses relations cruciales

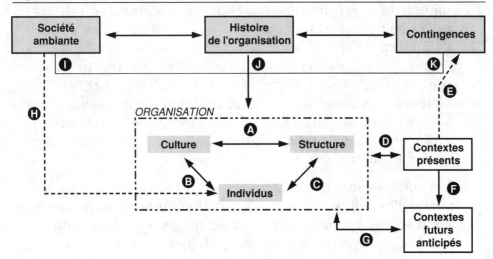

Les relations (D, E, F, G) entre l'organisation et ses contextes font l'objet de discussions à la section suivante. Nous traiterons brièvement des autres relations dans la présente section.

La **relation (A) entre la structure et la culture** souligne l'importance du soutien mutuel entre les dimensions symboliques et tangibles de l'organisation. Cette relation de soutien et de renforcement mutuels entre la culture et la structure de l'organisation se développe naturellement au fur et à mesure de l'évolution et de la croissance de l'organisation, à tel point qu'en pratique normale, ces deux dimensions (culture et structure) sont intégrées et ressenties par les membres comme une entité unique et indivisible.

Or, comme nous le signalerons à la prochaine section, les périodes de changement brusque de contexte ou d'inadaptation graduelle de l'organisation aux réalités de ses marchés, pourront mener à des tentatives de changement structurel important amorcées afin de redresser la situation.

Dans ces circonstances, il pourra survenir une dissociation entre les aspects culturels et structurels de l'organisation, et ce lorsque des changements structurels proposés apparaissent illégitimes et contraires aux valeurs, aux croyances, aux attentes et aux présupposés qui ont cours dans l'organisation. Cette situation provoquera une grande tension et un haut niveau de stress chez les membres, une dégradation de la performance de l'organisation ainsi que l'apparition de manœuvres et de stratagèmes pour banaliser le changement, le faire achopper ou dévier de son objet.

Le message associé à la relation (A) est clair. Le changement structurel est simple s'il est légitime dans le cadre des valeurs et des croyances actuelles de l'organisation. Le changement structurel est complexe et « radical » si son exécution exige une remise en question et le remplacement de certaines valeurs, mentalités et attentes qui font partie de la culture de l'organisation.

On peut attribuer une grande partie des échecs qu'ont connus les tentatives de changement radical en milieu organisationnel au fait de ne considérer que les aspects structurels du changement proposé et de sous-estimer les puissants mais occultes mécanismes de rejet que déclenchent des mesures qui s'avèrent en porte-à-faux par rapport à la culture de l'organisation.

Ainsi, les difficultés et les déceptions associées aux tentatives d'implanter de nouveaux modes de gestion, pourtant hautement souhaitables, que ce soit l'orientation-client, la qualité totale, la production en juste à temps, les structures matricielles, etc., sont attribuables à ce que ces initiatives requièrent souvent, voire toujours, une stratégie de changement **culturel** pour qu'on les intègre au fonctionnement de l'organisation.

Les **relations (B et C) entre les membres de l'organisation et les dimensions culturelle et structurelle** de celle-ci soulèvent tout un ensemble d'enjeux, dont plusieurs ont été traités à la section 6.2 sous la rubrique de la relation entre l'individu et l'organisation.

Les membres d'une organisation entretiennent avec elle des rapports économiques et contractuels, et réagissent aux sollicitations inhérentes à son système structurel. Cependant, les individus sont tout aussi sensibles, à des degrés variables, aux valeurs, aux traditions et aux croyances de l'organisation. Ils apprennent et assimilent ses matériaux symboliques, ils en adoptent graduellement les présuppositions, ils se créent des attentes et une vision du monde qui non seulement influencent leurs décisions et leurs comportements, mais aussi façonnent leurs structures mentales.

Ces relations **B** et **C** captent trois aspects importants du fonctionnement des organisations. Premièrement, il faut bien comprendre que le membre d'une organisation ne peut évidemment faire la distinction entre ce qui est culturel et ce qui est structurel. Il maintient une relation avec l'ensemble de l'organisation comme si elle était un tout. Par conséquent, lorsqu'il se produit des désaccords entre les « messages culturels » et les dispositions structurelles, c'est dans l'esprit de l'individu que doivent se réconcilier ces désaccords. Si ces éléments discordants sont de faible importance, les membres de l'organisation rétabliront l'harmonie interne en ayant recours à des mécanismes de réinterprétation ou de perception sélective. Si, par contre, la disharmonie entre la culture et la structure est forte et irrémédiable, le personnel sera alors soumis à un niveau élevé de stress et de confusion.

Deuxièmement, de toute évidence, les membres d'une organisation exercent un niveau variable d'influence sur le caractère et l'évolution des systèmes culturels et structurels, comme l'indique le flux bidirectionnel des relations **B** et **C**. Pour les membres moins influents, la culture et la structure forment, au moment où ils sont reçus dans l'organisation, un tout, une donnée qui ne change que graduellement sous l'effet des pressions internes et externes à l'adaptation.

Enfin, les individus affichent plusieurs formes d'intégration à l'univers organisationnel dont ils sont membres. Leur intégration au système de valeurs et de croyances de l'organisation ainsi que l'influence qu'exerce sur leur esprit cette culture organisationnelle varient considérablement en nature et en intensité. Quatre modes d'intégration de l'individu à la culture organisationnelle sont manifestes, parfois au sein de la même organisation :

1. La **reproduction exacte et entière dans les structures mentales** de l'individu des valeurs, croyances, symboles et significations de l'organisation. Dans ce cas, la culture organisationnelle, d'un caractère totalitaire, occupe une grande part de l'espace mental des individus et exerce une forte influence sur leurs comportements, laissant et ne tolérant que peu de latitude aux variations interpersonnelles et aux choix individuels.

2. Un autre mode d'intégration plus répandu consiste en une **reproduction partielle du système culturel** de l'organisation dans les schémas mentaux de ses membres. Les valeurs, les croyances et les symboles de l'organisation ne sont qu'**une** influence parmi plusieurs qui contribuent à façonner le cadre mental du membre de l'organisation. Sa socialisation professionnelle, son appartenance antérieure à d'autres organisations ou les influences de ses activités hors de l'organisation

font en sorte de limiter l'emprise de l'organisation sur sa vision du monde.

Dans ce cas, la culture de l'organisation n'exerce qu'une influence relative sur l'individu, ne détermine qu'une certaine **probabilité** ou une **tendance** à certains comportements. Selon la durée de la relation entre les individus et leur organisation, et le degré de mobilité **interunités** et **interfonctionnelle** dans cette organisation, un système de significations partagées et de valeurs communes pourra émerger, ce qui contribuera à faciliter les relations entre tous les membres et à influencer leurs comportements au sein de l'organisation.

3. Un troisième mode de relation peut être décrit comme « **méta-culturel** ». Il s'agit d'individus, membres de longue date de l'organisation, qui en comprennent bien le système de valeurs et de croyances, la socialisation et les attentes des membres. Cependant, pour un ensemble de raisons, ils ont réussi à conserver une certaine distance vis-à-vis de ces phénomènes, à éviter la structuration mentale qui accompagne habituellement l'appartenance à une organisation.

Cette particularité, rare dans les organisations à forte socialisation, donne à ces individus la possibilité de jouer un rôle important au cours de périodes de changement radical et de transformation de l'organisation. Crédibles et légitimes auprès des membres de l'organisation, puisqu'ils sont des leurs, comprenant bien leurs anxiétés, leurs attentes et leur vision du monde, libres, par contre, des carcans que dicte à l'esprit la forte socialisation à une culture particulière, ces dirigeants sont capables d'évaluer lucidement les changements qui s'imposent ainsi que les moyens nécessaires pour les mener à bien.

Ces « acteurs métaculturels » sont des individus précieux pour toute institution qui doit, pour survivre et prospérer, effectuer une profonde transformation de ses mentalités, de ses croyances et de ses façons de faire. Gorbachev, de Gaulle, de Klerk et Ataturk fournissent des exemples de portée historique de ce phénomène.

Malheureusement, il arrive souvent que, ne pouvant compter sur de tels individus ou ne sachant pas les reconnaître en son sein, l'organisation doive faire appel à des dirigeants venus d'ailleurs (extra-culturels) pour mettre en branle une démarche de transformation.

4. Enfin, un dernier mode de relation entre l'organisation et l'individu consiste évidemment pour celui-ci à **refuser toute intégration** et à maintenir avec l'organisation une relation intéressée et calculatrice soit par choix personnel, soit parce que l'organisation ne lui propose pas une forme de relation qui lui convienne mieux.

Ces différents modes d'intégration à la culture peuvent, bien sûr, se manifester simultanément dans une même organisation. Cependant, les cultures «charismatiques» qui se fondent sur une socialisation poussée se débarrassent rapidement des individus qui ne veulent pas adopter le système de croyances et de valeurs que propose l'organisation.

La **relation (H) entre la société civile et les membres de l'organisation** exerce une influence considérable sur le caractère de l'organisation, et ce d'au moins deux façons distinctes :

- D'abord, plus la société ambiante est homogène dans sa composition ethnique et religieuse et quant au système de valeurs qu'inculquent le milieu familial et l'appareil scolaire, plus il est facile de façonner un milieu organisationnel harmonieux fondé sur des valeurs communes. Dans une société hétérogène, l'organisation doit déployer des efforts considérables pour le recrutement et la sélection d'individus aux orientations compatibles avec celles de l'organisation ainsi que pour établir un milieu organisationnel qui soit à la fois respectueux de la diversité de ses membres et suffisamment intégré et uniforme pour fonctionner efficacement. Il s'agit là d'un enjeu d'une portée importante quoique souvent exagérée (entre autres chez Kennedy, 1993) et qui distingue singulièrement l'entreprise américaine de l'entreprise japonaise, allemande ou française.

- Puis, les différentes cultures nationales imprègnent et influencent le fonctionnement des organisations en leur sein tant par le cadre juridique et social qu'elles leur imposent que par la socialisation particulière des individus qu'elles fournissent aux organisations. Ce phénomène a fait l'objet d'une abondante littérature et constitue un champ de recherche en soi (voir, entre autres : Hofstede, 1980 ; Chanlat, 1990 ; Dore, 1973 ;

Harris et Moran, 1979; Ouchi, 1981; Lammers et Hickson, 1979).

Ainsi, Amado, Faucheux et Laurent (1990) proposent un exemple intéressant des différences entre la relation société-individu-organisation aux États-Unis et celle qui prévaut en France.

> «Alors que les Américains conçoivent en premier lieu l'entreprise comme un système de rôles organisé selon une hiérarchisation fonctionnelle des tâches à accomplir dont la responsabilité sera assignée à des agents en fonction de leurs compétences, les Français voient d'abord l'entreprise comme un système de personnes organisé hiérarchiquement selon un principe de distribution verticale de l'autorité qui devrait amener chaque acteur à fournir les contributions requises.» (P. 648.)

Ces conceptions différentes du rôle et du sens de l'entreprise sont le résultat de valeurs sociales enracinées dans l'histoire de ces sociétés et pourront se manifester sous forme de cultures organisationnelles très dissemblables. Si l'on se reporte à notre propos de la section 6.2 sur la mobilité du personnel et la vulnérabilité de l'entreprise, il est facile de comprendre alors pourquoi l'entreprise américaine adopte assez facilement un contexte de fonctionnement fait de forte mobilité des ressources associée à une grande vulnérabilité. Par contre, l'entreprise européenne, et plus particulièrement l'entreprise française, a tendance à **chercher** à se maintenir dans un contexte de faible vulnérabilité et de faible mobilité, contexte qui est plus propice à une conception personnalisée et hiérarchique de l'entreprise.

Les **relations (I, J, K)** exercent une influence diachronique sur le développement de l'organisation et de ses propriétés culturelles et structurelles. Ces trois facteurs (société, histoire et contingences) sont évidemment interreliés. Les valeurs générales d'une société civile exercent évidemment une certaine emprise sur les entrepreneurs et leaders qui en sont issus et dont les valeurs marquent profondément l'histoire et le caractère de leur organisation; cependant, en nombre d'occasions, ces individus sont plutôt en rupture de valeurs avec la société ambiante, comme ce fut le cas, par exemple, pour M. Honda au Japon. De même, les compétences historiquement valorisées dans l'organisation et les recettes stratégiques qui y ont cours ont dû posséder une grande valeur fonctionnelle à une époque pour assurer l'adaptation de l'organisation à ses facteurs de contingence.

Enfin, le caractère de la réglementation, la nature des relations de travail, la **mobilité interfirmes du personnel**, le **degré général de concurrence et de pression du marché** que subissent les entreprises (les deux facteurs sous-jacents au tableau 6.1) sont bien sûr tributaires du cadre juridique, de la philosophie économique et des valeurs sociales de la société ambiante.

La **société civile**, non seulement par la socialisation qu'elle impartit (**relation H**), mais également par l'agencement particulier de ses institutions juridiques et politiques, ainsi que par la philosophie économique qui anime ses gouvernements, exerce une influence certaine sur le type de milieu de travail et sur les relations entre individus et entre niveaux hiérarchiques qui **tendent** à caractériser les organisations qui en proviennent. Plus la société ambiante est homogène, plus les organisations en son sein auront en commun un même substrat de valeurs. Ce qui ne signifie pas, par contre, que ces organisations ne se distingueront pas considérablement les unes des autres en conséquence de leur histoire et des contingences qui leur sont propres.

L'**histoire particulière** d'une organisation laisse des traces souvent fort significatives sur son développement. Ainsi, il est habituel que le leader-fondateur imprègne toutes les articulations de l'organisation de ses valeurs et modes de gestion, qui deviennent institutionnalisés dans la culture de l'organisation, et que ses successeurs tentent souvent d'arborer et d'imiter.

L'histoire de l'organisation est également porteuse d'«explications», sous forme de sagas et de mythes, de ses succès et de ses tribulations. L'organisation qui tire son personnel d'une société ambiante hétérogène ou de plusieurs sociétés différentes, et qui souhaite établir un haut niveau de partage des valeurs, un fort sens d'appartenance à l'organisation, doit consacrer des ressources importantes à la socialisation de ses membres, mettre l'accent sur les facteurs historiques et sur les caractéristiques uniques de l'organisation et, en conséquence, tenter d'atténuer l'influence de la société civile sur la culture de l'organisation.

Les **facteurs de contingence (relation K)** façonnent avec une telle force et une telle subtilité le devenir des organisations que les cultures et les mentalités d'organisations soumises aux mêmes puissants facteurs de contingence affichent souvent de fortes similitudes, au-delà des différences quant aux valeurs de leur société ambiante et quant à la spécificité de leur historique organisationnel.

C'est ainsi que les grands secteurs industriels, par exemple les chemins de fer, les banques, la fabrication aéronautique, les transporteurs aériens, les télécommunications, les assurances, ou encore, dans le secteur public, les finances et les affaires extérieures, comportent des exigences techniques et nécessitent des compétences spécifiques qui sont fort semblables, peu importe où sont situées géographiquement les organisations en question et quelles que soient les particularités historiques de chacune.

Les contingences associées à la technologie, au type de propriété (public, privé, etc.), aux compétences motrices, aux pressions des marchés, au cycle d'investissements et à la réglementation, façonnent le milieu social et les comportements des membres de l'organisation. L'influence de ces facteurs sur les structures mentales des membres est puissante parce qu'elle est non seulement tacite et implicite, mais également omniprésente et alimentée par les réalités présentes ou passées du fonctionnement de l'organisation.

Les facteurs de contingence sont même insidieux, car ils persuadent les dirigeants et les cadres d'un secteur industriel donné que les habiletés et les compétences nécessaires dans leur secteur ont un caractère d'universalité. Évidemment, cette présomption est particulièrement dangereuse lorsque l'entreprise acquiert une firme dans un autre secteur industriel même si celui-ci, au premier abord, semble montrer de grandes similitudes.

Les facteurs de contingence pèsent sur toute organisation comme une fatalité à laquelle elle a dû se soumettre au risque de périr. Le succès d'une organisation signifie à tout coup que celle-ci a trouvé les arrangements structurels et culturels qui répondent adéquatement aux contingences de son secteur d'activité.

L'organisation doit faire face à un défi et à un enjeu d'une importance critique lorsque le contexte actuel dans lequel elle doit fonctionner contient des éléments de plus en plus **discontinus** et **divergents** des facteurs de contingence qui en ont façonné la culture et la structure (la relation **E** de la figure 6.2).

En effet, dans un premier temps, les cadres et dirigeants de l'organisation, parce que conditionnés par les schémas mentaux qui ont cours dans l'organisation et qui sont le produit de leur expérience passée, pourront ne pas percevoir ces phénomènes de discontinuité. Les contextes tels que « construits » par eux seront en harmonie avec les forces qui ont façonné l'organisation et avec lesquelles elle a appris à composer.

Évidemment, si l'organisation est soumise à une forte concurrence et aux pressions des marchés, ses résultats financiers feront en sorte qu'elle ne puisse ignorer longtemps les nouvelles réalités contextuelles auxquelles elle doit s'ajuster. Cependant, pour les entreprises du quadrant 2 du tableau 6.1, ce phénomène de distorsion est fort commun entre un contexte profondément modifié et la perception que s'en font les dirigeants de l'entreprise.

Puis, même lorsque ces nouvelles réalités contextuelles auront été finalement perçues et comprises, elles n'exerceront une influence véritable sur l'organisation que si elles deviennent les **nouveaux** facteurs de contingence capables de façonner un nouvel arrangement de culture et de structure. Ce processus de **substitution** est habituellement pénible et s'effectue sur une période assez longue, puisqu'il lui faut non pas façonner mais **refaçonner** des mentalités et définir de nouvelles compétences motrices, souvent absentes de l'organisation ou mal maîtrisées par le personnel en place.

Dans son étude sur le **CN**, société d'État canadienne dans le secteur des transports, Firsirotu (1984, 1988) décrit ce phénomène de tension entre contextes et contingences, ainsi que l'adaptation différée de la grande entreprise à de nouveaux contextes en discontinuité avec les facteurs de contingence qui ont façonné l'organisation.

« L'étude effectuée au CN démontre qu'il existe un écart plus ou moins considérable entre les changements de contexte et leur implantation en tant que nouveaux facteurs de contingence. L'étude du CN au cours d'une période de 60 ans montre que des changements majeurs discontinus qui se sont produits dans le contexte de l'entreprise (indiqués dans l'étude par une classification en quatre périodes historiques distinctes) ont entraîné des modifications plutôt lentes dans la structure et la culture de l'organisation du CN.

Qui plus est, l'étude a démontré que les acteurs principaux percevaient les changements de contexte à travers le filtre de valeurs existantes et d'*a priori* bien ancrés dans l'entreprise. Peu à peu, ces changements de contexte furent intégrés dans les opérations de l'entreprise en tant que nouveaux facteurs de contingence auxquels le **CN** devait s'adapter. En effet, l'entreprise a mis chaque fois **de dix à quinze ans** pour s'adapter à des réalités radicalement nouvelles. Ce lent processus se solda par de mauvaises performances économiques qui mirent à plusieurs reprises l'entreprise en péril et à la merci de la générosité des gouvernements. Par exemple, il a fallu au CN presque **dix** ans pour s'ajuster complètement à la Loi nationale des transports de 1967, loi qui constituait une discontinuité en ce qu'elle élargissait la liberté de commerce et de concurrence dans le secteur des transports. Ce ne fut qu'après 1972 que ce contexte modifié fut vraiment compris et que débuta dans l'organisation un processus d'adaptation à ces nouveaux facteurs de contingence. Cette suite d'événements s'est produite à plusieurs reprises au cours de l'histoire de l'entreprise. » (Firsirotu, 1988, p. 135-136.)

L'évaluation, même rapide, des relations décrites dans cette section permet à un gestionnaire ou à un dirigeant de saisir les aspects essentiels du fonctionnement de toute organisation.

6.4   L'ORGANISATION ET SES CONTEXTES : DIAGNOSTICS ET CHANGEMENT RADICAL

L'objet de cette section, portant sur les relations **D, F, G** de la figure 6.2, est de proposer une catégorisation simple des relations entre l'organisation et ses contextes présents et futurs. Cette section fournit également une ébauche des tenants et aboutissants de différentes stratégies radicales, sujet qui est traité à fond dans le volume 2 de cet ouvrage.

6.4.1   Quatre types de diagnostics

L'établissement d'un juste diagnostic quant au degré d'ajustement et d'adaptation de l'organisation aux exigences et aux attentes de ses contextes présents et futurs, constitue une responsabilité fondamentale de la direction de toute entreprise ou institution. À cette fin, la figure 6.3 propose quatre cas ou situations qui encadrent l'établissement de ce diagnostic.

Dans le **premier cas**, celui de la **continuité** et de l'**adaptation incrémentielle**, la direction estime que l'organisation est bien ajustée à ses exigences actuelles et que le contexte dans lequel elle devra évoluer à l'avenir sera en bonne partie semblable au contexte actuel, soit à cause de l'absence virtuelle d'événements imprévisibles ou discontinus, soit parce que l'organisation compte suffisamment de ressources pour **façonner** le type d'environnement dans lequel elle souhaite évoluer (à cet égard, voir au **chapitre 7** le mode politique pour composer avec l'incertitude). L'organisation continuera, de façon constante et incrémentielle, à s'améliorer et à s'ajuster au changement graduel de ses contextes.

Figure 6.3   Diagnostic de la relation entre l'organisation et ses contextes

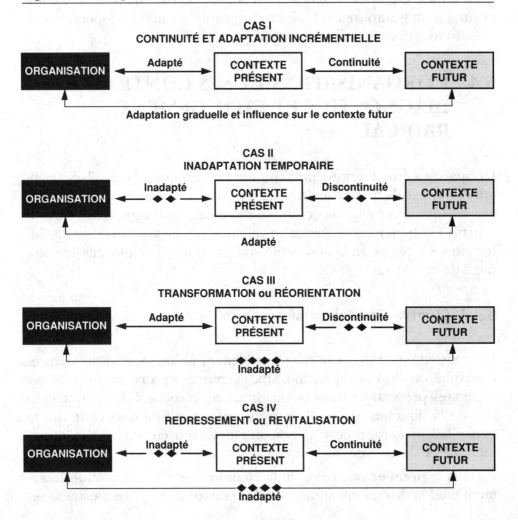

La stratégie et les modes d'exploitation de l'entreprise sont donc bien adaptés à son contexte actuel, ce qui se traduit par une bonne performance économique. C'est là évidemment la situation idéale où se combinent des ajustements harmonieux au contexte actuel et des changements synchronisés et progressifs permettant de se préparer à un contexte évolutif. Les gestionnaires, comme la plupart des gens, sont capables avec une facilité étonnante de percevoir la réalité de cette façon, et ce en dépit de manifestations du contraire.

Cette relation de continuité entre le contexte actuel et le contexte futur tend à caractériser certaines époques et certaines sociétés et peut donc favoriser une gestion en mode continu pendant de longues périodes de temps. Par contre, d'autres périodes marquées d'ajustements économiques mondiaux, de transformations technologiques et d'innovations radicales, bousculent et menacent les grandes entreprises, et transforment le contexte économique et social dans lequel elles œuvrent. L'environnement commercial devient alors «discontinu» et marqué par de fréquents changements dans les règles du jeu. C'est comme si, au cours d'une partie d'échecs, un des joueurs ou une autorité externe venait changer les règles qui gouvernent le déplacement des pièces et rendait ainsi désuets toute l'expérience passée des joueurs ainsi que le contenu des centaines de manuels leur offrant des conseils (voir Gersick, 1991; Tushman, Newman et Romanelli, 1986; Tushman et Romanelli, 1985).

Dans le **deuxième cas,** la direction pourra conclure que, malgré une performance assez pauvre, le contexte futur est favorable à son organisation telle qu'elle est présentement constituée. Les problèmes actuels découlent de phénomènes défavorables mais passagers. Dans la mesure où la direction ne se trompe pas sur le caractère transitoire de la contre-performance actuelle, une stratégie radicale n'est ni nécessaire ni souhaitable.

On peut citer ici les entreprises avant-gardistes qui proposent des produits tout à fait nouveaux à des marchés en émergence et encore sous-développés. L'incursion précoce de Genentech dans le domaine de la biotechnologie en constitue un exemple frappant, comme d'ailleurs, au moment de leur création, les Apple, Microsoft et Intel dans d'autres secteurs. Pourvu qu'elles persistent et qu'elles disposent de fonds suffisants, ces entreprises peuvent finir par voir leur audace pleinement récompensée. Cependant, il se peut aussi que leurs projets soient prématurés et qu'elles connaissent la déconfiture avant que le marché sur lequel elles comptaient ne se soit manifesté.

Enfin, il arrive que des événements transitoires troublent temporairement le contexte d'une organisation. Cependant, lorsque les circonstances normales auxquelles l'entreprise est bien adaptée seront rétablies, sa performance économique atteindra de nouveau un niveau acceptable. Cette situation est certainement plausible, mais il se peut aussi qu'il s'agisse là d'une illusion à laquelle s'accroche une direction d'entreprise qui refuse ou qui est incapable de décoder les signes de problèmes provenant de ses marchés et de ses clients.

Dans le cas d'un diagnostic de **transformation** ou de **réorientation (cas III)**, la direction estime que l'organisation est bien adaptée à son contexte actuel et affiche un niveau de performance tout à fait acceptable. La direction prévoit cependant que l'organisation devra évoluer dans un contexte futur très différent du contexte actuel, soit à la suite de changements incontrôlables dans les contextes technologiques, réglementaires ou concurrentiels (**transformation**), soit à cause de ses propres démarches visant à déplacer les ressources de l'entreprise vers des secteurs plus attrayants que ceux dans lesquels l'entreprise œuvre présentement (**réorientation**).

L'exemple le plus frappant et le plus connu d'une tentative de **transformation** stratégique à grande échelle est celui de l'entreprise AT&T quand, d'un monopole téléphonique réglementé, elle dut se métamorphoser en une entreprise de télécommunications en situation de forte concurrence (voir Van Auw, 1988). De même, la société General Electric, sous le leadership de Jack Welsh, entreprit une vaste opération pour transformer la nature de ses entreprises ainsi que ses façons de fonctionner (voir Tichy et Sherman, 1993).

Les efforts consacrés par les banques à charte canadiennes pour transformer leurs technologies, leurs systèmes de gestion et leurs philosophies bancaires constituent un autre exemple de ce type. Les compagnies aériennes américaines après la déréglementation de l'industrie, Air Canada après sa privatisation, ainsi que Bell Canada qui offre un cas similaire à celui de AT&T, sont autant d'exemples d'entreprises qui ont dû ou qui auront à exécuter une stratégie de **transformation** afin de s'adapter à des circonstances radicalement modifiées.

De toutes les stratégies radicales, la transformation est celle qui dépend le plus du talent et du leadership des dirigeants. La transformation équivaut à une véritable «révolution par le haut», déclenchée par un dirigeant qui propose une nouvelle vision de l'avenir pour l'entreprise et qui est bien décidé à réaliser cette vision. Certaines difficultés de réalisation sont propres à la stratégie de transformation. Citons, entre autres, le fait que, la performance actuelle de l'entreprise étant satisfaisante, voire excellente, il soit difficile pour les dirigeants de faire comprendre les fondements de leur démarche et de mobiliser tous les niveaux de l'organisation derrière leur vision des problèmes qui risquent de se manifester si l'entreprise continue à suivre son cours actuel.

Alors que le processus de **transformation** vise à mieux préparer l'organisation aux défis futurs dans son industrie et ses marchés, le processus de **réorientation** consiste à éviter la stagnation appréhendée dans la rentabilité et la croissance en redéployant ses actifs et ses ressources stratégiques vers des industries et des marchés plus attrayants. Nombreux sont les exemples d'entreprises qui ont exécuté une vaste opération de réorientation:

- Le passage d'Imperial Tobacco à **Imasco**, une société diversifiée (tabac, pharmacie, *fastfood*, services financiers).

- La transition du Canadien Pacifique d'une société de transport ferroviaire à une entreprise œuvrant dans quatre secteurs industriels.

- Le remplacement chez la Générale Électrique des produits électriques traditionnels par la haute technologie (robotique, imagerie médicale, etc.).

- La réorientation de Primamerica, qui d'une société de fabrication de contenants métalliques s'est transformée en une société financière diversifiée.

- La mise sur pied de BCE pour gérer un portefeuille diversifié dont Bell Canada et Northern Telecom formaient le noyau de départ.

- L'entrée de Bombardier d'abord dans le secteur du matériel de transport, puis dans l'industrie aéronautique et le secteur de la défense.

Dans chacun de ces cas, la discontinuité stratégique a été **provoquée** par des dirigeants qui avaient pris eux-mêmes la décision de diversifier leur entreprise dans des domaines plus attrayants.

La stratégie organisationnelle de **réorientation** n'est pas sans comporter certains pièges, par exemple :

- La **propension naturelle des gestionnaires à surévaluer leur capacité à gérer** des opérations dans des domaines très différents de ceux où ils ont acquis leur expérience et leur savoir-faire. La tentation est forte, le succès aidant, de croire que ce qui a contribué à la réussite dans un domaine industriel donné s'avérera efficace dans une autre industrie. Cette tentation est parfois renforcée par la tendance à souligner surtout les similarités entre l'ancien et le nouveau domaine.

- Les **attraits de l'efficacité par l'intégration**, qui poussent les gestionnaires à rechercher les économies réalisables grâce à l'intégration de certaines opérations. Ce faisant, on risque de laisser pénétrer les valeurs et les mentalités de l'ancien domaine dans le nouveau, entravant ainsi l'adaptation de cette dernière à son milieu concurrentiel propre. Ainsi la société Woolworth, engagée depuis longtemps dans l'exploitation rentable de magasins de produits variés, décida de s'aventurer dans le domaine de la vente au rabais. Cependant, contrairement à son concurrent Kresge, qui avait structuré les opérations K-Mart de façon à ce qu'elles forment une unité d'exploitation tout à fait indépendante, la compagnie Woolworth décida, lors de la fondation de Woolco, d'intégrer certaines opérations, notamment les approvisionnements. Cette décision permit l'infiltration insidieuse chez Woolco des valeurs et modes de pensée de Woolworth qui étaient inadéquats pour le secteur où œuvre Woolco, ce qui entraîna l'échec éventuel de cette entreprise (*Wall Street Journal*, 1983).

  Il est donc essentiel de protéger la culture et la structure de la nouvelle entité de l'influence du secteur traditionnel de l'entreprise, sauf en ce qui a trait aux valeurs que l'on estime **utiles et essentielles** au succès des nouvelles entités.

Le diagnostic de **redressement** ou de **revitalisation (cas IV)** décrit une réalité fort différente. Ici, l'organisation est mal ajustée à son contexte actuel et affiche des performances médiocres ou désastreuses. Elle est également mal préparée pour faire face à ses contextes futurs.

La presse d'affaires contient de multiples comptes rendus de tentatives de **redressement** de grandes entreprises. À une liste qui compte bien sûr Chrysler et Massey-Ferguson, on peut ajouter des dizaines de noms d'entreprises, certaines maintenant défuntes faute d'avoir pu effectuer à temps le redressement qui s'imposait : International Harvester, American Motors, Montgomery Ward, AM International, Geico, Clark Equipment, A & P, Braniff, Pan-Am, Boise Cascade, Allis-Charmers, Banque Nationale du Canada, Dome Petroleum, Eastern Airlines, Bank of America, Zenith, etc.

Dans les cas de redressement, la survie même de l'entreprise est en jeu. Il est donc urgent d'instaurer des mesures énergiques afin de gagner le temps nécessaire pour exécuter le redressement en profondeur de l'organisation. Pour les gestionnaires qui doivent effectuer un redressement (ou tout changement radical), un état évident de **crise** constitue un outil inestimable. Il n'y a rien de tel qu'une crise pour ouvrir l'esprit des gens et pour donner au changement un rythme et une ampleur qu'il ne saurait acquérir autrement.

Pour certaines entreprises, ce n'est pas tant la menace de déconfiture qui les agite, mais une suite de performances médiocres qui ont provoqué la prise de mesures énergiques destinées à **revitaliser** leur performance. Parmi les exemples les plus récents de tentatives de revitalisation, on peut citer Ford Motor Co., IBM et Eastman Kodak.

La différence entre le **redressement** et la **revitalisation** tient à l'imminence de la déconfiture de l'organisation. Nous réservons l'appellation de **redressement** pour ces situations dramatiques où, à moins de prendre des mesures proprement révolutionnaires, l'entreprise est vouée à une disparition prochaine.

En conséquence, la stratégie de **revitalisation** doit s'attaquer à deux problèmes. D'abord, puisqu'il n'existe pas encore d'état évident de crise ou de menace immédiate de faillite, la direction doit rendre réelle et tangible la possibilité d'une crise prochaine, rendre concrets et imminents les dangers qui découlent des modes de gestion et de fonctionnement en cours dans l'organisation.

Puis, comme les faibles performances de l'entreprise sont attribuées trop facilement à des facteurs externes face auxquels les membres du personnel se sentent impuissants, il y a lieu de susciter une conscience aiguë de la responsabilité incombant aux gestionnaires de l'entreprise et de leur faire abandonner leur fatalisme nuisible. Heureusement, dans ces situations de revitalisation, les dirigeants de l'entreprise disposent d'une certaine marge de manœuvre pour exécuter une stratégie appropriée.

Des quatre cas présentés ci-dessus, les deux derniers nécessiteront une intervention stratégique sans précédent dans l'entreprise. On ne considère pas que des changements soient radicaux **s'il est possible de les effectuer sans apporter de modifications à la culture organisationnelle.** Le changement entraîne toujours quelques modifications dans les habitudes, les coutumes et les procédures. Ce sont là des aspects inévitables, mais tout à fait surmontables si le changement proposé est légitime dans le cadre des arrangements culturels qui ont cours dans l'organisation.

Toutefois, il s'agit de bien autre chose lorsque les changements que l'on se propose d'apporter aux objectifs, à la stratégie et aux modes de gestion et d'exploitation doivent être accompagnés de changements dans ce qui est tenu pour acquis, dans les attitudes fondamentales, dans les valeurs et croyances communes, dans les attentes et les postulats qui constituent les **racines** mêmes de l'organisation.

Le changement est **radical** lorsqu'il vise non seulement les caractéristiques tangibles de l'organisation comme la stratégie, la structure organisationnelle et le système de gestion, mais aussi, inévitablement, ses valeurs fondamentales et son système de croyances et de présupposés, c'est-à-dire la culture de l'entreprise.

Un changement radical ou une révolution est surtout un « changement du système de valeurs de base » (Johnson, 1966) d'une entreprise. Un tel changement « constitue un déplacement fondamental de vision du monde, un brusque passage d'un schéma conceptuel, d'un ensemble de principes organisationnels à un autre » (Kramnick, 1972).

6.4.2 Un schéma pour l'implantation de stratégies radicales

Maintenant que nous avons présenté et défini les concepts essentiels, nous pouvons décrire les principales étapes d'une stratégie radicale. Le déroulement d'une telle stratégie, souvent turbulent et brouillon, comprend néanmoins **quatre** étapes qui, bien qu'elles soient distinctes et successives, affichent un certain chevauchement entre elles. Nous décrirons ces étapes en les illustrant de vignettes tirées d'un cas concret de redressement étudié en profondeur dans Firsirotu (1984), les Messageries du CN.

Rappelons d'abord les principales caractéristiques de l'organisation en question. Les opérations de messageries (les petits colis et les chargements inférieurs à une pleine charge [LTL] transportés par camion) du Canadien National (CN) étaient jusqu'en 1976 entièrement intégrées aux opérations ferroviaires de la société. À cette époque, soupçonnant un déficit important dans le service de messageries, le chef de la direction du CN avait décrété une réorganisation majeure dont un des aboutissements fut la création d'une division « Messageries » (CNX), laquelle devenait ainsi autonome et responsable de sa performance financière.

Ainsi que l'appréhendait la haute direction du CN, les pertes des « Messageries » s'élevaient en 1976 à 34 millions de dollars pour des revenus de 112 millions de dollars. Malgré des mesures énergiques, la situation continua de se détériorer. En 1979, les pertes atteignaient 47 millions de dollars pour des revenus de 123 millions de dollars.

A) *Première étape: comprendre et changer le cadre mental de l'organisation*

Le cadre mental d'une organisation consiste en cette forme de pensée particulière qui caractérise les individus ayant longtemps vécu et travaillé dans un même milieu social. Ce cadre, résultat de la culture et de la structure particulières de l'organisation, tend à façonner, certains diraient à emprisonner, les facultés mentales des individus et à délimiter leur champ de vision. Sans que les individus en soient pleinement conscients, leur cadre mental définit le réel et le possible, c'est-à-dire les perceptions qu'ont les membres d'une organisation de leur propre situation, de leurs options et de leur marge de manœuvre.

Un premier obstacle dans l'exécution d'une stratégie radicale provient justement de la nécessité de porter un jugement sur la situation d'ensemble de l'organisation en regard de ses contextes actuel et futur. Or, dans la mesure où les dirigeants qui doivent formuler ce diagnostic sont justement des « produits » de l'organisation et que leurs perceptions sont structurées par le cadre mental dominant, il leur est souvent difficile de prendre le recul nécessaire pour procéder à une juste appréciation de la situation, de remettre en question des principes de fonctionnement qui leur semblent inviolables et d'envisager des démarches proprement hérétiques.

Cela s'avère particulièrement vrai pour les stratégies de transformation et de revitalisation, alors que les faits et les événements se prêtent tout aussi bien à un diagnostic de continuité. Les dirigeants peuvent aisément conclure que l'organisation telle qu'elle est présentement constituée, avec ses valeurs et ses traditions, ses façons de gérer, ses systèmes et ses structures, est tout à fait adaptée à ses contextes présent et futur, et est capable de changer progressivement ses façons de faire, si cela devenait nécessaire. Le cercle vicieux qui consiste à ne décoder les faits, les données et les événements qu'en fonction de ses *a priori,* et ainsi à confirmer leur bien-fondé, guette toutes les organisations, même les mieux gérées.

Bien sûr, un état de crise, comme c'est le cas pour un redressement, tend à imposer le diagnostic approprié, quoiqu'on soit souvent étonné de voir à quel point les membres d'une organisation, y compris ses dirigeants, peuvent continuer à nier l'évidence et à refuser d'accepter le caractère périlleux de leur situation.

Une fois le diagnostic posé, même si celui-ci est juste, clair et partagé, le cadre mental intervient à nouveau lorsque les dirigeants tentent de définir les mesures à prendre pour rétablir la performance de l'organisation ou pour préparer celle-ci en vue d'un environnement futur très différent du contexte actuel.

Illustration de la première étape
Le cadre mental aux Messageries du CN (CNX)

Ce phénomène semble s'être produit au CNX durant la période suivant la formation d'une division des Messageries (1976-1978). L'urgence de la situation et la nécessité d'effectuer un redressement s'imposaient progressivement, quoique plus lentement qu'on ne l'aurait cru devant l'énormité du déficit, à tous les intervenants. Malgré tout, la recherche de solutions durant cette période s'est avérée fortement structurée et limitée par un ensemble de postulats et de croyances tacites émanant de l'expérience de l'industrie ferroviaire des cadres et des dirigeants du CNX.

Les croyances et les présuppositions qui définissaient alors le cadre mental des dirigeants du CNX étaient le produit de leur expérience de travail dans une **société d'État** œuvrant dans l'industrie **duopolistique du transport ferroviaire**. Or, tant que la définition des options stratégiques prenait assise dans l'ensemble de postulats et de croyances qui avaient normalement cours dans ce type de contexte, l'entreprise ne pouvait se doter des stratégies et des orientations qui conviennent au CNX, œuvrant dans un secteur industriel hautement

concurrentiel et **entrepreneuriel**, et caractérisé par la **flexibilité** des coûts et la **sélection** rigoureuse des clients et des marchés.

Il serait remarquable, et il est donc fort rare, que des dirigeants dont toute l'expérience de gestion a été acquise dans un secteur industriel donné, puissent débarrasser leurs esprits des structures mentales typiques de leur industrie et aborder un nouveau secteur industriel avec un esprit vierge et pleinement attentif aux particularités de celui-ci. En management comme en philosophie, l'«immaculée perception» n'existe pas.

Aussi est-il fréquent, dans les cas de redressement, qu'un nouveau dirigeant soit mis en place pour jeter un regard neuf et pour mettre en branle une démarche plus radicale. Évidemment, ce nouveau dirigeant apporte avec lui son bagage d'expériences et de recettes acquises au cours de sa carrière. Il se peut donc que lui aussi porte des œillères, différentes certes, mais tout aussi contraignantes.

Les dirigeants du CN décidèrent en 1979 qu'il était temps de changer de leader au CNX. Ils choisirent comme nouveau président des Messageries du CN un jeune homme d'à peine 36 ans à l'époque qui s'était joint récemment au CNX.

B) *Deuxième étape: définir l'objectif de la stratégie radicale en fonction de la culture et de la structure souhaitées*

Il s'agit pour le dirigeant de définir sa vision de l'organisation, de se faire une idée juste du «terminus» auquel il voudrait arriver. Il lui faut établir le type de ressources, de compétences et de technologies dans lesquelles l'organisation devra investir pour assurer son avenir. L'architecte du changement doit faire en sorte que les membres de l'organisation comprennent et participent à définir les objectifs, les stratégies, les modes et les systèmes d'exploitation qui doivent être mis en place, de même que les valeurs, les attitudes et les mentalités qu'il faut susciter pour atteindre ces objectifs et exécuter ces stratégies.

Les modes d'exploitation, les valeurs et les stratégies de gestion proposés doivent être rationnels et répondre aux exigences de l'environnement dans lequel l'entreprise œuvre ou est susceptible d'œuvrer. Les responsables de la stratégie doivent aussi s'assurer que les changements suggérés seront perçus comme nécessaires et essentiels au succès de l'entreprise par tous ceux qui exercent une influence sur le cours de l'organisation.

Ce n'est pas là une mince tâche lorsque plusieurs groupes ou organismes aux intérêts divergents doivent donner leur assentiment à une nouvelle direction stratégique. En l'absence d'un leadership habile et capable de mobiliser suffisamment de ressources derrière une orientation souhaitable, l'organisation dépérit sans qu'on arrive à trancher le **nœud gordien** qui la paralyse.

Un facteur important à ce stade a trait à la formulation d'une **stratégie externe** (une stratégie de marché dans le cas de l'entreprise) qui réponde aux exigences de survie de l'organisation, mais qui puisse également être présentée comme répondant à certains objectifs des différents groupes capables de bloquer l'exécution d'une nouvelle stratégie un peu radicale.

Cette stratégie externe doit posséder un grand potentiel symbolique. Elle doit fournir une explication des déboires et des insuccès de l'organisation, et apporter une assurance péremptoire de réussite pour l'avenir. En un sens, une telle stratégie prend un caractère d'**idéologie** pour les membres de l'organisation. Enfin, les dirigeants doivent donner une définition claire et tangible du type d'organisation qu'il faut mettre en place pour exécuter cette stratégie externe. Ils doivent définir la **culture** et la **structure cibles.**

Illustration de la deuxième étape
Stratégie, structure et culture chez CNX

Dans le déroulement de la stratégie radicale au CNX, cette étape fut particulièrement complexe et tourmentée. Après une période d'essais futiles et frustrants afin de trouver des solutions fondamentales et de mettre en œuvre des plans tactiques et de courte portée pour assurer la survie de l'entreprise et gagner du temps, le président du CNX forma un groupe de travail composé de conseillers externes et de quelques membres de son équipe.

Ce groupe de travail formula un ensemble d'options dont une eut le grand mérite d'être viable en termes tant économiques que politiques. En effet, cette option constituait une solution «minimax» au problème du CNX, pour tous les intervenants. Il s'agissait d'une stratégie de «concentration de marché», selon laquelle on recommandait une spécialisation du CNX dans un segment de marché (LTL) pour lequel il était mieux équipé ainsi que l'abandon des segments de petits colis où CNX n'était pas en mesure d'offrir une concurrence rentable.

Cette solution, qui n'était le premier choix d'aucun groupe de pression, constituait néanmoins un pis-aller préférable au maintien de sa couverture présente des marchés, position qu'auraient souhaitée le syndicat, la CCT et le gouvernement fédéral préoccupés par

Figure 6.4 Interprétation des événements chez les Messageries du CN (1979-1980)

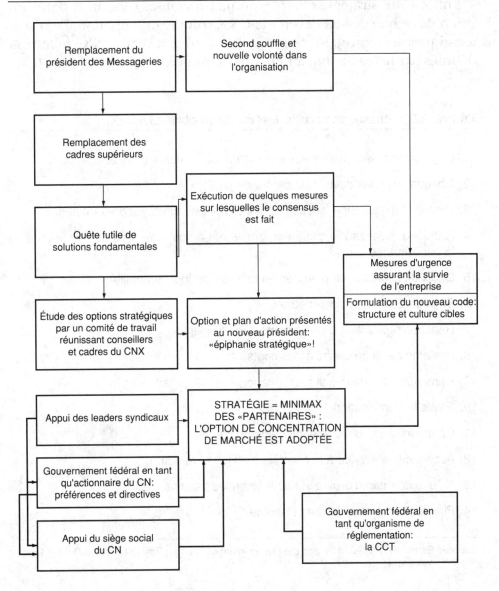

le chômage en région, ou à une fermeture complète du CNX, ce qu'aurait souhaité la direction du CN.

La figure 6.4 montre bien l'enchaînement des événements et des acteurs durant cette phase. L'option de concentration de marché provoqua une véritable « épiphanie » chez le nouveau président du CNX en ce qu'elle lui donna une réponse plausible aux difficultés du CNX et lui fournit une option qu'il put « vendre » à tous les groupes et instances concernés par l'orientation du CNX.

Enfin, cette stratégie externe prenait forme et substance dans une vision de ce que devrait devenir le CNX comme organisation. Les caractéristiques structurelles et culturelles d'un nouveau CNX, telles que définies par le leadership à l'époque, sont présentées au tableau 6.3.

Tableau 6.3   Arrangements culturels et structurels cibles pour CNX

1. Organisation décentralisée avec les terminus comme unité stratégique.

2. Chaque terminus devient un centre de profit.

3. Ventes et exploitation sous la responsabilité du directeur de terminus.

4. Ratio « dépenses d'exploitation sur ventes » comme mesure dominante de la performance.

5. Choix de clients et de marchés en fonction de leur rentabilité.

6. Style de gestion entrepreneuriel.

7. Réaction rapide aux changements dans le marché.

8. Système serré de contrôle des coûts.

9. Rémunération reliée à la performance.

10. Faible hiérarchisation.

11. Communication ouverte et bidirectionnelle.

12. Accent sur le service à la clientèle (fiabilité et rapidité).

13. Niveau de main-d'œuvre variable selon les besoins.

14. Planification à court terme et flexible.

Source: Perron, C., « Leadership and the Management of Change : The CN Express Case », Niagara Institute, 19 juin 1984.

C) *Troisième étape: arrêter une méta-stratégie du changement radical*

N'ayons pas peur des mots. Ce à quoi nous faisons référence ici, c'est à la **théorie du changement** qui guide le responsable de la stratégie radicale. Paraphrasant John Maynard Keynes, nous mettons en garde les gens pratiques qui prétendent ne subir l'influence d'aucune théorie et fonder leurs choix, leurs décisions et leurs comportements sur leur seule expérience et leur jugement. Ils pourraient bien être les esclaves inconscients de quelque psychologue industriel défunt ou à la retraite! Tous les dirigeants fondent leurs démarches sur des schémas théoriques, plus ou moins articulés, plus ou moins explicites, plus ou moins valides.

L'établissement des composantes d'une méta-stratégie sous-entend que, selon sa compréhension des rouages du changement radical, le dirigeant définit les mesures à prendre et les processus à mettre en marche pour implanter dans l'organisation la culture et la structure cibles. Cette étape de définition de la méta-stratégie doit apporter des réponses aux interrogations suivantes:

- Quelle théorie du changement inspire le responsable de la stratégie radicale? Quelle est la valeur empirique de cette théorie? Est-elle appropriée au type de changement envisagé? (Voir Firsirotu, 1984; Allaire et Firsirotu, 1985; Leifer et White, 1986; Gersick, 1991 *et al.*)

- Quels liens, relations ou connexions peut-on établir entre les présents arrangements structurels et culturels, et ceux visés par la stratégie radicale? Peut-on accomplir une bonne partie du changement par l'**affirmation** de certaines valeurs, croyances et postulats actuels, et la **destruction** systématique d'autres valeurs ou croyances devenues nocives pour le fonctionnement de l'organisation? L'objectif du changement radical peut-il être conçu comme un **retour** aux valeurs et aux modes d'exploitation d'antan, lesquels furent malheureusement abandonnés ou négligés récemment?

- Doit-on se donner comme objectifs immédiats la culture et la structure cibles que l'on souhaite pour l'organisation ou doit-on plutôt proposer d'abord une culture et une structure intermédiaires et transitoires? Il arrive souvent qu'il ne soit ni possible ni habile de tenter d'aller directement au terminus.

L'atteinte des objectifs est alors fonction d'arrangements structurels et culturels qui ne sont pas optimaux et qui peuvent même imposer des coûts additionnels de fonctionnement. Cependant, ces arrangements intermédiaires sont souvent nécessaires pour amorcer un mouvement de changement au sein de l'organisation en lui fournissant des objectifs plus faciles à comprendre et à atteindre.

- Comment les différents processus et systèmes de gestion de l'organisation peuvent-ils être mis à contribution pour appuyer la stratégie de changement ? La démarche de planification stratégique ainsi que les systèmes de budgétisation et de rémunération, par exemple, peuvent devenir d'excellents conduits pour inciter à des changements de comportements.

- Quels rôles devra jouer la gestion symbolique, politique ou technique dans l'exécution de la méta-stratégie ? Quels sont les groupes et factions qui devront se ranger derrière le changement proposé pour en assurer le succès ? Quels sont les symboles qu'il faudra proposer ou attaquer pour communiquer efficacement la volonté et la direction du changement ?

La stratégie de changement radical que nous proposons ici veut qu'un programme de mesures bien coordonné et synchronisé soit conçu afin d'aborder **à la fois** les dimensions culturelle et structurelle de l'organisation.

Ce programme doit être éminemment conséquent et cohérent. Il doit pratiquer ce qu'il prêche et ne pas contenir de contradictions flagrantes entre le noble propos et les gestes concrets, entre les phrases ronflantes et les réalités quotidiennes du fonctionnement de l'organisation. En ces périodes de transition, le risque d'incohérence est grand et peut facilement susciter chez les membres un cynisme très nuisible à l'organisation !

S'il est un moment où la **gestion symbolique** prend une importance démesurée, c'est bien lors de changements radicaux dans les organisations complexes. Ce type de gestion se fonde sur une compréhension poussée des mécanismes sociaux qui sous-tendent la création de symboles, de significations ou de mythes et sur une solide compétence dans l'usage des mécanismes de la rhétorique de persuasion (Eccles et Nohria, 1982). La gestion symbolique consiste à donner à ces mécanismes une orientation utile au changement souhaité.

La gestion symbolique comporte donc la diffusion d'abondants matériaux symboliques de façon à ce que, lorsqu'ils sont appuyés par des changements structurels bien choisis, ils contribuent à modifier le cadre mental des membres de l'organisation.

Illustration de la troisième étape
Méta-stratégie du CNX

L'examen détaillé des événements et des mesures prises durant cette période (Firsirotu, 1984) nous amène à conclure que le président en poste à l'époque ne s'était pas défini une méta-stratégie très précise et comptait plutôt sur ses instincts politiques et sur son expérience de la gestion pour réaliser les changements nécessaires. De même, malgré quelques efforts en ce sens, il ne comprenait pas pleinement la dimension culturelle du CNX au moment où il en assumait la présidence. Ces deux lacunes faillirent lui coûter cher.

Ainsi, il adopta un style de gestion « par consensus » qui l'avait bien servi ailleurs, mais qui était étrange et synonyme de faiblesse dans la culture du CNX, et ce bien que ce style semblât « rafraîchissant » pour les dirigeants syndicaux. Le nouveau président ne comprit pas, pendant un certain temps du moins, comment les problèmes du CNX tenaient à des critères de décision et à des modes de gestion typiques d'une entreprise dans le transport ferroviaire. Lorsqu'il recruta une nouvelle équipe de direction, il se tourna vers des cadres du CN, ne faisant ainsi que renforcer la culture du CN à l'intérieur du CNX. Enfin, il ne fut pas sensible au fait que l'opposition de ses cadres à toute mesure pouvant diminuer le volume d'affaires du CNX était la manifestation d'un postulat inattaquable dans la culture du CN. Il s'évertua donc en vain à les persuader selon des arguments rationnels, mais pourtant sans grande prise sur ses interlocuteurs.

Par contre, lorsqu'il se fut doté d'une stratégie de marché et d'une vision claire du destin du CNX, il agit avec beaucoup d'habileté. Sa **gestion politique** des syndicats fut superbe. Le président gagna la confiance des chefs syndicaux qui l'appuyèrent personnellement durant tout le déroulement de ces événements. Ceux-ci furent cosignataires des communiqués annonçant des coupures draconiennes dans les effectifs et le nombre des terminus, et participèrent même aux comités mis sur pied pour exécuter la stratégie.

Sa **gestion symbolique** fut également bien inspirée. Il dressa une liste des firmes américaines affichant des performances excellentes et dont la stratégie de marché était semblable à celle proposée pour le CNX. Il fit en sorte que tous les membres de son équipe de direction fassent tour à tour des stages d'observation dans ces sociétés et en apprennent les règles d'exploitation. Des firmes comme Ryder et Consolidated Freightways devinrent rapidement des symboles concrets et éloquents de ce que devait devenir le CNX, des incarnations de sa culture et structure cibles. La direction du CNX en vint à évaluer sa performance en fonction des normes en cours dans ces firmes et à mesurer le chemin qu'il lui restait à parcourir selon l'écart entre le CNX et ces entreprises américaines.

Constatant finalement le poids négatif de la culture du CN sur le fonctionnement du CNX, le président prit des mesures pour dissocier physiquement et psychologiquement sa division du reste du CN. Il dota CNX d'une structure propre et différente de la structure « ferroviaire » alors en place. Il mit sur pied un journal interne pour les employés du CNX qui ne recevaient jusqu'alors que le journal du CN à orientation carrément « ferroviaire ». Il donna au CNX un nouveau sigle et de nouvelles couleurs très distinctes. Il établit un système comptable et une structure de rémunération propres au CNX.

Donc, malgré certaines erreurs imputables à une conception imparfaite de l'exécution d'une stratégie radicale (mais qui, à l'époque de ces événements, pouvait se vanter de maîtriser cet art?), le nouveau président fut néanmoins bien servi par ses habiletés de gestionnaire symbolique et politique. Il arriva ainsi à déclencher un puissant mouvement de changement au CNX. En moins de 18 mois, cette opération se traduisit par la fermeture de 56 terminus sur 87, par la mise à pied de 1 400 personnes sur 3 800 et par la réduction de moitié du déficit d'exploitation, et tout cela avec le concours des syndicats, du CCT et de la haute direction du CN.

D) *Quatrième étape: exécuter la stratégie radicale*

C'est au cours de cette période que la notion de « stratégie radicale » prend tout son sens. Il s'agit en effet d'une étape intense durant laquelle les dirigeants doivent projeter une nouvelle image de l'entreprise, de sa stratégie externe, de ses valeurs et de ses modes de fonctionnement.

Dans un premier temps, la direction doit faire partager aux membres de l'organisation son diagnostic quant à la situation et aux défis auxquels est confrontée l'organisation. Ce n'est pas tellement la « résistance au changement » qui fait obstacle à l'implantation d'une stratégie radicale, mais souvent des efforts insuffisants pour faire partager les conclusions et les diagnostics auxquels les dirigeants sont arrivés. Pour les membres de l'organisation qui ne font pas partie de la haute direction, le changement survient trop souvent sous forme de décisions et de décrets sans fondements évidents.

Les dirigeants devraient donc communiquer clairement et à profusion les informations qui leur ont servi à tirer des conclusions quant au devenir de l'organisation. Ils doivent également montrer comment ils comptent relever les défis qui engagent l'organisation.

Il est souvent utile à ce stade de reconnaître partout dans l'organisation des individus qui sont favorables à la nouvelle orientation, de les former et de les informer de façon à ce qu'ils puissent agir comme agents de changement efficaces.

Le dirigeant lui-même, en tant qu'**incarnation de l'entreprise**, de ses valeurs et de ses orientations nouvelles, peut être l'agent le plus puissant du changement, le modèle des nouvelles valeurs et normes de comportement qui sont devenues essentielles à la survie et à la réussite de l'organisation.

L'**objectif** d'une stratégie radicale est donc d'effectuer des changements majeurs dans l'orientation stratégique, la structure, le niveau des coûts, les systèmes de gestion d'une organisation afin qu'elle soit en mesure de relever les défis de nouveaux contextes de fonctionnement.

L'**enjeu** de toute stratégie radicale consiste à transformer la culture de l'organisation, à faire évoluer les mentalités des membres de l'organisation de façon favorable aux changements d'orientation stratégique. Ainsi, les changements de structure doivent provoquer certains changements de culture et, à leur tour, les nouveaux arrangements culturels doivent légitimer les changements de structure. La tension entre ces deux composantes est inévitable durant les périodes de changement radical. Le leader du changement devra veiller à ce que cette tension n'atteigne pas un degré critique susceptible de provoquer la désorientation, la confusion et le désarroi dans l'organisation.

Pendant les périodes de transition plus qu'à tout autre moment, les membres de l'organisation seront à l'affût de signaux et de rumeurs, essaieront de deviner les intentions et les motivations des dirigeants. Toute contradiction entre les paroles et les actes de la direction sera vite remarquée. Les signaux équivoques et contradictoires pourront faire dévier ou ralentir le processus de changement.

Les concepts proposés dans ce chapitre fournissent un modèle pratique pour concevoir et formuler des stratégies radicales, ainsi que pour gérer les discontinuités stratégiques. Évidemment, en ce domaine, la théorie doit enrichir l'intuition, l'expérience et les aptitudes du dirigeant. Ces attributs essentiels du leadership prennent leur pleine valeur lorsqu'ils sont dédiés à la création, à la transformation, au redressement ou à la revitalisation de ces systèmes sociaux complexes que sont les grandes entreprises modernes.

6.5 L'ÉVOLUTION ET LES FRONTIÈRES DE L'ORGANISATION

De toute évidence, la notion d'organisation englobe un vaste assortiment d'entités et de regroupements de personnes, à tel point que Coleman (1982) et Drucker (1993) concluent que les sociétés modernes sont devenues des « sociétés d'organisations ».

Cette variété provient, entre autres, des différentes formes que prennent les organisations au cours de l'évolution de l'entreprise, ce dont nous allons traiter dans cette section. De même, nous décrirons les modes de leadership et de gestion qui s'y manifestent tout au long de leur développement. Nous y traiterons également des forces sociales et psychologiques qui tendent à **délimiter l'organisation**, à en fixer les frontières indépendamment des impératifs **économiques** qui définissent les frontières de la **firme**, comme nous l'avons indiqué au **chapitre** 1. Rappelons que le concept de firme et d'entreprise fait référence aux aspects économiques et à la définition juridique de l'entité alors que le concept d'organisation se réfère aux dimensions sociales et psychologiques qui définissent l'entité envers laquelle les membres manifestent un fort sentiment d'appartenance.

6.5.1 L'évolution de la firme et de l'organisation

Toute firme ou institution prend sa source dans l'activité entrepreneurielle d'un fondateur ou de quelques individus-fondateurs. Pendant plus ou moins longtemps, l'entreprise demeure la création de son ou ses fondateurs qui en façonnent les composantes, les articulations et les caractéristiques.

Tant que la firme demeure centrée sur les marchés, les produits et les technologies que maîtrise totalement le fondateur, et que celui-ci possède l'énergie et la vitalité nécessaires à la gouverne d'une entreprise de plus en plus importante, ce mode entrepreneurial de leadership et de gestion, qui sous-tend pour une bonne part le dynamisme des économies de marché, s'avère fort efficace.

Le mode entrepreneurial de leadership

Le leadership dominant, parfois même charismatique, du fondateur imprègne toute l'organisation, dont la culture est alors en grande partie l'extension de ses valeurs personnelles. La connaissance «holistique» de son entreprise chez l'entrepreneur-fondateur, résultat d'une participation intense à tous les détails et étapes de son développement, donne à celui-ci une capacité de gestion exceptionnelle, mais crée souvent un vide de talent autour de lui.

Entouré d'**exécutants** loyaux, disponibles et admiratifs, l'entrepreneur-fondateur peut ainsi bâtir une entreprise d'une dimension considérable **pourvu qu'il ne dévie pas du secteur industriel et du marché qu'il connaît à fond**. Il ressemble alors à un grand maître aux échecs capable de jouer et de gagner avec aisance, brio et sans grande fatigue mentale plusieurs parties simultanées contre des adversaires de moindre force.

Selon une certaine vision des choses, toute l'activité économique devrait prendre la forme d'un foisonnement de petites, moyennes ou grandes entreprises simples et bien focalisées, dirigées par des entrepreneurs-fondateurs épris de leur entreprise.

Or, l'observation la plus superficielle de tout système économique révèle qu'il n'en est pas ainsi. Les raisons en sont fort simples. D'abord, l'entrepreneur-fondateur doit éventuellement laisser sa place à un successeur, moment difficile dans la vie de toute entreprise et qui amène une nouvelle forme de leadership et de gestion. Puis, les entreprises croissent en **diversité** et en **complexité** au-delà de ce qui peut être géré sous ce mode entrepreneurial lorsque, dans leur recherche d'avantages économiques, elles ajoutent de nouveaux marchés géographiques et élargissent la gamme de leurs produits de façon à utiliser pleinement les technologies, les actifs et les compétences de l'entreprise.

Enfin, dans beaucoup de secteurs, les investissements nécessaires pour le développement de produits et l'appareil de production exigent un jour ou l'autre le recours à un financement public, ce qui change le caractère de l'entreprise et ses modes de gestion.

Que ce soit parce que l'entrepreneur-fondateur devra tôt ou tard céder sa place à la tête de la firme, que l'entreprise est devenue trop complexe et diversifiée pour être gérée selon le mode entrepreneurial,

Figure 6.5   Évolution de l'entreprise et modes de leadership

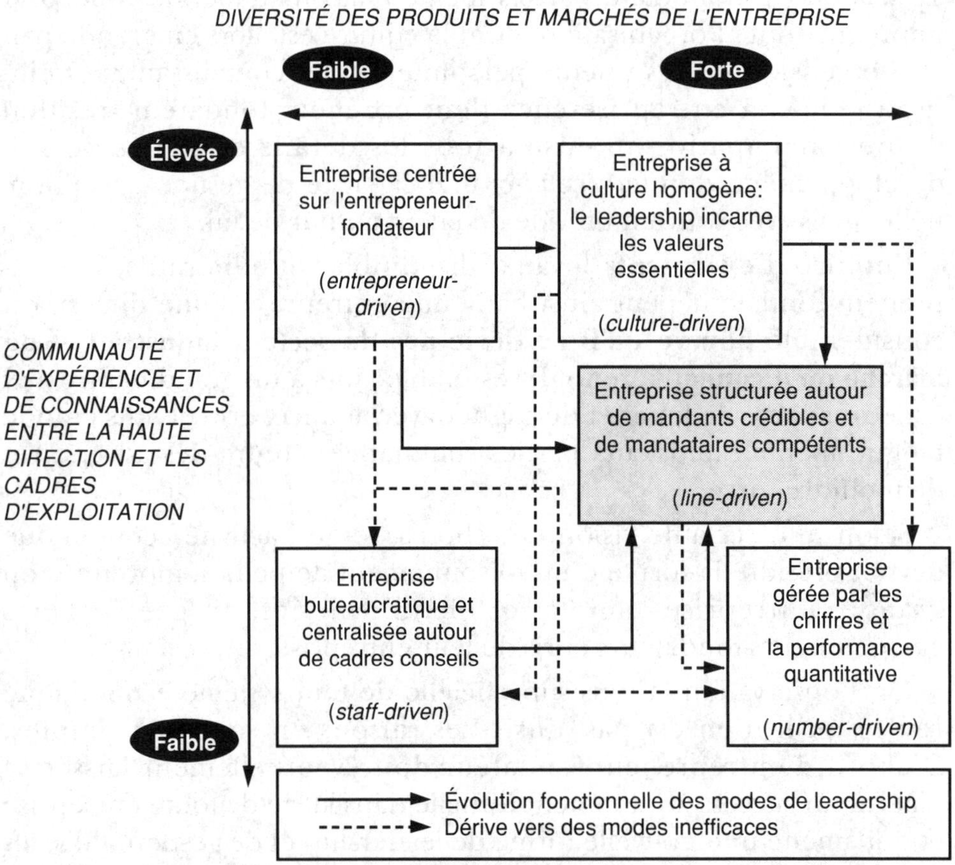

DIVERSITÉ DES PRODUITS ET MARCHÉS DE L'ENTREPRISE

Faible — Forte

Élevée

Entreprise centrée sur l'entrepreneur-fondateur
(*entrepreneur-driven*)

Entreprise à culture homogène: le leadership incarne les valeurs essentielles
(*culture-driven*)

COMMUNAUTÉ D'EXPÉRIENCE ET DE CONNAISSANCES ENTRE LA HAUTE DIRECTION ET LES CADRES D'EXPLOITATION

Entreprise structurée autour de mandants crédibles et de mandataires compétents
(*line-driven*)

Entreprise bureaucratique et centralisée autour de cadres conseils
(*staff-driven*)

Entreprise gérée par les chiffres et la performance quantitative
(*number-driven*)

Faible

→ Évolution fonctionnelle des modes de leadership
--→ Dérive vers des modes inefficaces

que l'entreprise est passée à un nouvel acquéreur ou qu'elle est devenue publique par son actionnariat, celle-ci devra évoluer dans ses modes de leadership et de gestion.

Comme le montre la figure 6.5, cette évolution peut suivre différents chemins. À une certaine époque, le cheminement usuel dans un premier temps faisait passer l'entreprise d'un mode de leadership entrepreneurial à un **mode culturel.**

Le mode culturel de leadership

Durant cette évolution, souvent difficile et chaotique, les valeurs, les savoir-faire et les recettes qui ont fait le succès de la firme sont institutionnalisés dans l'organisation. Celle-ci possède maintenant les mécanismes pour socialiser les nouveaux membres à ses valeurs et à ses façons de faire ainsi que pour façonner les mentalités de ses membres.

Cette compétence de l'organisation à intégrer et à assimiler de nouveaux membres à sa culture propre durant sa phase de croissance provient souvent de ce qu'un **bâtisseur d'organisation** a pris la relève de l'entrepreneur-fondateur. Une fois ces systèmes et valeurs de gestion mis en place, et tant que ceux-ci continuent d'être fonctionnels, les leaders qui se succèdent à la tête de l'organisation tirent leur légitimité et leur crédibilité du fait qu'ils sont des produits de ces systèmes et qu'ils en épousent fidèlement les tenants et aboutissants.

Nous retrouvons en ces organisations les caractéristiques décrivant les entreprises des quadrants 1 et 2 du tableau 6.1 :

- recrutement de personnel à la sortie des études et promotion interne quasi exclusive ;
- relation de durée entre l'individu et l'organisation « pour le meilleur et pour le pire » ;
- faible mobilité interfirmes du personnel ;
- efforts importants et orchestrés pour promouvoir les valeurs, les façons de penser et de faire de l'organisation ;
- coïncidence entre l'intérêt à long terme des membres et les objectifs de l'organisation ainsi qu'un contrôle par les pairs sur les comportements opportunistes des membres.

Selon ce mode de gestion et de leadership, les valeurs partagées, l'expérience commune, ainsi que les intérêts convergents entre le personnel et les dirigeants, donnent à ceux-ci une grande légitimité et servent non seulement à contrer, mais aussi à canaliser les propensions opportunistes des membres.

Cependant, l'organisation peut ne pas graviter vers ce mode de leadership ou encore devoir s'en éloigner, et ce pour plusieurs raisons :

- Le contexte social ou stratégique ne se prête pas ou plus à ce genre de relations entre l'entreprise et son personnel.

- Le leadership n'a pu ou n'a pas su bâtir en temps opportun ce type d'organisation à forte socialisation.

- L'entreprise s'est diversifiée, souvent par acquisition d'autres entreprises, dans des domaines qui exigent des compétences, des technologies, du savoir-faire et des valeurs de gestion fort différents de ceux du secteur d'origine de l'entreprise.

En toute éventualité, l'entreprise se trouve alors à un moment-charnière de son développement. Elle peut facilement dériver vers des modes de leadership et de gestion comme le mode bureaucratique ou encore un mode de gestion axé essentiellement sur les chiffres et la performance quantitative, qui s'avèrent insatisfaisants et peuvent mettre en péril la survie de l'entreprise.

Ces modes de gestion sont caractérisés par des mandants souffrant d'un manque de crédibilité chronique auprès du personnel d'exploitation puisqu'ils n'en partagent ni l'expérience, ni les valeurs, ni le savoir-faire.

En décrivant les caractéristiques de l'entreprise diversifiée et moderne, structurée autour de mandants légitimes et crédibles et de mandataires compétents (*line-driven management*), il nous sera facile d'indiquer comment l'entreprise peut glisser vers des modes dysfonctionnels de gestion et de leadership (voir aussi à ce sujet Allaire et Firsirotu, 1990, ainsi que la section 3.7 au **chapitre 3**, portant sur les coûts de mandat).

Cette façon de concevoir la gestion et le leadership de l'entreprise moderne se fonde sur un certain nombre de constats déjà décrits dans ce chapitre :

- La mobilité professionnelle des cadres et du personnel technique et leur maîtrise de compétences spécifiques qui créent un marché relativement efficient pour ces « travailleurs savants » (*knowledge workers*).

- La diversité des opérations de l'entreprise, résultant d'une croissance organique ou d'acquisitions, ainsi que son extension géographique, directement ou par acquisitions, font en sorte que plusieurs cultures organisationnelles doivent inévitablement coexister au sein de l'entreprise.

- Le regroupement au sein d'une même équipe de gestion d'individus aux expériences professionnelles diverses acquises au service de différentes entreprises.

- Un rythme d'évolution des conditions du marché, de la concurrence et de la technologie qui exige une grande capacité d'adaptation des compétences et des ressources de l'organisation, et qui provoque un haut niveau de vulnérabilité de l'entreprise à ses différents marchés.

En fait, ces caractéristiques définissent l'entreprise du quadrant 3 du tableau 6.1. Dans ces situations de plus en plus fréquentes à notre époque, la grande entreprise doit être conçue soit comme une **communauté de firmes de petite ou de moyenne taille** reliées entre elles par leur recours à des actifs tangibles ou intangibles communs, soit comme un **assemblage de processus fortement intégrés** au-delà des divisions fonctionnelles ou géographiques.

Dans un cas comme dans l'autre, le mode de gestion et de leadership approprié comprendra les éléments suivants :

- Un **leadership fondé sur la légitimité et sur l'expertise** substantive du mandant plutôt que sur une longue expérience commune au mandant et à ses mandataires. Dans l'entreprise moderne, le mandant tire sa **légitimité** d'un poste d'autorité auquel il a été nommé par les propriétaires de l'entreprise ou leurs représentants désignés. Il tire sa **crédibilité** de sa compétence à superviser et à orienter un secteur d'activité précis. Le mode **bureaucratique** de gestion est souvent affligé de mandants illégitimes (cadres conseils sans véritable autorité) qui cherchent à se substituer à des mandants légitimes mais non crédibles. C'est d'ailleurs là une carence endémique du système britannique de gouvernement, qui se fonde sur des ministres comme mandants légitimes mais souvent non crédibles. Le **mode par chiffres** souffre par contre d'une structure de mandants non crédibles qui sont facilement manipulés et pris en charge par des mandataires plus compétents et mieux informés (voir la section 3.7 sur le **contrôle par indicateurs financiers**).

- Une **démarche de planification stratégique et de budgétisation** ainsi qu'une qualité d'informations stratégiques et financières qui permettent au mandant d'influencer les orientations des entités dont il est responsable et d'en superviser adéquatement la performance.

- Une **large responsabilité d'initiatives stratégiques** impartie aux mandataires dans le cadre de la mission attribuée à leur entité.

- Un **noyau de valeurs communes** proposées par la direction de l'entreprise qui contribuent au développement de son capital social, qui suscitent la fierté et l'adhésion du personnel stratégique, et qui servent à contrer les forces centrifuges de la diversité.

- Un **système de rémunération bien calibré** et arrimé à des mesures de création de valeur économique propres à chaque entité, et qui donne au personnel stratégique un sentiment et un comportement de copropriétaires ou d'associés.

L'entreprise qui tente de diversifier ses opérations par l'**acquisition** de firmes dans des secteurs autres que celui ou ceux qu'elle connaît bien devra rapidement mettre en place un mode de gestion et de leadership pour ces nouveaux secteurs qui soit fidèle aux exigences décrites ci-dessus. En effet, de façon générale, l'incompréhension ou le mépris de ces conditions essentielles pour la gestion stratégique de l'entreprise diversifiée a causé des déconvenues douloureuses et souvent même sa déconfiture.

Enfin, durant une phase de transition, le leadership de l'entreprise tend à s'exercer selon un mode hybride, c'est-à-dire que, par exemple, le secteur traditionnel sur lequel a été fondée l'entreprise continue d'être géré selon le mode entrepreneurial, alors que pour de nouveaux secteurs l'on tente de s'astreindre à un mode de leadership (*line driven*) tel que décrit ci-dessus.

Cependant, de tels modes hybrides de leadership requièrent une grande et rare subtilité de la part des dirigeants de l'entreprise, et ne peuvent se pratiquer que pour une courte période de temps.

6.5.2 Les frontières de l'organisation

Le lecteur aura sans doute remarqué que nous avons évité de définir le contour d'une organisation. Selon le schéma conceptuel que nous avons proposé dans ce chapitre, une organisation est délimitée par un ensemble de valeurs, de croyances et de mentalités communes à un groupe d'individus et appuyées par des arrangements structurels spécifiques leur donnant une assise et une substance distinctes.

En termes pratiques, le contour d'une organisation se manifeste souvent par le sens et la portée que les membres donnent au «nous». Or, cette dimension de l'organisation pourra coïncider avec les frontières juridiques de l'entreprise, mais cela ne se produira **naturellement** que pour les très petites entreprises.

En effet, très tôt dans le développement d'une entreprise, de puissantes forces centrifuges exercent sur elle une pression qui tend à la fragmenter en de multiples «organisations» définies soit par différentes fonctions (marketing, production, finances, génie) ou par différents sites géographiques, soit selon l'appartenance au personnel syndiqué ou au personnel cadre ou professionnel, soit selon les produits / marchés desservis, etc.

L'émergence d'«organisations» distinctes peut être souhaitable lorsque, par exemple, cela favorise l'adaptation d'une entité à des contextes et contingences qui lui sont propres. Ce phénomène peut cependant être la cause de grandes difficultés de fonctionnement et de coûts de complexité lorsqu'il fragmente en plusieurs organisations une entreprise qui devrait n'être constituée que d'une seule organisation; il en est ainsi lorsqu'une forte identification fonctionnelle ou divisionnelle mène à des relations hostiles entre fonctions d'une même firme.

Enfin, l'émergence d'organisations distinctes au sein d'une même entreprise constitue parfois un phénomène regrettable mais incontournable; cela peut se produire, par exemple, lorsque le personnel d'exploitation appartient à un syndicat aux valeurs affirmées, voire opposées à celles de la direction.

Les membres ne bénéficiant d'aucun contrepoids pour stimuler chez eux une identification et un sentiment d'appartenance à un ensemble plus large, auront une tendance naturelle à se regrouper selon leurs intérêts professionnels, leur expertise spécifique, leurs valeurs sociales, leur appartenance syndicale, ethnique ou linguistique, etc.

Il incombe donc aux dirigeants d'une entreprise, tout au cours de son développement, d'œuvrer pour que, dans toute la mesure du possible, le contour des organisations qu'elle abrite soit compatible avec les exigences d'un fonctionnement efficace et conforme aux impératifs économiques qui définissent les **frontières de la firme.**

En effet, si les facteurs économiques sont tels qu'une firme de petites dimensions puisse afficher une efficience optimale, alors le défi de doter cette petite firme d'une organisation unique qui lui permette d'atteindre ce niveau optimal d'efficience est relativement facile à relever, bien que la direction ne doive pas être complaisante à ce sujet.

Cependant, lorsque les facteurs économiques exigent une grande taille et parfois même l'établissement d'un système intégré et coordonné d'unités distinctes situées en des lieux géographiques différents, le défi de créer et de maintenir une **seule** organisation à laquelle tous les membres de la firme s'identifient à un degré suffisant constitue une tâche redoutable mais essentielle. C'est en relevant ce défi que les bâtisseurs d'organisations ont contribué à la création d'entreprises capables de tirer tous les avantages économiques associés à la taille et à l'envergure de leurs opérations.

Ainsi, il est évident que certaines stratégies de marché présentées au **chapitre 5** (envergure de marché, envergure de produits, etc.) nécessitent la mise en place d'**une seule** organisation ou, à tout le moins, de quelques organisations **reliées** par un noyau de valeurs communes et une certaine identification des membres à l'entreprise dans son ensemble.

6.6 CONCLUSION

Ce chapitre, qui se veut aussi un peu le prologue du volume 2 de cet ouvrage, a rassemblé un certain nombre de concepts, de considérations et d'observations sur les organisations.

Le thème principal et la thèse centrale de ce chapitre sont que l'**exécution** d'une stratégie économique et le **façonnement** d'une organisation performante deviennent dans les faits une seule et même réalité. Si la **conception** d'une stratégie doit s'inspirer de nombreuses notions économiques, y compris une haute sensibilité à la conception « économiste » de l'organisation, de ses ressources et de ses compétences, sa **réalisation** passe par un ensemble de processus sociologiques et psychologiques qui définissent la qualité de l'organisation.

Ce thème général a été traité sous plusieurs angles. D'abord, nous avons voulu souligner certains aspects de la relation complexe et changeante entre l'individu et l'organisation, et ce en abordant les motifs de la participation et du consentement, selon différents contextes organisationnels. Nous avons aussi décrit comment, selon certains facteurs contingents ou sociaux tels que la vulnérabilité de l'entreprise et la mobilité interfirmes de son personnel, les enjeux de la motivation, de la pérennité de la relation entre l'individu et l'organisation et de la rémunération prennent un caractère très différent.

Nous avons également fourni au lecteur un cadre de référence pour l'examen de toute organisation et pour comprendre rapidement son origine, les forces qui la façonnent ainsi que les relations qui appuient ses valeurs, ses croyances et ses modes de fonctionnement.

Ce chapitre fournit aussi une ébauche de théorie sur le concept de changement radical des organisations, thème qui sera repris au volume 2. La distinction entre quatre types de diagnostics quant à la relation entre l'organisation et ses contextes présents et futurs permet de comprendre plus clairement la nature des enjeux auxquels doit faire face la direction d'une entreprise.

Enfin, nous avons esquissé les différents modes de gestion et de leadership qui tendent à se manifester au cours de différentes phases d'évolution de l'entreprise.

Chapitre 7

LA GESTION DU RISQUE ET DE L'INCERTITUDE : LES MODES TECHNOCRATIQUE, POLITIQUE ET STRUCTUREL

Plan de chapitre

7.1   INTRODUCTION

La formulation de la stratégie est une activité forcément orientée vers l'avenir et donc vulnérable au caractère imprévisible des événements futurs. L'incertitude est à la fois la **raison d'être** de la planification stratégique et la **cause** de sa piètre contribution à la gestion des entreprises. La performance souvent insatisfaisante de la planification stratégique s'explique en partie par une propension quasi irrésistible à « bureaucratiser » les activités inhérentes au processus de planification et à transformer ce dernier en un exercice technocratique par lequel on tente de « prédire l'avenir et s'y préparer ».

Ce mode **technocratique** de planification stratégique peut s'avérer un exercice stérile qui n'engendre pas les bénéfices attendus. C'est souvent cette approche de la planification stratégique qui fit l'objet des critiques les plus virulentes et d'une ironie mordante. La définition de la planification donnée par **Ambrose Bierce**, selon lequel il s'agit simplement d'une recherche laborieuse de la meilleure façon d'atteindre un résultat **accidentel**, provoque toujours des sourires entendus chez les dirigeants d'entreprises.

En effet, en matière de stratégie, les événements semblent se moquer des hypothèses, des prévisions et des scénarios les mieux élaborés et rendre caducs les plans soigneusement établis. Souvent, les décisions et les actions les plus importantes n'apparaissent même pas dans les plans de l'entreprise. Aussi les gestionnaires en arrivent-ils, dans ce contexte, à formuler des plans qui soient en accord avec les attentes de leurs supérieurs et qui démontrent chez eux un bon dosage d'optimisme et de volontarisme. En conséquence, certains gestionnaires en viennent à croire que les bénéfices de la planification résident non pas dans le produit (le plan), mais plutôt dans le processus. **La planification stratégique devient alors l'équivalent du jogging** : ce n'est certes pas un moyen efficace pour se rendre à une destination donnée, mais sa pratique régulière permet à ses adeptes de mieux se sentir.

Or, nous estimons essentiel que, par un traitement plus complet des questions d'incertitude, la planification stratégique devienne enfin un soutien plutôt qu'un obstacle à une véritable pensée stratégique. Ce chapitre définit et décrit trois modes de gestion stratégique du risque et de l'incertitude auxquels tout dirigeant devrait avoir recours pour guider le destin de son entreprise.

Les dirigeants et les gestionnaires doivent s'efforcer de comprendre comment ces trois modes d'intervention pour composer avec l'incertitude peuvent les aider à pallier la vulnérabilité de leur firme :

- le **mode technocratique,** qui consiste à utiliser les meilleures techniques prévisionnelles afin d'anticiper les environnements futurs et d'élaborer des plans de contingence ;

- le **mode politique,** selon lequel les dirigeants créent ou contrôlent l'avenir de leurs firmes par la domination ou l'élimination des sources d'incertitude ;

- le **mode structurel,** qui consiste à immuniser l'entreprise contre l'incertitude en la dotant d'une structure qui soit flexible et qui s'adapte facilement aux contingences imprévisibles de son environnement.

Nous consacrerons ce chapitre à décrire et à définir ces trois modes de réponse.

7.2 LE MODE TECHNOCRATIQUE : PRÉDIRE ET SE PRÉPARER

La planification stratégique peut faire appel à un ensemble varié de techniques qui permettent de saisir les « tendances lourdes » de l'évolution de l'environnement. Cet appareillage technique comprend une vaste gamme de méthodes, soit les techniques de prévisions statistiques, technologiques et socio-politiques, les techniques prévisionnelles qualitatives fondées sur le jugement (Delphi, Matrice des impacts croisés, etc.), les simulations, l'élaboration de scénarios et de modèles d'entreprise, les procédures de « vigie environnementale », les systèmes d'information de gestion et, enfin, les recherches de marché.

Lorsqu'elles sont utilisées à bon escient, ces méthodes peuvent fournir un apport utile à la démarche stratégique. Certains événements futurs sont, de toute évidence, prévisibles ; certaines tendances se poursuivent pendant un temps plus ou moins long. Par exemple, les planificateurs auront tôt fait de souligner avec justesse comment une projection des tendances démographiques a contribué au grand succès de l'automobile Mustang, alors que l'introduction du modèle Edsel, fondée sur une décision «intuitive» des dirigeants de Ford, s'est avérée catastrophique.

Après une brève description des techniques prévisionnelles, lesquelles seront illustrées de quelques exemples, nous conclurons cette section par une discussion succincte des faiblesses du mode technocratique.

Selon leur degré d'utilisation de données quantitatives, les techniques prévisionnelles peuvent être sommairement classifiées en deux catégories, soit les techniques quantitatives et les méthodes qualitatives fondées sur le jugement.

1. Les méthodes quantitatives de modélisation comprennent la régression, l'analyse spectrale des séries chronologiques, les modèles économétriques et les indicateurs économiques, les extrapolations, les simulations et la modélisation d'entreprise. Elles se fondent sur l'utilisation de techniques statistiques de plus en plus complexes afin de prédire l'état futur des variables pertinentes.

2. Les méthodes fondées sur les jugements assemblent et organisent systématiquement les opinions et les jugements d'experts quant aux événements futurs et à leur impact sur la firme.

7.2.1 Les techniques quantitatives

Les méthodes de modélisation quantitative se fondent toutes sur l'hypothèse qu'il est possible d'extrapoler les tendances futures à partir de données passées et présentes et de relier l'avenir à des données historiques. Cette relation est captée par une équation ou un système d'équations qui est censé représenter le phénomène à l'étude. Ces équations définissent:

- la nature des variables qui sont incluses dans la modélisation du phénomène;
- la forme ou la structure présumée des relations entre variables;
- les valeurs des coefficients qui permettent de relier la variable dépendante à un ensemble de variables prédictives.

L'estimation des coefficients résulte de procédures statistiques variées qui assurent leur ajustement optimal à un ensemble d'observations empiriques ou de données passées. Dès lors, la précision d'un modèle sera plus grande lorsqu'il reproduit les résultats sur lesquels l'estimation est fondée que lorsque celui-ci doit prédire la valeur future des paramètres du phénomène à l'étude.

L'utilité de la modélisation quantitative est entièrement fonction de la pertinence des hypothèses fondamentales. En d'autres mots, un modèle quantitatif est valide aux fins de prédiction **pour autant que les relations structurelles présumées entre ses variables soient valables** dans l'avenir. Les modèles quantitatifs ne peuvent que projeter en avant les relations établies par la structure du modèle. Les changements de structure ne peuvent être captés par les modèles quantitatifs. Le meilleur et le plus élaboré des modèles ne donnera donc que de piètres résultats lorsque des changements viendront modifier la structure même du modèle.

Des changements importants dans les relations internationales, dans les comportements sociaux et dans la technologie peuvent modifier le contexte où prenaient racine les tendances passées, rendre ainsi désuètes les données historiques et supprimer la capacité du modèle de prédire les événements futurs. En présence de probabilités élevées de changements structurels, c'est-à-dire de discontinuités, les méthodes prévisionnelles quantitatives seront peu utiles, inefficaces, voire dangereuses.

Cet avertissement s'applique, à plus forte raison, aux méthodes plus élémentaires telles que l'extrapolation linéaire et les indicateurs économiques, lesquelles reposent sur l'hypothèse que les interactions entre les différents aspects de l'activité économique sont constantes et récurrentes. De telles méthodes tentent de construire des configurations d'événements économiques, c'est-à-dire de prévoir les variations dans la direction ou le rythme de différentes tendances.

Lorsque ces configurations sont récurrentes, certains événements tels que l'augmentation ou la diminution des stocks, le rythme de création de nouvelles entreprises, ou les variations de la masse monétaire signaleront systématiquement des changements subséquents dans les variables à l'étude, soit la croissance du PNB, le taux de chômage, le taux d'inflation, etc. On présume également que les changements dans ces variables sont précédés de changements dans les indicateurs «précurseurs» selon un intervalle constant d'un cycle économique à l'autre.

La figure 7.1 illustre comment les différents indicateurs macro-économiques peuvent être combinés afin de prévoir la demande de biens de consommation durables.

Nous démontrerons à l'aide de quelques exemples que l'utilisation efficace des meilleures techniques prévisionnelles disponibles peut être d'une aide considérable durant le processus de planification. Cela est particulièrement vrai lorsque des techniques complexes permettent de reconnaître les erreurs inhérentes aux prévisions faites à l'aide de techniques plus simples ou fondées uniquement sur l'extrapolation de l'expérience personnelle.

7.2.2 Le mode technocratique: l'exemple des prévisions de Boeing pour le marché des avions commerciaux

Le marché mondial des avions commerciaux est caractérisé par des variations de demande cycliques d'une amplitude très prononcée (voir la figure 7.2). Étant donné les longs délais entre les décisions et leur réalisation pour les entreprises du secteur aéronautique ou du transport aérien, ce type de demande constitue une source critique d'incertitude et définit un enjeu incontournable pour la gestion stratégique de ces firmes.

Boeing, avec une part du marché mondial de plus de 50 %, est particulièrement vulnérable à cette caractéristique du marché aéronautique. Ses dirigeants reconnaissent d'emblée que la performance concurrentielle de l'entreprise repose sur sa capacité de réduire sa vulnérabilité au caractère cyclique et imprévisible de la demande[1]. Aussi investissent-ils des sommes considérables dans la recherche fondamentale sur le marché, recherche dont l'objectif est de modéliser la dynamique des facteurs déterminants de la demande; de même, ils engagent des dépenses importantes pour obtenir des informations stratégiques fiables et opportunes concernant le marché.

En effet, exerçant au mieux un contrôle limité sur la demande, Boeing a choisi comme une de ses réponses stratégiques d'investir à

---

1. Comme toute entreprise compétente, Boeing ne se limite par uniquement aux moyens technocratiques pour pallier l'incertitude de la demande, mais utilise également les modes politique et structurel. Cependant, son recours au mode technocratique constitue un bon exemple d'utilisation compétente des meilleures techniques de prévision disponibles.

Figure 7.1   Exemple d'organisation de données statistiques : les biens de consommation durables

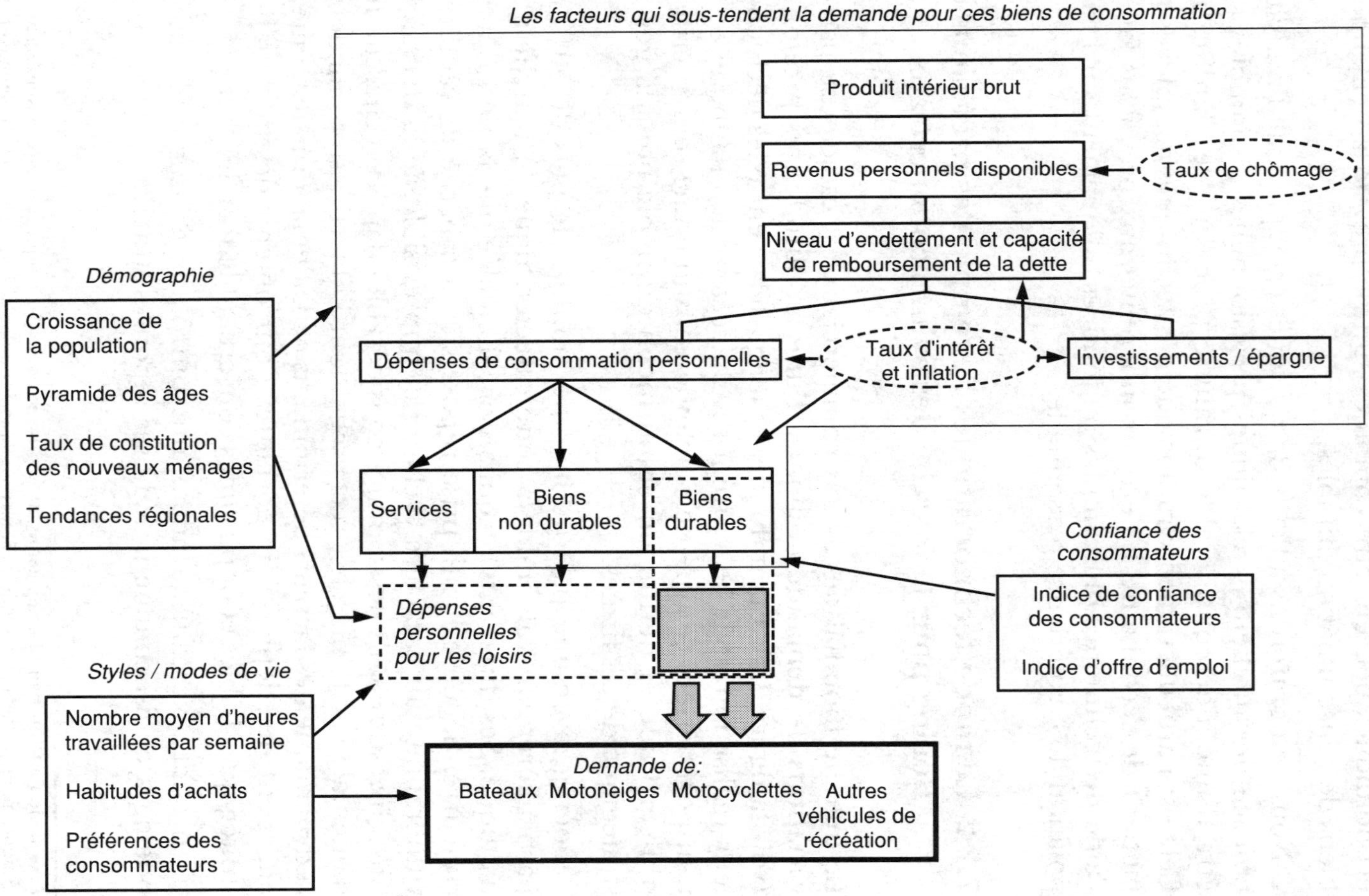

Les facteurs qui sous-tendent la demande pour ces biens de consommation

Taux de chômage

Produit intérieur brut

Revenus personnels disponibles

Niveau d'endettement et capacité de remboursement de la dette

Investissements / épargne

Taux d'intérêt et inflation

Confiance des consommateurs

Indice de confiance des consommateurs

Indice d'offre d'emploi

Dépenses de consommation personnelles

Biens durables

Biens non durables

Services

Dépenses personnelles pour les loisirs

Demande de:
Bateaux   Motoneiges   Motocyclettes   Autres véhicules de récréation

Démographie

Croissance de la population

Pyramide des âges

Taux de constitution des nouveaux ménages

Tendances régionales

Styles / modes de vie

Nombre moyen d'heures travaillées par semaine

Habitudes d'achats

Préférences des consommateurs

Figure 7.2   Livraisons d'avions commerciaux aux États-Unis (1958-1991)

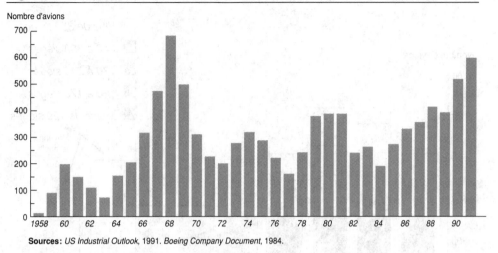

Sources : *US Industrial Outlook*, 1991. *Boeing Company Document*, 1984.

grande échelle dans des efforts systématiques de prévision afin d'améliorer sa capacité de prédire la demande et l'offre futures d'avions commerciaux. Conformément à cet objectif, le service de recherche commerciale de Boeing a mis au point un processus de prévision annuelle de la croissance du transport aérien mondial. Ce modèle permet de dégager le niveau relatif d'offre d'avions nécessaire pour répondre à la demande. La figure 7.3 présente les prévisions de Boeing quant aux livraisons mondiales d'avions pour la période s'échelonnant de 1989 à 2005.

La méthodologie présentée à la figure 7.4 se fonde sur un modèle économétrique développé par Boeing et qui lui est propre. Ce modèle relie un ensemble de facteurs macro-économiques ainsi que des variables provenant de l'industrie de l'aviation commerciale afin de déterminer les tendances futures de la demande de transport aérien (revenus / passagers / mille (RPM), RPM / marché géographique). À son tour, la demande prévisionnelle de RPM est reliée à un second modèle (voir la figure 7.5) qui tient compte de plusieurs variables typiques du secteur de l'aéronautique et de la configuration des avions, ce qui permet à Boeing d'obtenir les prévisions de livraisons d'avions commerciaux à l'échelle mondiale, ventilées en unités et en dollars ainsi que selon les modèles et la taille des appareils.

Une méthodologie qui requiert un réseau aussi complexe de variables afin d'obtenir des prévisions à long terme soulève évidemment le

Figure 7.3   Prévisions de livraisons mondiales d'avions commerciaux (1989-2005)

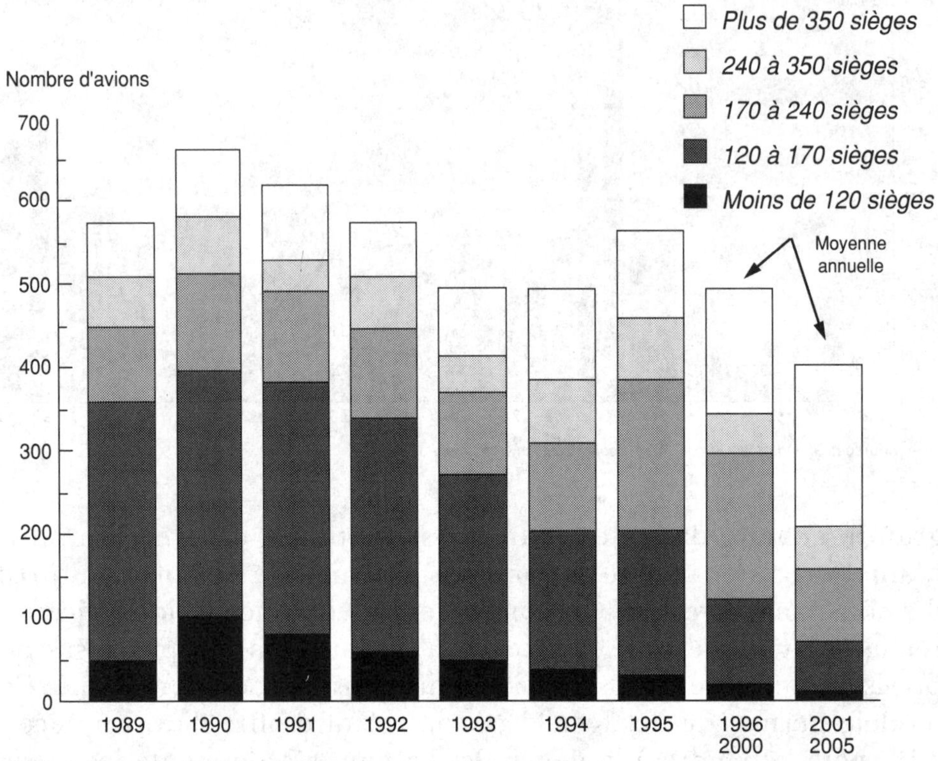

Source: *Current Market Outlook*, Boeing, 1989.

problème de la fiabilité des résultats et de leur sensibilité aux hypothèses quant aux paramètres fondamentaux du modèle. Par exemple, le comportement futur du prix international du pétrole et du **PIB** mondial, le taux d'utilisation des lignes aériennes, les substituts technologiques des voyages d'affaires, l'impact de la technologie sur la productivité des avions ainsi que sur les appareils mis au rancart, sont autant de variables pour lesquelles la qualité et la précision des prévisions sont critiques. Ainsi, un tel modèle n'a pu capter un événement comme le conflit avec l'Irak et son impact sur le volume de trafic aérien. De même, le modèle n'a pas prévu la sévérité de la récession de 1990-1992, de sorte que les estimations faites en 1989 quant à la demande pour ces années sont très supérieures à la réalité observée.

Il est évident que Boeing doit utiliser d'autres moyens pour réduire sa vulnérabilité, ce à quoi elle s'emploie activement en utilisant

Figure 7.4 La méthodologie de Boeing pour établir la demande dans le marché du transport aérien

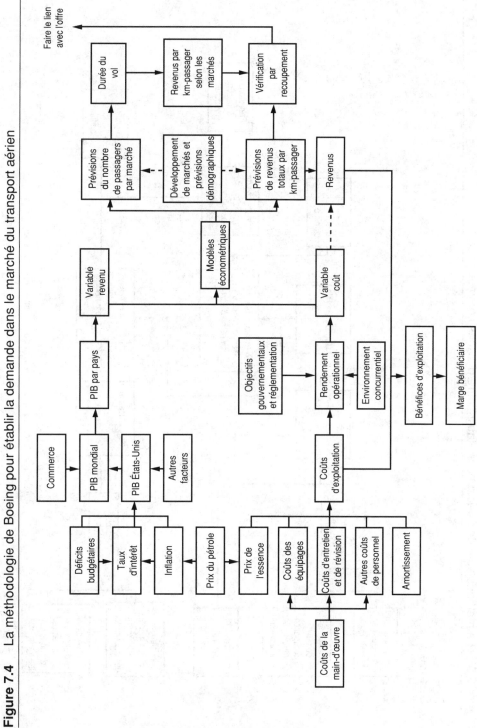

Figure 7.5   La méthodologie de Boeing pour établir l'offre d'avions commerciaux

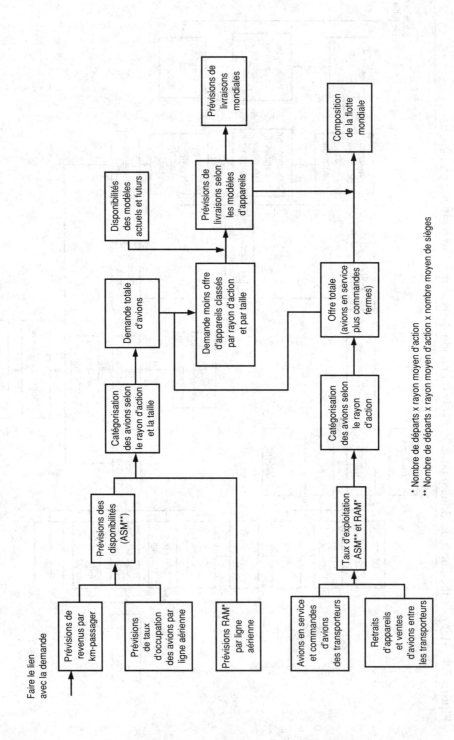

judicieusement des sous-traitants auxquels elle transfère une bonne partie du risque associé à la volatilité de la demande. Enfin, Boeing s'engage progressivement dans un réseau d'alliances afin de mieux pénétrer les marchés étrangers et de diminuer les risques associés au développement de nouveaux produits. Boeing, par exemple, estime que le développement d'un appareil « super-jumbo » pouvant transporter de 600 à 800 personnes coûtera quelque 10 milliards de dollars, une somme qui est bien au-delà des capacités de financement de ce géant de l'aéronautique.

Cependant, cette demande prévisionnelle et les hypothèses critiques qui l'appuient sont des composantes clés du système de planification stratégique de Boeing sur lesquelles a été fondée l'élaboration du plan d'affaires à long terme de la société, qui comprend les éléments suivants :

- les objectifs de vente ;
- l'analyse de la concurrence ;
- la planification de la production ;
- les besoins de main-d'œuvre, les stocks et l'allocation des ressources ;
- l'évaluation des nouveaux produits et la conception de nouveaux avions ;
- la planification financière.

L'objectif de Boeing en s'engageant dans cet effort de prévision est d'appréhender, avec un degré acceptable de précision, le comportement futur de variables critiques pour sa performance, et éventuellement d'influencer le processus décisionnel des compagnies aériennes. En tant que telles, les prévisions qui émanent de cette modélisation, ainsi que les autres modes de gestion de l'incertitude, fournissent à Boeing les moyens de bien se préparer à la rivalité intense qui se manifeste dans ses marchés.

7.2.3 Le mode technocratique et l'incertitude contextuelle : les modèles prévisionnels fondés sur la démographie

La critique du mode technocratique se fonde souvent sur la piètre performance des prévisions et extrapolations statistiques. En effet, les techniques prévisionnelles produisent le plus souvent des estimations linéaires des tendances futures qui ne tiennent pas compte des points tournants à l'intérieur de configurations cycliques.

La nature intrinsèque de ces configurations cycliques ne peut être comprise sans une analyse de la lente évolution des variables structurelles sur lesquelles elles reposent. La démographie est un exemple tout indiqué pour illustrer notre propos. Bien que les changements que subissent les variables démographiques ne se produisent pas rapidement, ces dernières peuvent façonner, de manière décisive et pour une période prolongée, les forces de la demande.

La démographie, utilisée à des fins prévisionnelles, présente un avantage important sur plusieurs variables économiques et financières. En effet, la faible volatilité des taux de naissance et de mortalité ainsi que des taux d'immigration et d'émigration donne lieu à des prévisions démographiques à long terme affichant un niveau raisonnable de fiabilité. Conséquemment, les modèles prévisionnels fondés sur la démographie permettent aux dirigeants de préparer graduellement leurs entreprises aux changements des environnements dans lesquels elles évoluent. Cette section se penchera sur deux applications de ces modèles et mettra en évidence leur contribution au mode technocratique de planification stratégique.

A)   *Les retombées de la distribution de la population sur le taux d'épargne: le cas des États-Unis*

Il est bien connu que le comportement des individus et des familles relativement à l'épargne a tendance à suivre le cycle de vie humaine et se résume comme suit:

- **entre 20 et 40 ans**, les individus ont des besoins financiers qui excèdent leurs revenus. Ce sont des **emprunteurs** nets;
- **entre 40 et 60 ans**, les individus atteignent le seuil optimal de leurs revenus, leurs besoins financiers diminuent et leurs économies ont tendance à augmenter en prévision de leur retraite. Ces gens constituent un bloc important d'**épargnants**;
- **après 60 ans**, les individus ont tendance à se retirer graduellement de la vie active et deviennent des « **décaisseurs** », car ils utilisent les économies qu'ils ont accumulées.

En conséquence de ces comportements, le taux d'épargne national d'un pays est grandement influencé par l'importance relative de ces trois groupes d'âge par rapport à l'ensemble de sa population active.

Par exemple, le faible niveau d'épargne enregistré aux États-Unis durant les vingt dernières années est attribuable en partie à l'arrivée des *baby boomers* sur le marché du travail, ce qui a porté la proportion du groupe des **emprunteurs** à environ 50 % de la population active dès le milieu des années quatre-vingt. Le Japon, dont la population est plus âgée, a subi un changement opposé, passant d'une proportion plus grande d'**emprunteurs** à un plus grand nombre d'**épargnants**. En conséquence, le Japon a régulièrement enregistré un niveau d'épargne plus élevé que celui des États-Unis durant cette période (voir la figure 7.6).

Cependant, durant la prochaine décennie, les États-Unis connaîtront une recrudescence de l'épargne, car les *baby boomers* atteindront progressivement la quarantaine, entraînant le rapprochement des taux d'épargne américains et japonais. Par exemple, une prévision démographique de la Banque mondiale révèle que la proportion d'épargnants dans la population active américaine passera de 28,2 % en 1985 à 39,3 % en l'an 2010 (voir la figure 7.7). Les économistes du Centre d'Études et de Prospective Internationales de France, qui ont

Figure 7.6   Comparaison du taux d'épargne des ménages* aux États-Unis et au Japon (1970-1988)

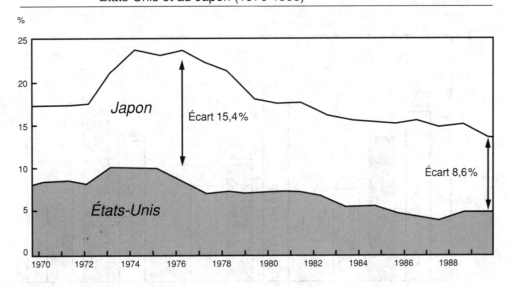

* Épargne mesurée en % du revenu disponible par ménage

Source : OCDE.

développé un modèle simulant l'impact des tendances démographiques sur le niveau d'épargne de quelques nations industrialisées, arrivent aux mêmes conclusions. Cette institution française va même jusqu'à prédire que le niveau d'épargne américain dépassera celui des Japonais entre les années 2000 et 2015 (voir la figure 7.8).

Ces tendances démographiques auront des répercussions importantes. Premièrement, elles suggèrent un fort potentiel de croissance des marchés de l'épargne et de l'investissement en raison de la population nord-américaine vieillissante. Deuxièmement, elles annoncent une diminution des pressions exercées par les ménages sur l'emprunt, ce qui a contribué à maintenir le coût du capital américain à un niveau nettement supérieur à celui des Japonais ou des Allemands durant la période 1965-1985. Un coût de capital inférieur aura plusieurs conséquences dont une demande plus forte pour des industries de biens d'équipement ou de production, la recrudescence des dépenses en recherche et développement, etc.

Figure 7.7   Répartition de la population américaine selon la situation financière

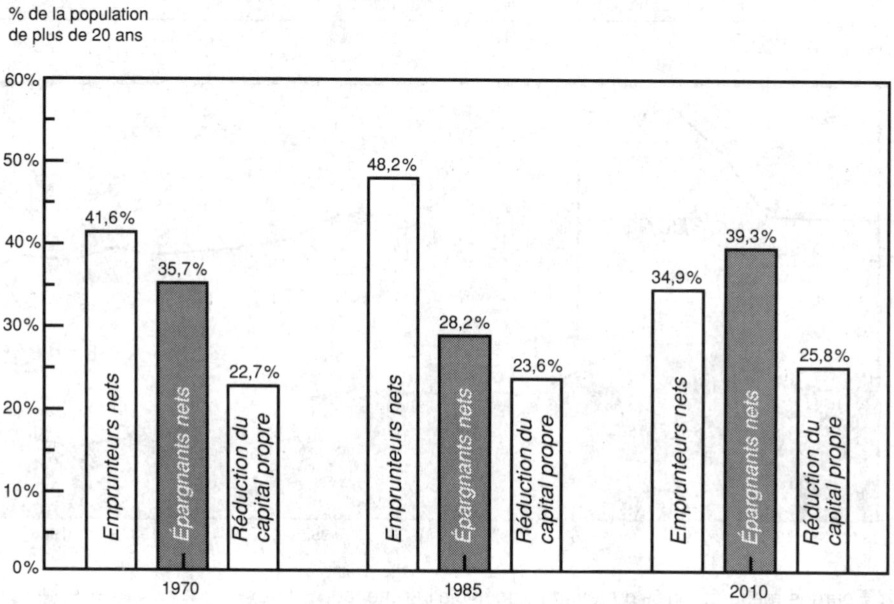

Source : *Statistical Abstract of the United States*, Banque mondiale.

Figure 7.8 Simulation du taux d'épargne des ménages aux États-Unis, au Japon et en Allemagne de l'Ouest (1985 à 2020)

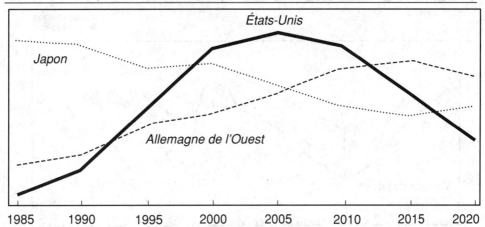

B) *Les retombées de la formation des ménages sur le prix des maisons : le cas des États-Unis*

De façon similaire, le taux de formation des ménages, alimenté par les caractéristiques démographiques de la population américaine, a soutenu le marché immobilier entre 1960 et le milieu des années quatre-vingt. Les promoteurs immobiliers auraient pu prévoir de façon précise les variations du taux de formation des ménages et ainsi adapter le niveau de leur offre aux besoins de la demande future. Une information de cette nature comporte une grande valeur stratégique pour les entreprises du secteur immobilier puisque l'offre à court terme de cette industrie est relativement immuable.

Mankin et Weil soulignent cette problématique dans un article publié en 1988 par le *National Bureau of Economic Review*. Leur analyse révèle que les variations de la demande, mesurée par le taux de formation des ménages, et les variations dans les prix immobiliers étaient concomitantes, et ce durant les trente années précédentes. En d'autres mots, le marché immobilier n'avait pas anticipé les effets du *baby boom*. En conséquence, l'influence simultanée d'une demande croissante et d'une offre limitée à court terme a contribué à l'augmentation des prix des maisons. Leur étude est révélatrice, car elle met en évidence le fait que les prix du marché immobilier sont vulnérables au faible taux de formation des ménages durant les années 1990 (voir la figure 7.9) et que, contrairement à la croyance populaire,

Figure 7.9   Évolution de la demande et du prix des logements
aux États-Unis (1945-2005)

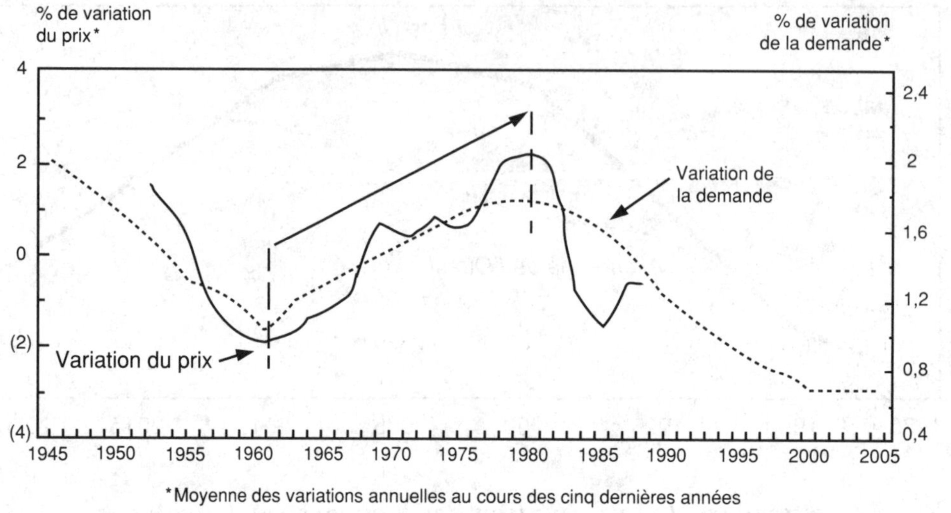

*Moyenne des variations annuelles au cours des cinq dernières années

Source : Mankin et Weil, NBER, n° 2794, décembre 1988.

ceux-ci peuvent fort bien ne pas continuer leur taux de progression des trente dernières années.

Incidemment, malgré une légère reprise qui lui a permis de se remettre de la récession des années 80-82, le marché immobilier aux États-Unis s'est engagé sur une pente décroissante dès le début des années quatre-vingt.

La configuration des prix du marché immobilier illustre de façon évidente les effets néfastes de la projection linéaire fondée sur une expérience individuelle acquise durant une période prolongée de croissance. Les individus âgés de moins de 40 ans n'ont connu, au cours de leur vie adulte et jusqu'aux années quatre-vingt, que la croissance des prix des immeubles. Il est foncièrement humain de prévoir les événements futurs à partir de cette expérience incontestable mais, comme nous pouvons le constater, ce processus peut entraîner de coûteuses erreurs. Voilà une des raisons qui pourrait expliquer la performance bien imparfaite des exercices de planification du type « prédire et se préparer ». Cependant, des techniques prévisionnelles plus complexes, comme celles utilisées pour établir les prévisions illustrées à la figure 7.9, peuvent nous aider à remédier aux limites posées par le sens commun et notre expérience passée comme base pour prédire l'avenir.

Bien que rarement la seule influence sur le cours des événements, les phénomènes démographiques exercent néanmoins une influence puissante sur l'évolution des marchés. Pour plusieurs industries, que ce soit l'immobilier ou les services financiers, la démographie définit leur destin.

7.2.4 Les approches fondées sur le jugement

L'utilisation des méthodes qualitatives ou fondées sur le jugement pour prévoir des événements économiques, sociaux ou technologiques repose sur l'hypothèse que l'esprit humain est l'outil d'analyse le plus sensible et le plus apte à synthétiser à partir de faits variés et de précédents historiques ce que nous réserve l'avenir (voir Neustadt et May, 1986, sur l'utilisation de précédents historiques aux fins de prise de décision.) L'ouvrage *Democracy in America* d'Alexis de Tocqueville est un exemple probant de la puissance et de la subtilité de la pensée humaine. À partir d'observations et d'informations éparses, **de Tocqueville** a proposé une vision remarquable de l'évolution future de la société américaine. Afin de donner une certaine méthode à ces approches qualitatives et de les mettre à la portée d'esprits moins transcendants, certaines techniques ont été proposées, les plus connues étant la **technique « Delphi »**, les **matrices d'impacts croisés** et les **scénarios**. Dans la partie qui suit, nous expliquerons et illustrerons chacune de ces méthodes.

La **technique « Delphi »** est une démarche qui vise à obtenir un certain degré de consensus quant aux événements futurs entre des répondants possédant censément une expertise ou une expérience valable de ces événements précis. Cette démarche comporte plusieurs étapes :

1. Un sondage individuel pour recueillir l'opinion de ces experts, quant aux événements susceptibles de marquer l'évolution future d'un domaine d'intérêt et quant à la probabilité d'occurrence de ces événements.

2. Un processus de rétroaction qui, tout en respectant l'anonymat des informateurs, permet à chacun de connaître l'éventail des opinions exprimées. Ce document est accompagné de commentaires et d'explications de ceux dont les opinions sont situées aux extrémités de l'éventail.

3. La réitération des étapes 1 et 2 jusqu'à ce que les opinions quant à la probabilité de certains événements futurs aient suffisamment convergé.

Les **matrices d'impacts croisés** fournissent une autre méthode fondée sur le jugement selon laquelle les gestionnaires / experts déterminent les événements futurs qui pourraient avoir une influence considérable sur leur entreprise. À l'aide d'un mécanisme simple de codification, les gestionnaires / experts estiment dans quelle mesure la manifestation d'un événement affectera la probabilité que d'autres événements se produisent. Les matrices croisées individuelles sont ensuite converties en une seule matrice pour tout le groupe de cadres et de dirigeants qui ont participé à l'exercice. Cette démarche révèle le degré de consensus sur :

— les événements qui auront une influence sur l'avenir de l'entreprise ;

— le degré d'interrelation entre ces événements ;

— les événements critiques qui sont les « moteurs » de développements futurs en ce qu'ils exercent une influence considérable sur d'autres événements ayant un impact sur l'avenir de l'entreprise.

Les **scénarios** stratégiques se construisent à partir de plusieurs événements probables, lesquels sont arrangés en une représentation plausible et cohérente de l'avenir. Des arrangements différents des mêmes événements produisent évidemment des scénarios distincts. Les **matrices d'impacts croisés** et les **méthodes Delphi** peuvent servir à recueillir les intrants nécessaires au développement de scénarios.

7.2.5 Une illustration simplifiée : le secteur des télécommunications en 1990

Imaginons la contribution de la **méthode Delphi** et des **matrices d'impacts croisés** à l'effort d'une équipe de travail œuvrant dans une entreprise de télécommunications. Cette équipe sera généralement composée de cadres et de spécialistes occupant différentes fonctions et provenant de divers secteurs de l'entreprise. Ces individus se réuniront à plusieurs reprises afin de mettre en relief les principaux événements qui façonneront l'industrie canadienne des télécommunications. Leurs pronostics permettront de dégager des scénarios sur la façon dont ces événements pourraient se combiner et influencer la survie et la performance de leur entreprise.

Voici les principales étapes qui pourraient jalonner le processus d'élaboration de tels scénarios.

ÉTAPE 1 : **La mise en relief des événements critiques futurs qui auront un impact décisif sur les environnements technologique, économique et socio-politique du secteur des télécommunications**

Le groupe de travail révise les études pertinentes. Les membres de l'équipe mettent à contribution leur expérience collective et leurs connaissances afin de produire une liste d'événements particuliers qui affichent une certaine probabilité de manifestation, et ce dans un délai de cinq à dix ans. Afin de mieux illustrer le contenu de cette étape, nous présentons ci-après quelques exemples d'événements critiques pour chacun des sujets à l'étude.

L'environnement technologique

- L'utilisation de nouvelles technologies de transmission et de commutation qui changeront la configuration optimale du réseau de télécommunications, la définition des frontières du marché des appels locaux / appels interurbains, ainsi que les paramètres de coûts de l'industrie.

- Le passage de l'utilisation de technologies axées sur le matériel (*hardware*) à l'utilisation de technologies centrées sur les logiciels (*software*) dans le secteur des télécommunications.

- L'intégration des fibres optiques comme soutien de transmission dans le secteur des télécommunications interurbaines, intra-urbaines et aux résidences privées.

- Le déploiement de la technologie RNIS (réseau numérique avec intégration des services) dans l'ensemble du réseau.

L'environnement socio-politique

- La politique canadienne relative au secteur des télécommunications :

   — déréglementation des appels interurbains ;

— modification de la réglementation actuelle fondée sur un taux maximal de rendement sur l'avoir des actionnaires en une réglementation incitative.

- L'Accord du libre-échange Canada–États-Unis, qui suscitera une plus forte concurrence de la part des firmes américaines.

- Les télécommunications, actuellement de compétence fédérale, qui seront soumises à l'autorité des provinces.

- La rupture de la fédération canadienne, conséquence des revendications du Québec.

L'environnement concurrentiel

- La concurrence directe dans le marché des appels interurbains provenant de nouveaux entrants qui sélectionnent les segments de clients les plus lucratifs.

- L'intervention croissante des fabricants d'ordinateurs dans l'industrie des télécommunications, lesquels proposent de nouvelles règles du jeu dans le domaine de la transmission de la voix et des données, et se positionnent comme des substituts éventuels aux firmes de télécommunications.

- L'entrée sur le marché canadien de grandes firmes américaines, directement ou par alliance, qui viennent ainsi déployer les programmes de marketing et la technologie qu'elles ont mis au point aux États-Unis.

- L'entrée de petits intervenants qui adoptent une stratégie de créneaux et s'adressent à des marchés en émergence en comblant les besoins spécifiques de ces marchés.

- La prolifération d'intermédiaires (intégrateurs de systèmes, réseaux à valeur ajoutée, distributeurs, etc.).

- La possibilité que de nouveaux entrants aient recours à de nouvelles technologies qui leur donnent un avantage sur les firmes en place.

ÉTAPE 2 :   L'estimation de la probabilité de manifestation de chaque événement d'ici l'an 2000

Dans le processus spécifique à la **méthode Delphi**, chaque gestionnaire / expert estime la probabilité de chaque événement. La distribution des probabilités est alors transmise aux autres membres de l'équipe avec des annexes qui expliquent les estimations fortes et faibles tout en respectant l'anonymat de ceux qui ont fourni de telles estimations. Une deuxième série d'estimations des probabilités est effectuée, permettant ainsi d'obtenir un plus petit écart, où les opinions sont moins dispersées, que lors de la première série d'estimations. Ce processus est répété jusqu'à ce que l'on n'observe plus de réduction de l'écart des opinions. À ce stade, les événements les plus plausibles et les plus importants peuvent être retenus et chacun d'eux est doté d'une probabilité (moyenne ou médiane de la distribution des probabilités données par les experts). Le tableau 7.1 illustre les résultats obtenus grâce à la méthode **Delphi** pour ce qui est des événements décrits à l'étape 1.

**Tableau 7.1   Consensus hypothétique selon la technique Delphi :
industrie des télécommunications**

	Estimations des probabilités par six experts								
	A	B	C	D	E	F	Moyenne	Médiane	Écart-type
ÉVÉNEMENTS									
Environnement technologique									
1.	0,70	0,60	0,70	0,50	0,80	0,90	0,70	0,70	0,13
2.	0,40	0,50	0,30	0,40	0,60	0,20	0,40	0,40	0,13
3.	0,40	0,50	0,80	0,80	0,90	0,70	0,70	0,80	0,26
4.	0,90	0,90	0,90	1,00	0,90	0,90	0,92	0,90	0,01
Environnement socio-politique									
1.a	0,70	0,60	0,70	0,50	0,80	0,90	0,70	0,70	0,13
1.b	0,30	0,30	0,40	0,20	0,70	0,60	0,40	0,35	0,21
2.	0,60	0,70	0,50	0,60	0,70	0,80	0,65	0,65	0,03
3.	0,20	0,20	0,80	0,30	0,30	0,70	0,40	0,30	0,26
4.	0,40	0,30	0,90	0,20	0,40	0,80	0,50	0,40	0,25
Environnement concurrentiel									
1.	0,70	0,60	0,70	0,60	0,70	0,80	0,68	0,70	0,095
2.	0,30	0,30	0,50	0,40	0,30	0,40	0,37	0,35	0,095
3.	0,60	0,70	0,50	0,60	0,70	0,80	0,65	0,65	0,095
4.	0,20	0,30	0,20	0,10	0,20	0,10	0,18	0,20	0,074
5.	0,80	0,50	0,90	0,60	0,80	0,60	0,70	0,70	0,140
6.	0,10	0,10	0,20	0,10	0,10	0,20	0,13	0,10	0,055

Ce tableau révèle les événements sur lesquels les experts sont en désaccord, l'écart-type étant un bon indice des dissensions entre lesdits experts, soit le déploiement des fibres optiques à l'intérieur des villes et jusqu'aux résidences, la modification de la réglementation présentement établie en fonction du taux de rendement sur les fonds propres, le changement de juridiction et l'avenir de la fédération canadienne. Ce tableau permet également de reconnaître les événements qui semblent les plus **invraisemblables** à tous les experts, soit l'entrée de concurrents qui adoptent une stratégie de créneaux et le saut-de-mouton technologique par des nouveaux entrants. Ces événements pourraient être rejetés lors des analyses ultérieures.

ÉTAPE 3 :   L'élaboration de la matrice des impacts croisés

Les experts qui ont participé à l'exercice **Delphi** sont conscients que ces événements sont interreliés et que la probabilité de manifestation d'un événement peut donc dépendre largement de la manifestation d'un autre événement. Les **matrices d'impacts croisés** ont été créées afin de permettre aux gestionnaires / experts d'évaluer et d'indiquer la force des relations qui existent entre des événements critiques.

Chaque participant doit compléter une matrice qui représente sa compréhension de la façon dont un événement en influence un autre. Chaque participant indiquera à l'aide d'un code approprié dans quelle mesure il croit que l'éventualité d'un événement affectera la probabilité de manifestation d'un autre événement. Un mécanisme simple de codification peut être utilisé ; soit une échelle qui s'étend de +5, qui représente une forte augmentation de probabilité que l'événement se produise, à 0, qui signifie l'absence d'impact ou de relation, à −5, qui indique une réduction de la probabilité que l'autre événement se produise.

Le tableau 7.2 illustre la configuration de la **matrice des impacts croisés** d'un expert donné. Les treize événements qui apparaissent dans la matrice sont ceux auxquels on a fait référence lors de l'exercice mettant à profit la technique **Delphi**, les deux événements concurrentiels qui affichaient une très faible probabilité de se produire ayant été retirés de la liste.

Cette **matrice d'impacts croisés** hypothétique montre, par exemple, que l'expert en question est d'avis que l'autorisation de pénétrer le marché des communications interurbaines par voie de déréglementation

Tableau 7.2　Matrice des impacts croisés: expert A

Industrie des télécommunications

ÉVÉNEMENTS

	Environnement technologique				Environnement socio-politique					Environnement concurrentiel			
	1	2	3	4	1a	1b	2	3	4	1	2	3	5
Environnement technologique													
1.		+4	+4	+3	0	+3	+4	0	0	0	+3	−5	+3
2.	+2		+2	+4	+2	+2	0	0	0	0	+5	0	+4
3.	+5	+2		+3	0	0	+3	0	0	+4	−4	−3	−2
4.	+5	+3	+3		0	0	+4	0	0	+4	−4	−5	−3
Environnement socio-politique													
1.a	+3	0	+3	+3		+2	+4	+2	0	+5	+3	+5	−3
1.b	+2	0	−1	−2	0		−3	0	0	0	−2	−4	−2
2.	+3	+1	+3	+5	0	+2		0	0	0	0	+5	0
3.	−1	0	−3	−3	−2	−2	−3		+4	−3	0	−4	0
4.	0	0	0	0	−1	−1	0	0		−1	0	−1	0
Environnement concurrentiel													
1.	+2	0	+3	+3	0	+2	+3	+1	0		0	+3	+1
2.	+1	0	+1	+2	0	0	+3	0	0	0		+3	+3
3.	+3	+2	+3	+4	0	+2	0	−1	0	0	+2		0
5.	0	+2	0	0	0	+1	+1	+1	0	+1	0	0	

aura un impact déterminant sur la concurrence provenant des grandes firmes américaines, laquelle incitera les entreprises à déployer de nouvelles technologies afin de se défendre contre cette nouvelle concurrence, et ainsi de suite.

Les **matrices d'impacts croisés** provenant de plusieurs experts peuvent alors être réunies en une matrice unique. Quelques cellules de cette matrice montreront un consensus considérable au sujet des événements interreliés, alors que d'autres indiqueront une absence relative de consensus. Certaines rangées d'événements incluront plusieurs estimations positives (+5, +4, etc.) indiquant ainsi que ces événements constituent des « moteurs déterminants », comme c'est le cas pour la plupart des événements technologiques et pour la réglementation dans notre exemple simplifié.

Cet exercice pourra se poursuivre par le développement de scénarios stratégiques. Le groupe de travail utilisera alors les résultats de l'exercice mettant à contribution la technique **Delphi** et des **matrices d'impacts croisés** pour générer plusieurs scénarios fondés sur des combinaisons différentes mais conséquentes d'événements et d'hypothèses.

7.2.6 L'élaboration de scénarios

La préparation de scénarios constitue la technique la plus utilisée pour formuler des prévisions socio-politiques. Dans le contexte de la stratégie d'entreprise, les scénarios sont vus comme un moyen plus efficace pour composer avec l'incertitude que les techniques statistiques ou autres outils quantitatifs (voir Wack, 1985 ; Schoemaker, 1991).

Tout en faisant partie du mode technocratique de planification, cette technique fondée sur le jugement peut s'avérer utile pour :

1. évaluer de façon systématique les environnements dans lesquels œuvre la firme ;

2. reconnaître les événements futurs qui pourraient influencer la stratégie et la performance de l'entreprise ;

3. énoncer des hypothèses au sujet de l'évolution de ces événements ;

4. concevoir un certain nombre de visions cohérentes quant à la façon dont les structures de l'industrie pourraient se transformer et quant à l'impact de ces visions différentes sur la performance future de la firme.

Quoiqu'elle se montre utile dans certains contextes, la conception de **scénarios** ne doit pas être considérée comme une panacée pour faire face à l'incertitude. Fondamentalement, la conception de **scénarios** n'est intéressante que lorsqu'un petit nombre d'événements incertains orientent et déterminent les dynamiques de la concurrence et de la structure des marchés.

Illustrons les contraintes de cette technique à l'aide de notre exemple de l'industrie des télécommunications. Si les treize événements retenus au tableau 7.2 étaient considérés comme indépendants et que chacun de ces événements avait une forte probabilité de se produire (disons 0,8), alors la probabilité de réalisation d'un scénario composé de tous ces événements serait très faible ($0{,}8^{13} = 0{,}05$). Quelle serait alors l'utilité de formuler des plans pour un avenir aussi invraisemblable ?

Advenant le cas où les **scénarios** seraient élaborés selon une logique de type binaire, c'est-à-dire selon seulement deux possibilités, à savoir que l'événement se produise ou ne se produise pas, ces treize événements, lorsqu'on les considère indépendants les uns des autres, généreraient 8192 (2^{13}) permutations ou **scénarios** possibles ! Indubitablement, la méthode des **scénarios** n'est utile que dans les situations caractérisées par un faible nombre d'événements ou lorsque seuls quelques événements exercent une influence déterminante sur la manifestation d'autres événements.

Par exemple, dans le cas de l'industrie canadienne des télécommunications, la fin du monopole réglementé pour le marché des appels interurbains est un événement binaire, qui se produira ou non (en fait, qui est survenu au mois de juin 1992) mais dont la manifestation influencera certainement l'avènement de plusieurs autres événements. La **matrice des impacts croisés** présentée au tableau 7.2 représente bien ce phénomène, car elle met en relief les événements qui affichent une cohérence interne et qui influencent d'autres événements. Par exemple, si le marché des appels interurbains n'était pas (n'avait pas été !) déréglementé, la concurrence provenant de firmes américaines œuvrant dans les télécommunications serait peu probable, et ainsi de suite.

En formulant des hypothèses pertinentes quant au rythme de déploiement des nouvelles technologies et quant à l'évolution possible de la réglementation du marché canadien des télécommunications, lesquels constituent deux déterminants de la structure future de cette industrie[2], il est possible de préparer quelques scénarios sur la façon dont ces événements modifieront la nature de l'industrie et de la concurrence. La direction de l'entreprise œuvrant dans ce contexte peut alors évaluer différentes mesures et établir des plans d'action qui seront exécutés dans les circonstances appropriées.

---

2. Comme nous l'affirmons et le démontrons dans ce chapitre, aucune direction compétente ne misera l'avenir de la firme uniquement sur le mode technocratique.

7.2.7 Les faiblesses du mode technocratique pour composer avec l'incertitude

Admettons cependant que notre performance collective à titre de devins et de futurologues n'est guère impressionnante. Il semble bien que notre conception de l'avenir soit, en général, trop influencée par les problèmes qui agitent notre époque.

Ainsi, Wise (1980) considère, après avoir analysé quelque 1500 prévisions effectuées entre 1890 et 1940, que seulement 40 % de ces prévisions furent d'une quelconque validité.

Ascher (1978) a publié une étude fort intéressante sur la performance de prévisions statistiques portant sur la démographie, l'économie, l'énergie, les transports et la technologie. Il a examiné la qualité de ces prévisions selon qu'elles émanaient d'agences gouvernementales, d'entreprises privées, de centres de recherche ou d'universités. Finalement, il en a évalué la précision selon le laps de temps écoulé entre le moment où une prévision était effectuée et la période sur laquelle portait cette prévision. Dans l'ensemble, le taux d'erreur augmentait dès qu'une prévision excédait cinq ans et, même en deçà de cette période, les écarts entre les prévisions émanant de différentes sources étaient tellement grands qu'un décideur aurait été dans l'embarras le plus total s'il avait dû déterminer sur quelle prévision se fier. Plus récemment, plusieurs auteurs ont montré la performance médiocre des prévisions statistiques (voir en particulier Smyth, 1983 ; Zarnowitz, 1984, 1985).

De façon comparable, Farmer (1973) a étudié la précision de 21 prévisions publiées dans la revue *Fortune* entre les années 1933 et 1957. Cette étude a révélé que les prévisions quant aux technologies futures affichaient le taux d'erreur le plus faible, bien qu'en 1940 personne n'eût encore prédit l'avènement de l'avion à réaction, de l'ordinateur et du transistor. Les prévisions sociales ou politiques, quant à elles, s'avérèrent totalement imprécises. Schnaars (1989) reprend l'étude de Wise (1980) et en arrive sensiblement aux mêmes résultats. Environ la moitié de toutes les prédictions quant aux marchés futurs contenues dans la presse d'affaires depuis 1960 se sont avérées inexactes.

Les carences du mode technocratique de planification stratégique proviennent de son incapacité de tenir compte des changements discontinus que subissent les contextes de la firme et du fait que les prévisions sont fortement contaminées par la « sagesse conventionnelle » du moment. Les techniques quantitatives de prévision, allant de l'extrapolation la plus élémentaire au modèle de simulation le plus élaboré, ne peuvent ni anticiper les événements imprévus ni déterminer les retombées des changements structurels inattendus. Des événements imprévisibles aux ramifications complexes, comme l'écroulement du socialisme et l'adoption des principes du marché en Europe de l'Est et dans l'ex-URSS, confondent les prévisions et les attentes. Les méthodes et les scénarios pour sonder l'avenir peuvent bien ne produire qu'une mise en forme des truismes et des modes intellectuelles d'une époque.

Les changements vraiment discontinus dans les contextes socio-politique, technologique et concurrentiel de la firme sont très difficiles à prévoir ; et même lorsqu'elle perçoit de tels changements, la firme doit encore déterminer la réaction qui s'impose lors d'événements imprévus mais incertains, ou possibles mais invraisemblables. Doit-elle engager un processus qui lui permettra de se préparer à des événements qui, même s'ils pouvaient s'avérer catastrophiques advenant leur manifestation, ont peu de chances de se réaliser ? En tant qu'outil pour pallier quelques-uns de ces problèmes, les scénarios peuvent au mieux composer avec un nombre limité de discontinuités. Comme nous l'avons démontré précédemment, une augmentation, si petite soit-elle, du nombre d'événements qui interviennent dans la composition d'un scénario entraînerait la prolifération de scénarios acceptables, ce qui paralyserait l'analyse et la planification (voir Utterback, 1979).

Malgré tout, nous avons démontré que, dans des circonstances appropriées et avec l'utilisation des meilleures technologies disponibles, le mode technocratique peut être utile pour parer à l'incertitude et devrait faire partie de tout exercice de planification stratégique qui se veut exhaustif. En effet, « prédire et se préparer » est un axiome avisé lorsqu'on peut l'utiliser.

Les difficultés que posent les changements imprévus et **discontinus** ainsi que les limites cognitives des individus en ce domaine peuvent être illustrées à l'aide de quelques exemples simples.

Un exemple concret : l'acier

Les événements discontinus et les changements imprévisibles compliquent les exercices de planification stratégique. Par exemple, la demande d'acier s'est considérablement modifiée face aux événements politiques imprévus de 1973[3], comme le démontrent la figure 7.10 ainsi que le tableau 7.3, où l'on présente les prévisions de la demande d'acier faites entre 1970 et 1973 par les experts et les entreprises concernées. Toutes ces prévisions, à peu de choses près, avaient affirmé que la croissance de 6,2 % enregistrée durant les années soixante se poursuivrait.

La prévision la plus pessimiste pour les années quatre-vingt avait surestimé la demande de 19 %, et la moyenne des huit prévisions se situait à 30 % au-dessus de la demande réelle.

Figure 7.10   Production d'acier brut dans les pays occidentaux (1960-1980)

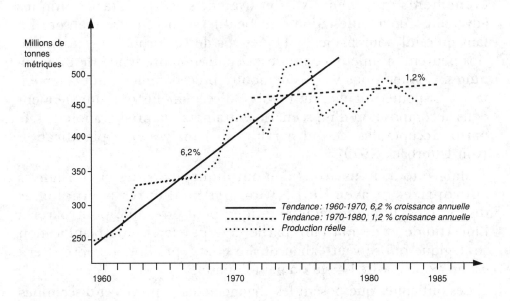

Légende :
Tendance : 1960-1970, 6,2 % croissance annuelle
Tendance : 1970-1980, 1,2 % croissance annuelle
Production réelle

---

3. Il ressort toujours, à la suite d'un événement, que des individus avaient prévu que les problèmes et les désastres arriveraient. Halberstam (1986), dans *The Reckoning*, rapporte qu'un certain Charley Maxwell aurait, dès le début des années soixante-dix, averti les manufacturiers d'automobiles américains de l'imminence d'une hausse importante du prix du pétrole, sans susciter un grand intérêt de la part de ses interlocuteurs. Cependant, avant de condamner ceux qui ont fait la sourde oreille, nous devons garder à l'esprit combien il est difficile, avant le fait, de faire une distinction raisonnable entre le visionnaire et l'illuminé, et de miser les ressources de la firme sur ce jugement.

Tableau 7.3   Prévisions de la production d'acier formulées au début des années soixante-dix

	Année de la prévision	Production mondiale prévue		
		1975	1980	1985
E.Gott, U.S. Steel	1970		900	
W. Billini, Occidental Petroleum	1970	790	994	
33 Magazine	1970	722	855	
Stanford Research Institute	1971	756	940	
C.E.E.	1971	779		
J.R. Miller	1970	735	915	1025
I.I.S.I.	1972	751	939	1144
Bellette	1973	745	935	1100
Rangel	1973	742	911	1097

Source : *Engineering and Mining Journal*, septembre 1974, p. 116.

Note : En 1980, la production mondiale était en réalité de 718 millions de tonnes. La prévision la plus pessimiste était donc de 19 % plus élevée que la demande réelle, tandis que la moyenne des prévisions des huit entreprises susmentionnées (excluant la C.E.E.) était de 30 % trop élevée.

Un second exemple : les petites cylindrées

Un second exemple des dilemmes provoqués par le mode technocratique apparaît à la figure 7.11, qui illustre les projections linéaires de l'industrie automobile américaine quant à la part de marché détenue par les petites cylindrées à compter de l'année 1974. À la suite de telles prévisions et à cause des délais requis pour ajuster les approvisionnements et les systèmes de production, les fabricants d'automobiles durent mettre en branle en 1974 les préparatifs nécessaires pour combler la demande prévue pour les années 1977-1978.

Cependant, l'impact sur le prix de l'essence du *Fuel Policy and Conservation Act* adopté en 1975, eut pour effet de réduire la part de marché des petites cylindrées. Dès 1976, les dirigeants des entreprises manufacturières d'automobiles s'employaient frénétiquement à renverser les changements prévus dans la capacité de fabrication afin de respecter les nouvelles prévisions qui indiquaient une demande plus faible pour les petites cylindrées. Mais en janvier 1979, des événements politiques en Iran bouleversèrent à nouveau le marché du pétrole, ce qui provoqua une forte hausse de la part de marché détenue par les petites voitures. Ironiquement, la combinaison de ces événements imprévus redonna accidentellement une certaine pertinence aux prévisions initiales de 1974. Or, en raison du délai de 24 mois

Figure 7.11   Impact du prix de l'essence sur les ventes de petites voitures aux États-Unis

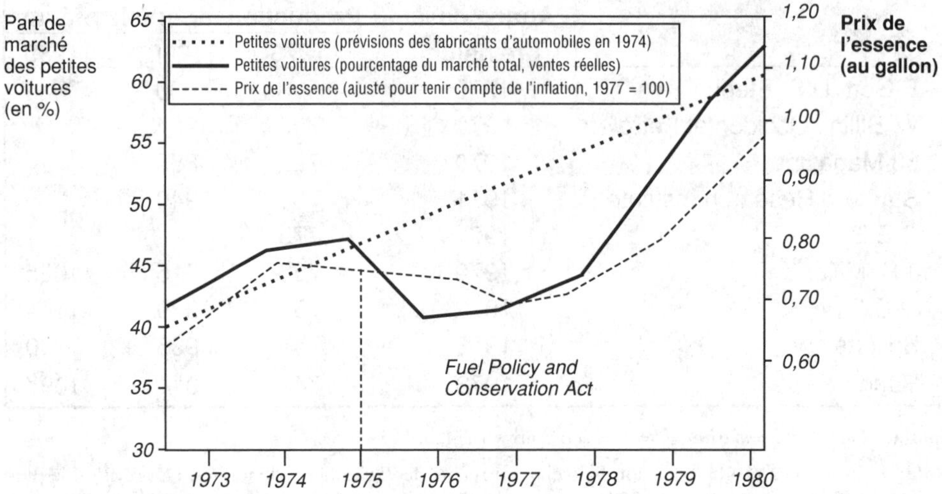

Part de
marché
des petites
voitures
(en %)

- ⋯⋯ Petites voitures (prévisions des fabricants d'automobiles en 1974)
- —— Petites voitures (pourcentage du marché total, ventes réelles)
- – – Prix de l'essence (ajusté pour tenir compte de l'inflation, 1977 = 100)

Prix de
l'essence
(au gallon)

Fuel Policy and Conservation Act

Source : Tucker, W., *The Wreck of the Auto Industry*, Harper's, novembre 1980, p. 53.

requis pour ajuster le système de production de l'industrie automobile, tous les intervenants de cette industrie furent pris de court par une période de turbulence à laquelle ils n'étaient pas préparés, dans un marché où des concurrents étrangers étaient alors en mesure de satisfaire à la demande de voitures de petites dimensions.

Dans un tel contexte, que peuvent faire les dirigeants lorsque les décisions d'investissements et la planification de la production nécessitent un horizon à long terme et dépendent de facteurs critiques qui échappent au contrôle de la firme ? *A posteriori*, le moyen de se sortir de ce dilemme semble évident. Il faut réduire les délais nécessaires pour s'ajuster aux conditions du marché. Cette solution d'ordre structurel, dont on traite à la section 7.4 de ce chapitre, requiert une **redéfinition complète de l'entreprise**. Malheureusement, de telles considérations n'émanent pas d'un processus usuel de planification stratégique, ce qui fait que la planification est souvent condamnée à jouer un rôle secondaire de peu d'utilité face aux véritables enjeux stratégiques de l'entreprise.

Quels que soient le niveau des ressources et la qualité des technologies consacrées à la prévision, les événements continueront de surprendre les dirigeants et de rendre caducs les meilleurs plans stratégiques. Toutefois, en combinant les approches qualitatives et quantitatives, en obtenant des estimations de sources différentes et indépendantes, l'entreprise peut en arriver à une meilleure appréciation des événements futurs. Enfin, les **hypothèses** sous-jacentes à toute méthodologie ou approche technocratique, doivent être soumises à un test rigoureux pour en établir la plausibilité (voir à ce sujet Mason et Mitroff, 1981, et Bergadaa et Thiétart, 1989).

Cependant, lorsque le rythme de changement environnemental est supérieur au rythme d'adaptation de la firme, le mode technocratique s'avère inapte à protéger la firme des avatars d'un avenir incertain. Afin d'exercer un certain contrôle sur les événements, le **mode technocratique** doit, par exemple, être complété par les ressources **politiques** de la firme, ce dont nous discuterons dans la section suivante de ce chapitre. Si l'entreprise se trouve dans l'impossibilité de recourir au **mode politique** ou si ce mode s'avère insuffisant, les solutions doivent être recherchées dans la structure même de la firme, un thème que nous aborderons à la section 7.4.

7.3 LE MODE POLITIQUE : FAÇONNER ET CONTRÔLER L'AVENIR DE LA FIRME

Les dirigeants ne peuvent et ne doivent pas miser l'avenir de leurs entreprises uniquement sur leur capacité de prévoir les événements futurs et de faire des plans conformément à ces prévisions. Ils doivent faire bon usage de toutes les ressources de la firme et de l'ingéniosité de ses dirigeants pour en arriver à façonner les environnements de la firme.

Rares sont les firmes de toutes tailles qui ne peuvent, soit individuellement, soit à titre de membres d'une industrie, soit en collaboration avec d'autres parties intéressées, façonner et contrôler, **dans une certaine mesure**, les événements futurs qui les concernent.

La section suivante se penchera sur différentes démarches politiques que peuvent tenter les firmes qui désirent exercer un certain contrôle sur leur destinée. Ces efforts seront regroupés sous trois rubriques générales : 7.3.1 Le façonnement de l'environnement sociopolitique ; 7.3.2 Le façonnement du contexte technologique ; 7.3.3 Le façonnement des marchés et de la concurrence.

7.3.1 Le façonnement de l'environnement socio-politique

La firme doit mobiliser ses ressources politiques afin de façonner un contexte socio-politique qui lui soit favorable puisqu'il est évident que les gouvernements et autres constituants externes jouent un rôle déterminant dans la définition de l'environnement de l'entreprise. Les interventions de nature politique peuvent comprendre :

1. les pressions (*lobbying*) exercées afin d'influencer le législateur lors de l'adoption de lois, de réglementations ou de restrictions commerciales ;

2. l'obtention de fonds gouvernementaux pour des projets de recherche et de développement ou d'investissements de capitaux ;

3. l'adoption de programmes à vocation de responsabilité sociale ;

4. la négociation de compromis avec les différents groupes de pression et intervenants de la scène publique ;

5. l'utilisation du processus décisionnel politique afin de bloquer l'entrée de produits ou de concurrents étrangers.

Le maintien d'un environnement socio-politique favorable à l'entreprise ainsi qu'un degré élevé de compatibilité entre le rôle de l'entreprise et les valeurs de la société dans laquelle elle œuvre devraient être au premier rang des préoccupations de toute entreprise privée. En effet, l'acceptation et le soutien de la société civile envers l'existence et les objectifs des entreprises privées constituent un actif précieux pour toutes les entreprises, lequel se trouve en danger constant de dilapidation par des comportements répréhensibles de certains gestionnaires et entrepreneurs égoïstes ou myopes.

Des réglementations sévères et des lois punitives peuvent être adoptées et imposées aux entreprises lorsque la société, ou une portion influente de celle-ci, estime que les entreprises ne contribuent pas au bien-être de ses membres et ne partagent pas l'intérêt public en différents domaines, dont la salubrité de l'environnement, le traitement équitable des minorités, la santé et la sécurité de leurs employés et le service de leurs clients.

Toute firme voulant exercer un certain contrôle sur sa destinée doit se préoccuper du maintien et de l'amélioration d'un contexte favorable au monde des affaires en général, au rôle de l'industrie et aux activités de la firme en particulier. Cette volonté de contribuer à l'établissement d'un climat social propice aux activités de l'entreprise comporte deux volets:

1. des mesures générales visant la légitimité sociale de l'entreprise privée;

2. des activités spécifiques visant à structurer le contexte socio-politique selon les intérêts de l'entreprise.

A) La légitimité sociale des firmes privées

Il ne faut jamais présumer de la légitimité inattaquable des buts et des activités de l'entreprise privée. Les sociétés pétrolières en ont fait la pénible expérience au Canada au début des années quatre-vingt. L'augmentation considérable de leurs profits pour la période 1979-1980, associée à leur statut de sociétés à propriété étrangère, a entraîné l'érosion rapide de leur légitimité aux yeux du public canadien. Insensibles à ce phénomène, ces compagnies pétrolières continuèrent à vanter leurs performances financières en période de pénibles augmentations des prix de l'essence sans jamais insister sur leurs contributions à la société canadienne. En peu de temps, elles perdirent, ou plutôt, dilapidèrent cet actif essentiel à toute grande entreprise, le sentiment largement partagé par les citoyens que les objectifs et agissements d'une entreprise sont dans l'ensemble utiles et contribuent au bien-être de la société. Les critiques systématiques des comportements de ces compagnies furent, il en est toujours ainsi, une invitation à l'intervention gouvernementale. Dans ce cas particulier, le soulèvement de l'opinion publique a donné lieu à la politique énergétique du gouvernement canadien, faite de nationalisations et de «canadianisation» d'une grande partie du secteur énergétique canadien.

Les entreprises ne doivent pas tenir pour acquis l'acceptation et l'appui du public quant à leur existence. Elles ne doivent pas non plus prendre à la légère les attaques portées envers leurs opérations et leur raison d'être, ainsi que les dénigrements systématiques de groupes hostiles à la libre entreprise. Il est tentant, mais ultimement insensé, de présumer que d'autres entreprises plus fortunées assumeront la responsabilité de défendre les principes fondamentaux de l'entreprise privée et que, en conséquence, une firme peut bénéficier gratuitement de leurs efforts. Il incombe à toutes les entreprises, à titre individuel ou en tant que membres de groupes organisés, de surveiller l'opinion publique et d'agir d'une manière responsable et énergique afin de maintenir un climat favorable pour l'entreprise privée. Ces efforts peuvent prendre différentes formes et sont souvent intégrés dans une stratégie plus globale à l'échelle de l'industrie. Voici quelques exemples de démarches politiques :

Programmes de bons citoyens corporatifs, car il est fondamental que toutes les entreprises adoptent un comportement responsable et soient perçues comme de bons citoyens corporatifs. Les entreprises doivent se montrer respectueuses des lois et des règlements. Elles doivent être sensibles aux aspirations et aux exigences de la société au sein de laquelle elles évoluent. Ces obligations amènent souvent les entreprises à s'imposer volontairement des restrictions et à implanter des programmes qui précèdent les exigences légales ou qui vont au-delà de celles-ci, et ce dans des secteurs comme la pollution, la santé et la sécurité au travail, l'intégration de groupes minoritaires, etc.

Campagnes publicitaires institutionnelles qui visent des auditoires cibles, soit les leaders d'opinion, les jeunes adultes, les femmes, etc., et dont l'objectif est d'améliorer la perception du public quant à l'entreprise, à l'industrie ou au milieu des affaires en général.

Programmes d'altruisme corporatif intégrant des activités charitables, culturelles et sociales dont le but est d'améliorer la perception du public quant à une entreprise donnée. Par exemple, McDonald's et ses franchisés ont inauguré 107 maisons Ronald McDonald qui permettent aux familles d'enfants hospitalisés de se loger et de se nourrir à prix raisonnable. Bell Canada offre un excellent exemple d'une grande entreprise nationale qui accorde beaucoup d'importance à son image et à la perception du public canadien à son égard. Cette compagnie consacre en effet des ressources considérables à ses programmes d'affaires publiques et encourage ses employés à participer à des activités charitables et communautaires.

Appui à des revues et à des centres de recherche apportant une justification intellectuelle à la cause de l'entreprise privée et de la libre concurrence.

Dans le cas des entreprises multinationales qui, elles, doivent composer avec les soupçons engendrés par leur statut d'entité étrangère, s'ajoutent souvent des tentatives de leur part d'assumer aussi pleinement que possible la citoyenneté du pays hôte. Cet effort de « naturalisation » dans chaque pays prend plusieurs formes : soit l'embauche à tous les niveaux de l'entreprise de citoyens du pays où sa filiale est implantée, de façon à ce que, à terme, les opérations dans cette région soient entièrement gérées par des citoyens locaux, le conseil d'administration de la filiale composé de résidents du pays, l'inscription des actions de l'entreprise sur les marchés boursiers locaux, parfois, la vente d'actions par la filiale à des résidents du pays, ou encore l'association avec des investisseurs publics ou privés du pays pour former une nouvelle entité corporative.

IBM est un exemple concret d'une firme ayant créé un programme de légitimation qu'elle met en œuvre dans tous les pays où elle mène des activités, et ce dans le but de s'assurer que les populations locales approuvent sa présence et ses objectifs (voir Allaire, Côté et Miller, 1977).

Même si un sentiment populaire favorable à l'entreprise est un actif précieux et souvent un préalable aux activités de la firme, les entreprises doivent en plus intervenir lors d'événements socio-politiques susceptibles d'avoir des retombées à long terme sur leur pérennité et leur avenir.

B) Des activités de structuration socio-politique

La firme doit s'assurer que ses opinions sont connues des décideurs politiques et que ses positions sont défendues avec rigueur. Pour ce faire, les dirigeants d'entreprises doivent comprendre le fonctionnement de la scène politique et devenir versés dans l'art d'influencer le processus de prise de décision publique.

En effet, il y aura toujours des intérêts rivaux qui tenteront de promouvoir leurs opinions et leurs projets auprès des autorités publiques. Sans un programme énergique et délibéré visant à modeler l'environnement socio-politique, les entreprises peuvent être assujetties à des politiques dommageables pour leur existence et être soumises à une incertitude continuelle quant à ce que l'avenir leur réserve. Ces politiques, qu'elles soient de nature générale ou spécifique, c'est-à-dire qu'elles affectent l'ensemble d'une industrie ou une firme particulière, doivent être contestées vigoureusement. À cet égard, la coopération et la cohésion entre les entreprises devraient se matérialiser à un niveau beaucoup plus élevé que celui qui prévaut actuellement.

Cependant, la structuration du contexte socio-politique ne consiste pas seulement à réagir aux initiatives législatives malavisées, mais également et surtout à défendre les politiques et les programmes qui sont favorables à l'entreprise.

Les entreprises peuvent avoir recours à plusieurs mécanismes pour promouvoir leurs intérêts :

- Des **représentations formelles** auprès des gouvernements, de leurs agences, et des commissions parlementaires pour faire valoir verbalement ou sous forme de mémoires les points de vue de l'entreprise. Les associations industrielles et les regroupements de gens d'affaires constituent des mécanismes d'une efficacité variable pour mener à bien de telles représentations. La qualité des analyses est ici d'une importance capitale lorsqu'il s'agit d'influencer les preneurs de décision publique. Les dirigeants d'entreprises doivent comprendre que l'accès facile aux représentants des gouvernements dont ils jouissent sera sans effet s'ils ne savent pas appuyer et étayer leur arguments de solides études qui feront le poids auprès des analystes de la partie gouvernementale.

- Le **maillage** visant à développer de nombreux réseaux de communication auprès des pouvoirs publics et à mousser les intérêts de l'entreprise dans un contexte propice et amical. Les relations privilégiées avec les élites politiques par le truchement de clubs privés, de rencontres sociales, de conseils d'administration, d'organismes culturels ou d'œuvres de charité, les nominations d'anciens hommes et femmes politiques ou hauts fonctionnaires à des postes de cadres supérieurs ou à titre de membres du conseil d'administration, sont autant de moyens de sécuriser les voies d'accès aux décideurs clés.

- Des **campagnes d'information** auprès du grand public à propos de questions et d'enjeux importants pour la communauté des affaires. Au moment de la prise de décision par un cabinet, un ministre ou un gouvernement, les intérêts de la communauté des gens d'affaires auront plus de poids s'il est connu que cette communauté possède la détermination et les ressources pour mobiliser l'opinion publique à propos d'un enjeu important. La participation dynamique et bien organisée de la communauté canadienne des gens d'affaires au débat sur le traité de libre-échange avec les États-Unis offre un exemple rare de l'efficacité d'une telle démarche.

- Le *lobbying,* afin d'appuyer les intérêts spécifiques d'une industrie ou d'une firme particulière, peut jouer un rôle important dans la définition d'un contexte réglementaire ou concurrentiel favorable. Les efforts consacrés à favoriser l'adoption, le retrait ou l'amendement de différentes taxes, de tarifs, de réglementations et de stipulations multiples font partie intégrante des échanges quotidiens entre les autorités publiques et les milieux d'affaires. Il arrive que la survie même de certaines firmes puisse être mise en jeu par l'adoption de certaines réglementations gouvernementales. Les entreprises qui œuvrent dans le secteur des ressources naturelles ou au sein d'industries très réglementées (télécommunications, banques, etc.) doivent être particulièrement vigilantes et dynamiques à ce chapitre.

Cette brève description des démarches et des mécanismes de structuration du contexte socio-politique devrait être suffisante pour exprimer la teneur de notre propos. Les firmes peuvent et doivent agir en vue d'exercer un certain contrôle sur leur contexte socio-politique. Cet engagement envers la structuration de leur contexte devrait s'appuyer sur un comportement moralement responsable et propre à accroître la faveur du public envers les firmes et le système de la libre entreprise. Il comporte également des efforts axés sur les enjeux spécifiques qui pourraient avoir un impact important sur la rentabilité et sur l'avenir de la firme.

7.3.2 Le façonnement du contexte technologique

Les discontinuités les plus nettes dans l'environnement de la firme proviennent souvent des innovations technologiques. En conséquence, la technologie présente un défi particulier à toute firme qui désire contrôler sa destinée.

Heureusement, le contexte technologique se révèle en fait moins discontinu sur une période de cinq à dix ans que ne le supposent les futurologues de tout acabit (voir Schnaars, 1989). De plus, le **mode technocratique** de prévision apporte parfois une bonne évaluation de la contribution de la technologie dans le façonnement des contextes futurs dans la mesure où les innovations de demain seront probablement fondées sur des inventions déjà connues.

Par exemple, Boeing est en mesure de prévoir avec suffisamment de précision les matériaux composites et les sources d'énergie alternatives qui rendraient réalisable, à une date ultérieure, la construction d'un avion commercial supersonique capable de voler à une altitude orbitale. Boeing peut dès lors élaborer des plans et créer des équipes de travail qui lui permettront de s'assurer une place dans ce marché, si jamais ce dernier se développait. Cependant, il est plus difficile pour Boeing d'évaluer dans quelle mesure une technologie alternative telle que la vidéoconférence pourrait évoluer et influencer à la baisse la demande quant aux voyages d'affaires.

Federal Express s'est trouvée devant une situation similaire avec l'apparition du télécopieur, une technologie qui visiblement allait entraîner l'érosion du marché des services de messagerie. Federal Express décida donc qu'il était préférable de lancer une nouvelle opération, le Zapmail. L'objectif de Federal Express était de capitaliser sur cette nouvelle technologie en offrant un service interurbain de correspondance par télécopieur combiné à un service de cueillette et de livraison des documents par les camions Federal Express. Ayant sous-estimé grossièrement le rythme auquel le prix des télécopieurs diminuerait en fonction du volume d'utilisation, Federal Express fut contrainte d'abandonner cette activité et perdit plusieurs centaines de millions de dollars en cours de route.

Le dilemme fondamental pour l'entreprise provient, comme nous l'avons noté au **chapitre 4** et à la section 4.3.2, du caractère imprévisible du processus de création de nouveaux marchés sous l'impulsion de l'effervescence technologique, laquelle se manifeste de façon variable et cyclique (voir Mensch, 1979, et Van Duijn, 1983). Le façonnement de l'environnement technologique consistera fréquemment à adopter les comportements décrits à la section 7.3.3 portant sur le façonnement des marchés et de la concurrence : l'intégration verticale totale ou partielle afin de contrôler les sources de développement technologique, comme IBM l'a fait avec sa participation financière substantielle pendant un temps dans Intel (mais curieusement, elle refuse de le faire avec Microsoft) ; la création d'organismes dynamiques avec mission de recherche et de développement ainsi que par des investissements massifs en recherche et développement qui permettent de dominer un secteur comme Bell Lab avant le démantèlement d'AT&T ; l'acquisition proactive de licences et de droits à des brevets et à de nouvelles technologies autant à l'échelle nationale qu'à l'étranger ; l'utilisation du processus juridique et des tribunaux pour bloquer ou débloquer l'accès au savoir-faire technologique, pour protéger l'avoir technologique de l'entreprise contre les violations de brevets (comme IBM vs Fujitsu et Procter & Gamble vs Weyerhauser) ou contre des employés clés qui démissionnent pour ensuite se joindre des groupes de concurrents.

L'entreprise peut aussi exercer une influence importante sur l'environnement technologique par le biais d'interventions socio-politiques, par exemple pour contrer ou favoriser la création de normes technologiques internationales, pour faire amender les lois sur les brevets, comme dans la problématique du logiciel, ou encore pour faciliter ou décourager l'enregistrement de brevets étrangers, par exemple par des procédures encombrantes et de longs délais comme au Japon.

Finalement, les démarches d'ordre structurel, sur lesquelles nous nous pencherons à la section 7.4, peuvent également contribuer à protéger l'entreprise contre le risque technologique. Elles comprennent les alliances qui facilitent l'accès aux technologies, les entreprises à risque partagé créées avec des employés afin de bénéficier de toutes les retombées technologiques associées aux recherches effectuées par l'entreprise, l'accumulation de ressources d'ingénieurs et de scientifiques compétents en certaines technologies génériques, comme le firent naguère plusieurs entreprises japonaises.

Ces dernières fournissent d'ailleurs un bon exemple d'une approche pragmatique face à l'incertitude technologique au cours des années 1950-1985. En effet, comme elles bénéficiaient à l'époque d'un faible coût du capital et (encore aujourd'hui) d'une faible mobilité interfirmes de leur personnel technique et scientifique (voir les **chapitres 2** et **6**), les entreprises japonaises purent investir massivement dans la recherche et le développement, recruter et conserver un grand nombre de scientifiques et d'ingénieurs possédant des connaissances approfondies des technologies génériques qui seraient critiques pour l'avenir.

Elles ont en outre mis sur pied des mécanismes efficaces de coordination de projets de **recherche fondamentale** qui permettent de relier les laboratoires gouvernementaux et plusieurs grandes entreprises tout en maintenant à un faible niveau la diffusion des découvertes auprès des universités et des entreprises qui ne participent pas à ces projets.

Elles ont joui d'un cadre juridique qui rendait difficile l'obtention de brevets par des firmes étrangères qui voulaient ainsi protéger leurs innovations.

Elles adoptèrent une attitude très secrète quant à leurs recherches et à leurs technologies, ne partageant qu'avec parcimonie leurs informations avec d'autres entreprises, que celles-ci soient japonaises ou étrangères.

Ce modèle, qui s'est avéré très efficace jusqu'à la fin des années quatre-vingt, est maintenant attaqué de toutes parts tant de l'extérieur que de l'intérieur du Japon.

7.3.3 Le façonnement des marchés et de la concurrence

Une concurrence intense entre les entreprises pour s'attirer et conserver la faveur des clients, une rivalité impitoyable avec les fournisseurs et les groupements d'achat, une attaque répétée par de nouveaux entrants et l'arrivée de produits substituts constituent autant de caractéristiques essentielles de notre système économique et, dans la plupart des cas, de menaces considérables à la survie de la firme. Toute direction d'entreprise compétente doit réfléchir, dans les limites de la légalité et de l'éthique, à la façon dont elle peut exercer un certain contrôle sur cette incertitude en structurant un environnement concurrentiel moins menaçant.

Plusieurs des moyens dont disposent les entreprises pour arriver à cette fin sont présentés aux pages suivantes.

A) *Les stratégies de domination de marché*

La protection la plus efficace contre l'incertitude du marché réside souvent dans la domination de celui-ci par l'innovation continue et rapide, par des investissements substantiels dans le marketing, par l'augmentation préventive de la capacité de production et par une stratégie d'occupation des réseaux de distribution, de l'espace géographique et de l'espace mental que le consommateur réserve à cette catégorie de produits.

Le **chapitre 5** a présenté une discussion approfondie de la stratégie de création et de domination de marché, y compris la description de plusieurs cas qui sont également des exemples du **mode politique** de structuration des marchés afin de réduire l'incertitude de l'environnement concurrentiel. Une fois établie, une structure de marché dominée par une seule entreprise peut se maintenir durant une période prolongée, car les efforts de nouveaux concurrents pour modifier cette structure sont facilement neutralisés.

Dans de nombreux marchés, les firmes dominantes ont atteint leurs positions surtout grâce à des investissements stratégiques effectués au bon moment. IBM avec son Système 360 ou Boeing avec ses avions à réaction ont créé de nouveaux marchés qui leur ont donné au sein de ces marchés un redoutable avantage concurrentiel. Dans une large mesure, elles ont donc elles-mêmes structuré leur environnement concurrentiel.

En effet, le développement de la Série 360, troisième génération d'ordinateurs, qui a permis à IBM d'intégrer l'ensemble de ses activités mondiales et qui s'est déroulé entre 1961 et 1965, fut à cette époque un énorme pari même pour une compagnie de la taille d'IBM. Le projet a nécessité des dépenses en recherche et développement ainsi que des immobilisations de l'ordre de 6 milliards de dollars américains, ce qui représentait environ **40 %** des revenus totaux générés par IBM durant cette période de cinq ans. Cependant, grâce à cette initiative stratégique, la société a maintenu, tout au long des années soixante-dix, une croissance annuelle moyenne de l'ordre de 15 % et a accaparé 60 % du marché des grands systèmes informatiques (voir Allaire, Côté et Miller, 1977).

Boeing, quant à elle, a investi quelque 1,2 milliard de dollars dans le développement de son 747, ce qui représentait alors plus de trois fois la totalité de l'avoir des actionnaires et a d'ailleurs entraîné l'entreprise au bord de la faillite. « La direction de Boeing, en prenant d'immenses risques avec le développement d'une nouvelle génération d'avions, mérite notre estime. L'entreprise a constamment poursuivi l'objectif de dominer chaque segment de l'aviation commerciale. » (Yoshino, 1985, p. 520.)

B) *L'intégration verticale et horizontale*

Dans d'autres marchés, un processus d'acquisitions et de cessions a permis aux firmes de dominer leurs marchés et leur a donné la capacité d'influencer leur environnement concurrentiel. General Electric est une firme particulièrement adroite à ce jeu puisqu'elle a consolidé sa position dans le secteur des équipements de diagnostics médicaux par prise d'images grâce à l'acquisition d'une unité de Johnson & Johnson ainsi qu'à la vente de sa division de produits de consommation électroniques à Thomson en échange de la division d'équipements médicaux de cette dernière. Toutes ces tractations ont permis à GE de s'assurer une position dominante dans le secteur des équipements de diagnostics médicaux par prise d'images. La volonté de dominer ses marchés est si intense chez GE qu'aux États-Unis elle a réussi à se hisser à la première position dans dix des douze secteurs d'activité où elle œuvre et à occuper la seconde position dans les deux autres secteurs. Mais, fait plus impressionnant encore, elle domine les marchés mondiaux dans sept des dix secteurs d'activité où elle est engagée.

Un autre exemple est fourni par le marché nord-américain des bateaux à moteur hors bord où les joueurs clés, soit Brunswick et OMC, ont dépensé à des fins d'intégration verticale plus de 1 milliard de dollars américains entre 1986 et 1990. Ces deux entreprises, qui étaient déjà des firmes dominantes dans la fabrication de moteurs, ont acheté plusieurs fabricants de bateaux, 11 compagnies y compris Christ Craft, dans le cas d'OMC, et Sea Ray et Bay Liner, pour ce qui est de Brunswick, afin de consolider le marché et d'accroître leur pouvoir de marché.

L'intégration verticale comme moyen de réduire la vulnérabilité de la firme face à un fournisseur ou à un acheteur puissant ne requiert que peu de commentaires puisqu'elle a fait l'objet de longues discussions au **chapitre 3** sous la rubrique «Coûts de transaction». La récente vague d'acquisitions des compagnies de location d'automobiles par les fabricants d'automobiles américains est un exemple parmi tant d'autres de démarches visant à s'assurer une source de demande importante qui serait autrement vulnérable.

C) *Le transfert du risque à d'autres acteurs*

Un autre type d'interventions de nature politique consiste à utiliser le pouvoir de la firme pour transférer le risque vers d'autres membres de son réseau, que ce soit les acheteurs, les fournisseurs, ou d'autres intervenants. Plusieurs moyens de cet ordre peuvent être utilisés afin de réduire considérablement le risque de marché des firmes :

- L'utilisation de son pouvoir comme acheteur pour forcer les fournisseurs à assumer une part importante du risque, par exemple :
  - des contrats à prix variables selon le prix qu'obtient l'acheteur pour ses produits finis ; les compagnies papetières canadiennes ont longtemps acheté les copeaux des scieries selon une formule semblable ;
  - des contrats d'achat sans garantie ferme de volume, avec court préavis pour tout changement de quantité sans pénalité pour l'acheteur ; les grandes avionneries, comme Boeing et Airbus, ont recours à de nombreux sous-traitants selon ce type d'arrangements contractuels qui diminue grandement leur vulnérabilité à la volatilité de la demande ;
  - des termes d'achat qui consentent à l'acheteur une option de retourner le produit sans pénalité après une période donnée (*walk-away clause*) ; les sociétés aériennes dans un contexte difficile peuvent parfois obtenir de telles concessions des avionneries.
- L'utilisation de son pouvoir de fournisseur pour faire assumer le risque à l'acheteur, par exemple :
  - les prêts bancaires à taux variable (taux de base plus prime), ce qui signifie que le risque des variations de taux est assumé par l'emprunteur ;
  - des contrats de fournitures de services rémunérés à l'heure ou selon les coûts engagés par le fournisseur auxquels on ajoute une marge bénéficiaire.
- L'utilisation d'instruments dérivés pour réduire certains risques d'entreprises, par exemple le recours aux contrats de change pour se protéger contre les fluctuations des devises, le recours aux marchés futurs des denrées pour se protéger contre les variations de prix de certains intrants importants, etc.

Tous ces arrangements typiques du **mode politique** sont autant de moyens de réduire la vulnérabilité de la firme et de lui permettre d'exercer un plus grand contrôle sur son destin.

D) *La capacité de discipliner la concurrence*

Le mode politique inclut aussi des mesures pour réduire la vulnérabilité de la firme aux comportements des concurrents. Selon le modèle *Schumpeterien*, de nouvelles formes d'organisation, des stratégies concurrentielles innovatrices et de nouveaux produits développés à un rythme accéléré sont les « moteurs de destruction créatrice » qui refaçonnent continuellement les marchés et les industries. Les concurrents, en tentant de se donner des avantages compétitifs, visent à se dominer les uns les autres, ce qui provoque une instabilité et une incertitude chroniques. La concurrence débridée ne cessera que lorsqu'une seule firme en sera arrivée à dominer tous les autres concurrents.

Cependant, les observations empiriques du comportement concurrentiel des firmes démontrent que ce n'est ni la seule ni la plus commune des formes de rivalité interfirmes. En effet, la prudence et la réciprocité tempèrent souvent l'esprit de rivalité et génèrent des stratégies de « coopération ».

Par exemple, l'industrie américaine du textile, après des années de compétition intensive aux États-Unis et à l'étranger, a connu une vague de ventes croisées qui a permis à certaines entreprises de dominer des segments spécifiques du marché. L'entreprise A a cédé la totalité de ses activités dans un segment donné à la firme B qui, en retour, a vendu toutes ses opérations spécifiques d'un autre segment de marché à l'entreprise A ou C. Le résultat, comme l'exprime si bien l'un des dirigeants de ce secteur, est que, « par le contrôle d'un marché, il est possible d'obtenir un rendement plus équitable du capital investi » (*Wall Street Journal*, 1986).

Dans des marchés caractérisés par un nombre réduit de concurrents, chaque firme a intérêt à bien mesurer la portée de ses gestes si elle ne veut pas déclencher une guerre qui n'épargnerait personne. Avec le temps, cette attitude prudente influence l'intensité de la concurrence dans une industrie ; des règles tacites du jeu de la concurrence s'établissent et sont adoptées par l'ensemble des concurrents. Ainsi, pendant des années, la concurrence dans l'industrie canadienne du brassage s'exerçait uniquement vis-à-vis des campagnes de publicité et de la distribution exprimée en rayonnage. En effet, la concurrence par les prix était contrôlée par l'État et il existait toutes sortes de restrictions sur la distribution des produits. De plus, les firmes rivales en étaient arrivées à se mettre d'accord pour n'utiliser qu'un seul type de bouteille de verre de format et de capacité identiques. Ces ententes et la réglementation du marché ont contribué à créer un environnement concurrentiel pondéré comportant assez peu de risques et d'incertitude. Bien sûr, ces conditions plutôt confortables ont éventuellement contribué à la stagnation de la demande, ce qui a incité les intervenants de l'industrie à violer l'ensemble de ces règles du jeu dans l'espoir de récupérer le volume perdu.

E) *L'utilisation du pouvoir des tribunaux*

En Amérique du Nord, les firmes les plus faibles utilisent souvent les tribunaux pour façonner la structure des industries et contrôler les concurrents les plus puissants. Les litiges en matière de concurrence, particulièrement aux États-Unis, sont souvent des gestes stratégiques conçus pour changer les conditions de la concurrence et influencer les règles du jeu de l'industrie. Les innombrables poursuites antitrust intentées contre IBM au cours des années soixante-dix par des concurrents de plus petite taille avaient évidemment pour but d'intimider le géant de l'informatique et de lui imposer une attitude concurrentielle moins énergique. En retour, IBM s'est toujours empressée de poursuivre toutes les entreprises qui, selon elle, avaient enfreint les brevets qu'elle détenait.

Dans certains cas, les conséquences de l'utilisation du pouvoir des tribunaux et de l'État ont été spectaculaires. MCI engagea une bataille formidable contre AT&T par la voie d'une poursuite antitrust privée et suscita la participation de la Commission fédérale des communications (FCC) et du Congrès américain. Son habile utilisation des tribunaux et des agences de réglementation, et la dimension « David contre Goliath » que MCI donna à son combat, influencèrent les membres « libéraux » du Congrès et conduisirent à un résultat très favorable pour MCI.

La saga de MCI illustre bien les dommages que peut infliger une nouvelle firme à une entreprise géante. Au début des années soixante-dix, MCI était une nouvelle entreprise exploitant un réseau privé de communications interurbaines et employant environ deux douzaines de personnes. En 1982, lorsque AT&T scinda ses activités à la suite d'une entente avec le département de la Justice des États-Unis, les ventes de MCI se situaient à près de deux milliards de dollars et, en 1991, elles atteignaient les 8,4 milliards de dollars. Plus de 80 % des revenus de MCI provenaient des appels interurbains du secteur des affaires, le segment le plus lucratif du marché téléphonique, où, par voie de réglementation, AT&T avait profité d'un monopole pendant plus de 100 ans. Comment MCI a-t-elle réussi cet exploit ?

Toute la stratégie de MCI, ou plutôt celle de son fondateur, Bill McGowen, était politique. En effet, ce dernier savait que MCI ne deviendrait un intervenant crédible dans le secteur de la téléphonie que si elle arrivait à modifier l'ordre existant dans le marché américain des appels interurbains pour en arriver à un nouveau système fondé sur la concurrence (voir Coll, 1986).

Quatre institutions gouvernementales ou du secteur public ont dû être persuadées de se joindre à MCI dans son attaque contre AT&T, à savoir le Congrès, qui est responsable des décisions politiques qui façonnent l'industrie, la Commission fédérale des communications (FCC), qui réglemente et approuve les demandes de nouveaux services de communications, le département de la Justice, qu'il a fallu convaincre d'intenter une poursuite antitrust contre AT&T, et, enfin, les tribunaux régionaux où Bill McGowen avait enregistré ses poursuites privées et où, finalement, la cause du Département de la Justice contre AT&T fut plaidée.

Toutes les ressources de la firme furent consacrées à la poursuite de cet objectif, ce qui mena MCI aux frontières de la faillite. En effet, afin de réaliser sa stratégie, McGowen ne lésina ni sur l'argent ni sur le temps. Il couvrit tous les angles, faisant des représentations au Congrès, assiégeant la FCC afin d'influencer ses décisions en matière de télécommunications, préparant et enregistrant des litiges antitrust, incitant le département fédéral de la Justice à enregistrer une poursuite antitrust contre AT&T et, enfin, obtenant par un subterfuge l'approbation des autorités de la FCC pour des services tels que des lignes de transmission FX et Execunet, services qui sont devenus des moyens pour pénétrer le marché des appels interurbains bien avant que cette pratique ne soit légale.

Bill McGowen a réussi sur tous les fronts. La poursuite gouvernementale contre AT&T a conduit à la scission d'AT&T et à l'ouverture des marchés à la concurrence selon des modalités qui donnaient toutes les chances aux nouveaux entrants de bien s'installer sur le marché des interurbains sans qu'AT&T ne puisse leur répliquer.

À la suite de la scission et de la restructuration d'AT&T, les pressions et les revendications de McGowen continuèrent. Cette fois, par contre, MCI, forte de l'appui de nouveaux concurrents, changea de rengaine et se mit à défendre le **ralentissement** du processus de déréglementation qui aurait, selon elle, permis à AT&T de faire une trop féroce concurrence aux nouvelles firmes du marché des télécommunications.

L'utilisation impitoyable de tous les recours juridiques et la sympathie manifestée par les agences de réglementation envers sa cause ont permis à Bill McGowen d'atteindre son but, soit une structure de marché totalement différente et favorable aux nouvelles entreprises telles que MCI. En contrepartie, le nom de McGowen s'ajouta en 1990 à la liste des milliardaires américains.

La société Microsoft, entreprise qui domine le marché des logiciels d'exploitation, subit présentement le même sort qu'IBM au cours des années soixante-dix. Non seulement Microsoft fait l'objet de litiges et de poursuites pour dommages et comportements anti-concurrentiels de la part de nombreux rivaux, y compris la société Apple, mais, plus récemment, la Federal Trade Commission (FTC), incitée par les plaintes de certains concurrents, entreprenait une enquête pour établir si Microsoft avait abusé de sa position dominante et tenté de « monopoliser » le marché des logiciels d'exploitation.

De toute évidence et quel que soit le bien-fondé des accusations portées contre Microsoft, on sent bien l'utilisation par les rivaux du processus juridique pour tempérer l'ardeur compétitive de cette société (voir Wallace et Erickson, 1992).

L'incertitude de marché peut donc être considérablement réduite par un certain nombre de démarches à caractère politique, lorsque ce terme est pris dans le sens d'une utilisation maximale de tout le pouvoir d'influence et de toutes les ressources que possède l'entreprise pour réduire sa vulnérabilité aux aléas des marchés et de la concurrence. Ainsi, elle peut accroître son pouvoir de marché par des innovations stratégiques, par des investissements préventifs, par des stratégies de création et de domination de marché, par des acquisitions qui augmentent son degré d'intégration verticale ou horizontale, par le transfert du risque à d'autres intervenants. Elle peut tenter de contenir l'intensité de la rivalité entre firmes par des répliques vigoureuses aux comportements trop agressifs de concurrents, par une attitude de coopération avec les concurrents, par le respect des règles du jeu concurrentiel, par le recours aux tribunaux et par une participation active au processus politique. Toutes ces démarches peuvent contribuer à rendre l'environnement de marché moins imprévisible ou l'entreprise moins vulnérable à la volatilité des marchés et de la concurrence.

7.3.4 Les limites du mode politique pour composer avec l'incertitude

Indubitablement, les entreprises doivent tenter d'exercer un certain contrôle sur les événements qui pourraient façonner leurs environnements socio-politique, technologique et concurrentiel. Cependant, ce mode politique a aussi ses limites et peut poser un certain nombre de problèmes.

Premièrement, les entreprises ne doivent pas surestimer leur capacité réelle d'influencer le cours des événements. Deuxièmement, les firmes doivent s'assurer qu'elles n'achètent pas la paix à court terme au prix de crises futures. Troisièmement, les entreprises doivent être pleinement conscientes qu'il existera toujours des événements hors de leur pouvoir d'influence, et ce peu importe l'abondance de leurs ressources. Le sentiment trompeur d'omnipotence qui se développe au sein des grandes entreprises peut s'avérer un obstacle sérieux à la formulation d'une position stratégique adéquate.

De même, l'entreprise ne doit pas fonder une confiance démesurée dans sa capacité d'obtenir par le truchement des processus politiques un contexte de marché et de concurrence qui lui soit favorable. Par exemple, la société Zénith, en 1970, hypothéquait son avenir en effectuant des tentatives ultimement futiles pour obtenir l'imposition de tarifs douaniers sur les importations de téléviseurs couleur japonais. Zénith perdit durant ce temps une part importante de son chiffre d'affaires et en arriva à frôler la faillite. Au même moment, par contre, Harley Davidson, fabricant américain de motocyclettes jouissant d'une meilleure faveur politique, fut sauvée de l'extinction grâce, en grande partie, à sa capacité d'obtenir du

Congrès américain l'imposition de droits de douane sur l'importation de motocyclettes japonaises à haute performance.

Enfin, il faut prendre garde à ce que la tranquillité immédiate du marché résultant des comportements «coopératifs» de firmes en place ne se paie, en contrepartie, par la stagnation et le déclin du marché. La vulnérabilité des firmes trop complaisantes devient évidente lorsque de nouveaux concurrents et de nouveaux produits assaillent les firmes en place. En dernière analyse, lorsque les marchés sont compétitifs et dotés d'entrepreneurs dynamiques, et qu'aucune réglementation pernicieuse n'entrave le libre commerce, **la seule façon pour une firme de réduire sa vulnérabilité de marché provient d'une performance supérieure à la concurrence**. Or, les sociétés et les nations diffèrent énormément à ce chapitre, et dans malheureusement de trop nombreuses circonstances, une concurrence mitigée peut s'avérer profitable et durable.

7.4 LE MODE STRUCTUREL: ACCROÎTRE LA FLEXIBILITÉ DE LA FIRME ET SA CAPACITÉ D'ADAPTATION À DES CONTEXTES VARIABLES

Par mode structurel pour pallier l'incertitude, on fait référence aux arrangements adoptés par une firme pour faire en sorte que sa survie ne soit pas menacée par des événements incertains sur lesquels **elle ne peut exercer aucun contrôle**. Les stratégies des concurrents, les innovations technologiques et les discontinuités socio-politiques entraîneront toujours un niveau important d'incertitude résiduelle, laquelle ne pourra être **éliminée** malgré tous les efforts déployés pour composer de façon politique avec l'incertitude.

Les dirigeants compétents ayant observé cette implacable réalité du monde des affaires ne se contentent pas de se croiser les doigts en espérant que le destin leur sera favorable. Ils cherchent plutôt à mettre au point des arrangements structurels qui immuniseront leurs entreprises contre de telles circonstances ou même leur permettront d'en tirer profit. Les firmes qui œuvrent dans des environnements chroniquement turbulents et caractérisés par des fluctuations importantes et imprévisibles, le secteur de la construction, par exemple, ont toujours eu recours à des solutions structurelles pour réduire leur niveau d'incertitude. Ces firmes sont constituées et structurées de façon à augmenter ou à diminuer rapidement le niveau de leurs activités en fonction des fluctuations imprévisibles de la demande pour leurs services. Malheureusement, les entreprises qui œuvrent dans des industries moins volatiles ont tendance à oublier ce principe.

La planification stratégique doit considérer de façon explicite les incertitudes et les vulnérabilités qui ne peuvent être gérées par les modes technocratique et politique. Le processus de planification devrait inciter les dirigeants à s'interroger sur le niveau de flexibilité qui est approprié, étant donné le degré d'incertitude qui caractérise le fonctionnement de leur entreprise. Ils devraient alors évaluer et modifier, s'il y a lieu, le niveau des coûts fixes, le seuil de rentabilité, le rythme d'ajustement des coûts aux variations des revenus, ainsi que leurs politiques en matière de production interne, d'achats à l'externe et de location.

Le processus de planification stratégique devrait aussi être le moment d'examiner de façon approfondie les alliances, les nouveaux arrangements institutionnels, les nouvelles technologies et la diversification comme façon de réduire la vulnérabilité de la firme, de diminuer les risques associés aux fournisseurs et sous-traitants, de réduire son temps d'adaptation et ainsi sa vulnérabilité face aux incertitudes du marché.

7.4.1 Diversification

La diversification des activités, lorsqu'elle est exécutée et gérée de façon compétente, assurera à la firme un degré élevé de stabilité et de pérennité de ses activités, et ce même si ses activités ou ses opérations prises individuellement sont sujettes à un niveau élevé d'incertitude. En effet, les entreprises aux activités diversifiées soit géographiquement soit en termes de produits-marchés, peuvent bénéficier d'une forme de «loi des grands nombres». Jusqu'à un certain point, plus le nombre d'unités ou d'opérations distinctes au sein d'une même entreprise est grand, moins il est probable qu'une série d'événements ne contiennent que de mauvais augures pour l'ensemble de l'entreprise. Plutôt, les bonnes et les mauvaises «nouvelles» auront tendance à se maintenir dans un équilibre relatif, la probabilité d'événements «fortuits» favorables s'en verra accrue et l'entreprise dans son ensemble acquerra une certaine stabilité et pérennité.

Plusieurs cas de diversification constituent des réponses structurelles à l'incertitude prévalant dans les activités de la firme. Prenons l'exemple d'Imperial Tobacco qui est devenue l'entreprise très diversifiée que nous connaissons maintenant sous le nom d'Imasco. L'adversité qui continue d'affliger ses activités dans l'industrie du tabac est largement contrebalancée par une saine diversification de son portefeuille d'activités, à savoir la restauration rapide (*fast food*) aux États-Unis, les services financiers au Canada, les ventes au détail dans le secteur pharmaceutique au Canada et aux États-Unis. Imperial Tobacco a affronté la menace incontrôlable qui planait sur son existence en se transformant en une entreprise diversifiée progressivement immunisée contre les événements qui se produisent dans le marché du tabac.

7.4.2 Alliances

Un autre mécanisme qui a acquis beaucoup de popularité ces dernières années consiste pour des entreprises juridiquement distinctes à créer des alliances, des sociétés en participation, des réseaux ou d'autres mécanismes de coopération pour partager les risques et les coûts entre les partenaires ou pour mettre en commun des compétences, des technologies ou des ressources complémentaires. Du consortium Airbus à l'alliance GM-Toyota et à la prolifération d'ententes de coopération portant sur la recherche et le développement, la fabrication, les systèmes informatiques et le marketing, la motivation demeure la même : réduire les risques et regrouper les ressources en faisant appel à de nouveaux arrangements structurels, à des «organisations hybrides» établies pour réaliser ces objectifs et protéger les intérêts des partenaires.

Les coûts et les risques inhérents aux projets de recherche et de développement, par exemple, peuvent devenir si importants qu'en cas d'échec du projet ils menacent l'existence même de la firme. Un certain nombre de sociétés en participation et de consortiums d'envergure internationale (Esprit, Sematech, etc.) furent créés afin de réduire le niveau de risque même si en contrepartie les membres de ces consortiums doivent partager avec des concurrents actuels ou potentiels des connaissances appartenant en propriété exclusive à chacun d'eux.

Le nombre et la variété de ces arrangements sont maintenant tels qu'il n'est plus possible d'en traiter de façon exhaustive. Le concept de système stratégique dans son sens large présenté au **chapitre 5** veut tenir compte de l'importance de ces arrangements hybrides. Au volume 2 de cet ouvrage, nous traiterons des enjeux de gestion et d'organisation associés à ces formes hybrides (voir à ce sujet Powell, 1987 ; Drucker, 1988 ; Borys et Jemison, 1989).

7.4.3 L'intégration partielle ou la firme fluide et sans frontières

Ces termes correspondent à des formes variées d'arrangements inter-firmes qui permettent d'obtenir les bénéfices économiques d'une coordination administrative par l'intégration de certaines fonctions sans encourir les risques et les inefficacités d'une propriété à part entière. La constitution d'alliances, traitée à la section précédente, peut évidemment mener à une forme d'intégration partielle entre entreprises ; de façon générale, cependant, les alliances décrites ci-dessus mènent à la mise sur pied d'une entité juridique distincte dont la propriété est partagée entre les partenaires. Il est évident que les **frontières** entre cette nouvelle entité et les entreprises qui l'ont créée pourront être plus poreuses que ce n'est le cas entre entités non reliées, bien que l'expérience empirique démontre que ce résultat n'est pas automatiquement atteint, il s'en faut.

Nous voulons décrire dans cette section le phénomène de plus en plus fréquent des entreprises juridiquement distinctes qui s'inter-pénètrent de façon telle que, selon un angle d'approche, elles semblent intégrées, verticalement ou horizontalement, ou, selon un autre angle, elles affichent un comportement de firmes entièrement autonomes et indépendantes. Ces arrangements ont pour raison d'être la recherche des avantages de l'intégration verticale sans pour autant s'exposer aux coûts qui rendent souvent une telle intégration inefficiente. Cet aspect de la stratégie a été introduit au **chapitre 3** à la section 3.6 lors de notre discussion des **coûts de transaction** et de la recherche de solutions intermédiaires entre l'option de marché et celle de l'intégration administrative.

La plupart des systèmes de franchises peuvent être décrits comme une forme d'intégration partielle puisque les fonctions de marketing, de développement de produits et d'approvisionnement sont intégrées alors que la propriété, la gestion des unités et leur adaptation au contexte local ne le sont pas.

En raison de ces phénomènes d'alliances et d'intégration partielle, les firmes en viennent à ne plus être des monolithes mais plutôt des faisceaux de flux et de ressources: flux d'informations, flux financiers, de marketing, de recherche et développement, etc. Certains de ces flux peuvent être intégrés verticalement ou horizontalement à des degrés différents. En conséquence, les **frontières juridiques** de la firme peuvent ne pas coïncider avec les **frontières de chacun de ces flux**.

Comme nous l'avons décrit au **chapitre 3**, les bénéfices de la coordination administrative proviennent surtout de l'intégration du **flux d'information** entre firmes distinctes participant à une même chaîne d'approvisionnement. En effet, le bénéfice économique principal de l'**intégration verticale** provient de la possibilité d'établir une coordination plus serrée entre les différents membres d'un même réseau d'approvisionnement.

Ainsi, les entreprises œuvrant dans le secteur du **vêtement** et du **jouet** ont longtemps dû composer avec la vulnérabilité provenant du caractère fragmenté de la chaîne d'approvisionnement allant des matières premières aux consommateurs. L'absence d'intégration verticale se traduisait à l'époque en une faible coordination et de longs délais d'approvisionnement. Durant des décennies, les commerçants dans ces domaines devaient choisir les marchandises plusieurs mois avant la période de ventes et faire face à l'éventualité d'être à court des articles les plus populaires dans les périodes de forte demande (début décembre, par exemple), et de devoir vendre en solde les marchandises les moins en demande dès janvier.

L'intégration des **flux d'informations** entre les détaillants et tous les intermédiaires jusqu'aux fournisseurs de matières premières a considérablement réduit le temps de réponse de la chaîne d'approvisionnement et a permis de fournir la même qualité d'information pour des entreprises intégrées verticalement. Wal-Mart, par exemple, rapporte des réductions de plus de 50 % dans ses délais d'approvisionnement à la suite de l'intégration des flux d'informations avec ses fournisseurs grâce à l'**échange électronique des données** (EED).

J.C. Penney affirme avoir augmenté ses ventes de plus de 50 % tout en diminuant de 20 % ses stocks pour les produits bénéficiant de l'intégration de la société avec ses fournisseurs par le truchement de l'échange électronique de données.

The Limited, un détaillant de vêtements pour dames qui exploite plus de 3 200 magasins aux États-Unis, a réduit le délai d'approvisionnement de ses magasins à 60 jours, un exemple que nous avons décrit au **chapitre 3**. (Voir à ce sujet Keen, 1986, et Davidow et Malone, 1992.)

Un autre exemple de ces nouvelles formes de relations interfirmes nous est donné par le populaire **système** de fabrication **juste à temps (JAT)**, lequel comporte plusieurs avantages. Il peut en effet contribuer à réduire le niveau des actifs et les coûts, mais sa contribution la plus importante provient de ce que ce système mène à une réduction des délais d'adaptation (*lead time*) des firmes, un facteur de vulnérabilité prépondérant dans plusieurs secteurs industriels. Cependant, le système JAT nécessite un degré d'intégration entre les fournisseurs indépendants et le fabricant qui dépasse les relations usuelles entre ces intervenants, mais sans aller toutefois jusqu'à l'intégration verticale. Le JAT se fonde sur un réseau d'interrelations ou d'interdépendances mutuelles entre le manufacturier et ses fournisseurs où les informations circulent librement, où la recherche de la qualité est commune à tous les membres du réseau et où les nouveaux produits sont développés dans un contexte de collaboration.

Le système juste à temps (JAT): Le système de production Toyota, appelé aussi système Kanban ou système JAT, est un système de fabrication maintenant bien connu selon lequel les matériaux, les composants et les pièces sont livrés à la ligne d'assemblage au moment précis de leur utilisation. Les éléments principaux d'un système JAT sont: 1) de petites courses de production, 2) une manipulation réduite des matériaux, 3) un niveau stable de production, 4) un faible niveau des stocks, 5) un contrôle rigoureux de la production par le truchement des cartes Kanban. Le processus JAT contrôlé par des cartes Kanban est désigné sous l'appellation de système *pull* où le rythme de production de l'assemblage final détermine la demande pour les matières premières, les composants, l'assemblage intermédiaire et ainsi de suite. Au contraire, le système de planification des besoins en matière (PBM, ou MRP en anglais) qui prédomine dans les pays occidentaux est un système *push*, car la production des pièces est établie selon une projection de besoins; celles-ci vont en inventaire tant que les opérations de sous-assemblage et d'assemblage final n'y font pas appel.

La caractéristique la plus évidente et la plus vantée du système JAT porte sur le faible niveau de stocks. Toutefois, le système JAT est loin d'être un simple mécanisme de réduction des stocks. Dans les pages qui suivent, nous mettrons en évidence la portée du système JAT et démontrerons que ce processus représente un **moyen structurel permettant de pallier l'incertitude**. En effet, avec le JAT, l'usine dans son ensemble devient plus flexible et capable d'adaptation rapide dans un environnement où la demande est incertaine. Voici quelques-unes de ces raisons :

1. Le JAT réduit les cycles de production et en conséquence augmente la capacité de la firme de répondre aux fluctuations de la demande. Par exemple, le cycle de fabrication des usines qui utilisent le JAT est un cinquième (1 / 5) de celui des usines qui fonctionnent selon le mode traditionnel caractérisé par de longues courses de production, par une longue période de temps requise pour changer le contenu de la production et pour préparer l'usine à la fabrication de produits différents.

2. Le JAT permet l'expansion de la gamme de produits sans pertes d'efficience. En effet, le système favorise la réduction des tensions entre le besoin d'offrir une gamme variée de produits afin de répondre aux attentes des consommateurs, d'une part, et, d'autre part, l'augmentation rapide des coûts et des stocks, conséquence des petites courses de production dans un système de production traditionnel. En diminuant considérablement l'impact de la diversité de la gamme de produits sur les coûts de production, le système JAT permet à la firme d'offrir de nombreux modèles de produits à un faible coût marginal.

3. Le JAT modifie la configuration de coûts de l'entreprise :

   • en augmentant la productivité. Par exemple, Komatsu, Hitachi et de nombreuses autres sociétés japonaises ont augmenté leur production par employé, y compris ceux des fonctions directes, indirectes et administratives, de 80 % à 90 % sur une période de cinq ans.

   • en augmentant la rotation des actifs nets utilisés. En 1985, Mazda, par exemple, a généré des ventes de 7 milliards de yens avec 1 milliard de yens en actifs comparativement à un ratio de 1,2 / 1 en 1976.

4. Un aspect important du JAT consiste en l'établissement d'un niveau uniforme de production tout au cours de l'année. Les prévisions annuelles de ventes sont ventilées sur une base hebdomadaire et l'usine produit en fonction de la demande **moyenne hebdomadaire**. Il a été démontré qu'en présence d'une demande variable d'une période à l'autre, un système qui opère selon de **courts cycles** de fabrication et un niveau **stable** de production s'avère plus efficace qu'un système qui a recours à des plans de production variables d'une semaine à l'autre.

D'autres arrangements non conventionnels peuvent contribuer à réduire la vulnérabilité de la firme de plusieurs façons. Par exemple, les liens que Toyota Motors entretient avec ses fournisseurs, par l'intermédiaire d'un réseau complexe de participations croisées au capital propre des fournisseurs, offrent, au-delà des bénéfices évidents, soit le contrôle de la qualité et le système JAT, une façon efficace de réduire considérablement le risque associé à la permanence d'emploi de ses travailleurs. Une contraction de la demande pourrait entraîner des répercussions sérieuses pour Toyota. Cependant, puisque la société n'est responsable que de 27 % des coûts totaux du produit fini, la différence étant attribuable aux intervenants externes faisant partie de la famille Toyota, même dans des périodes de faible demande Toyota peut conserver tous ses employés à qui elle a assuré un emploi à vie. En retour, les fournisseurs doivent composer avec les réductions des besoins de Toyota en trouvant de nouveaux clients ou en réduisant leur force de travail, laquelle ne jouit pas de cette garantie d'emploi.

La division Locomotives de General Electric offre un autre exemple de partage du risque par des arrangements structurels innovateurs. En 1987, GE introduisait un nouveau concept dans l'industrie ferroviaire qui, fondé sur des technologies de pointe, visait à modifier la vocation de cette division en lui permettant de s'afficher non plus seulement comme un vendeur de locomotives, mais également comme un vendeur d'énergie.

À l'aide de ce nouveau programme de marketing officialisé en un contrat de « disponibilité et de fiabilité », GE assume désormais la responsabilité de l'investissement de capitaux et assure l'entretien ainsi que la productivité des locomotives qu'elle vend à ses clients. GE conserve la propriété des locomotives qu'elle finance à faible coût par l'intermédiaire de sa division GE Capital. L'exploitant achète de «l'énergie» qu'il paie, selon la méthode du coût variable, en fonction de son utilisation des locomotives. La compagnie d'exploitation ferroviaire jouit donc d'une réduction substantielle de ses actifs, ce qui se traduit par un rendement financier supérieur (ROA et ROE plus élevés) et une réduction du risque inhérent à l'opération de ses équipements.

GE, en supprimant la presque totalité du risque encouru par les compagnies ferroviaires lors du remplacement de leurs flottes, peut accélérer le taux de remplacement, obtenir un volume de production constant pour ses divisions et utiliser l'avantage concurrentiel que lui offre le faible coût du capital de GE Capital.

Un tel programme a donc pour résultat final un arrangement d'intégration innovateur selon lequel une compagnie ferroviaire peut exploiter des locomotives qui **appartiennent, sont entretenues et demeurent sous le contrôle direct de GE** et paie «l'énergie» utilisée à un taux qui varie selon les performances de la locomotive.

7.4.4 La grande entreprise comme un ensemble de petites firmes

Lorsque les marchés, les produits et les technologies sont imprévisibles et incontrôlables, la firme devrait être conçue de façon à évoluer avec le processus entrepreneurial de création des marchés.

Johnson & Johnson a connu un succès certain en ayant recours à ce type d'arrangements structurels. La direction de Johnson & Johnson ne peut prévoir quels nouveaux produits seront vendus dans cinq ans sur le marché des médicaments sans ordonnances, des produits pharmaceutiques et chirurgicaux, pas plus qu'elle ne peut exercer de contrôle sur la création d'une myriade de petites firmes cherchant à mettre en marché une quelconque innovation.

Cependant, la société peut continuellement surveiller les petites entreprises qui tentent leur chance dans ces secteurs d'activité. Ces petites entreprises fournissent à Johnson & Johnson une information peu coûteuse sur les réactions du marché à de nouveaux produits. Lorsque les marchés semblent donner des signes favorables au nouveau produit, Johnson & Johnson peut offrir à l'entrepreneur d'acquérir son entreprise et de se joindre à la grande famille de Johnson & Johnson.

Dans ce contexte, la planification stratégique chez Johnson & Johnson consiste:

- à favoriser le développement de nouveaux produits dans toutes les unités de l'entreprise;
- à évaluer de façon constante le potentiel de marché de ses unités existantes et à se départir des activités qui ont un faible potentiel de croissance et de rentabilité;
- à surveiller étroitement les firmes entrepreneurielles pour reconnaître et acquérir celles qui reçoivent l'approbation du marché. Ces firmes représentent l'avenir de Johnson & Johnson. La société est donc continuellement façonnée et refaçonnée par les changements de configuration de ses activités. Ainsi, durant la seule année 1986, Johnson & Johnson, selon un processus continu d'adaptation à des marchés en constante évolution, a mené à bien les opérations suivantes:
  - la vente de sa division de diagnostics médicaux par prise d'images à GE, laquelle avait déjà une position trop solide dans ce secteur pour permettre à Johnson & Johnson d'établir une position de leader;
  - l'acquisition de Cooper Vision et de Precision Cosmet Company afin de consolider sa position dans les produits ophtalmologiques;
  - l'acquisition de Xanar Inc., un spécialiste de la chirurgie au laser;
  - l'introduction d'Orthoclone ORT3, un immunorégulateur développé par sa division Biotech;
  - l'acquisition de Penaten Group, un leader allemand des produits d'hygiène pour bébés.

La société 3M est également reconnue pour exploiter un nombre important de divisions de petites dimensions, chacune étant établie pour fabriquer et mettre en marché l'un ou l'autre des produits innovateurs issus de ses différentes technologies. La firme est continuellement redéfinie par un processus **interne** d'innovations et d'entrepreneurship.

La société canadienne Dylex, qui œuvre dans le secteur très segmenté et très volatil de la vente au détail de vêtements pour dames, ne peut prédire avec grande précision comment l'évolution des goûts des consommatrices, les nouveaux styles de vie et les changements démographiques se combineront pour définir les segments de ce marché dans l'avenir. En conséquence, Dylex s'est elle-même structurée **pour gérer les espaces loués** dans de nombreux centres commerciaux selon un éventail varié de concepts qui s'adressent à différents segments.

Au fur et à mesure des changements dans le marché et du vieillissement de certains concepts de magasins, de nouveaux sont créés pour occuper les espaces physiques que gère Dylex. Les acheteurs ne sont pas conscients du fait que la même entreprise est l'instigatrice tant de l'ancien que du nouveau concept et perçoivent le nouveau comme une formule plus apte à combler leurs attentes et leurs besoins que l'ancien concept qui occupait le même espace physique.

Cet arrangement structurel permit à Dylex d'exécuter une **stratégie de segmentation** dans un marché hautement volatil comme celui des vêtements pour dames.

La société américaine Thermo Electron offre un autre exemple d'un arrangement structurel innovateur. Cette entreprise, dont le chiffre d'affaires atteint maintenant les 885 millions de dollars, trouva une réponse structurelle intéressante à deux problèmes qui sont sources de vulnérabilité pour toutes les firmes de haute technologie en Amérique du Nord:

1. Au fur et à mesure de la croissance et de la réussite de l'entreprise, celle-ci perd l'esprit d'entrepreneurship qui l'animait au départ et risque de voir ses meilleurs talents la quitter pour fonder leur propre entreprise.

2. Les investissements considérables requis pour la recherche et le développement de nouveaux produits dépriment la profitabilité, ce qui risque de décourager les investisseurs et de rendre difficile et coûteuse l'obtention de nouveaux capitaux[4].

Thermo Electron est constituée de telle sorte que chaque division ou unité qui développe avec succès un produit et qui connaît une forte croissance de son chiffre d'affaires est transformée en entreprise

---

4. Il est remarquable mais conforme à cette problématique que le fondateur de la firme George Hatsopoulos ait publié des articles très fouillés sur le coût du capital aux États-Unis par comparaison au Japon et à l'Allemagne (voir Hatsopoulos, Krugman & Summers, 1991).

publique par la vente d'une partie de son capital sur les marchés financiers. Les dirigeants de l'unité détiennent une partie de l'avoir propre de cette nouvelle société, les investisseurs une autre partie et Thermo Electron détient un nombre suffisant d'actions pour en exercer le contrôle. Thermo Electron contrôle ainsi huit unités dont les titres sont indépendamment négociés en Bourse, en plus du titre de Thermo Electron lui-même. Cet arrangement inusité permet de conserver à chaque unité une taille modeste et un esprit d'entrepreneurship vigoureux, d'offrir un investissement financier au personnel de talent ainsi que de recueillir des fonds pour financer les activités de recherche et développement.

7.4.5 La concentration de l'entreprise sur ses compétences essentielles

Un autre arrangement structurel efficace pour composer avec des environnements incertains consiste à sous-traiter l'ensemble des opérations qui ne sont pas essentielles au succès de la firme afin que celle-ci se concentre sur ses compétences motrices. Les grands couturiers ont compris ce concept il y a déjà longtemps et ont réussi à créer un marché de sous-traitants très efficients, capables de transformer leurs créations en produits finis.

Benetton est un exemple intéressant d'une entreprise focalisée sur l'essentiel. Le système stratégique conçu et mis sur pied par Benetton lui permet de réaliser des ventes excédant le milliard de dollars américains tout en ne comptant que 1 200 employés directs et en ne fabriquant que 20 % de son produit final, conservant ainsi un niveau élevé de flexibilité pour s'adapter aux changements rapides du marché de la mode.

Le concept Benetton consiste à mettre en marché de nouveaux vêtements de laine très colorés et très doux, créés tout spécialement pour plaire aux jeunes gens grâce à un excellent ratio qualité / prix. La mise au point du système stratégique de Benetton combine l'usage des meilleures technologies de design, de conception et de dessin assistés par ordinateur (CAO), de contrôle de la qualité, y compris celle d'opérations d'intermédiaires effectuées par des firmes externes, soit les quelque 450 manufactures italiennes de petite et moyenne taille qui agissent comme sous-traitants de Benetton.

Le système comporte également une technologie, unique à l'époque, lui permettant de **teindre** les vêtements **après** leur fabrication ; c'est donc dire que Benetton élimine ainsi un grand facteur de risque puisque le choix ultime de la ventilation de la production par couleurs peut se faire après que les préférences des consommateurs, **exprimées** par les ventes réelles de produits de différentes teintes, sont connues de Benetton.

Enfin, Benetton a recours à des solutions à la fine pointe de la technologie pour réduire davantage sa vulnérabilité. Par exemple, la société a établi à Treviso, près de son siège social, un centre d'entreposage entièrement automatisé de quelque 20 000 mètres carrés. Ces installations d'avant-garde, qui fonctionnent avec un nombre restreint d'employés, relient tous les clients mondiaux grâce à un système de commande automatisé et servent à planifier la production, à choisir les spécifications des emballages et à traiter tous les flux d'informations et de marchandises jusqu'aux quais d'embarquement.

Le système innovateur de Benetton doit être compris non seulement comme une réponse structurelle à la demande incertaine pour des articles de mode, mais également comme une réponse à l'environnement socio-politique italien et à la nature particulière de l'industrie italienne du textile.

L'environnement socio-politique italien fut et, dans une grande mesure, demeure encore caractérisé par des centrales syndicales puissantes, des relations de travail conflictuelles et une bureaucratie gouvernementale très lourde. Ces phénomènes ont donné naissance à une infrastructure de petits sous-traitants, au personnel non syndiqué, qui ne sont pas assujettis à la myriade de règlements et de contraintes qu'impose l'État italien.

L'industrie italienne du textile s'est ainsi développée en une structure composée de milliers de petites firmes très spécialisées et très efficaces sur le plan de leurs coûts de fabrication. Dans ce contexte, Benetton, par la sous-traitance de plusieurs opérations de fabrication, bénéficie d'une grande flexibilité, d'un niveau de coûts très concurrentiel et d'une excellente qualité de produits.

La mise au point du système Benetton, fondée sur les avantages de la structure industrielle italienne dans le domaine du textile et du vêtement ainsi que sur un engagement envers l'utilisation des technologies les plus avancées, a permis à la société d'offrir un excellent ratio qualité / prix pour ses produits et de gérer la prolifération remarquable de ses points de vente. En 1988, l'entreprise a fabriqué 58 millions d'articles, qu'elle a distribués dans plus de 5 000 établissements situés dans 75 pays.

Le **système stratégique de Benetton** est un bon exemple d'une réponse structurelle innovatrice aux problèmes endémiques dans une industrie et un environnement socio-politique déterminés. Cependant, comme nous l'avons noté au **chapitre 1**, la performance économique de Benetton au cours des dernières années a été médiocre, conséquence d'une expansion mal conçue aux États-Unis, de choix de campagnes publicitaires « éclairées » mais controversées et sans impact positif sur le chiffre d'affaires et d'une diversification malhabile dans le secteur financier.

Plusieurs entreprises ont su tirer avantage d'une architecture allégée de toutes les fonctions qui peuvent être assumées à meilleur compte par des entreprises spécialisées. Nous avons relaté à la section 3.6 l'exemple de Pitney-Bowes et d'IBM. Huber (1993) décrit l'exemple très instructif de la Continental Bank et de son processus de « désintégration » planifiée.

7.4.6 Le développement, l'accumulation et la protection des ressources stratégiques de la firme

La capacité de prévoir ou de contrôler l'avenir constitue un défi formidable, hasardeux au mieux, impossible en plusieurs circonstances. S'il n'est pas plausible pour l'entreprise de prévoir ou de contrôler l'évolution des marchés et des besoins des acheteurs, peut-être devrait-elle plutôt s'interroger sur les **technologies**, les **habiletés** et les **compétences** requises pour sa survie et sa réussite au cours des prochaines années. Il s'agit là d'une problématique différente et moins impondérable. En effet, il est souvent relativement facile de définir les **technologies génériques**, les **habiletés** et les **compétences** qui assureront le succès et la survie de la firme dans la plupart des circonstances. Alors, le fait de composer avec l'incertitude consiste en un effort concerté pour accumuler une réserve de ces ressources stratégiques qui permettront à l'entreprise de parer aux incertitudes futures.

Cette façon de gérer l'incertitude est typique de nombreuses firmes japonaises. Les dirigeants d'entreprises japonaises n'ont pas une grande confiance dans leur capacité de prédire l'avenir ni en leur capacité d'exercer un contrôle sur les forces économiques et les incertitudes des marchés. Ils tentent plutôt de maîtriser l'incertitude :

- en sensibilisant leur personnel à l'extrême vulnérabilité de leur firme (voir la description du modèle japonais aux **chapitres 2 et 6**);
- en définissant la raison d'être et la mission de leur entreprise dans des termes généraux de façon à ne pas être confinés à une perspective produit / marché étroite;
- en considérant leur survie comme tributaire de l'accumulation d'abondantes ressources stratégiques, et ce particulièrement dans les domaines de la **technologie** et du développement de **nouveaux produits**.

À titre d'exemple, la société Canon, face à l'incertitude incompressible de ses marchés futurs, développe ses compétences dans des **technologies hybrides et génériques** qu'elle a sélectionnées et qui, selon elle, pourront être combinées de différentes façons afin de créer de nouveaux produits, de nouveaux marchés et de réagir aux occasions nouvelles.

Le tableau 7.4 présente les ressources stratégiques sur lesquelles Canon fonde sa capacité de maîtriser son destin. L'entreprise met l'accent sur les habiletés, le savoir-faire et les investissements en recherche et développement combinés à la variable temps et à une **culture axée sur la flexibilité** dans l'ensemble de l'entreprise.

Tableau 7.4   Le développement et l'accumulation des ressources chez Canon

Six ressources stratégiques de l'entreprise
1.   Ressources humaines – Ingénieurs en recherche et développement
2.   Investissements en recherche et développement
3.   Laboratoires et équipements techniques
4.   Réservoir de savoir-faire technologique
5.   Temps
6.   Flexibilité (culture Shokuba)

Source: *The Canon Handbook*, 1987.

Le tableau 7.5 présente la liste des technologies que Canon a choisies comme étant porteuses d'avenir. Le seul pari de Canon, et il s'agit d'un pari assez peu hasardeux, porte sur le choix de ces technologies comme étant celles qui seront judicieuses pour la société.

Tableau 7.5   Les technologies clés de Canon

```
1.  Technologie de reproduction et d'impression
2.  Technologie des mémoires informatiques
3.  Technologie d'affichage numérique
4.  Technologies optiques conventionnelles
5.  Technologies d'électro-optique
6.  Technologie des lasers
7.  Technologie des semi-conducteurs
8.  Technologie des matériaux
9.  Technologie des composantes mécatroniques
10. Technologie des contrôles de précision
11. Technologie du traitement des images
12. Intelligence artificielle
13. Technologie des systèmes de communication
14. Technologie des logiciels
```

Source : *The Canon Handbook*, 1987.

Les ressources en recherche et développement dans ces technologies spécifiques, combinées à l'abondance d'ingénieurs compétents en développement de nouveaux produits, ainsi qu'une main-d'œuvre bien formée et flexible assurent un flux continu de concepts de nouveaux produits à tester sur les marchés, comme l'indique la figure 7.12.

Ainsi, Canon n'a pas à déterminer avec certitude si, dans dix ans, elle fabriquera toujours des copieurs, des caméras ou plutôt d'autres produits issus d'une nouvelle combinaison de ses technologies génériques.

L'évolution des marchés décide en cette matière, mais cela ne crée pas un niveau démesuré d'incertitude pour Canon puisqu'elle est prête à l'une ou l'autre éventualité.

Figure 7.12 Canon : un exemple de technologies motrices

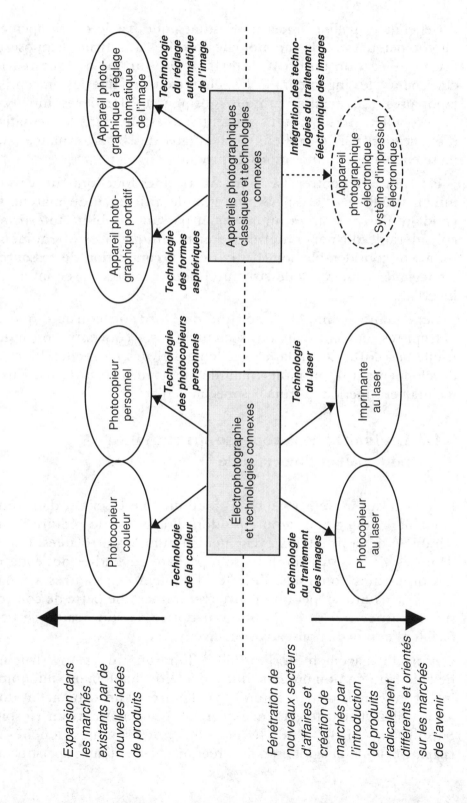

Cependant, pallier l'incertitude stratégique par le développement de compétences et de technologies propres à la firme suppose un faible niveau de mobilité interfirmes pour les dirigeants, les chercheurs, les ingénieurs et les techniciens, ce que les entreprises japonaises ont réussi à maintenir jusqu'à ces dernières années. Il s'agit d'ailleurs d'un facteur souvent sous-estimé dans les tentatives d'explication par les milieux occidentaux de la performance japonaise en matière d'innovations de produits.

Par contre, les entreprises nord-américaines fonctionnent dans un milieu social caractérisé par une grande efficience du marché **secondaire** des ressources humaines et par une mobilité interfirmes considérable du personnel cadre et technique. Ces phénomènes réduisent considérablement l'attrait de l'**accumulation de ressources stratégiques** comme mode structurel pour composer avec un avenir incertain.

Cependant, même en Amérique du Nord, on constate que les entreprises œuvrant dans des secteurs à forte concentration industrielle et à forte dépendance sur leurs activités de recherche et de développement de produits, maintiennent un niveau de ressources techniques supérieur à leurs besoins immédiats.

7.4.7 Les limites de la réponse structurelle pour pallier l'incertitude

L'examen des moyens structurels joue un rôle essentiel dans toute évaluation stratégique rigoureuse dont l'objet est de réduire la vulnérabilité de la firme aux événements futurs incontrôlables. Cependant, ces moyens structurels ne sont pas sans engendrer des coûts ou des problèmes potentiels. En effet, les alliances et autres arrangements de nature coopérative peuvent entraîner une perte de contrôle sur des aspects critiques d'une entreprise, la sous-traitance peut faciliter l'entrée de nouveaux concurrents, etc.

Ainsi, l'engagement de Johnson & Johnson envers une structure flexible faite de nombreuses unités d'affaires hautement autonomes fut sérieusement mis à l'épreuve par l'entrée d'un concurrent dont les activités étaient fortement intégrées, à savoir American Hospital Supply Co. (AHS), et sur lequel nous nous sommes penchés au **chapitre 3**. Johnson & Johnson dut créer péniblement une superstructure

Figure 7.13   Incertitude, contrôle et modes de gestion

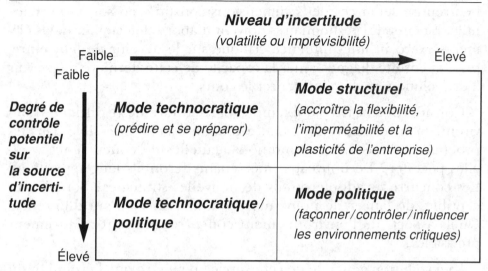

pour intégrer les opérations de plusieurs unités indépendantes afin d'atteindre la parité concurrentielle avec AHS.

Bien sûr, l'enjeu, ici, a trait aux arbitrages à faire entre deux types de coûts. Lorsque l'on est confronté à des événements imprévisibles et incontrôlables, quels coûts doit-on engager afin d'obtenir un niveau adéquat de flexibilité ? Peut-on concevoir des arrangements ingénieux qui minimisent les coûts de flexibilité provenant, par exemple, de la perte de contrôle sur des ressources clés ? La planification stratégique **doit** inciter les dirigeants à considérer ces enjeux.

7.5 CONSÉQUENCES POUR LA PLANIFICA-TION STRATÉGIQUE DES TROIS MODES DE GESTION DE L'INCERTITUDE

Un processus de planification stratégique qui ne se veut pas superficiel et *pro forma* doit comprendre les trois grands modes de réponse face à l'incertitude décrits dans ce chapitre. La matrice qui apparaît à la figure 7.13 pourra guider les gestionnaires dans cette évaluation en positionnant les éléments clés de l'environnement dans lequel œuvre la firme selon deux dimensions, soit le **niveau d'incertitude** de chacun de ces environnements et le **degré de contrôle** que l'on peut exercer sur eux.

Cette catégorisation des éléments critiques de l'environnement de l'entreprise selon ces deux dimensions constitue en soi un exercice utile. En effet, les gestionnaires doivent d'abord déterminer **quels** éléments exercent une influence critique sur le devenir de leur entreprise et ensuite diagnostiquer la capacité de cette dernière de prévoir leur évolution ou d'en influencer le cours.

Considérons, à titre d'exemple particulièrement difficile, l'environnement concurrentiel. Son évolution est-elle prévisible dans les prochaines années? Les conditions actuelles de concurrence vont-elles persister? De nouveaux intervenants feront-ils leur apparition? Les concurrents adopteront-ils de nouvelles stratégies? Sont-ils susceptibles de lancer de nouveaux produits radicalement différents? Quels aspects de l'environnement concurrentiel sont relativement prévisibles?

La conclusion générale de cet exercice peut être que l'évolution du contexte concurrentiel est si incertaine qu'il serait imprudent de fonder les plans de l'entreprise sur un ensemble quelconque d'hypothèses et de conjectures concernant la concurrence.

Dans ce cas, les dirigeants devraient s'interroger sur les ressources dont ils disposent pour façonner ou contrôler certains aspects de l'environnement concurrentiel. Quelles innovations stratégiques, quels investissements ou quelles acquisitions conféreraient à leur entreprise une position dominante sur ses marchés, rendraient l'entrée de nouveaux concurrents plus difficile et convaincraient les autres intervenants de l'industrie que le fait de tenter de croître aux dépens de leur entreprise ne serait pas une option judicieuse?

Si les dirigeants estiment qu'ils ne peuvent raisonnablement espérer façonner certains aspects de leur environnement concurrentiel, ils doivent alors examiner les **moyens structurels** qui permettront de réduire la vulnérabilité de leur entreprise:

- Comment la diversification de leurs opérations pourrait-elle en atténuer la vulnérabilité?

- Quelles alliances ou ententes de développement de produit, de fabrication ou de commercialisation pourraient contribuer à réduire les risques que court l'entreprise?

- Comment reconfigurer les opérations de la firme afin d'abaisser ses coûts fixes et son temps de réponse (*lead time*)?

- Quels investissements dans les technologies, les compétences et les capacités de ses ressources protégeraient la firme des incertitudes posées par la concurrence ?

- Comment la firme peut-elle se structurer afin de tirer avantage des nouveaux marchés créés par des entrepreneurs ? Peut-elle être configurée de façon à favoriser l'intégration ou le retrait de petites firmes dans son système stratégique ?

- Comment faire pour véhiculer le « changement » comme une valeur positive auprès de tout le personnel ?

Les autres sources de vulnérabilité, par exemple la conjoncture économique nationale et internationale, les bouleversements politiques, les innovations technologiques, les variation de la demande, etc., devraient être traitées selon le même processus que celui décrit pour l'environnement concurrentiel.

Le plan stratégique devrait ensuite proposer les moyens de composer avec ces différentes sources d'incertitude et de les transformer en avantages stratégiques. Le plan stratégique ne devrait comporter comme **hypothèses** (au sens anglais du mot *assumptions*) que les éléments d'incertitude à propos desquels les modes **politique**, **technocratique** ou **structurel** n'offrent pas de réponse appropriée. Cela devrait diminuer le nombre de ces « hypothèses » et rendre explicites celles qui restent.

7.5.1 Comment faire face à l'incertitude : le cas de Bell Canada dans l'industrie des télécommunications

À l'aube des années quatre-vingt-dix, l'industrie canadienne des télécommunications se trouvait à un point tournant de son histoire. Elle faisait face à des événements critiques qui, indéniablement, changeraient radicalement la nature même de cette industrie. De nouvelles technologies, ou encore l'amélioration d'anciennes technologies, telles que les fibres optiques, la commutation numérique, la téléphonie sans fil ou par câble et le rôle stratégique croissant des communications dans la concurrence internationale, contribuaient à la volatilité de l'environnement des entreprises œuvrant dans le secteur des télécommunications. Les tendances à la déréglementation visant les monopoles du secteur de la téléphonie créaient un contexte tout particulièrement incertain pour Bell Canada. En 1991,

Unitel Communications Inc., autrefois CNCP-Rogers Télé-communications, déposa devant le CRTC une demande de permis pour entrer sur le marché très lucratif des appels interurbains.

Les mesures prises par Bell Canada pour faire face à ces défis fournissent un exemple intéressant d'une réponse stratégique qui utilise à différents moments et à intensité variable les modes **politique**, **technocratique** et **structurel** pour faire face à un avenir incertain. La figure 7.14 résume ces différentes réponses.

A) Le mode technocratique

La planification chez Bell Canada a toujours fait appel à l'élaboration et à la présentation de plans d'affaires et de budgets rigoureux par tous les services et les divisions de l'entreprise. Ces plans contiennent essentiellement une description des facteurs contextuels d'ordre

Figure 7.14   Choix stratégiques de Bell Canada dans un environnement concurrentiel incertain

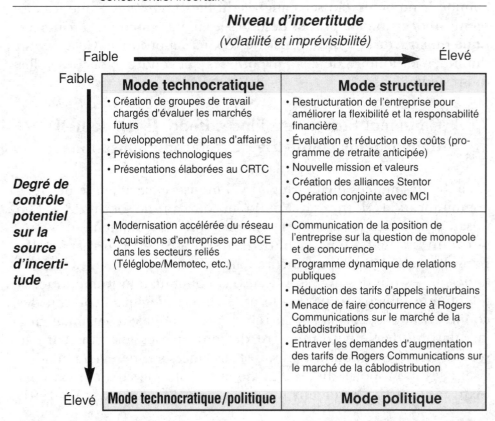

général dérivés des environnements économique, démographique, socio-politique et technologique ainsi que des prévisions sur les revenus, les coûts et les bénéfices pour les trois à cinq années subséquentes.

Bell Canada, aux prises avec un environnement très turbulent, a ressenti le besoin de compléter les plans soumis par les services et les divisions. Elle a donc mis sur pied plusieurs groupes de travail dont le mandat était de se pencher de façon approfondie sur ces nouveaux enjeux et de tracer des voies d'action pour l'entreprise à long terme.

Par exemple, à la fin des années quatre-vingt, Bell Canada créait Réseau 2000, une «équipe de frappe» dont l'objectif était de concevoir une «vision» des environnements et des marchés futurs, de préparer un ensemble de stratégies et de plans d'action qui assureraient le succès de Bell Canada pour les dix prochaines années.

La figure 7.15 illustre le type de scénario technologique qui pourrait être développé lors d'un exercice de ce genre. Dans ce cas particulier, le scénario porte principalement sur la façon dont différentes technologies pourraient façonner les frontières d'un nouveau marché pour la télématique.

La préparation de présentations élaborées soumises au CRTC par les experts des services juridiques, comptables et réglementaires de Bell Canada constitue également une réponse de type technocratique. Ces présentations de nature très technique ont pour objet d'influencer un **processus** prévisible et connu de prise de décision par l'agence réglementaire.

B) *Le mode politique*

Comme pour tant d'autres monopoles réglementés, le mode politique est certes le moyen le plus visible qu'utilise Bell Canada pour pallier l'incertitude. La société investit des efforts considérables pour influencer les auditoires qui représentent une source de vulnérabilité pour elle, à savoir les autorités gouvernementales, l'opinion publique dans son ensemble, les groupes de pression, les concurrents potentiels et les employés de Bell Canada.

Bell Canada mit en place un programme dynamique d'affaires publiques pour faire connaître sa position face aux enjeux de la concurrence dans le marché des appels interurbains. Ce programme visait deux objectifs principaux. Premièrement, Bell désirait montrer les avantages de la situation actuelle pour tous les Canadiens. La société estime en effet que sa technologie de pointe, appuyée par ses importants investissements en recherche et développement, ainsi que ses faibles tarifs locaux favorisent non seulement les milieux d'affaires, mais également toutes les familles canadiennes. Deuxièmement, Bell soutint qu'advenant l'ouverture du marché interurbain à la concurrence, celle-ci devrait se faire à armes égales et en plaçant toutes les entreprises rivales sur un même pied.

Par exemple, Bell persuada le CRTC que les tarifs du câblodistributeur Rogers Télécommunications devaient être soumis à la réglementation

Figure 7.15   Scénario du marché futur de la télématique

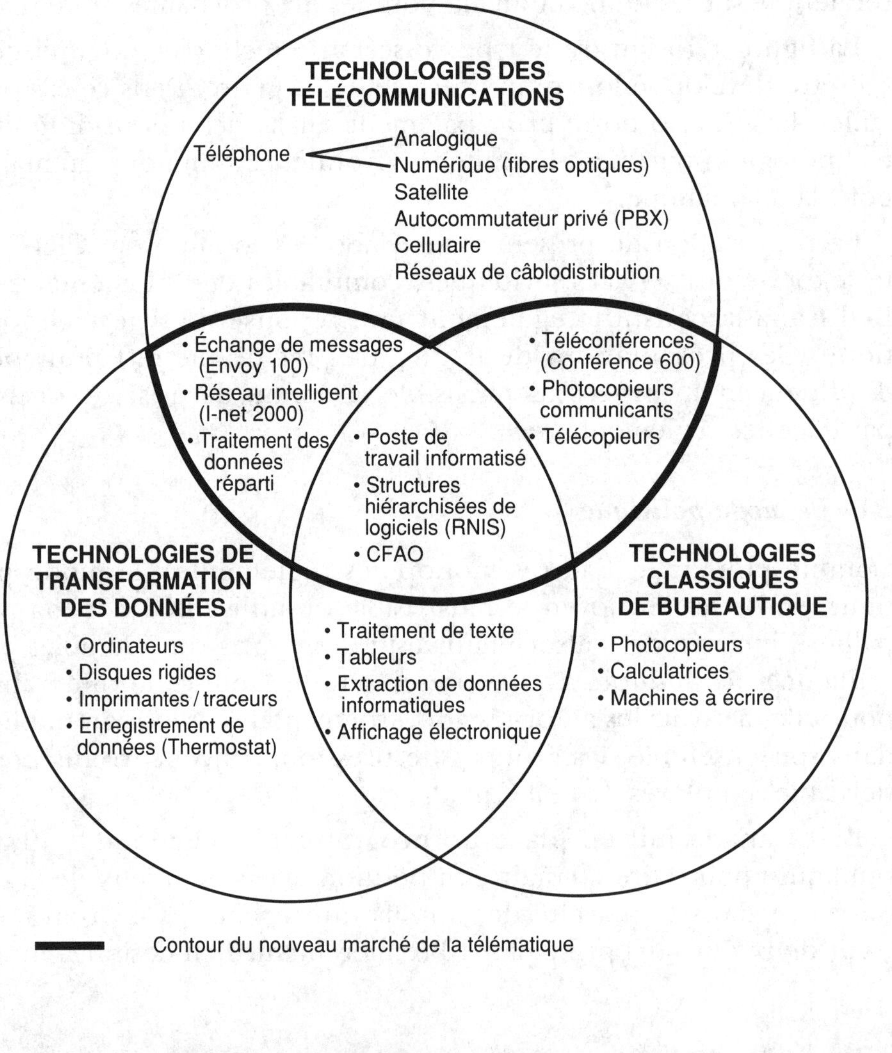

Contour du nouveau marché de la télématique

du CRTC, sans quoi Rogers pourrait subventionner ses activités dans le secteur des télécommunications à l'aide de revenus provenant des activités de câblodistribution. En conséquence, afin d'éviter ces subventions croisées entre les activités de télécommunications et de câblodistribution, le CRTC a fixé des limites très strictes quant aux coûts que les câblodistributeurs pouvaient transmettre aux consommateurs sous forme d'augmentation automatique de tarifs.

Bell Canada consacra également des efforts considérables à communiquer sa position sur la libre concurrence. Les représentants de la haute direction de la société accordèrent de nombreuses entrevues aux médias de toute nature. Ils participèrent aussi à des conférences et donnèrent de nombreux discours lors de déjeuners ou de dîners d'affaires pour expliquer la position de la société.

Une réduction importante des tarifs interurbains et du prix des services destinés au marché des entreprises constitua une autre mesure importante dont l'objet fut de signaler aux éventuels concurrents que Bell était prête à faire face à la concurrence et que tout nouvel entrant devrait s'attendre à une lutte acharnée s'il voulait pénétrer ce marché.

C) *Les modes technocratique et politique*

Bell Canada s'efforce aussi de gérer l'incertitude future en ayant recours à des mesures préventives. Par exemple, Bell procéda à la modernisation de son réseau à un rythme plus rapide que le nécessitait un contexte de monopole réglementé. Le réseau local sera entièrement converti au système numérique pour 1995 à un coût de 1,4 milliard de dollars. Le réseau interurbain, quant à lui, fonctionne déjà selon le mode numérique. D'autre part, l'entreprise y investira 830 millions de dollars d'ici 1994 pour intégrer la technologie des fibres optiques. Ces investissements importants devraient améliorer la productivité du réseau et permettre à Bell d'offrir toute une gamme de nouveaux services de télécommunications.

D) *Le mode structurel*

Les campagnes d'information entreprises par Bell ont rendu très réelle pour les employés de la société la possibilité qu'ils doivent faire face tôt ou tard à des concurrents directs et indirects. Bell Canada put ainsi s'assurer l'appui de ses employés quant aux démarches énergiques qui s'imposaient pour préparer l'entreprise à l'éventualité d'un environnement hautement concurrentiel.

En effet, ayant réalisé clairement qu'elle exerçait un contrôle bien imparfait sur certains facteurs de vulnérabilité, Bell Canada reconnut la pertinence d'un mode structurel pour faire face à l'incertitude. Selon le chef de la direction de Bell Canada à l'époque, M. Jean Monty, la société devait modifier profondément ses méthodes d'exploitation et de gestion. Les coûts d'exploitation furent soumis à un examen serré et comparatif et des mesures énergiques de réduction de coûts furent entreprises. Par exemple, 1100 postes furent abolis et 1300 gestionnaires se sont retirés en se prévalant d'un généreux programme de retraite anticipée.

Finalement, afin d'obtenir une optimisation des coûts et d'offrir un service unifié à travers le Canada, Bell Canada et les autres compagnies de téléphone (BC Tel., Alberta Tel., Saskatchewan Tel., N.B. Tel., etc.) ont formé une alliance, connue sous le nom de Stentor Resources Inc., pour mettre en commun toutes leurs ressources de développement de nouveaux produits et de services et pour desservir les grands clients pour leurs besoins tant canadiens qu'internationaux ; nous avons présenté les motifs d'une telle alliance au **chapitre 5**, à titre d'exemple d'un système stratégique au sens large.

De plus, Bell Canada a transformé sa structure fonctionnelle en une structure axée sur les marchés et caractérisée par :

- des unités d'affaires régionales responsables pour l'ensemble des clients de leurs territoires ;

- des services de soutien pour l'ensemble de l'entreprise conçus et organisés comme des unités d'affaires dont le mandat est de desservir les clients internes ;

- des unités d'affaires conçues pour orienter les ressources et les compétences de la société vers des marchés en émergence.

Cet arrangement structurel a été conçu afin de doter Bell Canada d'une capacité d'adaptation:

- en permettant à différentes organisations et unités d'affaires au sein de Bell de développer des compétences, des valeurs et des systèmes de gestion en fonction de leur environnement spécifique;
- en soumettant toutes les activités et toutes les facettes de l'entreprise à la discipline du marché et aux attentes du client;
- en s'attaquant rapidement et efficacement à de nouveaux marchés, et en augmentant sa capacité de créer et de développer de nouveaux marchés, de pénétrer au moment opportun des marchés en émergence et de se retirer des activités peu rentables sans perturber les autres activités du système Bell.

Maintenant que le CRTC a fait connaître sa décision (en juin 1992) de permettre la concurrence dans le marché des appels interurbains, Bell Canada continue à se battre, utilisant toutes les ressources politiques dont elle dispose pour que cette concurrence se fasse selon les règles le plus équitables possible.

Bell Canada souhaite, grâce à ces démarches d'ordre technocratique, politique et structurel, réduire sa vulnérabilité aux changements sans précédent que subit l'industrie canadienne des télécommunications. Ce cas illustre très bien la lutte à plusieurs volets que doit livrer une grande entreprise qui cherche tant bien que mal à maîtriser sa destinée.

7.6   CONCLUSION

Ce chapitre voulait définir et structurer un éventail de mesures stratégiques et de tactiques grâce auxquelles les dirigeants peuvent réduire l'impact des incertitudes futures sur leurs entreprises. Une des principales exigences de tout processus stratégique efficace consiste à reconnaître les sources de vulnérabilité de la firme et à y faire face. L'avenir, impondérable et rempli de surprises, comportera toujours une bonne mesure de vulnérabilité à laquelle les dirigeants compétents doivent réserver une importante part de leur réflexion stratégique.

Par ailleurs, à la lumière des considérations présentées au **chapitre 2** sur les moteurs de **création de valeur économique**, il est évident que tout ensemble de mesures et de stratégies qui réduisent le risque et l'incertitude quant à la performance future d'une entreprise contribuent à sa plus-value économique ; en termes financiers simples, la réduction du risque associée à une entreprise influence à la baisse le coût des fonds propres (ke), le dénominateur d'un indice de création de valeur économique (VCI) ; celui-ci se trouve donc augmenté d'autant et, par son impact positif sur M / B, la valeur du cours du titre sur sa valeur comptable, augmente la valeur économique de l'entreprise.

Sans aucun doute, l'incertitude quant à l'avenir de toute entreprise est au cœur de la stratégie et la raison principale de s'engager dans la planification stratégique. Malheureusement, l'incompétence et le manque d'expérience en matière de planification stratégique, ou encore les considérations politiques et le contexte bureaucratique qui entourent parfois les exercices de planification stratégique, restreignent, et même entravent, le recours aux trois grands modes de gestion de l'incertitude décrits dans ce chapitre. En conséquence, la planification stratégique devient trop souvent une contradiction de termes, un *oxymoron*.

Le processus de planification ne deviendra vraiment **stratégique** que si la haute direction **exige** et **participe à une réflexion** pratique sur les facteurs d'incertitude et de vulnérabilité qui pèsent sur son entreprise. Cet exercice, lorsqu'il est effectué avec rigueur et ouverture d'esprit, met en évidence les véritables enjeux stratégiques et élargit le champ de vision des cadres et des dirigeants qui y prennent part. La planification stratégique pourra alors vraiment jouer le rôle pour lequel elle a été conçue, c'est-à-dire **aider les dirigeants à façonner la destinée de leur entreprise**.

Au volume 2 de cet ouvrage, nous montrerons comment ces modes de gestion de l'incertitude stratégique s'intègrent dans un cadre de gestion et de planification stratégiques pour la grande entreprise.

Bibliographie

Aaker, David A. *Developing Business Strategies*, New York: John Wiley & Sons, 1984.

Aaker, David A. « Managing Assets and Skills: The Key to a Sustainable Competitive Advantage », *California Management Review*, vol. 31, n° 2, hiver 1989.

Aaker, David A. *Managing Brand Equity*, New York: The Free Press, 1991.

Abegglen, James C. et Stalk, George Jr. *Kaisha: The Japanese Corporation*, New York: Basic Books, 1985.

Abell, Derek F. *Defining the Business: The Starting Point of Strategic Planning*, Englewood Cliffs, New Jersey: Prentice-Hall, 1980.

Abell, John D. et Krueger, Thomas M. « Macroeconomic Influences on Beta », *Journal of Economics and Business*, vol. 41, 1989.

Abernathy, William J., Clark, Kim B. et Kantrow, Alan M. *Industrial Renaissance: Producing a Competitive Future for America*, New York: Basic Books, 1983.

Abravanel, Harry, Allaire, Yvan, Firsirotu, Mihaela E. *et al. La culture organisationnelle: aspects théoriques pratiques et méthodologiques*, Montréal: Gaëtan Morin Éditeur, 1988.

Ackoff, Russell L. *Creating the Corporate Future*, New York: John Wiley & Sons, 1981.

Ackoff, Russell L. *Ackoff's Fables: Irreverent Reflections on Business and Bureaucracy*, New York: John Wiley & Sons, 1991.

Acs, Zoltan J. et Audretsch, David B. « Innovation in Large and Small Firms: An Empirical Analysis », *The American Economic Review*, vol. 78, n° 4, septembre 1988.

Agence canadienne de développement international (ACDI). *Étude de la gestion stratégique de l'ACDI*, Groupe SECOR inc., 1992.

Aglietta, Michel, Brender, Anton et Coudert, Virginie. *Globalisation financière: l'aventure obligée*, Paris: Economica, 1990.

Aguilar, Francis J. *General Managers in Action*, New York: Oxford University Press, 1988.

Akao, Ioji. *Hoshin Kanri: Policy Deployment for Successful TQM*, Cambridge Massachusetts: Productivity Press, 1991.

Albert, Kenneth J. *The Strategic Management Handbook*, New York: McGraw-Hill, 1983.

Albert, Michel. *Capitalisme contre capitalisme*, Paris: Éditions du Seuil, 1991.

Albrecht, Karl et Albrecht, Steven. *The Creative Corporation*, Homewood, Illinois: Dow Jones-Irwin, 1987.

Alchian, Armen A. et Demsetz, Harold. « Production, Information Costs, and Economic Organization », *American Economic Review*, décembre 1972.

Aldrich, Howard E. *Organizations and Environments*, Englewood Cliffs, New Jersey: Prentice-Hall, 1979.

Allaire, Yvan. *The Measurement of Heterogeneous Semantic, Perceptual and Preference Structures*, thèse de doctorat, Sloan School of Management, M.I.T., 1973.

Allaire, Yvan, Côté, Marcel et Miller, Roger E. *IBM Canada Ltd.: A Case Study*, étude n° 14, Ministère des Approvisionnements et Services, Canada, 1977.

Allaire, Yvan et Firsirotu, Mihaela E. «Turnaround Strategies as Cultural Revolutions», *Proceedings of Best Papers*, Canadian Association of Administrative Sciences, 1982.

Allaire, Yvan et Firsirotu, Mihaela E. «Theories of Organizational Culture», *Organization Studies*, vol. 5, n° 3, 1984.

Allaire, Yvan et Firsirotu, Mihaela E. «How to Implement Radical Strategies in Organizations», *Sloan Management Review*, printemps 1985 (repris dans Schein [1987]).

Allaire, Yvan et Firsirotu, Mihaela E. *Shaping the Firm's Destiny: Strategic Thinking and Planning for the Modern Corporation*, travail de recherche, DSA, Université du Québec à Montréal, 1987 (a).

Allaire, Yvan et Firsirotu, Mihaela E. «Gérer la diversité: structures et formes d'organisations», *Revue internationale de gestion*, septembre 1987 (b).

Allaire, Yvan et Firsirotu, Mihaela E. «La nature contractuelle de la planification stratégique», *Gestion*, mai 1988 (a).

Allaire, Yvan et Firsirotu, Mihaela E. «Les racines de l'innovation: le système japonais et l'expérience américaine», *Revue internationale de gestion*, novembre 1988 (b).

Allaire, Yvan et Firsirotu, Mihaela E. «Coping with Strategic Uncertainty», *Sloan Management Review*, vol. 30, n° 3, printemps 1989.

Allaire, Yvan et Firsirotu, Mihaela E. «Comment créer des organisations performantes: l'art subtil des stratégies radicales», *Revue internationale de gestion*, septembre 1989.

Allaire, Yvan et Firsirotu, Mihaela E. «Penser la stratégie... et la réaliser», dans Miller, Roger E. (dir.) *La direction des entreprises: concepts et applications*, Montréal: McGraw-Hill, 2ᵉ édition, 1989.

Allaire, Yvan et Firsirotu, Mihaela E. «Strategic Plans as Contracts», *Long Range Planning*, vol. 23, n° 1, 1990.

Allaire, Yvan et Firsirotu, Mihaela E. *L'entreprise stratégique: notes de cours*, Montréal: Éditions sciences et culture, 1982, 1984, 1986, 1988, 1990.

Allaire, Yvan et Firsirotu, Mihaela E. «Stratégies de marché et marketing stratégique», dans Helfer, J.P. et Orsoni, J. (dir.). *Encyclopédie du management*, Paris: Vuibert, 1992.

Allen, Robert F. et Kraft, Charlotte. *The Organizational Unconscious: How to Create the Corporate Culture You Want and Need*, Englewood Cliffs, New Jersey: Prentice-Hall, 1982.

Allison, Graham T. Jr. « Public and Private Management : Are They Fundamentally Alike in All Unimportant Respects ? », dans Lane, Frederick S., *Current Issues in Public Administration*, 2ᵉ édition, New York : St-Martin's Press, 1982.

Alter, Steven L. *Decision Support Systems : Current Practice and Continuing Challenges*, Reading, Massachusetts : Addison-Wesley Publishing Co., 1980.

Amado, Gilles, Faucheux, Claude et Laurent, André. « Changement organisationnel et réalités culturelles : contrastes franco-américains », dans Chanlat, Jean-François (dir.). *L'individu dans l'organisation : des dimensions oubliées*, Éditions ESKA, Les Presses de l'Université Laval, 1990.

American Bar Association. *Antitrust Law Developments (second)*, Premier supplément 1983-1986.

Amershi, Amin H. et Cheng, Peter. « Transfer Pricing : The Economics of Dominant Strategy Equilibrium Mechanisms Under Information Asymetry and Moral Hazard », Minneapolis, Minnesota : The University of Minnesota, document de recherche nᵒ 1238, mai 1987.

Amihud, Yakov. *Leveraged Management Buyouts : Causes and Consequences*, Homewood, Illinois : Dow Jones-Irwin, 1989.

Amihud, Yakov et Mendelson, Haim. « The Effects of Beta, Bid-Ask Spread, Residual Risk, and Size on Stock Returns », *The Journal of Finance*, vol. 44, nᵒ 2, juin 1989.

Amit, Raphael. « Cost Leadership Strategy and Experience Curves », *Strategic Management Journal*, 7, 1986, p. 281-292.

Anderson, Erin. « Two Firms, One Frontier : On Assessing Joint Venture Performance », *Sloan Management Review*, hiver 1990.

Andrews, Kenneth R. *The Concept of Corporate Strategy*, Homewood, Illinois : Irwin, 1987.

Ansoff, H. Igor. *Implanting Strategic Management*, Englewood Cliffs, New Jersey : Prentice-Hall International, 1984.

Ansoff, H. Igor, Declerck, Roger P. et Hayes, Robert L. *From Strategic Planning to Strategic Management*, Londres, Angleterre : John Wiley & Sons, 1976.

Anthony, Robert N. *The Management Control Function*, Boston, Massachusetts : Harvard Business School Press, 1988.

Aoki, Masahiko. *The Co-Operative Game Theory of the Firm*, Oxford, Angleterre : Clarendon Press, 1984.

Aoki, Masahiko. « Toward an Economic Model of the Japanese Firm », *Journal of Economic Literature*, vol. 28, mars 1990.

Aram, John D. *Dilemmas of Administrative Behavior*, Englewood Cliffs, New Jersey : Prentice-Hall, 1976.

Argyris, Chris. *Reasoning, Learning and Action : Individual and Organizational*, San Francisco, Californie : Jossey-Bass Publishers, 1982.

Argyris, Chris. *Strategy, Change and Defensive Routines*, Boston, Massachusetts : Pitman, 1985.

Arndt, Johan. « Toward a Concept of Domesticated Markets », *Journal of Marketing*, vol. 43, automne 1979.

Arrow, Kenneth J. *The Limits of Organization*, New York : W.W. Norton & Co., 1974.

Arthur D. Little Corp. *Global Strategic Planning*, New York : Business International Corporation, rapport de recherche n° 1-104, décembre 1991.

Arthur Young International. « The Landmark MIT Study : Management in the 1990's », *Internal Document*, 1991.

Ascher, William. *Forecasting : An Appraisal for Policy-Makers and Planners*, Baltimore : The John Hopkins University Press, 1979.

Auerbach, Alan J. *Mergers and Acquisitions*, Chicago, Illinois : The University of Chicago Press, 1988.

Auerbach, Paul. *Competition : The Economics of Industrial Change*, Oxford, Angleterre : Basil Blackwell, 1988.

Auletta, Ken. *Three Blind Mice : How the T.V. Networks Lost Their Way*, New York : Random House Inc., 1991.

Avishai, Bernard. « A European Platform for Global Competition : An Interview with VW's Carl Hahn », *Harvard Business Review*, juillet-août 1991.

Axelrod, Robert. *The Evolution of Cooperation*, New York : Basic Books, 1984.

Bacher, Thomas J. « The Economics of the Commercial Aircraft Industry », *Financial Times Limited*, février 1984.

Baden-Fuller, Charles W.F. et Stopford, John M. « Globalization Frustrated : The Case of White Goods », *Strategic Management Journal*, vol. 12, 1991.

Baetz, Mark C. et Beamish, Paul W. *Strategic Management : Text, Readings and Canadian Cases*, Homewood, Illinois : Irwin, 2ᵉ édition, 1990.

Bailey, Elizabeth E. *Public Regulation : New Perspectives on Institutions and Policies*, Cambridge, Massachusetts : The MIT Press, 1987.

Bailey, Elizabeth E. et Baumol, William J. *Deregulation and the Theory of Contestable Markets*, Pittsburgh, Pennsylvanie : Carnegie-Mellon University, 1984.

Bailey, Elizabeth E. et Friedlaender, Ann F. « Market Structure and Multiproduct Industries », *Journal of Economic Literature*, vol. 20, septembre 1982.

Bain, Joe S. *Barriers to New Competition*, Cambridge, Massachusetts : Harvard University Press, 1956.

Baldwin, Carliss Y. « Time Inconsistency in Capital Budgeting », document de recherche, Harvard Business School, 1988.

Baldwin, Carliss Y. et K.B. Clark. « Capabilities and Capital Investment : New Perspectives of Capital Budgeting », *Journal of Applied Corporate Finance*, été 1992.

Barnard, Chester I. *The Functions of the Executive*, Cambridge, Massachusetts : Harvard University Press, 1938.

Barnett, Donald F. et Crandall, Robert W. *Up from the Ashes : The Rise of the Steel Minimill in the United States*, Washington D.C. : The Brookings Institution, 1986.

Barnett, William P. et Carroll, Glenn R. « Competition and Mutualism Among Early Telephone Companies », *Administrative Science Quarterly*, vol. 32, septembre 1987.

Barney, Jay B. et Ouchi, William G. (édit.). *Organizational Economics: Toward a New Paradigm for Understanding and Studying Organizations*, San Francisco, Californie: Jossey-Bass Publishers, 1986.

Barney, Jay B. «Firm Resources and Sustained Competitive Advantage», *Journal of Management*, vol. 17, n° 1, 1991.

Bartlett, Christopher A. et Ghoshal, Sumantra. «Managing Across Borders: New Strategic Requirements», *Sloan Management Review*, été 1987.

Bartlett, Christopher A. et Ghoshal, Sumantra. «Managing Across Borders: New Organizational Responses», *Sloan Management Review*, automne 1987.

Bartlett, Christopher A. et Ghoshal, Sumantra. *Managing Across Borders: The Transnational Solution*, Boston, Massachusetts: Harvard Business School Press, 1989.

Bartlett, Christopher A. et Ghoshal, Sumantra. «Global Strategic Management: Impact on the New Frontiers of Strategy Research», *Strategic Management Journal*, vol. 12, 1991.

Bartlett, Christopher A., Doz, Yves L. et Hedlund, Gunnar. *Managing the Global Firm*, Londres, Angleterre: Routledge, 1990.

Bartlett, Sarah. *The Money Machine*, New York: Time-Warner Co., 1991.

Bass, Frank M., Kattin, Philippe et Wittink, Dick R. «Firm Effects and Industry Effects in the Analysis of Market Structure and Profitability», *Journal of Marketing Research*, février 1978.

Baumol, William J. «Contestable Markets: An Uprising in the Theory of Industry Structure», *American Economic Review*, mars 1982.

Baumol, William J., Panzar, John C. et Willig, Robert D. *Contestable Markets and the Theory of Industry Structure*, New York: Harcourt Brace Jovanovich Inc., 1982.

Baumol, William J., Blackman, Sue Ann Batey et Wolf, Edward N. *Productivity and American Leadership: The Long View*, Cambridge, Massachusetts: The MIT Press, 1991.

Bédard, Michel G. *Contexte de propriété et culture d'entreprise: le cas de la SAQ*, Montréal: Gaëtan Morin Éditeur, 1991.

Beer, Michael, Eisenstat, Russell A. et Spector, Bert. «Why Change Programs Don't Produce Change», *Harvard Business Review*, novembre-décembre 1990.

Beer, Michael, Spector, Bert *et al. Managing Human Assets*, New York: The Free Press, 1984.

Bendix, Reinhard. *Work and Authority in Industry*, Berkeley, Californie: University of California Press, 1956.

Benjamin, Robert I. et Scott Morton, Michael S. «Information Technology, Integration, and Organizational Change», *Interfaces*, vol. 18, n° 3, mai-juin 1988.

Bennett, Steven J. et Snell, Michael. *Executive Chess*, New York: New American Library, 1987.

Bennis, Warren et Nanus, Burt. *Leaders: The Strategies for Taking Charge*, New York: Harper & Row Publishers, 1985.

Benston, George J. «The Self-Serving Management Hypothesis: Some Evidence», *Journal of Accounting and Economics*, vol. 7, 1985.

Berg, David N. et Smith, Kenwyn K. *Exploring Clinical Methods for Social Research*, Beverly Hills, Californie : Sage Publications, 1985.

Bergadaa, Michelle et Thiétart, Raymond-Alain. « Stradin, une nouvelle méthode de décision », *Revue internationale de gestion*, vol. 14, n° 3, septembre 1989.

Berger, Peter L. *The Capitalist Revolution*, New York : Basic Books, 1986.

Berkowitz, S.D. « Markets and Market-Areas : Some Preliminary Formulations », dans Wallman et Berkowitz (édit.). *Social Structures : A Network Approach*, Cambridge, Angleterre : Cambridge University Press, 1988.

Bernstein, Jeffrey I. « The Structure of Canadian Inter-Industry R&D Spillovers, and the Rates of Return to R&D », *The Journal of Industrial Economics*, vol. 37, n° 3, mars 1989.

Bernstein, Peter L. « Are Financial Markets the Problem or the Solution ? A reply to Michael Porter », *Journal of Applied Corporate Finance*, été 1992.

Berry, Leonard L. et Wilson, Ian H. « Retailing : The Next Ten Years », *Journal of Retailing*, vol. 53, n° 3, automne 1977.

Berry, Michael A., Burmeister, Edwin et McElroy, Marjorie B. « Sorting Out Risks Using Known APT Factors », *Financial Analysts Journal*, mars-avril 1988.

Berry, William D. et Lewis-Beck, Michael S. *New Tools for Social Scientists : Advances and Applications in Research Methods*, Beverly Hills, Californie : Sage Publications, 1986.

Bhatt, Swati. « Strategic Product Choice in Differentiated Markets », *The Journal of Industrial Economics*, vol. 36, n° 2, décembre 1987.

Biggadike, E. Ralph. *Corporate Diversification : Entry, Strategy and Performance*, Cambridge, Massachusetts : Harvard University Press, 1979.

Blanchard, Kenneth et Johnson, Spencer. *The One Minute Manager*, New York : William Morrow and Co., 1981.

Blattberg, Robert C. et Sen, Subrata K. « Market Segments and Stochastic Choice Models », *Journal of Marketing Research*, vol. 13, février 1976.

Blau, Peter M. *On the Nature of Organizations*, New York : John Wiley & Sons, 1974.

Bliss, Christopher. « A Theory of Retail Pricing », *The Journal of Industrial Economics*, vol. 36, n° 4, juin 1988.

Boardman, Anthony E. et Vining, Aidan R. « Ownership and Performance in Competitive Environments : A Comparison of the Performance of Private, Mixed and State-Owned Enterprises », *Journal of Law & Economics*, vol. 32, avril 1989.

Bogue, Marcus C. III et Buffa, Elwood S. *Corporate Strategic Analysis*, New York : The Free Press, 1986.

Bolman, Lee G. et Deal, Terrence E. *Modern Approaches to Understanding and Managing Organizations*, San Francisco, Californie : Jossey-Bass Publishers, 1984.

Bolt, James F. *Executive Development : A Strategy for Corporate Competitiveness*, New York : Harper & Row Publishers, 1989.

Boreham, Gordon F. et Bodkin, Ronald G. *Money, Banking and Finance : The Canadian Context*, Holt, HRW, 1988.

Borenstein, Severin. « The Evolution of U.S. Airline Competition », *Journal of Economic Perspectives*, vol. 6, n° 2, printemps 1992.

Bork, Robert H. *The Antitrust Paradox: A Policy at War with Itself,* New York: Basic Books, 1978.

Borys, Bryan et Jemison, David B. « Hybrid Arrangements as Strategic Alliances: Theoretical Issues in Organizational Combinations », *Academy of Management Review,* vol. 14, n° 2, 1989.

Bossert, James L. *Quality Function Deployment: A Practitioner's Approach,* Milwaukee, Wisconsin: ASQC Quality Press, 1991.

Bower, Joseph L. *The Two Faces of Management,* Boston, Massachusetts: Houghton Mifflin Company, 1983.

Bowman, Edward H. « Strategy Changes », Philadelphie, Pennsylvanie: The University of Pennsylvania, document de recherche n° 88-02, 1988.

Boyer, Kenneth D. « Is There a Principle for Defining Industry? », *Southern Economic Journal,* vol. 50, 1983-84.

Bradley, James W. et Korn Donald H. *Acquisition and Corporate Development: A Contemporary Perspective for the Manager,* Lexington, Massachusetts: Lexington Books, 1981.

Bradley, Stephen P. et Hausman, Jerry A. *Future Competition in Telecommunication,* Boston: Harvard Business Press, 1989.

Brander, James A. et Eaton, Jonathan. « Product Line Rivalry », *The American Economic Review,* vol. 74, n° 3, juin 1984.

Brandon Tuma, Nancy et Hannan, Michael T. *Social Dynamics: Models and Methods,* Orlando, Floride: Academic Press, 1984.

Braudel, Fernand. *The Perspective of the World,* New York: Harper & Row Publishers, vol. 3, 1979.

Brickley, James A., Bhagat, Sanjai et Lease, Ronald C. « The Impact of Long-Range Managerial Compensation Plans on Shareholders' Wealth », *Journal of Accounting and Economics,* vol. 7, 1985.

Brindisi, Louis J. « Creating Shareholder Value: A New Mission for Executive Compensation », dans Stern, Stewart et Chew (édit.). *Corporate Restructuring & Executive Compensation,* Ballinger Publishing Company, 1989.

Britt, Steuart H. *Psychological Principles of Marketing and Consumer Behavior,* Lexington, Massachusetts: Lexington Books, 1978.

Brock, William A. « Contestable Markets and the Theory of Industry Structure: A Review Article », *Journal of Political Economy,* vol. 91, n° 6, 1983.

Brodwin, David R. et Bourgeois, L.J. III. « Five Steps to Strategic Actions », dans Carroll G. et Vogel, D. *Strategy and Organization: A West Coast Perspective,* Boston, Massachusetts: Pitman, 1984.

Bromwich, M. et Bhimani, A. « Strategic Investment Appraisal », *Management Accounting,* mars 1991, p. 45-48.

Bruck, Connie. *The Predators' Ball,* New York: Penguin Books, 1988.

Bungay, Stephen et Goold, Michael. « Creating a Strategic Control System », *Long Range Planning,* vol. 24, n° 3, 1991.

Burgelman, Robert A. et Sayles, Leonard R. *Inside Corporate Innovation : Strategy, Structure and Managerial Skills*, New York : The Free Press, 1986.

Burrell, Gibson et Morgan, Gareth. *Sociological Paradigms and Organisational Analysis*, Londres, Angleterre : Heinemann, 1979.

Burrough, Bryan et Helyar, John. *Barbarians at the Gate : The Fall of RJR Nabisco*, New York : Harper & Row Publishers, 1990.

Buzzell, Robert D. « Are There "Natural" Market Structures ? », *Journal of Marketing*, vol. 45, hiver 1981.

Buzzell, Robert D. et Gale, Bradley T. *The PIMS Principles : Linking Strategy to Performance*, New York : The Free Press, 1987.

Calantone, Roger J. et Sawyer, Alan G. « The Stability of Benefit Segments », *Journal of Marketing Research*, vol. 15, août 1978.

Calori, Roland et CESMA. « How Successful Companies Manage Diverse Businesses », *Long Range Planning*, vol. 21, juin 1988.

Cameron, Kim S., Sutton, Robert I. et Whetten, David A. *Readings in Organizational Decline*, Cambridge, Massachusetts : Ballinger Publishing Co., 1988.

Canon Incorporated. *Canon Handbook,* Tokyo : Corporate Communication Centre, Internal document, avril 1987.

Cardozo, Richard N. et Smith, David K. Jr. « Applying Financial Portfolio Theory to Product Portfolio Decision : An Empirical Study », *Journal of Marketing*, vol. 47, n° 2, printemps 1983.

Carleton, Willard T. et Lakonishok, Josef. « Risk and Return on Equity : The Use and Misuse of Historical Estimates », *Financial Analysts Journal*, janvier-février 1985.

Carroll, Glenn R. et Vogel, David (édit.). *Strategy and Organization : A West Coast Perspective*, Boston, Massachusetts : Pitman, 1984.

Carroll, Glenn R. et Vogel, David (édit.). *Organizational Approaches to Strategy*, Cambridge, Massachusetts : Ballinger Publishing, 1987.

Casson, Mark. *The Firm and the Market*, Cambridge, Massachusetts : The MIT Press, 1987.

Caulkin, Simon. *Drucker, Ohmae, Porter & Peters*, Londres, Angleterre : The Economist Publications, rapport spécial n° 1202, avril 1990.

Caves, Douglas W., Christensen, Laurits A. et Tretheway, Michael W. « Economies of Density Versus Economies of Scale : Why Trunk and Local Service Airline Costs Differ », *Rand Journal of Economics*, vol. 15, n° 4, hiver 1984.

Caves, Richard. *American Industry : Structure, Conduct, Performance*, Englewood Cliffs, New Jersey : Prentice-Hall, 4ᵉ édition, 1977.

Caves, Richard E. et Ghemawat, Pankaj. « Identifying Mobility Barriers », *Strategic Management Journal*, vol. 13, 1992.

Caves, Richard E. et Porter, Michael E. « The Dynamics of Changing Seller Concentration », *The Journal of Industrial Economics*, vol. 29, n° 1, septembre 1980.

Chaffee, Ellen E. « Three Models of Strategy », *Academy of Management Review*, vol. 10, janvier 1985.

Chakravarthy, Balaji S. et Doz, Yves L. « Strategy Process Research : Focusing on Corporate Self-Renewal », *Strategic Management Journal*, vol. 13, 1992.

Chan, Su H., Kensinger, J. et Martin, John D. « The Market Rewards Promising R&D - and Punishes the Rest », *Journal of Applied Corporate Finance*, été 1992.

Chandler, Alfred D. Jr. *Strategy and Structure : Chapters in the History of the American Industrial Enterprise*, Cambridge, Massachusetts : The MIT Press, 1962.

Chandler, Alfred D. Jr. *The Visible Hand : The Managerial Revolution in American Business*, Cambridge, Massachusetts : The Belknap Press of Harvard University Press, 1977.

Chandler, Alfred D. Jr. « The Functions of the HQ in the Multibusiness Firm », *Strategic Management Journal*, vol. 12, 1991.

Chandler, Alfred D. Jr. « Organizational Capabilities and the Economic History of the Industrial Enterprise », *Journal of Economic Perspectives*, vol. 6, n° 3, été 1992.

Chandler, Alfred D. Jr. *Scale and Scope : The Dynamics of Industrial Capitalism*, Cambridge, Massachusetts : The Belknap Press of Harvard University Press, 1990.

Chandler, Alfred D. Jr. et Tedlow, Richard S. *The Coming of Managerial Capitalism*, Homewood, Illinois : Richard D. Irwin, 1985.

Chang, Yegmin et Thomas, Howard « The Impact of Diversification Strategy on Risk-Return Performance », *Strategic Management Journal*, vol. 10, 1989.

Chanlat, Jean-François (dir.). *L'individu dans l'organisation : les dimensions oubliées*, Éditions ESKA, Les Presses de l'Université Laval, 1990.

Chatterjee, Sayan. « Sources of Value in Takeovers : Synergy or Restructuring-Implications for Target and Bidder Firms », *Strategic Management Journal*, vol. 13, 1992.

Chernow, Ron. *The House of Morgan*, New York : Touchstone Book, Simon & Schuster Publishers, 1990.

Child, Peter, Dierichs, Raimund *et al.* « SMR Forum : The Management of Complexity », *Sloan Management Review*, automne 1991.

Choate, Pat et Linger, J.K. *The High-Flex Society : Shaping America's Economic Future*, New York : Alfred A. Knopf, 1986.

Christensen, C. Roland, Berg, Norman A. *et al. Policy Formulation and Administration*, Homewood, Illinois : Richard D. Irwin Inc., 9e édition, 1985.

Christopher, Robert C. *The Japanese Mind*, Tokyo, Japon : Charles E. Tuttles Co., 1983.

Churchman, C. West. *The Design of Inquiring Systems*, New York : Basic Books, 1971.

Clancy, Kevin J. et Shulman, Robert S. *The Marketing Revolution*, Harper Business, 1991.

Clark, Kim B. et Fujimoto, Takahiro. « The Power of Product Integrity », *Harvard Business Review*, novembre-décembre 1990.

Clark, Kim B. et Fujimoto, Takahiro. *Product Development Performance : Strategy, Organization, and Management in the World Auto Industry*, Boston, Massachusetts : Harvard Business School Press, 1991.

Clark, Rodney. *The Japanese Company*, New Haven, Angleterre : Yale University Press, 1979.

Clarke, Roger et McGuinness, Tony. *The Economics of the Firm*, Oxford, Angleterre: Basil Blackwell, 1987.

Clayton, Ken. *Jaguar: Rebirth of a Legend*, Londres, Angleterre: Century Hutchison, 1988.

Coase, R.H. « The Nature of the Firm », *Economica*, 4, 1937.

Coase, R.H. *The Firm, the Market and the Law*, Chicago: The University of Chicago Press, 1988.

Coffee, John C. Jr., Lowenstein, Louis et Rose-Ackerman, Susan. *Knights, Raiders & Targets: The Impact of the Hostile Takeover*, New York: Oxford University Press, 1988.

Coleman, James S. *The Asymmetric Society*, Syracuse, New York: Syracuse University Press, 1982.

Coll, Steve. *The Deal of the Century: The Breakup of AT & T*, New York: Touchstone, 1986.

Collis, Davis J. « A Resource-Based Analysis of Global Competition: The Case of the Bearings Industry », *Strategic Management Journal*, vol. 12, 1991.

Comanor, William S. et Wilson, Thomas A. « Advertising, Market Structure and Performance », *The Review of Economics and Statistics*, vol. 49, n° 4, novembre 1967.

Conger, Jay A., Kanungo, Rabindra N. and Associates. *Charismatic Leadership: The Elusive Factor in Organizational Effectiveness*, San Francisco, Californie: Jossey-Bass Publishers, 1988.

Cook, Peter. *Massey at the Brink*, Toronto, Ontario: Collins, 1981.

Cool, Karel et Dierickx, Ingemar. « Negative Risk-Return Relationships in Business Strategy: Paradox or Truism? », Fontainebleau, France: INSEAD, travail de recherche n° 86\27, 1986.

Cool, Karel et Schendel, Dan. « Performance Differences Among Strategic Group Members », *Strategic Management Journal*, vol. 9, 1988.

Cool, Karel et Schendel, Dan. « Strategic Group Formation and Performance: The Case of the U.S. Pharmaceutical Industry, 1963-1982 », *Management Science*, vol. 33, n° 9, septembre 1987.

Cope, Robert G. *High Involvement Strategic Planning: When People and Their Ideas Really Matter*, Oxford, Ohio: The Planning Forum, 1989.

Copeland, Thomas E. et Weston, J. Fred. *Financial Theory and Corporate Policy*, Reading, Massachusetts: Addison-Wesley Publishing Co., 3ᵉ édition, 1988.

Copeland, Tom, Koller, Tim et Murrin, Jack. *Valuation: Measuring and Managing the Value of Companies*, New York: John Wiley & Sons, 1990.

Coughlan, Anne T. et Schmidt, Ronald M. « Executive Compensation, Management Turnover and Firm Performance: An Empirical Investigation », *Journal of Accounting and Economics*, vol. 7, 1985.

Cox, Keith K. et Enis, Ben M. *The Marketing Research Process*, Pacific Palisades, Californie: Goodyear Publishing Co., 1972.

Crocombe, G. T., Enright, M. J. et Porter, M.E. *Upgrading New Zealand's Competitive Advantage*, New York: Oxford University Press, 1991.

Crystal, Graef S. *In Search of Excess: The Overcompensation of American Executives*, New York: W.W. Norton and Company, 1991.

Cubbin, J. et Geroski, P. «The Convergence of Profits in the Long Run: Inter-Firm and Inter-Industry Comparisons», *The Journal of Industrial Economics*, vol. 35, n° 4, juin 1987.

Cummings, L.L. et Staw, Barry M. *Research in Organizational Behavior*, Greenwich, Connecticut: Jai Press, vol. 3, 1981.

Cusumano, Michael A. *The Japanese Automobile Industry*, Cambridge, Massachusetts: Harvard University Press, 1985.

Cusumano, Michael A. «Shifting Economies: From Craft Production to Flexible Systems and Software Factories», Cambridge, Massachusetts: MIT, travail de recherche n° 51-91, novembre 1991.

Cusumano, Michael A., Mylonadis, Yiorgos et Rosembloom, Richard S. «Strategic Maneuvering and Mass-Market Dynamics: The Triumph of VHS Over Beta», Cambridge, Massachusetts: MIT, document de recherche n° 40-91, mars 1991.

Cutts, Robert L. «Capitalism in Japan: Cartels and Keiretsu», *Harvard Business Review*, juillet-août 1992.

Daft, Richard L. *Organization Theory and Design*, Saint-Paul, Minnesota: West Publishing Co., 1983.

Daniels, Caroline. *The Management Challenge of Information Technology*, Londres, Angleterre: The Economist Intelligence Unit, rapport spécial n° 2125, avril 1991.

Datta, Deepak K., Pinches, George E. et Narayanan, V.K. «Factors Influencing Wealth Creation From Mergers and Acquisitions: A Meta-Analysis», *Strategic Management Journal*, vol. 13, 1992.

Davidow, W.H. et Malone, Michael S. *The Virtual Corporation*, New York: Harper-Collins Books, 1992.

Davis, Stanley M. *Managing Corporate Culture*, Cambridge, Massachusetts: Ballinger Publishing Co., 1984.

Day, George S. et Montgomery, David B. «Diagnosing the Experience Curve», *Journal of Marketing*, vol. 47, n° 2, printemps 1983.

Day, George S. et Shocker, Allan D. «Identifying Competitive Product-Market Boundaries: Strategic and Analytical Issues», Cambridge, Massachusetts: Marketing Science Institute, document de recherche n° 76-112, août 1976.

Day, George S., Shocker, Allan D. et Srivastava, Rajendra K. «Customer-Oriented Approaches to Identifying Product-Markets», *Journal of Marketing*, vol. 43, automne 1979.

Deal, Terence E. et Kennedy, Allan A. *Corporate Cultures: The Rites and Rituals of Corporate Life*, Reading, Massachusetts: Addison-Wesley, 1982.

Deming, E.W. *Out of the Crisis*, Cambridge, Massachusetts: The MIT Press, 1986.

Dierickx, Ingemar et Cool, Karel. «Competitive Advantage: A Resource Based Perspective», INSEAD, document de recherche, Fontainebleau, France, 1987.

Dierickx, Ingemar et Cool, Karel. «Asset Stock Accumulation and Sustainability of Competitive Advantage», Fontainebleau, France: INSEAD, document de recherche, 1987, dans *Management Science*, 35, 1989, p. 1504-1514.

Directeur des enquêtes et recherches. «Fusionnements: lignes directrices pour l'application de la loi», *Consommation et Corporation Canada*, novembre 1990.

Dixit, A. «The Role of Investment in Entry Deterrence», *Economic Journal*, 90, 1980, p. 95-106.

Dixit, Avinash et Nalebuff, Barry. *Thinking Strategically: The Competitive Edge in Business, Politics and Every Day Life*, New York: W. W. Norton & Co., 1991.

Domhoff, G. William et Dye, Thomas R. *Power Elites and Organizations*, Newbury Park, Californie: Sage Publications, 1987.

Donaldson, Gordon. *Managing Corporate Wealth*, New York: Praeger Publishers, 1984.

Donaldson, Gordon et Lorsch, Jay W. *Decision Making at the Top: The Shaping of Strategic Direction*, New York: Basic Books, 1983.

Donelly, James H., Berry, Leonard L. et Thompson, Thomas W. *Marketing Financial Services: A Strategic Vision*, Homewood, Illinois: Dow Jones Irwin, 1985.

Dore, Ronald. *British Factory-Japanese Factory: The Origins of National Diversity in Industrial Relations*, Berkeley, Californie: University of California Press, 1973.

Doz, Y.L. et Prahalad, C.K. «Managing DMNCs: A Search for a New Paradigm», *Strategic Management Journal*, vol. 12, 1991.

Drucker, Peter F. *The Practice of Management*, New York: Harper & Row Publishers, 1954.

Drucker, Peter F. *Concept of the Corporation*, New York: John Day Company, 1946, édition révisée, 1972.

Drucker, Peter F. *Toward the Next Economics and Other Essays*, New York: Harper & Row Publishers, 1981.

Drucker, Peter F. *Innovation and Entrepreneurship: Practice and Principles*, New York: Harper & Row Publishers, 1985.

Drucker, Peter F. «The Coming of the New Organization», *Harvard Business Review*, janvier-février 1988.

Drucker, Peter F. *The New Realities*, New York: Harper & Row Publishers, 1989.

Drucker, Peter F. *Managing the Nonprofit Organization: Principles and Practices*, New York: HarperCollins, 1990.

Drucker, Peter F. *Post-Capitalist Society*, New York: HarperCollins, 1993.

Dunfee, Thomas W., Stern, Louis W. et Sturdivant, Frederick D. «Bounding Markets in Merger Cases: Identifying Relevant Competitors», *Northwestern University Law Review*, vol. 78, n° 4, novembre 1984.

Dussauge, Pierre. «Les alliances stratégiques entre firmes concurrentes», *Revue française de gestion*, septembre-octobre 1990.

Eccles, Robert G. «The Quasifirm in the Construction Industry», *Journal of Economic Behavior and Organization*, vol. 2, 1981.

Eccles, Robert G. *The Transfer Pricing Problem: A Theory for Practice*, Lexington, Massachusetts: Lexington Books, 1985.

Eccles, Robert G. et Crane, Dwight B. *Doing Deals: Investment Banks at Work*, Boston, Massachusetts: Harvard Business School Press, 1988.

Eccles, Robert G. et Nohria, Nitin. *Beyond the Hype: Rediscovering the Essence of Management*, Boston, Massachusetts: Harvard Business School Press, 1992.

Edelman, Gerald M. *Bright Air, Brilliant Fire: On the Matter of the Mind*, New York: Basic Books, 1991.

Egelhoff, William G. *Organizing the Multinational Enterprise: An Information-Processing Perspective*, Cambridge, Massachusetts: Ballinger Publishing Co., 1988.

Ellis, R. Jeffery. *Managing Strategy in the Real World*, Lexington, Massachusetts: Lexington Books, 1988.

Etchegoyen, Alain. *Les entreprises ont-elles une âme?*, Paris: Éditions François Bourin, 1990.

Etzioni, Amitai. *The Moral Dimension: Toward a New Economics*, New York: The Free Press, 1988.

European Economic Commission. «Commission Decision of 2 October 1991 Declaring the Incompatibility with the Common Market of the Havilland Acquisition by Aerospatiale-Alenia», *Official Journal of the European Communities*, n° L 334\42, octobre 1991.

Evan, William et Olk, Paul. «R&D Consortia: A New U.S. Organizational Form», *Sloan Management Review*, printemps 1990.

Ewing, David W. *The Managerial Mind*, New York: The Free Press, 1964.

Fallows, James. *More Like Us: Making America Great Again*, Boston, Massachusetts: Houghton Mifflin Co., 1989.

Fama, E.F. et French, K.R. «The Cross-Section of Expected Stock Returns», document de recherche n° 333, Graduate School of Business, The University of Chicago, mai 1991.

Fama, Eugene F. et Miller, Merton H. *The Theory of Finance*, Hinsdale, Illinois: Dryden Press, 1972.

Farmer, Richard N. «Looking Backward at Looking Forward», *Business Horizons*, février 1973.

Farquhar, Carolyn R. et Shapiro, Stanley J. *Strategic Business Planning in Canada*, Ottawa, Ontario: Le Conference Board du Canada, avril 1983.

Federal Reserve Bank of New York. «Explaining International Differences in the Cost of Capital», *FRBNY Quarterly Review*, vol. 14, n° 2, été 1989.

Feinberg, Robert M. «Sales-at-Risk: A Test of the Mutual Forbearance Theory of Conglomerate Behavior», *Journal of Business*, vol. 58, n° 2, 1985.

Fiegenbaum, Avi et Karnani, Aneel. «Output Flexibility - A Competitive Advantage for Small Firms», *Strategic Management Journal*, vol. 12, 1991.

Fifer, Robert M. «Cost Benchmarking Functions in the Value Chain», *Planning Review*, mai-juin 1989.

Firsirotu, Mihaela E. *Strategic Turnaround as Cultural Revolution : The Case of Canadian National Express*, Montréal : Université McGill, thèse de doctorat, décembre 1984.

Firsirotu, Mihaela E. « Comment les facteurs de contingence façonnent la culture d'une organisation : le cas du Canadien National », dans Symons, Gladys L. (dir.), *La culture des organisations*, Montréal : Institut québécois de recherche sur la culture, 1988.

Fishburn, Peter C. « Decision Theory : The Next 100 Years ? », *The Economic Journal*, vol. 101, janvier 1991.

Fisher, Franklin M. *Antitrust and Regulation*, Cambridge, Massachusetts : The MIT Press, 1985.

Fisher, Joseph et Govindarajan, Vijay. « Profit Center Manager Compensation : An Examination of Market, Political and Human Capital Factors », *Strategic Management Journal*, vol. 13, 1992.

Flam, Harry. « Product Markets and 1992 : Full Integration, Large Gains ? », *Journal of Economic Perspectives*, vol. 6, 4 novembre, automne 1992.

Flint, Jerry. « Platform Madness », *Forbes*, n° 20, janvier 1992.

Florida, Richard et Kenney, Martin. « Transplanted Organizations : The Transfer of Japanese Industrial Organization to the U.S. », *American Sociological Review*, vol. 56, juin 1991.

Fombrun, Charles, Tichy, Noel M. et Devanna, Mary Anne. *Strategic Human Resource Management*, New York : John Wiley & Sons, 1984.

Forrester, Jay. *Industrial Dynamics*, Cambridge, Massachusetts : The MIT Press, 1961.

Forrester, Jay. « The Counterintuitive Behavior of Social Systems », *Technology Review*, janvier 1971.

Foster, Richard N. *Innovation : The Attacker's Advantage*, New York : Summit Books, 1986.

Francis, Arthur, Turk, Jeremy et Willman, Paul. *Power, Efficiency and Institutions*, Londres, Angleterre : Heinemann Educational Books, 1983.

Frank, Ronald E. et Strain, Charles E. « A Segmentation Research Design Using Consumer Panel Data », *Journal of Marketing Research*, vol. 9, novembre 1972.

Franko, Lawrence G. « Global Corporate Competition : Who's Winning, Who's Losing and the R & D Factor as One Reason Why », *Strategic Management Journal*, vol. 10, 1989.

Frazier, Gary L. et Howell, Roy D. « Business Definition and Performance », *Journal of Marketing*, vol. 47, n° 2, printemps 1983.

Freeman, Christopher. *The Economics of Industrial Innovation*, Cambridge, Massachusetts : The MIT Press, 2ᵉ édition, 1982.

Freeman, John, Carroll, Glenn R. et Hannan, Michael T. « The Liability of Newness : Age Dependence in Organizational Death Rates », *American Sociological Review*, vol. 48, octobre 1983.

Frost, Peter J. *Organizational Culture*, Beverly Hills, Californie : Sage Publications, 1985.

Fruhan, William E. Jr. *Financial Strategy: Studies in the Creation, Transfer and Destruction of Shareholder Value*, Homewood, Illinois: Richard D. Irwin Inc., 1979.

Fry, Joseph N. et Killing, J. Peter. *Canadian Business Policy: A Casebook*, Scarborough, Ontario: Prentice-Hall Canada, 1983.

Fry, Joseph N. et Killing, J. Peter. *Strategic Analysis and Action*, Scarborough, Ontario: Prentice-Hall, 2ᵉ édition, 1989.

Fudenberg, Drew et Tirole, Jean. *Game Theory*, Cambridge, Massachusetts: The MIT Press, 1992.

Fukutake, Tadashi. *The Japanese Social Structure*, Tokyo, Japon: University of Tokyo Press, 1982.

Fuller, Russell J. et Kerr, Halbert S. «Estimating the Divisional Cost of Capital: An Analysis of the Pure-Play Technique», *The Journal of Finance*, vol. 36, n° 5, décembre 1981.

Gabarro, John J. *The Dynamics of Taking Charge*, Boston, Massachusetts: Harvard Business School Press, 1987.

Galbraith, Craig S. et Merrill, Gregory B. «The Effect of Compensation Program and Structure on SBU Competitive Strategy: A Study of Technology-Intensive Firms», *Strategic Management Journal*, vol. 12, 1991.

Galbraith, Jay R. *Organization Design*, Reading, Massachusetts: Addison-Wesley Publishing, 1977.

Galbraith, Jay R. «Strategy and Organization Planning», *Human Resource Management*, printemps\été 1983.

Galbraith, Jay R. «Evolution Without Revolution: Sequent Computer Systems», *Human Resource Management*, vol. 24, n° 1, printemps 1985.

Galbraith, Jay R. et Kazanjian, Robert K. *Strategy Implementation: Structures, Systems and Process*, Saint-Paul, Minnesota: West Publishing Co., 2ᵉ édition, 1986.

Galbraith, Jay R. et Nathanson, Daniel A. *Strategy Implementation: The Role of Structure and Process*, Saint-Paul, Minnesota: West Publishing Co., 1978.

Gale, Bradley T. et Buzzell, Robert D. «Market Perceived Quality: Key Strategic Concept», *Planning Review*, mars-avril 1989.

Gardner, James R., Rachlin, Robert et Sweeny, H.W. Allen. *Handbook of Strategic Planning*, New York: John Wiley & Sons, 1986.

Geertz, Clifford. *Local Knowledge: Further Essays in Interpretive Anthropology*, New York: Basic Books, 1983.

Geertz, Clifford. *The Interpretation of Cultures*, New York: Basic Books, 1973

Gensch, Dennis H. «Image-Measurement Segmentation», *Journal of Marketing Research*, vol. 15, août 1978.

Geringer, J. Michael, Beamish, Paul W. et daCosta, Richard C. «Diversification Strategy and Internationalization: Implications for MNE Performance», *Strategic Management Journal*, vol. 10, 1989.

Gersick, Connie J.G. «Revolutionary Change Theories: A Multilevel Exploration of the Punctuated Equilibrium Paradigm», *Academy of Management Review*, vol. 16, n° 1, 1991, p. 10-36.

Getz, Gary A. et Sturdivant, Frederick D. « The Nuts and Bolts of Formulating Differentiation Strategy », *Planning Review*, septembre-octobre 1989.

Ghemawat, Pankaj. *Commitment : The Dynamic of Strategy*, New York : The Free Press, 1991.

Ghoshal, Sumantra. « Global Strategy : An Organizing Framework », *Strategic Management Journal*, vol. 8, 1987.

Gilbert, Daniel R. Jr., Hartman, Edwin *et al*. *A Logic for Strategy*, Cambridge, Massachusetts : Ballinger Publishing Co., 1988.

Gillen, David W., Stanbury, W.T. et Tretheway, Michael W. « Duopoly in Canada's Airline Industry : Consequences and Policy Issues », *Canadian Public Policy - Analyse de politiques*, vol. 14, n° 1, 1988.

Gilligan, Thomas, Smirlock, Michael et Marshall, William. « Scale and Scope Economies in the Multi-Product Banking Firm », *Journal of Monetary Economics*, vol. 13, 1984.

Gilson, Ronald J. et Mnookin, Robert H. « Sharing Among the Human Capitalists : An Economic Inquiry into the Corporate Law Firm and How Partners Split Profits », *Stanford Law Review*, vol. 37, janvier 1985.

Gluck, Frederick W. « Taking the Mystique Out of Planning », *Across the Board*, juillet-août 1985.

Glueck, William F. *Business Policy and Strategic Management*, New York : McGraw-Hill, 3ᵉ édition, 1980.

Golden, Brian R. « SBU Strategy and Performance : The Moderating Effects of the Corporate-SBU Relationship », *Strategic Management Journal*, vol. 13, 1992.

Gonenç, Rauf. « Trois formes de gestion financière des risques industriels » *Revue d'économie financière*, Éditions le Monde, n° 18, automne 1991.

Goold, Michael. « Strategic Control in the Decentralized Firm », *Sloan Management Review*, hiver 1991.

Goold, Michael et Campbell, Andrew. « Managing the Diversified Corporation : The Tensions Facing the Chief Executive », *Long Range Planning*, vol. 21, n° 4, 1988.

Goold, Michael et Quinn, John J. *Strategic Control : Milestones for Long-Term Performance*, Londres, Angleterre : The Economist Books, 1990.

Gordon, M.J. *The Investment Financing and Valuation of a Corporation*, Homewood, Ill. : Richard D. Erwin, Inc., 1962.

Grant, Robert M., Jammine, Azar P. et Thomas, Howard. « Diversity, Diversification, and Profitability Among British Manufacturing Companies, 1972-84 », *Academy of Management Journal*, vol. 31, n° 4, 1988.

Gray, Daniel H. « Uses and Misuses of Strategic Planning », *Harvard Business Review*, janvier-février 1986.

Gregory, Gene. *Japanese Electronics Technology : Enterprise and Innovation*, Tokyo, Japon : The Japan Times, 2ᵉ édition, 1986.

Griliches, Zvi. « Productivity, R & D, and Basic Research at the Firm Level in the 1970's », *The American Economic Review*, mars 1986.

Groocock, John M. *The Chain of Quality: Market Dominance Through Product Superiority*, New York: John Wiley & Sons, 1986.

Grover, Rajiv et Srinivasan, V. «A Simultaneous Approach to Market Segmentation and Market Structuring», *Journal of Marketing Research*, vol. 24, mai 1987.

Hafsi, Taieb. *Entreprise publique et politique industrielle*, Paris: McGraw-Hill, 1984.

Hage, Jerald. *Theories of Organization: Form, Process and Transformation*, New York: John Wiley & Sons, 1980.

Hagin, Robert. *Modern Portfolio Theory*, Homewood, Illinois: Dow Jones-Irwin, 1979.

Halberstam, David. *The Reckoning*, New York: William Morrow and Company, 1986.

Hall, Graham et Howell, Sydney. «The Experience Curve from the Economist's Perspective», *Strategic Management Journal*, 6, 1985, p. 197-212.

Hall, Richard. «The Strategic Analysis of Intangible Resources», *Strategic Management Journal*, vol. 13, 1992.

Hall, Roger I. «A System Pathology of an Organization: The Rise and Fall of the Old Saturday Evening Post», *Administrative Science Quarterly*, vol. 21, juin 1976.

Halpern, Paul J. et Mathewson, Frank. «Economies of Scale in Financial Institutions», *Journal of Monetary Economies*, vol. 1, 1975.

Hamel, Gary. «Competition for Competence and Inter-Partner Learning Within International Strategic Alliances», *Strategic Management Journal*, vol. 12, 1991.

Hamermesh, Richard G. *Strategic Management*, New York: John Wiley & Sons, 1983.

Hamermesh, Richard G. *Making Strategy Work: How Senior Managers Produce Results*, New York: John Wiley & Sons, 1988.

Hammer, Michael et Champy, James. *Reengineering the Corporation: A Manifesto for Business Revolution*, New York: Harper Business, 1993.

Hampden-Turner, Charles. *Maps of the Mind*, New York: Collier Books, 1982.

Hampden-Turner, Charles. *Charting the Corporate Mind*, New York: The Free Press, 1990.

Hampden-Turner, Charles. *Corporate Culture for Competitive Edge*, Londres, Angleterre: The Economist Publications, rapport spécial n° 1195, février 1990.

Handy, Charles. *The Age of Unreason*, Londres, Angleterre: Arrow Books, 1989.

Hansen, Gary S. et Wernerfelt, Birger. «Determinants of Firm Performance: The Relative Importance of Economic and Organizational Factors», *Strategic Management Journal*, vol. 10, 1989.

Harrigan, Kathryn Rudie. *Strategic Flexibility: A Management Guide for Changing Times*, Lexington, Massachusetts: Lexington Books, 1985.

Harrigan, Kathryn Rudie. «Matching Vertical Integration Strategies to Competitive Conditions», *Strategic Management Journal*, vol. 7, novembre-décembre 1986.

Harrigan, Kathryn Rudie. «Joint Ventures and Competitive Strategy», *Strategic Management Journal*, vol. 9, 1988.

Harrington, Diana R. «Stock Prices, Beta and Strategic Planning», *Harvard Business Review*, mai-juin 1983.

Harrington, Diana R. *Modern Portfolio Theory, the Capital Asset Pricing Model and Arbitrage Pricing Theory: A User's Guide*, Englewood Cliffs, New Jersey: Prentice-Hall, 2ᵉ édition, 1987.

Harris, Philip R. et Moran, Robert T. *Managing Cultural Differences*, Houston, Texas: Gulf Publishing Co., 1979.

Harris, Robert G. et Jorde, Thomas M. « Market Definition in the Merger Guidelines: Implications for Antitrust Enforcement », *California Law Review*, vol. 71, 1983.

Harris, Robert G. et Jorde Thomas M. « Antitrust Market Definition: An Integrated Approach », *California Law Review*, vol. 72, janvier 1984.

Harrison, E. Frank. « Strategic Control at the CEO Level », *Long Range Planning*, 1991.

Hart, Jeffrey A. *Rival Capitalists: International Competitiveness in the U.S., Japan and Western Europe*, Ithaca, New York: Cornell University Press, 1992.

Harvard Forum Section. « Advice and Dissent: Rating the Corporate Governance Compact », *Harvard Business Review*, novembre-décembre 1991.

Haspeslagh, Philippe C. et Jemison, David B. *Managing Acquisitions: Creating Value Through Corporate Renewal*, New York: The Free Press, 1991.

Hatsopoulos, George N., Krugman, Paul R. et Summers, Lawrence H. « U.S. Competitiveness: Beyond the Trade Deficit », *Science*, vol. 241, juillet 1988.

Hatten, Kenneth J. et Hatten, Mary Louise. « Strategic Groups, Asymetrical Mobility Barriers and Contestability », *Strategic Management Journal*, vol. 8, 1987.

Hatten, Kenneth J. et Hatten, Mary Louise. *Strategic Management: Analysis in Action*, Englewood Cliffs, New Jersey: Prentice-Hall, 1987.

Hatten, Kenneth J., Schendel, Dan E. et Cooper, Arnold C. « A Strategic Model of the U.S. Brewing Industry: 1952-1971 », *Academy of Management Journal*, vol. 21, nᵒ 4, 1978.

Hax, Arnoldo C. et Majluf, Nicolas S. *Strategic Management: An Integrative Perspective*, Englewood Cliffs, New Jersey: Prentice-Hall, 1984.

Hayden, Catherine. *The Handbook of Strategic Expertise*, New York: The Free Press, 1986.

Hayes, Robert H. et Wheelwright, Steven C. *Restoring our Competitive Edge: Competing Through Manufacturing*, New York: John Wiley & Sons, 1984.

Hayes, Roger et Watts, Reginald. *Corporate Revolution: New Strategies for Executive Leadership*, New York: Nichols Publishing Co., 1986.

Heany, Donald F. *Cut-Throat Team-Mates: Achieving Effective Teamwork Among Professionals*, Homewood, Illinois: Dow Jones-Irwin, 1989.

Heirs, Ben et Pehrson, Gordon. *The Mind of the Organization*, New York: Harper & Row Publishers, 1982.

Helfat, Constance E. *Investment Choices in Industry*, Cambridge, Massachusetts: The MIT Press, 1988.

Helfer, J.P. et Orsoni, J. (dir.). *Encyclopédie du management*, Paris: Vuibert, 1992.

Henderson, Bruce D. *Henderson on Corporate Strategy*, Cambridge, Massachusetts: Abt Books, 1979.

Henderson, Bruce D. «The Anatomy of Competition», *Journal of Marketing*, vol. 47, n° 2, printemps 1983.

Henderson, Rebecca M. et Clark, Kim B. «Architectural Innovation: The Reconfiguration of Existing Product Technologies and the Failure of Established Firms», *Administrative Science Quarterly*, 35, 1990, p. 9-30.

Hennart, Jean-François. «A Transaction Costs Theory of Equity Joint Ventures», *Strategic Management Journal*, vol. 9, 1988.

Herbert, A. Simon et Bonini, Charles P. «The Size Distribution of Business Firms», *The American Economic Review*, 48, 1965.

Hickman, Craig R. et Silva, Michael A. *Creating Excellence: Managing Corporate Culture, Strategy and Change in the New Age*, New York: New American Library Books, 1984.

Hickman, Craig R. et Silva, Michael A. *The Future 500: Creating Tomorrow's Organizations Today*, New York: New American Library Books, 1987.

Hickson, David J., Butler, Richard J. *et al. Top Decisions: Strategic Decision-Making in Organizations*, San Francisco, California: Jossey-Bass Publishers, 1986.

Hill, Charles W.L. «Corporate Control Type, Strategy, Size and Financial Performance», *Journal of Management Studies*, septembre 1988.

Hill, Charles W.L. «Internal Capital Market, Control and Financial Performance in Multidivisional Firms», *The Journal of Industrial Economics*, vol. 37, n° 1, septembre 1988.

Hirschhorn, Larry et Gilmore, Thomas. «The New Boundaries of the "Boundaryless" Company», *Harvard Business Review*, mai-juin 1992.

Hirshleifer, Jack. *Economic Behaviour in Adversity*, Chicago: The University of Chicago Press, 1987.

Hobbes, Thomas. *Leviathan*, Oxford: Oxford University Press, Éd. Michael Oakeshott, [1651] 1957.

Hofer, Charles W. et Schendel, Dan. *Strategy Formulation: Analytical Concepts*, Saint-Paul, Minnesota: West Publishing Co., 1978.

Hofstede, Geert. *Culture's Consequences: International Differences in Work-Related Values*, Beverly-Hills, Californie: Sage Publications, 1980.

Horowitz, Ira. «Market Definition in Antitrust Analysis: A Regression-Based Approach», *Southern Economic Journal*, 1981.

Hosmer, LaRue Tone. *The Ethics of Management*, Homewood, Illinois: Richard D. Irwin, 1987.

Hounshell, David A. et Kenly Smith, John Jr. *Science and Corporate Strategy*, Cambridge, Angleterre: Cambridge University Press, 1988.

Hout, Thomas, Porter, Michael E. et Rudden, Eileen. «How Global Companies Win Out», *Harvard Business Review*, septembre-octobre 1982.

Hrebiniak, Lawrence G. et Joyce, William F. *Implementing Strategy*, New York: Macmillan Publishing Co., 1984.

Huber, Richard L. «How Continental Bank Outsourced its "Crown Jewels"», *Harvard Business Review*, janvier-février 1993.

Hurst, David K. «Of Boxes, Bubbles and Effective Management», *Harvard Business Review*, mai-juin 1984.

Hurst, David K. «Why Strategic Management is Bankrupt», *Organization Dynamics*, 1986.

Imai, Masaaki. *Kaizen: The Key to Japan's Competitive Success*, New York: Random House Business Division, 1986.

Itami, Hiroyuki et Roehl, Thomas W. *Mobilizing Invisible Assets*, Cambridge, Massachusetts: Harvard University Press, 1987.

Ito, Takatoshi. *The Japanese Economy*, Cambridge, Massachusetts: The MIT Press, 1992.

Jacobs, Jane. *Systems of Survival: A Dialogue on the Moral Foundations of Commerce and Politics*, New York: Random House, 1992.

Jacobson, Gary et Hillkirk, John. *Xerox: American Samurai*, New York: Macmillan Publishing Co., 1986.

Jacobson, Robert. «Distinguishing Among Competing Theories of the Market Share Effect», *Journal of Marketing*, vol. 52, octobre 1988.

Jacobson, Robert et Aaker, David A. «Is Market Share All That It's Cracked Up to Be?», *Journal of Marketing*, vol. 49, automne 1985.

Jacquemin, A. *L'entreprise et son pouvoir de marché*, Québec: Les Presses de l'Université Laval, 1967.

Jacquemin, A. *Économie industrielle européenne*, Paris: Dunod éditeur, 1979.

Jacquemin, A. *The New Industrial Organization*, Cambridge, Massachusetts: The MIT Press, 1987.

Janis, Irving L. et Mann, Leon. *Decision Making: A Psychological Analysis of Conflict, Choice and Commitment*, New York: The Free Press, 1977.

Jaques, Elliot. *A General Theory of Bureaucracy*, Londres, Angleterre: Heinemann, 1976.

Jauch, Lawrence R. et Glueck, William F. *Strategic Management and Business Policy*, New York: McGraw-Hill, 1988.

Jenkins, Reese V. *Images and Enterprises: Technology and the American Photographic Industry 1839-1925*, Baltimore: The John Hopkins Press, 1975.

Jensen, Michael C. et Meckling, William H. «Theory of the Firm: Managerial Behavior, Agency Costs and Ownership Structure», *Journal of Financial Economics*, 3, 1976, p. 305-360.

Jensen, Michael C. «Takeovers: Their Causes and Consequences», *Journal of Economic Perspectives*, vol. 2, n° 1, hiver 1988.

Jensen, Michael C. «Eclipse of the Public Corporation», *Harvard Business Review*, septembre-octobre 1989.

Jensen, Michael C. et Murphy, Kevin J. «CEO Incentives - It's Not How Much You Pay, But How», *Harvard Business Review*, mai-juin 1990.

Joffre, Patrick et Koenig, Gérard. *Stratégie d'entreprise : antimanuel*, Paris : Economica, 1985.

Johnson, Chalmers. *Revolutionary Change*, Boston, Massachusetts : Little, Brown, 1966.

Johnson, Chalmers. *MITI and the Japanese Miracle*, Stanford, Californie : Stanford University Press, 1982.

Johnson, H. Thomas. *Relevance Regained*, New York : The Free Press, 1992.

Johnson, H. Thomas et Kaplan, Robert S. *Relevance Lost : The Rise and Fall of Management Accounting*, Boston, Massachusetts : Harvard Business School Press, 1987.

Jones, John P. « Ad Spending : Maintaining Market Share », *Harvard Business Review*, janvier-février 1990.

Judd, Kenneth L. « Credible Spatial Preemption », *Rand Journal of Economics*, vol. 16, n° 2, été 1985.

Jurkus, Anthony F. « Requiem for a Lightweight : The Northrop F-20 Strategic Initiative », *Strategic Management Journal*, vol. 11, 1990.

Kahn, Alfred E. *The Economics of Regulation : Principles and Institutions*, Cambridge, Massachusetts : The MIT Press, 1988.

Kalwani, Manohar U. et Morrison, Donald G. « A Parsimonious Description of the Hendry System », *Management Science*, vol. 23, n° 5, janvier 1977.

Kamata, Satoshi. *Japan in the Passing Lane*, New York : Pantheon Books, 1982.

Kamien, Morton L. et Schwartz, Nancy L. *Market Structure and Innovation*, Cambridge, Angleterre : Cambridge University Press, 1982.

Kanter, Rosabeth Moss et Stein, Barry A. *Life in Organizations : Workplaces as People Experience Them*, New York : Basic Books, 1979.

Kanter, Rosabeth Moss. *The Change Masters*, New York : Simon & Schuster, 1983.

Kanter, Rosabeth Moss. « When Giants Learn Cooperative Strategies », *Planning Review*, janvier-février 1990.

Kanter, Rosabeth Moss, Stein, Barry A. et Jick, Todd D. *The Challenge of Organizational Change*, New York : The Free Press, 1992.

Kao, John J. *Entrepreneurship, Creativity and Organization*, Englewood Cliffs, New Jersey : Prentice-Hall, 1989.

Kaplan, Steven. « Management Buyouts : Evidence on Taxes as a Source of Value », *The Journal of Finance*, vol. 44, n° 3, juillet 1989.

Karnani, Aneel et Wernerfelt, Birger. « Research Note and Communication : Multiple Point Competition », *Strategic Management Journal*, vol. 6, 1985.

Katz, Donald R. *The Big Store : Inside the Crisis and Revolution at Sears*, New York : Viking, 1987.

Katz, Michael L. et Shapiro, Carl. « How to License Intangible Property », *The Quarterly Journal of Economics*, août 1986.

Katz, Michael L. et Shapiro, Carl. « R & D Rivalry with Licensing or Imitation », *The American Economic Review*, vol. 77, n° 3, juin 1987.

Keen, Peter G.W. *Competing in Time: Using Telecommunications for Competitive Advantage*, Cambridge, Massachusetts: Ballinger Publishing Co., 1986.

Keeney, Ralph L. et Raiffa, Howard. *Decisions with Multiple Objectives: Preferences and Value Tradeoffs*, New York: John Wiley & Sons, 1976.

Keesing, Roger M. « Theories of Culture », *Annual Review of Anthropology*, vol. 3, 1974.

Keller, Maryann. *Rude Awakening: The Rise, Fall and Struggle for Recovery of General Motors*, New York: William Morrow and Company, 1989.

Kennedy, Paul. *Preparing for the Twenty-First Century*, New York: Random House, 1993.

Kerin, Roger A., Varadarajan, P. R. et Peterson, R.A. « First-Mover Advantage: A Synthesis, Conceptual Framework and Research Propositions », *Journal of Marketing*, vol. 56, octobre 1992, p. 33-52.

Kester, Carl W. et Luehrman, Timothy A. « The Myth of Japan's Low-Cost Capital », *Harvard Business Review*, vol. 70, n° 3, mai-juin 1992.

Kets de Vries, Manfred F.R. *Organizational Paradoxes: Clinical Approaches to Management*, Londres, Angleterre: Tavistock Publications, 1980.

Kidder, Tracy. *The Soul of a New Machine*, Boston, Massachusetts: Little, Brown, 1981.

Killen, Michael. *IBM: The Making of the Common View*, Boston, Massachusetts: Harcourt Brace Jovanovich Publishers, 1988.

Kilmann, Ralph H., Covin, Teresa J. *et al. Corporate Transformation*, San Francisco, Californie: Jossey-Bass Publishers, 1988.

Kilmann, Ralph H. *Beyond the Quick Fix*, San Francisco, Californie: Jossey-Bass Publishers, 1984.

Kilmann, Ralph H., Saxton, Mary J., Serpa, Roy *et al. Gaining Control of the Corporate Culture*, San Francisco, Californie: Jossey-Bass Publishers, 1985.

Kim, W. Chan, Hwang, Peter et Burgers, William P. « Global Diversification Strategy and Corporate Profit Performance », *Strategic Management Journal*, vol. 10, 1989.

Kimberly, John R., Miles, Robert H. *et al. The Organizational Life Cycle*, San Francisco, Californie: Jossey-Bass Publishers, 1980.

Klemperer, Paul. « Equilibrium Product Lines: Competing Head-to-Head May Be Less Competitive », *The American Economic Review*, vol. 82, n° 4, septembre 1992.

Kobayashi, Kesaji et Morikawa, Hidemasa. *Development of Managerial Enterprise*, Tokyo, Japon: The University of Tokyo Press, 1986.

Kochan, Thomas A. et Useem, Michael. *Transforming Organizations*, New York: Oxford University Press, 1992.

Kogut, Bruce. « Joint Ventures: Theoretical and Empirical Perspectives », *Strategic Management Journal*, vol. 9, 1988.

Kogut, Bruce. « Country Capabilities and the Permeability of Borders », *Strategic Management Journal*, vol. 12, 1991.

Kondratieff, N.D. « The Long Waves in Economic Life », *The Review of Economic Statistics*, vol. 17, n° 6, novembre 1935.

Kotler, Philip. *Marketing Management: Analysis, Planning, and Control*, Englewood Cliffs, New Jersey: Prentice-Hall, 3e édition, 1976.

Kotler, Philip, Fahey, Liam et Jatusripitak Somkid. *The New Competition*, Englewood Cliffs, New Jersey: Prentice-Hall, 1985.

Kotler, Philip, Fahey, Liam et Jatusripitak, Somkid. *La concurrence totale: les leçons du marketing stratégique japonais*, Paris: Les éditions d'organisation, 1987.

Kotler, Philip, Mc Dougall, Gordon H.G. et Picard, Jacques. *Principes de marketing*, Éditions Préfontaine inc., 1983.

Kotter, John P. *The General Managers*, New York: The Free Press, 1982.

Kotter, John P. *Power and Influence: Beyond Formal Authority*, New York: The Free Press, 1985.

Kotter, John P. *The Leadership Factor*, New York: The Free Press, 1988.

Kramnick, I. «Reflections on Revolution: Definition and Explanation in Recent Scholarship», *History and Theory*, 1972, vol. 2, n° 1, p. 26-63.

Krugman, Paul. *The Age of Diminished Expectations*, Cambridge, Massachusetts: The MIT Press, 1990.

Krugman, Paul. *Geography and Trade*, Cambridge, Massachusetts: The MIT Press, 1991.

Kuhn, Alfred et Beam, Robert D. *The Logic of Organization*, San Francisco, Californie: Jossey-Bass Publishers, 1982.

Lakatos, Imre. *The Methodology of Scientific Research Programmes*, Cambridge, Angleterre: Cambridge University Press, 1978.

Lamb, Robert B. *Competitive Strategic Management*, Englewood Cliffs, New Jersey: Prentice-Hall, 1984.

Lammers, C.J. et Hickson, D. J. (édit.). *Organizations Alike and Unlike*, Londres: Routledge and Kegan, Paul, 1979.

Lancaster, Kevin. *Consumer Demand: A New Approach*, New York: Columbia University Press, 1971.

Landes, William M. et Posner, Richard A. «Market Power in Antitrust Cases», *Harvard Law Review*, vol. 94, 1981.

Lane, Frederick S. *Current Issues in Public Administration*, New York: St-Martin's Press, 2e édition, 1992.

Langley, Ann. «The Roles of Formal Planning», *Long Range Planning*, 1988.

Larçon, Jean-Paul et Reitter, Roland. *Structures de pouvoir et identité de l'entreprise*, Éditions Fernand Nathan, 1979.

Laslett, Peter. *John Locke: Two Treatises of Government*, Cambridge, Angleterre: Cambridge University Press, 1988.

Latham, Mark. «The Arbitrage Pricing Theory and Supershares», *The Journal of Finance*, vol. 44, n° 2, juin 1989.

Lavey, Warren G. «A Close Analysis of Buyers and Antitrust Markets», *Washington University Law Quarterly*, vol. 61, 1983.

Lawrence, Paul R. et Lorsch, Jay W. *Organization and Environment: Managing Differentiation and Integration*, Homewood, Illinois: Richard D. Irwin Inc., 1967.

Leavitt, Harold J. *Corporate Pathfinders*, Homewood, Illinois: Dow Jones-Irwin, 1986.

Lebra, Takie Sugiyama et Lebra, William P. *Japanese Culture and Behavior: Selected Readings*, Honolulu, Hawaï: University of Hawaii Press, édition révisée, 1986.

Leibenstein, Harvey. *Inside the Firm: The Inefficiencies of Hierarchy*, Cambridge, Massachusetts: Harvard University Press, 1987.

Leifer, Eric M. et White, Harrison C. «Wheeling and Annealing: Federal and Multidivisional Control», dans James F. Short Jr. (édit.). *The Social Fabric: Dimensions and Issues*, Beverley Hills: Sage Publications, 1986, p. 223-240.

Leifer, Eric M. et White, Harrison C. «A Structural Approach to Markets», dans Mizruchi, Mark S. et Schwartz, Michael. *Intercorporate Relations: The Structural Analysis of Business*, Cambridge, Angleterre: Cambridge University Press, 1987.

Leonard-Barton, Dorothy. «Core Capabilities and Core Rigidities: A Paradox in Managing New Product Development», *Strategic Management Journal*, vol. 13, 1992.

Leontiades, Milton. *Strategies for Diversification and Change*, Boston, Massachusetts: Little, Brown, 1980.

Leontiades, Milton. *Managing the Unmanageable: Strategies for Success Within the Conglomerate*, Reading, Massachusetts: Addison-Wesley Publishing Co., 1986.

Levinson, Harry et Rosenthal, Stuart. *CEO: Corporate Leadership in Action*, New York: Basic Books, 1984.

Levitt, Theodore. «Marketing Intangible Products and Product Intangibles», *Harvard Business Review*, mai-juin 1981.

Levitt, Theodore. *The Marketing Imagination*, New York: The Free Press, 1983.

Lewicki, Roy J. et Litterer, Joseph A. *Negotiation*, Homewood, Illinois: Irwin, 1985.

Lewin, Arie Y. et Minton, John W. «Determining Organizational Effectiveness: Another Look and an Agenda for Research», *Management Science*, vol. 32, n° 5, mai 1986.

Lewis, Michael. *Liar's Poker*, New York: Penguin Books, 1989.

Lieberman, M.B. et Montgomery, D.B. «First-Mover Advantages», *Strategic Management Journal*, 9, été 1988.

Lim, Kian-Guan. «A New Test of the Three-Moment Capital Asset Pricing Model», *Journal of Financial and Quantitative Analysis*, vol. 24, n° 2, juin 1989.

Lincoln, James R., Hanada, Mitsuyo et McBride, Kerry. «Organizational Structures in Japanese and U.S. Manufacturing», *Administrative Science Quarterly*, vol. 31, 1986.

Lippitt, Gordon L. *Organization Renewal: A Holistic Approach to Organization Development*, Englewood Cliffs, New Jersey: Prentice-Hall, 1982.

Lippman, S.A. et Rumelt, R.P. «Uncertain Imitability: An Analysis of Interfirm Differences in Efficiency Under Competition», *Bell Journal of Economics*, vol. 13, automne 1982.

Loomis, Carol J. «Dinosaurs?», *Fortune*, mai 3, 1993.

Lorange, Peter, Scott Morton, Michael F. et Ghoshal, Sumantra. *Strategic Control Systems*, Saint-Paul, Minnesota: West Publishing Co., 1986.

Lowenstein, Louis. *Sense and Nonsense in Corporate Finance*, Reading, Massachusetts: Addison-Wesley Publishing Co., 1991.

Lu, David J. *Inside Corporate Japan*, Stamford, Connecticut: Productivity Press, 1987.

Lucas, Robert E. « On the Size Distribution of Business Firms », *The Bell Journal of Economics*, 1978.

Lundstrom, David E. *A Few Good Men From Univac*, Cambridge, Massachusetts: The MIT Press, 1987.

Luttwak, Edward N. *Strategy: The Logic of War and Peace*, Cambridge, Massachusetts: The Belknap Press of Harvard University Press, 1987.

Lyneis, James M. *Corporate Planning and Policy Design: A System Dynamics Approach*, Cambridge, Massachusetts: The MIT Press, 1980.

Lynk, William J. « Interpreting Rising Concentration: The Case of Beer », *Journal of Business*, vol. 57, n° 1, 1984.

Lynn, Leonard H. *How Japan Innovates: A Comparison with the U.S. in the Case of Oxygen Steelmaking*, Boulder, Colorado: Westview Press, 1982.

Maccoby, Michael. *The Gamesmen: The New Corporate Leaders*, New York: Simon and Shuster, 1976.

Magaziner, Ira C. et Patinkin, Mark. *The Silent War: Inside the Global Business Battles Shaping America's Future*, New York: Random House, 1989.

Magaziner, Ira C. et Patinkin, Mark. « Fast Heat: How Korea Won the Microwave War », *Harvard Business Review*, janvier-février 1989.

Magaziner, Ira C. et Reich, Robert B. *Minding America's Business: The Decline and Rise of the American Economy*, New York: Vintage Books, 1983.

Mahajan, Vijay et Jain, Arun K. « An Approach to Normative Segmentation », *Journal of Marketing Research*, vol. 15, août 1978.

Malone, Thomas W. « Modeling Coordination in Organizations and Markets », *Management Science*, vol. 33, n° 10, octobre 1987.

Malone, Thomas W. et Rockart, J.F. « Computers, Networks and the Corporation », *Scientific American*, septembre 1991.

Malone, Thomas W., Yates, Joanne et Benjamin, Robert I. « Electronic Markets and Electronic Hierarchies », *Communications of the ACM*, vol. 30, n° 6, juin 1987.

Mancke, Richard B. « Causes of Interfirm Profitability Differences: A New Interpretation of the Evidence », *The Quarterly Journal of Economics*, vol. 88, n° 2, mai 1974.

Mankin, H. et Weil, R. « Forecasting Model for the U.S. Residential Market », *NBER*, n° 2994, décembre 1988.

Mann, H. Michael. « Seller Concentration, Barriers to Entry and Rates of Return in Thirty Industries », *The Review of Economics and Statistics*, n° 48, août 1966.

Mansfield, Edwin. « How Rapidly Does New Industrial Technology Leak Out? », *The Journal of Industrial Economics*, vol. 34, n° 2, décembre 1985.

Marakon Associates. «The Challenge of Value Creation», document présenté au Southern California Corporate Planners Association, mai 1984.

March, James G. (édit.). *Decisions and Organizations*, Oxford, Angleterre: Basil Blackwell Inc. 1988.

Margolis, Stephen E. «Monopolistic Competition and Multiproduct Brand Names», *Journal of Business*, vol. 62, n° 2, 1989.

Marren, Joseph H. *Mergers and Acquisitions: Will You Overpay?*, Homewood, Illinois: Dow Jones-Irwin, 1985.

Marrus, Stephanie K. *Building the Strategic Plan: Find, Analyse and Present the Right Information*, New York: John Wiley & Sons, 1984.

Marsh, Barbara. *A Corporate Tragedy: The Agony of International Harvester Company*, New York: Doubleday & Co., 1985.

Martinez-Giralt, X. et Neven, D.J. «Can Price Competition Dominate Market Segmentation?», *The Journal of Industrial Economics*, vol. 36, n° 4, juin 1988.

Mascarenhas, Briance. «Strategic Group Dynamics», *Academy of Management Review*, vol. 32, n° 2, 1989.

Mason, Richard O. et Mitroff, Ian I. *Challenging Strategic Planning Assumptions: Theory, Cases and Techniques*, New York: John Wiley & Sons, 1981.

Mazur, Laura. *Marketing 2000: Critical Challenges for Corporate Survival*, Londres, Angleterre: The Economist Intelligence Unit, Special Report n° 2126, mars 1991.

McConkey, Dale D. «Planning for Uncertainty», *Business Horizons*, janvier-février 1987.

McConnell, John J. et Muscarella, Chris J. «Corporate Capital Expenditure Decisions and the Market Value of the Firm», *Journal of Financial Economics*, vol. 14, 1985.

McGee, John et Thomas, Howard. «Strategic Groups: Theory, Research and Taxonomy», *Strategic Management Journal*, vol. 7, 1986.

McGee, John et Thomas, Howard. *Strategic Management Research: A European Perspective*, Chichester, Angleterre: John Wiley & Sons, 1986.

McGrath, Michael E. et Hoole, Richard W. «Manufacturing's New Economies of Scale», *Harvard Business Review*, mai-juin 1992.

McGuire, Joseph W. *Theories of Business Behavior*, Englewood Cliffs, New Jersey: Prentice-Hall, 1964.

Mensch, G. *Stalemate in Technology*, Cambridge, Massachusetts: Ballinger Publishing Co., 1979.

Mercer, David. *The Global IBM Leadership in Multinational Management*, New York: Dodd, Mead & Co., 1987.

Merchant, Kenneth A. *Rewarding Results: Motivating Profit Center Managers*, Boston, Massachusetts: Harvard Business School Press, 1989.

Miles, James A. et Rosenfeld, James D. «The Effect of Voluntary Spin-Off Announcements on Shareholder Wealth», *The Journal of Finance*, vol. 38, n° 5, décembre 1983.

Miller, Lawrence M. *Barbarians to Bureaucrats*, New York: Clarkson & Potter, 1989.

Miller, Roger E. (dir.). *La direction des entreprises : concepts et applications*, Montréal : McGraw-Hill, 2e édition, 1989.

Miller, Roy Andrew. *Japan's Modern Myth : The Language and Beyond*, New York : Weatherhill, 1982.

Mills, D. Quinn. *The IBM Lesson : The Profitable Art of Full Employment*, New York : Random House, 1988.

Mills, D. Quinn. *Rebirth of the Corporation*, New York : John Wiley & Sons, 1991.

Mills, Peter. *Managing Service Industries*, Cambridge, Massachusetts : Ballinger Publishing Co., 1986.

Mintzberg, Henry. *The Structuring of Organizations*, Englewood Cliffs, New Jersey : Prentice-Hall, 1979.

Mintzberg, Henry. « The Effective Organization : Forces and Forms », *Sloan Management Review*, hiver 1991.

Mirvis, Philip H. et Berg, David N. *Failures in Organization Development and Change*, New York : John Wiley & Sons, 1977.

Mitchell, Will. « Whether and When ? Probability and Timing of Incumbent's Entry into Emerging Industrial Subfields », *Administrative Science Quarterly*, vol. 34, 1989.

Mitroff, Ian I., Barabba, Vincent P. et Kilmann, Ralph H. « The Application of Behavioral and Philosophical Technologies to Strategic Planning : A Case Study of a Large Federal Agency », *Management Science*, vol. 24, no 1, septembre 1977.

Mobley, Lou et McKeown, Kate. *Beyond IBM*, New York : McGraw-Hill, 1989.

Moe, Terry M. « The New Economics of Organization », *American Journal of Political Science*, no 28, 1984.

Monden, Yasuhiro. *Toyota Production System*, Norcross, Georgia : Industrial Engineering and Management Press, 1983.

Monden, Yasuhiro, Shibakawa, Rinya, Takayanagi, Satoru *et al. Innovations in Management : The Japanese Corporation*, Atlanta, Georgia : Industrial Engineering and Management Press, 1985.

Montgomery, Cynthia A. et Porter, Michael E. *Strategy : Seeking and Securing Competitive Advantage*, Boston, Massachusetts : Harvard Business Review Book Series, 1991.

Morgan, Gareth. *Images of Organization*, Beverly Hills, Californie : Sage Publications, 1986.

Morrison, Allen J. et Roth, Kendall. « A Taxonomy of Business-Level Strategies in Global Industries », *Strategic Management Journal*, vol. 13, 1992.

Moynihan, Michael. *Developing Effective Global Managers for the 1990s*, New York : Business International Corporation, Research Report no 1-101, mars 1991.

Mroczkowski, Tomasz et Hanaoka, Masao. « Continuity and Change in Japanese Management », *California Management Review*, vol. 31, no 2, hiver 1989.

Mueller, Dennis C. *The Dynamics of Company Profits*, Cambridge, Angleterre : Cambridge University Press, 1990.

Muller, Jerry Z. *Adam Smith in His Time and Ours : Designing the Decent Society*, New York : The Free Press, 1992.

Murphy, Kevin J. «Corporate Performance and Managerial Remuneration: An Empirical Analysis», *Journal of Accounting and Economics*, vol. 7, 1985.

Murray, John D. et White Robert W. «Economies of Scale and Economies of Scope in Multiproduct Financial Institutions: A Study of British Columbia Credit Unions», *The Journal of Finance*, vol. 38, n° 3, juin 1983.

Nakagawa, Keiichiro. *Strategy and Structure of Big Business*, Tokyo, Japon: University of Tokyo Press, 1986.

Nathanson, D.A. et Cassano, J.S. «Organization, Diversity and Performance», *The Wharton Magazine*, vol. 6, n° 4, été 1982.

Naylor, Thomas H. *Corporate Planning Models*, Reading, Massachusetts: Addison-Wesley Publishing Co., 1979.

Naylor, Thomas H. et Thomas, Celia. *Optimization Models for Strategic Planning*, Amsterdam: North Holland, 1984.

Nelson, Philip B. *Corporations in Crisis*, New York: Praeger Publishers, 1981.

Nelson, Richard R. «Why Do Firms Differ, and How Does It Matter?», *Strategic Management Journal*, vol. 12, 1991.

Nelson, Richard R. et Winter, Sidney G. «Forces Generating and Limiting Concentration Under Schumpeterian Competition», *The Bell Journal of Economics*, 9, 1978.

Nelson, Richard R. et Winter, Sidney G. *An Evolutionary Theory of Economic Change*, Cambridge, Massachusetts: The Belknap Press of Harvard University Press, 1982.

Nelson, Richard R., Winter, Sidney G. et Schuette, Herbert L. «Technical Change in an Evolutionary Model», *Quarterly Journal of Economics*, 90, 1976.

Nelson, Richard R. et Wright, Gavin. «The Rise and Fall of American Technological Leadership», *Journal of Economic Literature*, vol. 30, décembre 1992.

Neustadt, R.E. et May, E.R. *Thinking in Time: The Uses of History for Decision Makers*, New York: The Free Press, 1986.

Nevaer, Louis E. et Deck, Steven A. *The Management of Corporate Business Units*, New York: Quorum Books, 1988.

Newman, William H. et Logan, James P. *Strategy, Policy and Central Management*, Cincinnati, Ohio: South-Western Publishing, 7e édition, 1976.

Newman, William H., Logan, James P. et Hegarty, W. *Strategy: A Multi-Level Integrative Approach*, Cincinnati, Ohio: South-Western Publishing Co., 1989.

Nightingale, John. «On the Definition of "Industry" and "Market"», *The Journal of Industrial Economics*, vol. 27, n° 1, septembre 1978.

Nisbett, Richard et Ross, Lee. *Human Inference: Strategies and Shortcomings of Social Judgment*, Englewood Cliffs, New Jersey: Prentice-Hall, 1980.

Nonaka, Ikujiro. «The Knowledge-Creating Company», *Harvard Business Review*, novembre-décembre 1991.

North, Douglass C. *Institutions, Institutional Change and Economic Performance*, New York: Cambridge University Press, 1990.

Nystrom, Paul C. et Starbuck, William H. (édit.). *Handbook of Organizational Design*, New York: Oxford University Press, vol. 1 et 2, 1981.

Ohmae, Kenichi. « Foresight in Strategic Planning », *The McKinsey Quarterly*, automne 1982.

Ohmae, Kenichi. *The Mind of the Strategist: Business Planning for Competitive Advantage*, New York: Penguin Books, 1982.

Ohmae, Kenichi. *Triad Power: The Coming Shape of Global Competition*, New York: The Free Press, 1985.

Ohmae, Kenichi. *Beyond National Borders: Reflections on Japan and the World*, Homewood, Illinois: Dow Jones-Irwin, 1987.

Okochi, Akio et Tadakatsu, Inoue. *Overseas Business Activities*, Tokyo, Japon: University of Tokyo Press, 1984.

Olson, Mancur. *The Logic of Collective Action*, Cambridge, Massachusetts: Harvard University Press, 1971.

Osborne, David et Gaebler, Ted. *Reinventing Government*, Reading, Massachusetts: Addison-Wesley Publishing Co., 1992.

Oster, Sharon M. *Modern Competitive Analysis*, New York: Oxford University Press, 1990.

Ouchi, William G. « A Conceptual Framework for the Design of Organizational Control Mechanisms », *Management Science*, vol. 25, n° 9, septembre 1979.

Ouchi, William G. « Markets, Bureaucracies and Clans », *Administrative Science Quarterly*, vol. 25, mars 1980.

Ouchi, William G. *Theory Z: How American Business Can Meet the Japanese Challenge*, Reading, Massachusetts: Addison-Wesley Publishing Co., 1981.

Ouchi, William G. et Bolton, Michele Kremen. « The Logic of Joint Research and Development », *California Management Review*, vol. 30, n° 3, printemps 1988.

Ouchi, William G. « The New Joint R & D », *Proceedings of the IEEE*, vol. 77, n° 9, septembre 1989.

Panzar, John C. et Willig, Robert D. « Economies of Scope », *American Economic Review, Papers and Proceedings*, vol. 71, n° 2, mai 1981.

Pascale, Richard Tanner. *The Art of Japanese Management*, New York: Simon & Schuster, 1981.

Pasold, Peter W. « The Effectiveness of Various Modes of Sales Behavior in Different Markets », *Journal of Marketing Research*, vol. 12, mai 1975.

Pearce, John A. II et Robinson, Richard B. Jr. *Formulation and Implementation of Competitive Strategy*, Homewood, Illinois: Richard D. Irwin, 1982.

Pearce, John A. II et Robinson, Richard B. Jr. *Strategic Management: Strategy Formulation and Implementation*, Homewood, Illinois: Richard D. Irwin, 2ᵉ édition, 1985.

Pearson, Andrall E. « Corporate Redemption and the Seven Deadly Sins », *Harvard Business Review*, mai-juin 1992.

Peles, Yoram. « Economies of Scale in Advertising Beer and Cigarettes », *Journal of Business*, vol. 44, 1971.

Pennings, Johannes M. et Associates. *Organizational Strategy and Change*, San Francisco, Californie: Jossey-Bass Publishers, 1985.

Pennings, Johannes M. et Harianto, Farid. «The Diffusion of Technological Innovation in the Commercial Banking Industry», *Strategic Management Journal*, vol. 13, 1992.

Penrose, Edith. *The Theory of the Growth of the Firm*, New York: John Wiley & Sons Inc., 1959.

Perrow, Charles. *Complex Organizations: A Critical Essay*, Glenview, Illinois: Scott, Foresman and Co., 2e édition, 1979.

Pessemier, Edgar A. «Managerial Aspects of Market Structure Analysis and Market Maps», Cambridge, Massachusetts: Marketing Science Institute Research Program, document de recherche n° 79-101, mars 1979.

Peteraf, Margaret A. «The Cornerstones of Competitive Advantage: A Resource-Based View», *Strategic Management Journal*, vol. 14, 1993, p. 179-191.

Peters, Thomas J. et Austin, Nancy. *A Passion for Excellence: The Leadership Difference*, New York: Random House, 1985.

Peters, Thomas J. et Waterman, Robert H. Jr. *In Search of Excellence: Lessons from America's Best-Run Companies*, New York: Harper & Row Publishers, 1982.

Pettigrew, Andrew. *The Management of Strategic Change*, Oxford, Angleterre: Basil Blackwell, 1988.

Pfeffer, Jeffrey et Salancik, Gerald R. *The External Control of Organizations: A Resource Dependence Perspective*, New York: Harper & Row Publishers, 1978.

Pinchot, Gifford III. *Intrapreneur*, New York: Harper & Row Publishers, 1985.

Pindyck, Robert S. et Rubinfeld, Daniel L. *Econometric Models and Economic Forecasts*, New York: McGraw-Hill, 3e édition, 1991.

Pitts, Gordon. *Storming the Fortress*, Toronto: HarperCollins, 1990.

Popper, Karl R. *Conjectures and Refutations: The Growth of Scientific Knowledge*, Londres, Angleterre: Routledge and Kegan Paul, 1963.

Porter, Michael E. «Consumer Behaviour, Retailer Power and Market Performance in Consumer Goods Industries», *The Review of Economics and Statistics*, vol. 56, n° 4, novembre 1974.

Porter, Michael E. *Interbrand Choice, Strategy and Bilateral Market Power*, Cambridge, Massachusetts: Harvard University Press, 1976.

Porter, Michael E. *Competitive Strategy*, New York: The Free Press, 1980.

Porter, Michael E. *Competitive Advantage*, New York: The Free Press, 1985.

Porter, Michael E. *Competition in Global Industries*, Boston, Massachusetts: Harvard Business School Press, 1986.

Porter, Michael E. *The Competitive Advantage of Nations*, New York: The Free Press, 1990.

Porter, Michael E. «Toward a Dynamic Theory of Strategy», *Strategic Management Journal*, vol. 12, 1991, p. 95-117.

Porter, Michael, E. «Capital Choices: Changing the Way America Invests in Industry», *Journal of Applied Corporate Finance*, été 1992.

Posner, Richard A. *Antitrust Law: An Economic Perspective*, Chicago: University of Chicago Press, 1976.

Posner, Richard A. *Economic Analysis of Law*, Boston: Little, Brown and Company Inc., 1986.

Potts, Mark et Behr, Peter. *The Leading Edge*, New York: McGraw-Hill, 1987.

Powell, Thomas C. «Organizational Alignment as Competitive Advantage», *Strategic Management Journal*, vol. 13, 1992.

Powell, Walter W. «Hybrid Organizational Arrangements: New Form or Transitional Development?», *California Management Review*, vol. 30, n° 1, automne 1987.

Prahalad, C.K. «Developing Strategic Capability: An Agenda for Top Management», *Human Resource Management*, vol. 22, n° 3, automne 1983.

Prahalad, C.K. et Hamel, G. «The Core Competence of the Corporation», *Harvard Business Review*, mai-juin 1990.

Prahalad, C.K. et Doz, Yves L. *The Multi-National Mission: Balancing Local Demands and Global Vision*, New York: The Free Press, 1987.

Pratt, John W. et Zeckhauser, Richard J. *Principals and Agents: The Structure of Business*, Boston, Massachusetts: Harvard Business School Press, 1985.

Prietula, Michael J. et Simon, Herbert A. «The Experts in Your Midst», *Harvard Business Review*, janvier-février 1989.

Prindl, Andreas R. *Japanese Finance: A Guide to Banking in Japan*, New York: John Wiley & Sons, 1981.

Pryor, L.S. «Benchmarking: A Self-Improvement Strategy», *The Journal of Business Strategy*, novembre-décembre 1989.

Putnam, Robert D. *Making Democracy Work: Civic Traditions in Modern Italy*, Princeton, New Jersey: Princeton University Press, 1993.

Quinn, James B. *Strategies for Change*, Homewood, Illinois: Richard D. Irwin, 1980.

Quinn, James B. *Intelligent Enterprise*, New York: The Free Press, 1992.

Quinn, James B., Mintzberg, Henry et James, Robert M. *The Strategy Process*, Englewood Cliffs, New Jersey: Prentice-Hall, 1988.

Quinn, Robert E. et Cameron, Kim S. *Paradox and Transformation: Toward a Theory of Change in Organization and Management*, Cambridge, Massachusetts: Ballinger Publishing Co., 1988.

Quinn, Robert E. et Rohrbaugh, John. «A Spatial Model of Effectiveness Criteria: Towards a Competing Values Approach to Organizational Analysis», *Management Science*, vol. 29, n° 3, mars 1983.

Raelin, Joseph A. *The Clash of Cultures*, Boston: Harvard Business School Press, 1986.

Raiffa, Howard. *The Art and Science of Negotiation*, Cambridge, Massachusetts: The Belknap Press of Harvard University Press, 1982.

Rainey, Hal G., Backoff, Robert W. et Levine, Charles H. «Comparing Public and Private Organizations», *Public Administration Review*, mars-avril 1976.

Rangan, V.K., Moriarty, R.T. et Swartz, G.S. «Segmenting Customers in Mature Industrial Markets», *Journal of Marketing*, vol. 56, octobre 1992, p. 77-82.

Rapp, Stan et Collins, Tom. *MaxiMarketing: The New Direction in Advertising, Promotion and Marketing Strategy*, New York: McGraw-Hill, 1987.

Rappaport, Alfred. «Selecting Strategies That Create Shareholder Value», *Harvard Business Review*, mai-juin 1981.

Rappaport, Alfred. *Creating Shareholder Value: The New Standard for Business Performance*, New York: The Free Press, 1986.

Rappaport, Alfred. «The Staying Power of the Public Corporation», *Harvard Business Review*, janvier-février 1990.

Rappaport, Alfred. «CFOs and Strategists», *Harvard Business Review*, mai-juin 1992.

Ravenscraft, David J. et Scherer, F.M. *Mergers, Sell-Offs and Economic Efficiency*, Washington, D.C.: The Brookings Institution, 1987.

Reich, Leonard S. *The Making of American Industrial Research*, Cambridge, Massachusetts: Cambridge University Press, 1986.

Reich, Robert B. *The Work of Nations*, New York: Alfred A. Knopf, 1991.

Reid, Peter C. *Well Made in America: Lessons from Harley-Davidson on Being the Best*, New York: McGraw-Hill, 1990.

Reimann, Bernard C. «Strategy Valuation in Portfolio Planning: Combining Q and VROI Ratios», *Planning Review*, janvier 1986.

Reimann, Bernard C. *Managing for Value: A Guide to Value-Based Strategic Management*, Oxford, Ohio: The Planning Forum, 1987.

Reimann, Bernard C. «Managing for the Shareholders: An Overview of Value-Based Planning», *Planning Review*, janvier-février 1988.

Reimann, Bernard C. «Sustaining the Competitive Advantage», *Planning Review*, mars-avril 1989.

Reimann, Bernard C. «Achieving Management Consensus Around Value-Creating Strategies», *Planning Review*, septembre-octobre 1989.

Reinhardt, U.E. «Break-Even Analysis for Lockheed's Tri-Star: An Application of Financial Theory», *Journal of Finance*, vol. 28, n° 4, septembre 1973.

Reischauer, Edwin O. *The Japanese*, Cambridge, Massachusetts: The Belknap Press of Harvard University Press, 1977.

Rhenman, Eric. *Organization Theory for Long-Range Planning*, New York: John Wiley & Sons, 1973.

Rice, George H. et Bishoprick, Dean W. *Conceptual Models of Organization*, New York: Appleton-Century-Crofts, 1971.

Richards, Max D. *Organizational Goal Structures*, Saint-Paul, Minnesota: West Publishing Co., 1978.

Richards, Max D. *Setting Strategic Goals and Objectives*, Saint-Paul, Minnesota: West Publishing Co., 1986.

Richardson, Peter R. *Cost Containment: The Ultimate Advantage*, New York: The Free Press, 1988.

Ries, Al et Trout, Jack. *Marketing Warfare*, New York: McGraw-Hill 1986.

Riordan, Michael H. «Contracting in an Idiosyncratic Market», *The Bell Journal of Economics*, vol. 14, n° 2, automne 1983.

Roberts, Edward B. *Managerial Applications of System Dynamics*, Cambridge, Massachusetts: The MIT Press, 1978.

Roberts, Edward B. *Entrepreneurs in High Technology: Lessons from MIT and Beyond*, New York: Oxford University Press, 1991.

Robinson, William T. et Fornell, Claes. «Sources of Market Pioneer Advantages in Consumer Goods Industries», *Journal of Marketing Research*, vol. 22, août 1985.

Rock, Milton L. *The Mergers and Acquisitions Handbook*, New York: McGraw-Hill, 1987.

Rohlen, Thomas P. *Japan's High Schools*, Berkeley, Californie: University of California Press, 1983.

Rohlen, Thomas P. «Spiritual Education in a Japanese Bank», dans Lebra, Sugiyama et Lebra W. (édit.), *Japanese Culture and Behavior*, University of Hawaii Press, 1986.

Roos, Daniel, Altshuler, Alan *et al*. *The Future of the Automobile*, Cambridge, Massachusetts: The MIT Press, 1984.

Rosenberg, Barr et Guy, James. «Prediction of Beta from Investment Fundamentals», *Financial Analysts Journal*, mai-juin 1976.

Rosenberg, Nathan et Birdzell L.E. Jr. *How the West Grew Rich*, New York: Basic Books, 1986.

Ross, Stephen A. «The Economic Theory of Agency: The Principal's Problem», *American Economic Review*, vol. 63, n° 2, mai 1973.

Ross, Stephen A. «Institutional Markets, Financial Marketing, and Financial Innovation», *The Journal of Finance*, vol. 44, n° 3, juillet 1989.

Rothchild, John. *Going for Broke*, New York: Simon & Schuster, 1991.

Rothschild, William E. «How to Ensure the Continued Growth of Strategic Planning», *The Journal of Business Strategy*, été 1980.

Rousseau, Jean-Jacques. *Du contrat social et autres œuvres politiques*, Paris: Éditions Garnier Frères, 1975.

Rowe, Alan J., Mason, Richard O. et Dickel, Karl E. *Strategic Management: A Methodological Approach*, Reading, Massachusetts: Addison-Wesley Publishing Co., 1987.

Rugman, Alan M. *New Theories of the Multinational Enterprise*, Londres, Angleterre: Croom Helm, 1982.

Rumelt, R.P., Schendel, D. et Teece, D.J. «Strategic Management and Economics», *Strategic Management Journal*, vol. 12, 1991.

Rumelt, Richard P. «How Much Does Industry Matter?», document de recherche, Université de Californie, octobre 1988, dans *Strategic Management Journal*, 12, 1991, p. 167-185.

Rumelt, Richard P. et Wensley, Robin. «In Search of the Market Share Effect», document de recherche n° MGL-61, Los Angeles: University of California et London Business School, novembre 1980.

Sadanand, Venkatraman. «Determining the Order of Moves by Oligopolists», document de recherche n° 1019, Faculty of Commerce and Business Administration, University of British Columbia, août 1986.

Sakaiya, Taichi. *The Knowledge-Value Revolution*, New York: Kodansha America Inc., 1991.

Sallenave, Jean-Paul. *Direction générale et stratégie d'entreprise*, Paris: Les éditions d'organisation, 1984.

Salop, Steven C. et Scheffman, David T. « Cost-Raising Strategies », *The Journal of Industrial Economics*, vol. 36, n° 1, septembre 1987.

Salter, Malcolm S. et Weinhold, Wolf A. *Diversification Through Acquisition: Strategies for Creating Economic Value*, New York: The Free Press, 1979.

Sandler, Ralph D. « Market Share Instability in Commercial Airline Markets and the Impact of Deregulation », *Journal of Industrial Economics*, vol. 36, n° 3, mars 1988.

Sapp, Richard W. et Smith, Roger W. *Strategic Management for Bankers*, Oxford, Ohio: Oxford Press, 1989.

Sathe, Vijay. « Fostering Entrepreneurship in the Large, Diversified Firm », *Organizational Dynamics*, été 1989.

Savas, E.S. *Privatization: The Key to Better Government*, Chatham, New Jersey: Chatham House Publishers, 1987.

Sawyer, George C. *Corporate Planning as a Creative Process*, Oxford, Ohio: Planning Executives Institute, 1983.

Schaffer, Robert H. et Thomson, Harvey A. « Successful Change Programs Begin with Results », *Harvard Business Review*, janvier-février 1992.

Schein, Edgar H. *Organizational Culture and Leadership*, San Francisco, Californie: Jossey-Bass Publishers, 1985.

Schein, Edgar H. *The Art of Managing Human Resources*, New York: Oxford University Press, 1987.

Schelling, Thomas C. *Micromotives and Macrobehavior*, New York: W.W. Norton & Company, 1978.

Schelling, Thomas C. *The Strategy of Conflict*, Cambridge, Massachusetts: Harvard University, 1980.

Schendel, Dan E. et Hofer, Charles W. *Strategic Management: New View of Business Policy and Planning*, Boston, Massachusetts: Little, Brown and Company Inc., 1979.

Scherer, F.M. *Industrial Market Structure and Economic Performance*, Chicago: Rand-McNally, 2e édition, 1980.

Scherer, F.M. *Innovation and Growth: Schumpeterian Perspectives*, Cambridge, Massachusetts: The MIT Press, 1984.

Scherer, F.M. « Mergers, Sell-Offs and Managerial Behavior », dans Thomas, L.G. III, (édit.). *The Economics of Strategic Planning: Essays in Honor of Joel Dean*, Lexington, Massachusetts: Lexington Books, 1986.

Schlesinger, Leonard A., Dyer, Davis, Clough, Thomas N. et Landau, Diane. *Chronicles of Corporate Change*, Lexington, Massachusetts: Lexington Books, 1987.

Schmalensee, Richard. « Entry Deterrence in the Ready-to-Eat Breakfast Cereal Industry », *The Bell Journal of Economics*, 9, 1978, p. 305-327.

Schmalensee, Richard. « Product Differentiation Advantages of Pioneering Brands », *The American Economic Review*, vol. 72, n° 3, 1982.

Schmalensee, Richard. « Do Markets Differ Much ? », *The American Economic Review*, vol. 75, n° 3, 1985.

Schnaars, S.P. *Megamistakes : Forecasting and the Myth of Rapid Technological Change*, New York : The Free Press, 1989.

Schoemaker, P.J.H. « When and How to Use Scenario Planning : A Heuristic Approach », *Journal of Forecasting*, 10, 1991, p. 549-564.

Schoemaker, P.J.H. « How to Link Strategic Vision to Core Capabilities », *Sloan Management Review*, automne 1992, p. 67-81.

Schwalbach, Joachim. « Profitability and Market Share : A Reflection on the Functional Relationship », *Strategic Management Journal*, vol. 12, 1991.

Scott, John T. et Pascoe, George. « Purposive Diversification of R&D in Manufacturing », *The Journal of Industrial Economics*, vol. 36, n° 2, décembre 1987.

Scott, W. Richard. *Organizations : Rational, Natural and Open Systems*, Englewood Cliffs, New Jersey : Prentice-Hall, 1981.

Scott Morton, Michael S. *The Corporation of the 1990's*, New York : Oxford University Press, 1991.

Selznick, Philip. *TVA and the Grass Roots : A Study in the Sociology of Formal Organization*, New York : Harper & Row Publishers, 1966.

Senge, Peter M. « The Leader's New Work : Building Learning Organizations », *Sloan Management Review*, automne 1990.

Senge, Peter M. *The Fifth Discipline : The Art and Practice of the Learning Organization*, New York : Doubleday Currency, 1990.

Shaked, Avner et Sutton, John. « Product Differentiation and Industrial Structure », *The Journal of Industrial Economics*, vol. 36, n° 2, décembre 1987.

Shank, John K. et Govindarajan, Vijay. « Strategic Cost Analysis of Technological Investments », *Sloan Management Review*, automne 1992, p. 39-51.

Shleifer, Andrei. « A Theory of Yardstick Competition », *Rand Journal of Economics*, vol. 16, n° 3, automne 1985.

Shleifer, Andrei et Vishny, Robert W. « Takeovers in the '60s and the '80s : Evidence and Implications », *Strategic Management Journal*, vol. 12, 1991.

Shocker, Allan D. et Srinivasan, V. « Multiattribute Approaches for Product Concept Evaluation and Generation : A Critical Review », *Journal of Marketing Research*, mai 1979.

Shubik, Martin et Levitan, Richard. *Market Structure and Behavior*, Cambridge, Massachusetts : Harvard University Press, 1980.

Silver, Morris. (édit.) *Enterprise and the Scope of the Firm : The Role of Vertical Integration*, Oxford, Angleterre : Martin Robertson, 1984.

Silverman, David. *The Theory of Organisations*, New York : Basic Books, 1970.

Simon, Herbert, A. *Administrative Behavior*, New York : The Free Press, 3e édition, 1976.

Simon, Herbert A. et Bonini, Charles P. « The Size Distribution of Business Firms », *The American Economic Review*, vol. 48, septembre 1958.

Simon, Hermann. « Pricing Opportunities-and How to Exploit Them », *Sloan Management Review*, hiver 1992.

Singh, Ajit et Whittington, Geoffrey. « The Size and Growth of Firms », *Review of Economic Studies*, février 1974.

Sisodia, Rajendra S. « Singapore Invests in the Nation-Corporation », *Harvard Business Review*, mai-juin 1992.

Sissors, Jack Z. « What Is a Market ? », *Journal of Marketing*, vol. 30, juillet 1966.

Smith, Clifford W. Jr. *The Modern Theory of Corporate Finance*, New York : McGraw-Hill, 1990.

Smith, James A. *The Idea Brokers : Think Tanks and the Rise of the New Policy Elite*, New York : The Free Press, 1991.

Smith, Theodore A. *Dynamic Business Strategy : The Art of Planning for Success*, New York : McGraw-Hill, 1977.

Smyth, D.J. « Short-Run Macroeconomic Forecasting : The OECD Performance », *Journal of Forecasting*, 2, 1983, p. 37-49.

Sobel, Robert. *The Rise and Fall of the Conglomerate Kings*, New York : Stein and Day Publishers, 1984.

Solman, Paul et Friedman, Thomas. *Life and Death on the Corporate Battlefield*, New York : Simon and Schuster, 1982.

Spence, Michael A. « The Learning Curve and Competition », *The Bell Journal of Economics*, 12, 1981, p. 49-70.

Spence, Michael A. « Contestable Markets and the Theory of Industry Structure : A Review Article », *Journal of Economic Literature*, 21, 1983, p. 981-990.

Srivastava, Rajendra K., Leone, Robert P. et Shocker, Allan D. « Market Structure Analysis : Hierarchical Clustering of Products Based on Substitution-in-Use », *Journal of Marketing*, vol. 45, été 1981.

Stalk, G. « Time : The Next Source of Competitive Advantage », *Harvard Business Review*, juillet-août 1988.

Stalk, George Jr. et Hout, Thomas M. *Competing Against Time*, New York : The Free Press, 1990.

Stalk, George Jr., Evans, Philip et Shulman, Lawrence E. « Competing on Capabilities : The New Rules of Corporate Strategy », *Harvard Business Review*, mars-avril 1992.

Stasch, Stanley F. et Ward, John L. « Growth Strategies for Small-Share Firms in Mature Industries : Some Refinements of the "Fast-Growth Segment-Highly Differentiated Niche" Theme ». dans Thomas, H. et Gardner, D. (édit.). *Strategic Marketing and Management*, New York : John Wiley & Sons, 1985.

Steinbruner, John D. *The Cybernetic Theory of Decision*, Princeton, New Jersey : Princeton University Press, 1974.

Steiner, George A. et Miner, John B. *Management Policy and Strategy : Text, Readings and Cases*, New York : Macmillan Publishing Co., 1977.

Steiner, Thomas D. et Teixeira, Diogo B. *Technology in Banking : Creating Value and Destroying Profits*, Homewood, Illinois : Dow Jones-Irwin, 1990.

Stern, Andrew A. « Pricing and Differentiation Strategies », *Planning Review*, septembre-octobre 1989.

Stern, Stewart et Chew (édit.). *Corporate Restructuring and Executive Compensation*, Cambridge, Massachusetts : Ballinger Publishing Company, 1989.

Stewart, Bennett G. III. « Remaking the Public Corporation from Within », *Harvard Business Review*, juillet-août 1990.

Stewart, Bennett G. III. *The Quest for Value*, New York : Harper Business, 1991.

Stewart, James B. *Den of Thieves*, New York : Simon & Schuster, 1991.

Stobaugh, Robert. *Innovation and Competition : The Global Management of Petrochemical Products*, Boston : Harvard Business School Press, 1988.

Strage, Henry M. *Milestones in Management*, Cambridge, Massachusetts : Blackwell Business, 1992.

Strategic Planning Associates. *Strategy and Shareholder Value : The Value Curve*, 1981.

Strategor. *Stratégie, structure, décision, identité : politique générale d'entreprise*, Paris : InterÉditions, 1988.

Stringer, Robert A. Jr. et Uchenick, Joel L. *Strategy Traps and How to Avoid Them*, Lexington, Massachusetts : Lexington Books, 1986.

Suarez, Fernando F., Cusumano, Michael A. *et al.* « Flexibility and Performance : A Literature Critique and Strategic Framework », Cambridge, Massachusetts : The MIT Press, document de recherche n° 50-91, novembre 1991.

Sunder, S. « Relationship Between Accounting Changes and Stock Prices : Problems of Measurement and Some Empirical Evidence », *Empirical Research in Accounting : Selected Studies*, 18, 1973.

Surtees, Lawrence. *Pa Bell : A. Jean de Grandpré and the Meteoric Rise of Bell Canada Enterprises*, Toronto, Ontario : Random House, 1992.

Sutton, C.J. *Economics and Corporate Strategy*, Cambridge, Angleterre : Cambridge University Press, 1980.

Sutton, John. *Sunk Costs and Market Structure*, Cambridge, Massachusetts : The MIT Press, 1992.

Symons, Gladys L. (dir.). *La culture des organisations*, Montréal : Institut québécois de recherche sur la culture, 1988.

Takamiya, Susumu et Thurley, Keith. *Japan's Emerging Multinationals*, Tokyo, Japon : University of Tokyo Press, 1985.

Tallman, Stephen B. « Strategic Management Models and Resource-Based Strategies Among MNEs in a Host Market », *Strategic Management Journal*, vol. 12, 1991.

Taylor, William. « The Logic of Global Business : An Interview with ABB's Percy Barnevik », *Harvard Business Review*, mars-avril 1991.

Tedlow, R.S. et John, R.R. Jr. (édit.). *Managing Big Business : Essays from the Business History Review*, Boston, Massachusetts : Harvard Business School Press, 1986.

Teece, David J. « Market Entry Strategies for Innovators : Avoiding Pyrrhic Victories », document de recherche n° M-7, juillet 1986.

Teece, David J. *The Competitive Challenge: Strategies for Industrial Innovation and Renewal*, Cambridge, Massachusetts: Ballinger Publishing, 1987.

Temin, Peter et Galambos, Louis. *The Fall of the Bell System*, Cambridge, Angleterre: Cambridge University Press, 1987.

Thiétart, Raymond-Alain. *La stratégie d'entreprise*, Paris: McGraw-Hill, 2e édition, 1990.

Thomas, H. et Gardner, D. *Strategic Marketing and Management*, New York: John Wiley & Sons, 1985.

Thomas, Joe G. et Koonce, J.M. «Differentiating a Commodity: Lessons from Tyson Foods», *Planning review*, septembre-octobre 1989.

Thomas, Lacy Glenn III. *The Economics of Strategic Planning*, Lexington, Massachusetts: Lexington Books, 1986.

Thompson, Arthur A. Jr. et Strickland, A.J. III. *Strategy and Policy: Concepts and Cases*, Plano, Texas: Business Publications Inc., 1981.

Thompson, James D. *Organizations in Action*, New York: McGraw-Hill, 1967.

Thorelli, Hans B. *Strategy + Structure = Performance: The Strategic Planning Imperative*, Bloomington, Indiana: Indiana University Press, 1977.

Thorelli, Hans B. «Networks: Between Markets and Hierarchies», *Strategic Management Journal*, vol. 7, 1986.

Thurow, Lester C. *The Management Challenge: Japanese Views*, Cambridge, Massachusetts: The MIT Press, 1985.

Tichy, Noel M. *Managing Strategic Change: Technical, Political and Cultural Dynamics*, New York: John Wiley & Sons, 1983.

Tichy, Noel M. et Devanna, Mary Anne. *The Transformational Leader*, New York: John Wiley & Sons, 1986.

Tichy, Noel M. et Sherman, Stratford. *Control Your Destiny or Someone Else Will*, New York: Doubleday, 1993.

Tirole, Jean. *The Theory of Industrial Organization*, Cambridge, Massachusetts: The MIT Press, 1988.

Tollefson, John O. et Lessig, Parker V. «Aggregation Criteria in Normative Market Segmentation Theory», *Journal of Marketing Research*, vol. 15, août 1978.

Tosi, Henry L. et Gomez-Mejia, Luis R. «The Decoupling of CEO Pay and Performance: An Agency Theory Perspective», *Administrative Science Quarterly*, vol. 34, juin 1989.

Tregoe, Benjamin B. et Zimmerman, John W. *Top Management Strategy: What It Is and How to Make It Work*, New York: Simon and Schuster, 1980.

Tremblay, Victor J. et Horton Tremblay, Carol. «The Determinants of Horizontal Acquisitions: Evidence from the U.S. Brewing Industry», *The Journal of Industrial Economics*, vol. 37, n° 1, septembre 1988.

Tufte, Edward R. *Political Control of the Economy*, Princeton, New Jersey: Princeton University Press, 1978.

Tung, Rosalie L. *Strategic Management in the United States and Japan*, Cambridge, Massachusetts: Ballinger Publishing Co., 1986.

Tushman, Michael L. et Anderson, Philip. « Technological Discontinuities and Organizational Environments », Strategy Center Working Paper n° 47, New York : Graduate School of Business Columbia University, mars 1985.

Tushman, Michael L. et Anderson, Philip. « Technological Discontinuities and Organizational Environments », *Administrative Science Quarterly*, vol. 31, septembre 1986.

Tushman, Michael L. et Moore, William L. *Readings in the Management of Innovation*, Harper Business, 2ᵉ édition, 1988.

Tushman, Michael L. et Romanelli, Elaine. « Organizational Evolution : A Metamorphosis Model of Convergence and Reorientation », dans Cummings, L.L. et Staw, B.M. (édit.). *Research in Organizational Behaviour*, Greenwich, Connecticut : JAI Press, vol. 7, 1985, p. 171-222.

Tushman, Michael L., Newman, William H. et Romanelli, Elaine. « Convergence and Upheaval : Managing the Unsteady Pace of Organizational Evolution », *California Management Review*, vol. 29, n° 1, automne 1986, p. 29-43.

Ullrich, Robert A. et Wieland, George F. *Organization Theory and Design*, Homewood, Illinois : Richard D. Irwin, 1980.

Ulrich, Dave et Lake, Dale. *Organizational Capability*, New York : John Wiley & Sons, 1990.

Urban, Glen L., Carter, Theresa, Gaskin, Steven et Mucha, Zofia. « Market Share Rewards to Pioneering Brands : An Empirical Analysis and Strategic Implications », *Management Science*, vol. 32, n° 6, 1986.

Utterback, James M. « Environmental Analysis and Forecasting », dans Schendel, Dan E. et Hofer, Charles, W. *Strategic Management a New View of Business Policy and Planning*, Boston, Massachusetts : Little, Brown and Company Inc., 1979.

Uyterhoeven, Hugo. « General Managers in the Middle », *Harvard Business Review*, septembre-octobre 1989.

Van Auw, Alvin. *Heritage and Destiny : Reflections on the Bell System in Transition*, New York : Praeger, 1983.

Vancil, Richard F. *Passing the Baton : Managing the Process of CEO Succession*, Boston, Massachusetts : Harvard Business School Press, 1987.

Van Duijn, J.J. *The Long Wave in Economic Life*, Londres, Angleterre : George Allen and Unwin, 1983.

Varadarajan, P. Rajan, Clark, Terry et Pride, William M. « Controlling the Uncontrollable : Managing Your Market Environment », *Sloan Management Review*, hiver 1992.

Vietor, Richard H.K. *Strategic Management in the Regulatory Environment*, Englewood Cliffs, New Jersey : Prentice-Hall, 1989.

Vogel, Ezra F. *Japan as Number 1 : Lessons for America*, New York : Harper & Row Publishers, 1979.

Von Hippel, Eric. *The Sources of Innovation*, New York : Oxford University Press, 1988.

Wack, P. « Scenarios : Unchartered Waters Ahead », *Harvard Business Review*, septembre-octobre 1985.

Waddell, William C. *The Outline of Strategy*, Oxford, Ohio : The Planning Forum, 1986.

Walker, Geoffrey De Q. «Control or Dominate a Market : Developments in Australian Merger Law», *The Antitrust Bulletin*, vol. 24, été 1979.

Wallace, James et Erickson, Jim. *Hard Drive : Bill Gates and the Making of the Microsoft Empire*, New York : John Wiley & Sons Inc., 1992.

Wallman, Barry et Berkowitz, S.D. (édit.) *Social Structures : A Network Approach*, Cambridge, Angleterre : Cambridge University Press, 1988.

Wall Street Journal. «Counter Strategy, Woolworth, Defeated in Discounting, Aims at Speciality Markets», 3 novembre 1983.

Wall Street Journal. «Textile Companies Rapidly Stake out Niches», 5 février 1986.

Wall Street Journal. «GM Puts Key Executives Under Contract», 8 avril 1993.

Ware, Roger. «Sunk Costs and Strategic Commitment : A Proposed Three-Stage Equilibrium», *The Economic Journal*, vol. 94, juin 1984.

Waterman, Robert H. Jr. *The Renewal Factor : How the Best Get and Keep the Competitive Edge*, Toronto, Ontario : Bantam Books, 1987.

Watson, Thomas J. Jr. *Father, Son & Co.: My Life at IBM and Beyond*, New York : Bantam Books, 1990.

Weick, Karl E. *The Social Psychology of Organizing*, Reading, Massachusetts : Addison-Wesley Publishing Co., 2ᵉ édition, 1979.

Weinhaus, Carol L. et Oettinger, Anthony G. *Behind the Telephone Debates*, Norwood, New Jersey : Ablex Publishing Corporation, 1988.

Weiss, Michael J. *The Clustering of America*, New York : Harper & Row Publishers, 1988.

Wells, William D. «Psychographics : A Critical Review», *Journal of Marketing Research*, vol. 12, mai 1975.

Wenner, D.L. et LeBer, R.W. «Managing for Shareholder Value - From Top to Bottom», *Harvard Business Review*, novembre-décembre 1989.

Wernerfelt, Birger. «A Resource-Based View of the Firm», *Strategic Management Journal*, 1984, p. 171-180.

Wernerfelt, Birger et Montgomery, Cynthia A. «Tobin's q and the Importance of Focus in Firm Performance», *The American Economic Review*, vol. 78, n° 1, mars 1988.

West, Douglas S. «Testing for Market Preemption Using Sequential Location Data», *The Bell Journal of Economics*, vol. 12, n° 1, printemps 1981.

Westney, D. Eleanor. *Imitation and Innovation : The Transfer of Western Organizational Patterns to Meji Japan*, Cambridge, Massachusetts : Harvard University Press, 1987.

Westney, D. Eleanor et Sakakibara, Kiyonori. «The Role of Japan-Based R & D in Global Technology Strategy», *Technology in Society*, vol. 7, 1985.

White, Harrison C. «Where Do Markets Come From ?», *American Journal of Sociology*, vol. 87, n° 3, 1981.

White, Harrison C. «Varieties of Markets», dans Wallman et Berkovitz, S.D. (édit.). *Social Structures: A Network Approach*, Cambridge, Angleterre: Cambridge University Press, 1988.

White, Leslie A. *The Concept of Culture*, Minneapolis, Minnesota: Burgess Publishing Co., 1973.

White, Roderick E. «Generic Business Strategies, Organizational Context and Performance: An Empirical Investigation», *Strategic Management Journal*, vol. 7, 1986.

Wilkins, Alan L. *Developing Corporate Character*, San Francisco, Californie: Jossey-Bass Publishers, 1989.

Willard, Gary E. et Cooper, Arnold C. «Survivors of Industry Shake-Outs: The Case of the U.S. Color Television Set Industry», *Strategic Management Journal*, vol. 6, 1985.

Williamson, Oliver E. *Markets and Hierarchies: Analysis and Antitrust Implications*, New York: The Free Press, 1975.

Williamson, Oliver E. «Transaction-Cost Economics: The Governance of Contractual Relations», *Journal of Law and Economics*, octobre 1979.

Williamson, Oliver E. *The Economic Institutions of Capitalism*, New York: The Free Press, 1985.

Williamson, Oliver E. *Economic Organization: Firms, Markets and Policy Control*, New York: New York University Press, 1986.

Williamson, Oliver E. «Strategizing, Economizing and Economic Organization», *Strategic Management Journal*, vol. 12, 1991, p. 75-94.

Williamson, Oliver E. «Contested Exchange Versus the Governance of Contractual Relations», *Journal of Economic Perspectives*, vol. 7, n° 1, hiver 1993.

Wilson, James Q. *Bureaucracy: What Government Agencies Do and Why They Do It*, New York: Basic Books, 1989.

Wilson, James Q. *The Moral Sense*, New York: The Free Press, 1993.

Wilson, John Donald. *The Chase: The Chase Manhattan Bank*, N.A., 1945-1985, Boston, Massachusetts: Harvard Business School Press, 1986.

Wind, Yoram. «Introduction to Special Section on Market Segmentation Research», *Journal of Marketing Research*, vol. 15, août 1978.

Wise, George. «The Accuracy of Technological Forecasts, 1890-1940», *Futures*, octobre 1976.

Wolf, Charles Jr. *Markets or Governments: Choosing Between Imperfect Alternatives*, Cambridge, Massachusetts: The MIT Press, 1988.

Womack, James P., Jones, Daniel T. et Roos Daniel. *The Machine that Changed the World: The Story of Lean Production*, New York: HarperCollins, 1990.

Woo, Carolyn Y. et Cooper, Arnold C. «Corporate Settings of Effective Low-Share Businesses», *Strategic Marketing and Management*, 1985.

Woolridge, J. Randall. «Competitive Decline and Corporate Restructuring: Is a Myopic Stock Market to Blame?», *Journal of Applied Corporate Finance*, vol. 1, n° 1, 1988.

Wriston, Walter B. *The Twilight of Sovereignty: How the Information Revolution Is Transforming Our World*, New York: Charles Scribner's Sons, 1992.

Yates, Brock. *The Decline and Fall of the American Automobile Industry*, New York: Empire Books, 1983.

Yavitz, Boris et Newman, William H. *Strategy in Action: The Execution, Politics and Pay-off of Business Planning*, New York: The Free Press, 1982.

Yip, George S. *Barriers to Entry: A Corporate Strategy Perspective*, Lexington, Massachusetts: Lexington Books, 1982.

Young, Arthur *et al.* «The Landmark MIT Study: Management in the 1990s», *Arthur Young International*.

Young, Shirley, Ott, Leland et Feigin, Barbara. «Some Practical Considerations in Market Segmentation», *Journal of Marketing Research*, vol. 15, août 1978.

Yuji, Ijiri et Simon, Herbert A. «Business Firm, Growth and Size», *The American Economic Review*, 54, 1964.

Zarnowitz, V. «The Accuracy of Individual and Group Forecasts from Business Outlook Surveys», *Journal of Forecasting*, 3, 1984, p. 11-26.

Zarnowitz, V. «Rational Expectations and Macroeconomic Forecasts», *Journal of Business and Economic Statistics*, 3, 1985, p. 293-311.

Zeckhauser, Richard J. *Strategy and Choice*, Cambridge, Massachusetts: The MIT Press, 1991.

Zey-Ferrell, Mary et Aiken, Michael. *Complex Organizations: Critical Perspectives*, Glenview, Illinois: Scott, Foresman and Co., 1981.

Zuboff, Shoshana. *In the Age of the Smart Machine: The Future of Work and Power*, New York: Basic Books, 1988.

Zukin, Sharon et DiMaggio, Paul (édit.). *Structures of Capital: The Social Organization of the Economy*, New York: Cambridge University Press, 1990.

Zysman, John et Tyson, Laura (édit.). *American Industry in International Competition*, Ithaca, New York: Cornell University Press, 1983.

Index des auteurs

Index des sujets

P

Impression : Interglobe Inc.